Sous la direction de
Jean-Pierre Dupuis

Sociologie de l'entreprise

2e édition

Achetez
en ligne
En tout temps,
simple et rapide !
www.cheneliere.ca

**gaëtan morin
éditeur**

CHENELIÈRE ÉDUCATION

Sociologie de l'entreprise
2e édition

Sous la direction de Jean-Pierre Dupuis

© 2007 **Les Éditions de la Chenelière inc.**
© 1998 gaëtan morin éditeur ltée

Édition: Pierre Frigon
Coordination: Lucie Turcotte et Guillaume Proulx
Révision linguistique: Suzanne Delisle
Correction d'épreuves: Michèle Levert
Conception graphique et infographie: Yvon St-Germain

**Catalogage avant publication
de Bibliothèque et Archives Canada**

Vedette principale au titre:

Sociologie de l'entreprise

2e éd.

Publ. antérieurement sous le titre: Sociologie de l'économie, du travail et de l'entreprise.

Comprend des réf. bibliogr.

ISBN: 978-2-89105-955-8

1. Économie politique – Aspect sociologique. 2. Sociologie industrielle. 3. Entreprises – Aspect sociologique. I. Dupuis, Jean-Pierre. II. Titre: Sociologie de l'économie, du travail et de l'entreprise.

HM548.S64 2006   306.3   C2005-942543-1

**gaëtan morin
éditeur**

CHENELIÈRE ÉDUCATION

7001, boul. Saint-Laurent
Montréal (Québec)
Canada H2S 3E3
Téléphone: (514) 273-1066
Télécopieur: (514) 276-0324
info@cheneliere.ca

ISBN: 978-2-89105-955-8

Dépôt légal: 1er trimestre 2007
Bibliothèque et Archives nationales du Québec
Bibliothèque et Archives Canada

Imprimé au Canada

3 4 5 6 7 ITG 15 14 13 12 11

Nous reconnaissons l'aide financière du gouvernement du Canada par l'entremise du Programme d'aide au développement de l'industrie de l'édition (PADIÉ) pour nos activités d'édition.

Gouvernement du Québec – Programme de crédit d'impôt pour l'édition de livres – Gestion SODEC.

Tableau de la couverture:
Maison de chambres
Œuvre de **Gérard Castonguay**

Né à Montréal, Gérard Castonguay étudie à l'Académie des arts du Canada. Peintre de l'imaginaire, son style se situe entre le figuratif et le surréalisme. Il est lauréat de plusieurs prix, et ses œuvres font partie de collections privées au Canada, aux États-Unis et en France.

On trouve les œuvres de Gérard Castonguay aux galeries Michel-Ange et Dimension Plus à Montréal ainsi qu'à la galerie Style à Baie-Saint-Paul.

Dans cet ouvrage, le masculin est utilisé comme représentant des deux sexes, sans discrimination à l'égard des hommes et des femmes, et dans le seul but d'alléger le texte.

Plusieurs marques de commerce sont mentionnées dans cet ouvrage. L'Éditeur n'a pas établi de liste de ces marques de commerce et de leur propriétaire, et n'a pas inséré le symbole approprié à chacune d'elles puisqu'elles sont nommées à titre informatif et au profit de leur propriétaire, sans aucune intention de porter atteinte aux droits de propriété relatifs à ces marques.

DANGER

LE
PHOTOCOPILLAGE
TUE LE LIVRE

REMERCIEMENTS

La réalisation d'un ouvrage, qu'il soit collectif ou individuel, demande toujours le soutien et la collaboration d'un grand nombre de personnes. Il serait difficile, voire impossible, de toutes les nommer. Qu'elles soient ici collectivement remerciées. Elles savent la dette que j'ai à leur égard. Je tiens cependant à remercier plus spécialement un certain nombre d'entre elles, en particulier ma conjointe, Kathleen Larson, ainsi que mes filles, Camille et Alexandrine, qui m'ont soutenu tout au long de ce difficile processus de production. J'aimerais remercier également André Kuzminski qui a réalisé avec moi la première édition de ce livre et qui n'a pu malheureusement le faire pour la deuxième. L'empreinte qu'il a laissée sur la première édition est encore présente, à preuve l'introduction qu'il avait en grande partie écrite, et que j'ai conservée pour l'essentiel dans la deuxième édition. J'aimerais aussi remercier les collaborateurs qui ont travaillé de façon rigoureuse et enthousiaste à la rédaction de leur chapitre. J'aimerais également remercier mes collègues du Service de l'enseignement du management de HEC Montréal qui m'ont encouragé à produire un tel ouvrage, plus particulièrement Christiane Demers et Richard Déry pour nos nombreuses discussions stimulantes. Mes remerciements vont aussi à mon frère, Alain Dupuis, pour sa lecture attentive et critique de nombreux chapitres de cet ouvrage et à l'équipe de gaëtan morin éditeur — Pierre Frigon, Lucie Turcotte, Guillaume Proulx et leurs collaborateurs — pour ses précieux conseils et son travail professionnel.

LES AUTEURS

Yves-Marie Abraham est professeur adjoint à HEC Montréal. Il y enseigne la sociologie et le management. Ses recherches s'inscrivent dans le domaine de la sociologie économique et de l'anthropologie économique. Titulaire d'un doctorat en sciences de la gestion à HEC Paris, il a d'abord étudié en lettres classiques, puis en sociologie, à l'École des hautes études en sciences sociales de Paris notamment, avant de travailler pendant plusieurs années dans le domaine des études internes en entreprise au sein de l'un des principaux instituts de sondage en France (SOFRES).

Docteur en sociologie, **Sébastien Arcand** s'intéresse aux rapports sociaux ethniques au sein de divers types d'organisations (entreprises, organisations internationales, organismes publics). Il a conduit des recherches sur différents sujets liés aux dimensions ethnoculturelles des sociétés contemporaines, que ce soit dans l'industrie du textile, dans l'intégration socioéconomique des populations maghrébines à Montréal ou encore dans les relations entre l'État québécois et les diverses organisations de groupes ethniques au Québec. Des thématiques telles que la transmission des pratiques entrepreneuriales au sein des minorités ethniques à Montréal et l'intégration socioéconomique des Amériques sont également au cœur de ses réflexions. C'est pourquoi une partie de son enseignement se fait en espagnol, soit à HEC Montréal, ou encore dans des pays d'Amérique latine (Colombie, Mexique). Parallèlement à ces thématiques, il développe depuis peu une réflexion autour de la place de la sociologie dans la gestion contemporaine.

Virginia Bodolica est professeure au Département de relations industrielles à l'Université du Québec en Outaouais (UQO). Elle a déposé sa thèse de doctorat en administration à HEC Montréal. Elle a obtenu une licence en relations économiques internationales de l'Académie d'études économiques de Chisinau (Moldova), un diplôme d'études européennes approfondies du Collège d'Europe à Natolin (Pologne), un diplôme d'études professionnelles approfondies en gestion de l'Institut francophone d'administration et de gestion à Sofia (Bulgarie) et un diplôme d'études supérieures spécialisées en administration des entreprises de l'Université de Nantes (France). Ses recherches portent principalement sur la gestion internationale, les pratiques de gestion de la diversité culturelle, la gouvernance des entreprises et la gestion stratégique des systèmes de rémunération.

Marie-Andrée Caron est titulaire d'un doctorat en gestion de HEC Montréal. Elle est professeure à l'École des sciences de gestion de l'UQAM. Ses recherches portent sur la responsabilité sociale et environnementale des entreprises, la perspective critique en comptabilité et la sociologie des compétences professionnelles. Elle s'intéresse aux aspects sociétaux, organisationnels et culturels qui touchent la transformation de la pratique professionnelle comptable. Elle est membre de l'Ordre des comptables en management accrédités du Québec.

Jean-François Chanlat est diplômé de HEC Montréal. Il est également titulaire d'une maîtrise et d'un doctorat en sociologie de l'Université de Montréal. Il a enseigné pendant une vingtaine d'années à l'École des hautes études commerciales de Montréal. Il est aujourd'hui professeur à l'Université Paris-Dauphine où il est responsable de l'Executive MBA. Ses intérêts en matière d'enseignement et de recherche et ses publications portent surtout sur l'analyse et la théorie des organisations, la sociologie des entreprises et les rapports individu/organisation. Il a été président du comité de recherche Sociologie des organisations de l'Association internationale de sociologie de 1994 à 2006 et continue à coanimer le réseau «Entreprises et sociétés» de l'Association internationale des sociologues de langue française.

Urwana Coiquaud est professeure adjointe au Service de l'enseignement de la gestion des ressources humaines à HEC Montréal et membre du Centre de recherche interuniversitaire sur la mondialisation et le travail (CRIMT). Elle est titulaire d'un doctorat en relations industrielles de l'Université de Montréal et d'un doctorat en droit de l'Université Aix-Marseille III (en cotutelle).

Geneviève Dugré est titulaire d'une maîtrise en sciences de la gestion de HEC Montréal et d'un DEA en ressources humaines et analyse des organisations de l'Université catholique de Louvain. Ses recherches portent principalement sur la culture organisationnelle, l'identité professionnelle et le travail des femmes. Elle entreprend une carrière en consultation chez SECOR Conseil.

Jean-Pierre Dupuis est professeur de sociologie et d'anthropologie des organisations à HEC Montréal. Il a publié deux ouvrages collectifs, *Le modèle québécois de développement économique* en 1995 et *Des sociétés en mutation,* en collaboration avec Pierre Beaucage, en 2003. Il s'intéresse particulièrement aux dimensions sociales et culturelles des entreprises. Il mène actuellement diverses enquêtes sur la rencontre interculturelle en gestion : l'une porte sur les expériences des gestionnaires et des hommes d'affaires français au Québec ; une autre est axée sur les expériences des Québécois faisant affaire à l'étranger (notamment aux États-Unis et en France) ; et une dernière, sur la spécificité de l'entreprise multiculturelle montréalaise. Ces expériences l'incitent à apporter des connaissances utiles aux gestionnaires et aux hommes d'affaires et à publier des articles scientifiques.

Professeur invité à HEC Montréal depuis 2004, **Joseph Facal** y enseigne la sociologie et le management. Il est titulaire d'un doctorat en sociologie de l'Université de Paris-Sorbonne et d'une maîtrise en sciences politiques de l'Université de

Montréal. Ses recherches portent sur l'évolution du modèle québécois de développement. De plus, il commente fréquemment l'actualité politique et économique. Il a été député à l'Assemblée nationale du Québec de 1994 à 2003. Pendant cette période, il a été tour à tour président du Conseil du trésor et ministre d'État à l'Administration et à la Fonction publique, ministre des Relations avec les citoyens et de l'Immigration, et ministre délégué aux Affaires intergouvernementales canadiennes.

Madeleine Gauthier est sociologue. Elle est professeure à l'INRS – Urbanisation, Culture et Société, et directrice de l'Observatoire Jeunes et Société. De plus, elle est responsable de projets sur la migration des jeunes, l'insertion professionnelle, la participation civique et les valeurs. Elle est aussi l'auteure d'articles et de livres, et directrice d'ouvrages collectifs sur les jeunes dont le dernier s'intitule *Regard sur la jeunesse au Québec* (PUL-IQRC, 2003). Pour connaître les autres publications, consultez le site www.obsjeunes.qc.ca. Madeleine Gauthier est membre du bureau de l'Association internationale des sociologues de langue française.

Denis Harrisson est professeur au Département de l'organisation et des ressources humaines de l'École des sciences de la gestion de l'UQAM. Il est également directeur du Centre de recherche sur les innovations sociales (CRISES) depuis 2003 et directeur scientifique du Consortium sur l'innovation, les performances et le bien-être dans l'économie du savoir (CIBL'es). Sociologue du travail et des organisations, il s'intéresse aux processus d'innovation dans les organisations et à l'engagement des acteurs dans la création et la diffusion de l'innovation.

Marie-Hélène Jobin est professeure agrégée au Service de l'enseignement de la gestion des opérations et de la production, et directrice du Centre de cas à HEC Montréal. Elle est aussi rédactrice en chef de la *Revue internationale de cas en gestion*. Elle est titulaire d'un doctorat de l'Université Laval en planification des opérations manufacturières dans un contexte de réseaux et d'un MBA en opérations et systèmes de décision de la même institution. Ses intérêts en matière de recherche et d'enseignement portent principalement sur la logistique, la gestion de la performance et l'amélioration des processus et du changement. Membre du groupe de recherche CHAINE (gestion intégrée de la chaîne logistique) et du Centre d'étude de transformation des organisations, elle a publié des textes sur divers sujets tels que l'ordonnancement manufacturier, l'impartition, les entreprises fonctionnant en réseaux, la création de valeur, la mesure de performance et la gestion par résultats. Elle est membre du Comité d'éthique en recherche de HEC Montréal. Elle compte à son actif plusieurs interventions professionnelles, notamment des mandats de conseil et de formation dans les secteurs public, para-public et privé. Dans le secteur public, elle a soutenu plusieurs organismes gouvernementaux qui cherchent à implanter des programmes de gestion de la performance. Sur le plan international, elle a collaboré au programme du MBA canadien en Roumanie et à la formation de formateurs pour l'enseignement de la qualité en Tunisie où elle a aussi a réalisé des mandats de conseil.

Paul-André Lapointe est professeur au Département des relations industrielles de l'Université Laval depuis 1994. Titulaire d'un doctorat en sociologie, il est chercheur au Centre de recherche sur les innovations sociales (CRISES). Il est également codirecteur de l'ARUC, « Innovations, travail et emploi ». Cette alliance de recherche réunit une trentaine de chercheurs ainsi que les principaux représentants du travail et de l'emploi au Québec.

Christian Lévesque est professeur agrégé à HEC Montréal et codirecteur du Centre de recherche interuniversitaire sur la mondialisation et le travail (CRIMT). Après avoir obtenu un doctorat en relations industrielles de l'Université Laval, il a fait des études postdoctorales au Massachusetts Institute of Technology (MIT) dans le même domaine.

Chantale Mailhot est professeure adjointe au Département de management à HEC Montréal. Titulaire d'un doctorat en management de HEC Montréal, elle a poursuivi des études postdoctorales en gestion de l'innovation au BETA (Bureau d'économie théorique et appliquée) à Strasbourg (France). Elle mène des projets sur le rôle et la place de l'université dans l'économie du savoir et s'intéresse aux liens entre la recherche, l'enseignement et les enjeux actuels avec lesquels les praticiens de la gestion doivent composer.

Lucie Morissette est professeure adjointe au Service de l'enseignement de la gestion des ressources humaines à HEC Montréal et membre du Centre de recherche interuniversitaire sur la mondialisation et le travail (CRIMT). Elle est titulaire d'un doctorat en relations industrielles de l'Université de Montréal.

Martin Spraggon est professeur en stratégie et marketing au Département des sciences administratives de l'Université du Québec en Outaouais (UQO) et candidat au doctorat en administration à HEC Montréal. Il est titulaire d'une licence en psychologie de l'Université catholique de l'Argentine, d'un MBA de l'Université de Sherbrooke et d'un DESS en management stratégique et entrepreneurial de l'École supérieure de commerce à Paris (ESCP). Il a travaillé en Amérique latine, en Europe et en Amérique du Nord en tant que directeur du marketing et consultant en planification stratégique. En matière de recherche, ses intérêts portent principalement sur la gestion internationale, le management interculturel et la gestion de la technologie et de l'innovation.

Mircea Vultur est professeur de sociologie et chercheur en socioéconomie du travail et de la formation à l'INRS – Urbanisation, Culture et Société. Il est membre du Comité scientifique de l'Observatoire Jeunes et Société et coresponsable du Comité international de recherche « Sociologie du travail » affilié à l'Association internationale des sociologues de langue française (AISLF). Ses recherches actuelles portent sur les pratiques de recrutement des entreprises et leur rapport avec les différents aspects du processus d'insertion professionnelle des jeunes.

INTRODUCTION

Cet ouvrage constitue une invitation à un public peu familiarisé avec la sociologie à porter un regard disciplinaire sur les rapports entre entreprise et société. Cette démarche est d'autant plus pressante que, dans le contexte actuel, on a trop souvent tendance à oublier les dimensions sociale et culturelle des phénomènes économiques.

Il nous a donc semblé que mettre un public de non-initiés en contact avec la sociologie pouvait contribuer utilement à la compréhension de ce qui se passe dans cette « société économique », pour employer les termes de Robert Heilbroner (1968). Et comme comprendre est un préalable à l'action, il nous est apparu que la sociologie pouvait faire œuvre utile dans le champ même de la gestion. Cependant, étant donné que ce livre est une introduction, nous n'avons pas cherché à rendre compte de l'ensemble des connaissances sociologiques sur chacune des dimensions présentées, non plus qu'à faire œuvre originale en proposant un nouveau modèle d'analyse. Il s'agit plus d'un manuel que d'un traité.

En adoptant une perspective sociologique, nous étions conscients des préjugés qui ont cours à l'égard de la sociologie. Dans un passé encore récent, en effet, les sociologues n'appartenaient-ils pas au monde des « lologues » qui n'ont que faire dans un champ où les décisions doivent aboutir à des résultats mesurables à court terme ? Nous espérons que cet ouvrage contribuera à changer cette image, en montrant que la sociologie et les sociologues peuvent être utiles à la compréhension et à la transformation des entreprises.

Nous sommes également conscients que le regard disciplinaire que nous proposons peut sembler être en opposition avec un certain nombre de tendances. Une première est celle qui consiste à se centrer sur l'objet, ici l'entreprise, le travail et l'économie, et à le présenter à partir d'une perspective pluridisciplinaire. S'il y a un intérêt certain à une telle approche qui permet, entre autres choses, de mieux cerner les diverses dimensions de l'entreprise, il nous est apparu évident que la pluridisciplinarité avait un préalable : une connaissance, ne serait-ce que partielle, des outils et du regard propres à chaque discipline. Et précisément, dans le cas de cet ouvrage, il ne s'agit pas uniquement de mettre l'accent sur la dimension sociale et culturelle des divers phénomènes, il s'agit de proposer des concepts qui en facilitent l'analyse. Notre intention à cet égard est de fournir un guide d'analyse et d'intervention qui permette à la fois de comprendre les blocages et les changements qui caractérisent l'entreprise et de concevoir des actions pour la faire évoluer, la transformer. Une deuxième grande tendance a trait à la «psycho-logisation» de l'entreprise et du travail. En adoptant le ton de la dérision, on pourrait dire qu'il existe un imaginaire où ce qui réussit est le fait d'individus re-marquables et ce qui échoue est le fait d'individus qui résistent aux changements qu'impose la nouvelle conjoncture mondiale. À l'économisme que nous avons évoqué plus haut s'ajoute donc un psychologisme qui évacue également le social. Nous ne souhaitons pas ajouter à cette liste le «sociologisme» qui viserait à tout expliquer à partir de la seule perspective sociologique. Il ne s'agit donc pas pour nous de substituer le regard sociologique à celui d'autres disciplines, mais bien de proposer une perspective complémentaire. On constatera d'ailleurs à la lecture de cet ouvrage que nous avons laissé une très large place à diverses disciplines.

L'OBJET DE LA SOCIOLOGIE

Quelle est la contribution particulière de la sociologie à la compréhension de l'entreprise? Pour répondre adéquatement à cette question, il faut d'abord rendre compte du projet propre à la sociologie dans le champ des sciences sociales et humaines. Pour Guy Rocher (1969, p. 11), sociologue québécois, l'objet d'étude de la sociologie, sa raison d'être, c'est «l'action sociale, c'est-à-dire l'étude de l'ac-tion humaine dans les différents milieux sociaux. »

Cette définition de la sociologie signifie que l'action humaine n'est pas com-préhensible en dehors du contexte dans lequel elle est produite. C'est d'ailleurs le point de vue du sociologue français Raymond Boudon (1979, p. 52), selon qui «les phénomènes [résultats de l'action] auxquels les sociologues s'intéressent sont conçus comme explicables par la structure du système d'interaction à l'intérieur duquel ces phénomènes émergent. » Cette définition laisse entendre également que la création de ces milieux sociaux, de ces contextes d'interaction résulte des actions sociales. En effet, ce sont les individus qui, par leurs actions sociales, créent les milieux dans lesquels ils vivent. Il faut donc retenir cette idée forte que les actions des individus ne sont compréhensibles qu'en vertu des milieux qu'ils ont créés et dans lesquels ils évoluent.

Soyons plus précis. Un individu vient au monde dans un milieu social déjà constitué: famille, quartier, ville, société. Il apprendra à vivre et à progresser dans ce milieu, il sera influencé par lui, mais il participera également à sa reproduction (en reprenant plusieurs façons de faire des individus présents dans ces milieux) comme à sa transformation (en changeant certaines façons de faire ou, de manière plus radicale encore, en créant un mouvement qui pourrait aboutir à une révo-lution). Dit autrement, les individus, par leurs actions, contribuent à construire la société, à l'organiser. L'action sociale et son résultat, l'organisation sociale, sont les principaux objets d'étude des sociologues. De plus, comme l'organisation sociale change et se transforme sous l'effet de l'action sociale, les processus de change-ment seront également des objets d'étude importants pour les sociologues.

Pour illustrer notre propos, anticipons sur la matière présentée dans le premier chapitre. Comme on le verra, l'avènement d'un nouvel acteur — les entrepreneurs industriels capitalistes — et ses actions ont transformé, à l'époque, la société et son organisation sociale. Le changement a été radical, et le passage de la société traditionnelle à la société industrielle capitaliste est devenu en quelque sorte le premier objet d'étude de la sociologie. Les sociologues, tout comme d'autres spécialistes des sciences humaines et sociales, ont cherché à comprendre les causes et les conséquences de cette transformation. C'est donc en grande partie l'émergence de la société industrielle qui a donné naissance à la sociologie. Avec cette discipline, les explications de nature religieuse et métaphysique sur la création du monde céderont la place à des explications d'ordre social. S'il y a des pauvres et des riches, ce n'est pas tant le résultat de l'action d'un Dieu que le résultat de l'action des hommes qui instituent un rapport de force pour l'appropriation des ressources, des biens de ce monde. Les rapports sociaux de pouvoir entre les individus, entre les groupes, sont au cœur de l'explication sociologique des inégalités.

Ainsi, dans son fondement, la sociologie rejette un certain nombre d'explications relatives à la situation des hommes et des femmes dans la société ; l'explication religieuse, mais aussi les explications fondées sur la race, le climat ou la nature humaine seront contestées, rejetées et remplacées par l'explication sociologique. D'autres explications — biologiques, psychologiques, économiques — seront nuancées ou complétées par des explications sociologiques. En effet, le sociologue ne conteste pas l'influence des facteurs biologiques, psychologiques ou économiques sur l'action humaine, mais il les examine en tenant compte de facteurs sociaux et culturels.

Pour la sociologie, les individus, en interagissant et en s'organisant, deviennent des acteurs aptes à transformer le monde et la société. Il faut donc, pour comprendre cette société et les phénomènes sociaux qui la caractérisent, étudier l'action sociale, l'action organisée des individus et des groupes d'individus.

L'OBJET DE LA SOCIOLOGIE DE L'ENTREPRISE

L'étude sociologique de l'entreprise est donc l'étude des acteurs qui, par leurs actions, influencent et transforment leur organisation. Elle amène à voir et à comprendre que chaque acteur est porteur des valeurs de son milieu et qu'il en imprègne l'économie, le travail, l'entreprise. Ainsi, au cours du XXᵉ siècle, non seulement les entrepreneurs, les ouvriers et l'État, mais aussi les nationalistes, les écologistes, les féministes, les tiers-mondistes, les immigrants, les communistes, les sociaux-démocrates, les scientifiques et combien d'autres auront contribué à la transformation des différents modes et types d'organisation sociale.

De temps à autre, de nouvelles valeurs, des façons de faire différentes apparaissent dans un milieu donné, que les acteurs tentent de transposer dans un autre. C'est ainsi que, influencés par ce qui se passe dans les sphères de l'éco-nomie, du travail et de l'entreprise, certains soutiendront que l'État devrait se comporter comme une entreprise privée, que l'université devrait adopter l'ap-proche clientèle, que l'art devrait être rentable, etc. En fait, selon les époques et les sociétés, tels groupes d'acteurs, tels types d'organisation, tels types d'action et tels types de valeurs seront privilégiés, s'imposeront. Par exemple, dans les 40 der-nières années au Québec, l'Église, l'État et l'entreprise ont, tour à tour, dominé leur époque et imposé leurs valeurs.

Les interventions de ces acteurs sur l'économie, le travail et l'entreprise pren-nent diverses formes. Certains, comme les groupes de pression représentant les intérêts des patrons, des travailleurs, des femmes, etc., tenteront d'infléchir en leur faveur les politiques de l'État. On voudra par exemple, comme c'est le cas des patrons, que l'État, jugé de plus en plus envahissant, limite son contrôle sur cer-taines activités. Pour obtenir de l'entreprise de meilleures conditions de travail, on fera pression sur la direction, on déclenchera la grève, etc., actions que mènent en général les syndicats. Ou encore, des employés se regrouperont sur la base d'affinités (culturelles, ethniques ou professionnelles) et chercheront à redéfinir l'organisation et le fonctionnement de l'entreprise.

On le voit, des actions se rapportent à un niveau plus global de l'économie, du travail et de l'entreprise (une région, une société, voire une partie du monde) et d'autres s'appliquent à un niveau plus local (une entreprise donnée). Il y a donc, d'une part, le travail dans l'entreprise et, d'autre part, l'organisation du tra-vail et de l'économie dans la société. La sociologie s'intéresse à ces deux niveaux et aux relations d'interdépendance qu'ils entretiennent. Le présent ouvrage en rendra compte à sa manière.

LA MÉTHODE SOCIOLOGIQUE

Au-delà du fait que la mondialisation a entraîné la mise en présence de différences culturelles et sociales et a incité les chercheurs de diverses disciplines à comparer entre elles les sociétés, les entreprises et l'organisation du travail, la sociologie est par définition une discipline comparative. Sur un premier plan, toute observation empirique est reliée, d'une façon ou d'une autre, à une construction théorique relative au phénomène à l'étude. À l'inverse, aucune construction théorique n'a de valeur scientifique si elle n'est pas soumise à la vérification empirique. Sur un deuxième plan, quel que soit l'objet de recherche, il n'a de sens que comparé à des situations semblables ou dissemblables. Pensons aux sondages d'opinion qui n'ont de sens que si on établit des catégories qui permettent la différenciation par groupes d'âge, de sexe, de classe sociale, de milieu, etc. Pensons aux recherches sur les femmes qui ne sont significatives qu'au regard des différenciations sexuelles. De même, la représentation que se font du travail certaines catégories de tra-vailleurs n'a de sens que comparée à celle d'autres travailleurs. Bref, aucun phé-nomène social ne peut être étudié et compris sans une comparaison à d'autres phénomènes sociaux, qu'ils soient en apparence semblables ou dissemblables. On aura compris que cette comparaison se fait également dans le temps et l'espace : on ne peut comprendre l'état d'une société sans la comparer soit à d'autres sociétés, soit à elle-même dans le temps. On ne peut parler de changement, par exemple, sans spécifier ce par rapport à quoi il y a eu changement.

Comme on le constatera à la lecture de cet ouvrage, y est très présent le recours à l'histoire vu comme évolution dans le temps, mais aussi comme processus ou comme dynamique de transformation mettant en présence des acteurs qui s'organisent pour infléchir son cours. Sont également très présentes les comparaisons transnationales ou internationales d'entreprises et de sociétés, les comparaisons transculturelles et trans-sociales. C'est un principe de recherche en sociologie dont on ne peut faire l'économie.

PRÉSENTATION DE L'OUVRAGE

Le livre se divise en cinq parties. La première partie, « L'entreprise dans le monde capitaliste », compte trois chapitres et présente les dynamiques du capitalisme et de l'entreprise capitaliste. Nous voyons bien sûr un acteur central, l'entrepreneur, au cœur de ces dynamiques, mais aussi tout le contexte qui favorise leur développement. Nous constatons ainsi tout le poids sociologique de l'entreprise.

Dans le premier chapitre, Jean-Pierre Dupuis, partant d'une histoire abrégée de l'émergence du capitalisme et des principaux acteurs de la société industrielle capitaliste, montre que, s'il y a un type idéal de société capitaliste, il existe divers capitalismes, des modèles de développement économique dont il faut chercher l'explication dans les contextes nationaux dans lesquels le capitalisme a pris forme. Cela illustre bien que chacun des capitalismes est le résultat à la fois de facteurs sociaux et culturels et de facteurs purement économiques, comme les lois du marché.

Dans les chapitres 2 et 3, Jean-Pierre Dupuis présente la dynamique interne de l'entreprise à partir d'une approche sociologique. Nous y verrons ainsi que, pour la plupart des individus, l'entreprise est plus qu'un simple lieu de travail : c'est un milieu de vie. Ils y passent une grande partie de leur temps, et souvent de leur vie. Ils y créent des liens, parfois très forts, qui marquent l'entreprise.

Dans le chapitre 2, il présente les concepts de but, de ressource, de stratégie et d'enjeu qui permettent de comprendre les individus comme acteurs de l'entreprise. Il examine ensuite les interactions des acteurs dans une perspective plus systémique. Le concept de régulation est au centre de cet examen. Il recouvre un ensemble construit de règles qui servent d'assises aux groupes, aux organisations, aux institutions ou aux sociétés. Il renvoie à la dynamique du pouvoir dans les entreprises.

Dans le chapitre 3, il se penche sur les identités de groupes et d'entreprises qui découlent des actions des acteurs et de leurs interactions, et de la permanence du système de règles dans l'entreprise. On verra que les identités sont variées et sujettes à se transformer sous l'effet des bouleversements économiques, politiques et culturels qui touchent actuellement les sociétés industrielles.

La deuxième partie, intitulée «Acteurs institutionnels, mondialisation et entreprises», présente quelques grands acteurs institutionnels qui encadrent la vie des entreprises et surtout la transformation de leur rôle dans un contexte de mondialisation. Dans le chapitre 4, Joseph Facal définit le rôle traditionnel de l'État, les fonctions qu'il remplit, les formes qu'il a prises au fil du temps ainsi que les relations qu'il a entretenues avec l'entreprise. Il examine également, de façon critique, les tendances récentes de son évolution dans un contexte de mondialisation et tente de répondre à la fameuse question : la mondialisation entraîne-t-elle le déclin de l'État ? Il y apporte une réponse nuancée, en examinant plus finement la crise de l'État-providence et la situation particulière du Québec.

Dans le chapitre 5, Sébastien Arcand présente les organisations économiques internationales (Banque mondiale, Fonds monétaire international, Organisation mondiale du commerce, etc.) qui, au dire de plusieurs, ont ravi aux États nationaux le rôle de définisseur de situation. Il présente le contexte de leur naissance, de leur évolution au fil du temps ainsi que les interventions qu'elles ont faites. Il examine plus en détail les enjeux politiques et économiques, sociaux et culturels au cœur de leur intervention économique. Par exemple, le rôle et la place des États nationaux dans les échanges économiques, la protection des travailleurs à l'échelle internationale ou encore la diversité culturelle sont autant d'enjeux cruciaux pour les entreprises et pour les sociétés contemporaines.

Dans le chapitre 6, Christian Lévesque, Urwana Coiquaud et Lucie Morissette examinent le rôle et la place des syndicats dans ce contexte de mondialisation où domine la pensée économique. Ils s'attardent dans un premier temps à discuter et à remettre en question les principaux «reproches» qu'adressent les adversaires et les critiques aux organisations syndicales : leur rigidité qui empêcherait l'adaptation et l'innovation dans les entreprises, leur incapacité à réguler les conditions de travail ainsi que la désaffection des travailleurs eux-mêmes envers le syndicalisme. Dans un deuxième temps, ils explorent les avenues de renouveau de l'action syndicale à travers quelques exemples : les partenariats patronaux-syndicaux, les expériences internationales ainsi que l'intervention des syndicats dans la gestion des fonds de pension de leurs membres comme stratégie pour infléchir le comportement des entreprises. Ils concluent de cet examen de l'état de la situation que tout n'est pas joué pour autant : le déclin du syndicalisme aussi bien que son renforcement sont encore possibles.

La troisième partie est consacrée aux nouveaux visages que donnent les divers acteurs à l'économie et à l'entreprise. Fidèles à la perspective de l'ouvrage, les auteurs des trois chapitres de cette troisième partie se sont intéressés à la façon dont se constituent socialement les diverses catégories d'acteurs et, notamment, à la façon dont l'économie, le travail et l'entreprise façonnent les comportements des acteurs et sont façonnés par eux.

Dans le chapitre 7, Geneviève Dugré rend compte des phénomènes de la féminisation du marché du travail et de l'entreprise. Plus particulièrement, elle fait d'abord le point sur la situation des femmes sur le marché du travail, puis elle analyse les inégalités qui persistent malgré la grande avancée des femmes au cours des dernières décennies. Elle présente les diverses formes de discrimination qui expliquent une stagnation sur certains plans. Elle soulève l'importante question de l'existence d'une gestion au féminin dans une perspective théorique et empirique, en s'appuyant sur des recherches récentes. Le chapitre se termine par une évaluation des mesures mises en place pour atteindre l'égalité entre hommes et femmes sur le marché du travail et dans l'entreprise.

Le chapitre 8 traite de la dimension culturelle — ethnique — du travail et au travail. Partant d'une large perspective historique qui leur permet de caractériser le phénomène de l'immigration dans le temps et l'espace, Sébastien Arcand et Jean-Pierre Dupuis posent l'épineuse question de l'intégration des immigrants dans l'entreprise et la société. Ils signalent à cet égard les diverses stratégies mises en œuvre par ces «nouveaux» arrivants pour s'intégrer socialement et économiquement, de même que celles des sociétés d'accueil pour favoriser leur intégration. La dernière partie du chapitre est consacrée à la rencontre des cultures sur les marchés local et international comme dans l'entreprise. On y verra la nécessaire adaptation des uns et des autres.

Dans le chapitre 9, Madeleine Gauthier et Mircea Vultur adoptent un point de vue empirique pour examiner la situation des jeunes dans le monde du travail. Après s'être interrogés sur la place des jeunes sur le marché du travail, ils présentent les valeurs des jeunes d'aujourd'hui pour mieux examiner leur rapport au travail. Ils terminent leur texte en présentant les différentes stratégies d'insertion professionnelle qu'appellent ces valeurs.

La quatrième partie, «Entreprises et sociétés», constitue, comme son titre l'indique, une réflexion sur les relations entre entreprises et sociétés.

Dans le chapitre 10, Jean-François Chanlat étudie la question du lien entre entreprise et société et pose plus précisément la question de l'influence sociale et culturelle qu'exerce l'entreprise sur la société et la communauté. Revenant sur les diverses dimensions et conceptions sociales de l'entreprise, il montre la place que l'entreprise occupe dans notre société moderne. Il présente tour à tour les vertus et les vices de l'entreprise et termine en se demandant si la logique de l'entreprise est conciliable avec celle de la société.

Dans le chapitre 11, Yves-Marie Abraham présente l'entreprise comme institution centrale de nos sociétés modernes. Il essaie par-dessus tout de montrer que ce qui nous paraît évident à propos de l'entreprise (sa réalité économique, la rareté qu'elle est supposée combattre, le rationalisme qui l'anime, la propriété privée qui en est l'assise) n'est qu'une construction historique liée aux sociétés occidentales modernes et n'a, à ce titre, rien d'intemporel ou d'universel.

La cinquième et dernière partie regroupe des textes que, à notre demande, des collaborateurs ont avec enthousiasme accepté de produire. Il s'agit d'analyses et de cas qui permettent de comprendre et d'appliquer les diverses notions et concepts vus tout au long du livre. Ces analyses et ces cas ont été préparés, à partir de matériel empirique, par Paul-André Lapointe (« Rationalité, pouvoir et identités : autopsie de la grève chez Alcan en 1995 »), Denis Harrisson (« Partenariat et innovation en matière d'organisation du travail à Primétal »), Chantale Mailhot (« Pratiques de gestion et identités dans deux caisses populaires de Montréal »), Marie-Andrée Caron (« Une femme comptable »), Virginia Bodolica, Martin Spraggon et Jean-Pierre Dupuis (« Travailler chez Masha & Dasha International inc. en banlieue de Montréal »), Jean-Pierre Dupuis (« L'aventure de six étudiants à la maîtrise en gestion ») et Marie-Hélène Jobin (« Laure Waridel et la promotion du café équitable »).

TABLE DES MATIÈRES

Première partie
L'ENTREPRISE DANS LE MONDE CAPITALISTE

Deuxième partie
ACTEURS INSTITUTIONNELS, MONDIALISATION ET ENTREPRISES

Troisième partie
ACTEURS SOCIAUX ET ENTREPRISES

Quatrième partie
ENTREPRISES ET SOCIÉTÉS

Cinquième partie
ANALYSES ET CAS

PREMIÈRE PARTIE

L'entreprise dans le monde capitaliste

CHAPITRE 1

Le capitalisme : origine, essence et variété

Jean-Pierre Dupuis

1.1 LE CAPITALISME COMME MODÈLE DE SOCIÉTÉ

Pour se faire une idée claire du travail et de son organisation, de l'entreprise et de son fonctionnement, une bonne compréhension de la société dans laquelle nous vivons est essentielle, cela parce que le travail et l'entreprise sont tout autant des produits de cette société que des instruments qui interviennent dans sa transformation. Par conséquent, selon les types de sociétés, les liens qui existent entre travail et société prennent des formes différentes qu'il importe de comprendre. Quelle forme prennent ces liens dans nos sociétés capitalistes ? Pour répondre à cette question, nous partirons d'un examen de la nature de la société capitaliste et de ses origines. Nous verrons par la suite que les sociétés capitalistes, bien qu'elles aient en commun des caractéristiques générales, présentent des différences importantes, tant au chapitre de l'organisation du travail et de l'entreprise qu'au chapitre de l'économie en général.

1.1.1 LA NAISSANCE DU CAPITALISME : LE TRIOMPHE DE LA CLASSE DES MARCHANDS

Le marché est souvent présenté comme l'institution qui a révolutionné le monde en donnant naissance à la société capitaliste. La définition du capitalisme que donne le sociologue américain Peter L. Berger dans *La révolution capitaliste* va en ce sens :

> La définition la plus utile du capitalisme est [...] celle qui focalise sur ce que la plupart des gens ont eu à l'esprit lorsqu'ils ont utilisé le terme — *la production pour un marché par des individus ou des regroupements d'individus entreprenants dans le but de réaliser un profit.* (Berger, 1992, p. 5-6.)

Or, selon le sociologue français Jean Baechler (1971, p. 69), le marché est une institution aussi vieille que le monde, et des capitalistes, qu'il définit comme des personnes «dont l'activité repose sur l'espoir d'un profit par l'exploitation des possibilités d'échange», évoluent dans tous les empires que l'Histoire a connus, à quelques exceptions près — le Pérou des Incas, par exemple. Ce qui est nouveau avec la société capitaliste, c'est que, selon Baechler, pour la première fois dans l'histoire, ce groupe d'acteurs parvient, par ses pratiques, à imposer ses valeurs et son mode d'organisation à l'ensemble de la société. Les capitalistes occidentaux ont réussi à pousser au maximum l'idée de l'efficacité économique du marché, ce qui veut dire que de plus en plus de relations sociales d'échange (la garde des enfants, par exemple) s'insèrent dans une logique marchande (échange engendrant un profit).

Mais comment les détenteurs du capital ont-ils réussi à s'imposer, à surclasser les acteurs politiques ou religieux qui dominaient les sociétés jusque-là? Et pourquoi le capitalisme naît-il en Europe et pas ailleurs? Se pose ici la question des origines du capitalisme comme modèle de société. Cette question est importante en ce qu'elle s'articule à celle des conditions qui favorisent l'émergence et l'épanouissement de la société capitaliste, que beaucoup de sociétés cherchent aujourd'hui à imiter. Répondre à la question des origines, c'est, d'une certaine façon, indiquer à ces sociétés ce qu'elles doivent faire pour que s'y développe le capitalisme, si tel est leur souhait. Examinons cela un peu plus en détail.

Disons d'abord que la plupart des auteurs ont beaucoup plus de mal à expliquer les origines du capitalisme qu'à décrire ses principales caractéristiques. L'historien français Paul Mantoux (1959, p. 380) dira d'ailleurs que les origines du capitalisme «reculent à mesure qu'on les étudie davantage». Selon le philosophe et sociologue grec Cornelius Castoriadis (1975), une telle étude serait futile et impossible tant les facteurs sont nombreux et interreliés. Voici comment il présente la naissance du capitalisme:

> Des centaines de bourgeois, visités ou non par l'esprit de Calvin et l'idée de l'ascèse intramondaine, se mettent à accumuler. Des milliers d'artisans ruinés et de paysans affamés se trouvent disponibles pour entrer dans les usines. Quelqu'un invente une machine à vapeur, un autre, un nouveau métier à tisser. Des philosophes et des physiciens essaient de penser l'univers comme une grande machine et d'en trouver les lois. Des rois continuent de se subordonner et d'émasculer la noblesse et créent des institutions nationales. Chacun des individus et des groupes en question poursuit des fins qui lui sont propres, personne ne vise la totalité sociétale comme telle. Pourtant le résultat est d'un tout autre ordre: c'est le capitalisme. Il est absolument indifférent, dans ce contexte, que ce résultat ait été parfaitement déterminé par l'ensemble des causes et des conditions [...]. Ce qui importe ici, c'est que ce résultat a une cohérence que personne ni rien ne voulait ni ne garantissait au départ ou par la suite; et qu'il possède une signification (plutôt, paraît incarner un système virtuellement inépuisable de significations), qui

fait qu'il y a bel et bien une sorte d'entité historique qui est *le* capitalisme. (Castoriadis, 1975, p. 62 ; © éditions du Seuil, reproduit avec permission.)

Castoriadis a raison en ce qui a trait à l'origine accidentelle du système social nommé « capitalisme ». Il a aussi raison quand il soutient que le capitalisme possède une cohérence et une signification. C'est à partir du moment où un ensemble d'acteurs reconnaissent cette cohérence et la nomment (lui donnant une signification) que ces mêmes acteurs ou d'autres peuvent s'employer consciemment à promouvoir le phénomène en question — ou en tout cas ce qui en fait, selon eux, la force ou l'originalité — ou à le condamner, à le transformer, etc. Le propre des êtres humains est bien de nommer les choses, de leur donner un sens et d'agir en fonction de ce sens. Précisons tout de suite que cette signification a varié dans le temps et dans l'espace et qu'elle varie toujours, puisque, encore aujourd'hui, les divers acteurs ne s'entendent pas sur le sens du capitalisme.

Cela dit, faut-il pour autant renoncer à répondre à la question des origines, comme semble le recommander Castoriadis ? Nous ne le croyons pas, dans la mesure où les différentes réponses à cette question contribuent à donner un sens au capitalisme moderne et, ce faisant, à orienter les actions des divers acteurs sociaux. En effet, la plupart des acteurs contemporains des sphères politique et économique, tout comme ceux du monde des sciences sociales, ont chacun leur opinion, implicite ou explicite, sur le sujet, opinion qui n'est pas sans influer sur les décisions qu'ils prennent quotidiennement, déterminant ainsi la vie économique, politique et sociale. Pour notre part, n'échappant pas à cette logique, nous voudrions donner notre propre interprétation des origines du capitalisme et de son évolution, en nous fondant sur l'histoire (sélection et interprétation de faits historiques) et sur la sociologie (comparaison de faits de sociétés dans l'espace et dans le temps), même si une telle interprétation est forcément partielle et partiale dans la mesure où la sélection et la comparaison des faits laissent une large place à notre subjectivité. Autrement dit, le recours à des disciplines comme l'histoire et la sociologie, bien que celles-ci permettent de prendre une certaine distance objective, n'élimine pas pour autant tous les biais liés à la subjectivité.

La plupart des auteurs s'entendent pour faire remonter les plus lointaines origines du capitalisme à l'effondrement de l'Empire romain d'Occident. L'effondrement d'un pouvoir central fort dans cette aire culturelle qu'est l'Europe a été, selon Baechler (1971), le phénomène qui a joué le plus grand rôle dans la montée de la classe des capitalistes. En effet, pendant plusieurs siècles, l'Europe a été une entité culturelle sans pouvoir politique fort, divisée en une multitude de fiefs féodaux rivaux, dans laquelle aucune autorité n'est parvenue à organiser, planifier et réguler les échanges marchands et l'économie. Profitant de cette anarchie politique, les marchands multiplieront les échanges économiques tout en s'étendant eux-mêmes, donnant naissance aux bourgs, puis aux villes d'Europe qui entretiendront entre elles, et avec d'autres régions du monde, un commerce florissant. Ce capitalisme urbain prend racine en Italie, en particulier dans les villes de

Venise, Florence, Milan et Gênes. Son centre se déplace par la suite au nord, à Anvers et à Bruges. À cette époque, c'est-à-dire au début du XVIe siècle, l'Europe compte encore plus de 500 unités politiques autonomes et le cycle de centrage-recentrage de ce capitalisme urbain se continuera entre le Nord et le Sud, jusqu'à ce que les capitalistes anglais réussissent les premiers à créer un vaste marché interne — un marché national — qui aboutira à la fameuse révolution industrielle.

Ainsi, pour Baechler,

l'explication ultime de l'extension des activités économiques en Occident est le décalage entre l'homogénéité de l'espace culturel et la pluralité des unités politiques qui le partagent. L'expansion du capitalisme tire ses origines et sa raison d'être de l'anarchie politique. (Baechler, 1971, p. 126.)

C'est la combinaison homogénéité culturelle — la chrétienté héritée du monde romain — et pluralité des unités politiques qui a favorisé l'approfondissement de l'idée de marché. Cette idée, la classe des marchands capitalistes a pu la mettre en pratique sans contrainte politique majeure. Elle a circulé en Europe, du sud au nord, où chaque région a rivalisé d'imagination et d'adresse dans l'art du commerce et dans les moyens de réaliser un profit par l'échange. En effet, depuis les débuts du capitalisme, toutes les tentatives des puissances politiques montantes de se rendre maîtres de l'Europe — de l'Espagne des Habsbourg à l'Allemagne hitlérienne en passant par la France du Roi-Soleil ou de Napoléon — ont échoué. Chaque fois, une coalition de pays européens s'est constituée pour contrecarrer les projets de la puissance politique du moment (Kennedy, 1989).

En fait, aucun pouvoir politique ne pouvait contraindre cette classe de marchands en Europe, dont les rois dépendaient pour asseoir et étendre leur pouvoir. Ils avaient besoin des marchands — de leur argent — pour former leurs armées et combattre les seigneurs. Il est d'ailleurs juste de dire que, progressivement, à cause de ce rôle joué auprès des rois et des princes, les marchands acquièrent un certain pouvoir politique qui deviendra de plus en plus grand à mesure que leurs fortunes se constituent et que le territoire des rois s'agrandit. Le nouveau pouvoir politique qui s'organise autour des États-nations en émergence est d'ores et déjà investi par la classe capitaliste qui participe activement à leur développement. Ces États-nations, avec en tête de file l'Angleterre, donneront son essor au commerce en forçant l'ouverture des marchés intérieur et extérieur. Ils mèneront même des guerres impérialistes au XIXe siècle contre les pays — notamment l'Inde et la Chine — qui refuseront d'ouvrir leurs marchés aux produits occidentaux [1].

Ce qui est nouveau avec la société capitaliste, c'est qu'elle est dominée par l'économie et ses principaux agents, qu'ils soient marchands, producteurs ou financiers, contrairement aux sociétés qui l'ont précédée, davantage dominées par le politique, le religieux, la parenté, etc. Comme le signale l'économiste américain Robert L. Heilbroner (1986, p. 66), le principe d'organisation central du régime capitaliste, « c'est le capital avec sa nature auto-expansive ». Sa thèse rejoint celle de Baechler (1971, p. 30), qui soutient que « ce qui est la raison d'être constitutive du capitalisme, c'est [...] l'emploi de la richesse sous diverses formes concrètes, non comme une fin en soi, mais comme le moyen d'acquérir plus de richesse ». Il s'agit de faire fructifier les capitaux, non pas pour se procurer des biens matériels et en jouir, mais pour augmenter son capital, pour constituer des fortunes colossales qui deviendront, à la suite de la transformation des mentalités au XVIIIe siècle, une source importante de pouvoir et de prestige social. Il faut se rappeler que, jusque-là, et comme dans la plupart des sociétés précapitalistes, « l'activité orientée vers le gain est mal vue ou méprisée » (Heilbroner, 1986, p. 89). Il a donc fallu du temps et des efforts aux marchands pour que leur culture économique soit acceptée dans la société occidentale. Finalement, plus que d'être acceptée, elle s'imposera littéralement comme principe central d'organisation.

1.1.2 LE CAPITALISME INDUSTRIEL :
LA NAISSANCE DE NOUVELLES CLASSES SOCIALES

La révolution industrielle est la consécration du capitalisme. Elle n'est pas celle qui donne naissance au capitalisme, elle est plutôt, comme le dit Berger (1992, p. 25), « un accomplissement historique » de ce dernier. C'est là qu'il prend la forme que nous lui connaissons. Le capitalisme devient alors industriel, c'est-à-dire que le capital est appliqué à la production des marchandises et les profits capitalistes proviennent de cette production et de la vente des marchandises produites par des travailleurs salariés dans l'entreprise industrielle. Les marchands avaient déjà accumulé beaucoup de capitaux, mais l'entrepreneur industriel, soit celui qui utilisera ces capitaux, les fera fructifier encore davantage. Il y a là un nouveau moyen de faire du profit et d'augmenter son capital. Il est nouveau dans la mesure où, comme le dit Heilbroner (1986, p. 57), « aucune société du passé n'a employé la relation salariale comme principal moyen d'obtenir un surplus ».

Selon Mantoux (1959, p. 383), la révolution industrielle donnera lieu à une véritable ruée. Tout le monde accourra pour faire fortune par l'industrie. Des gens de toutes les conditions, de tous les milieux, se transformeront en entrepreneurs industriels : boutiquiers, aubergistes, rouliers, paysans, tisserands, forgerons, cloutiers, etc. Tous ne réussiront pas, mais beaucoup s'essaieront. Nul besoin d'être riche ni d'être inventeur, il suffit de posséder des qualités d'organisateur. Selon Mantoux (*ibid.*, p. 390-394), ces nouveaux hommes d'affaires doivent être capables :

■ de réunir les capitaux nécessaires à l'ouverture d'une fabrique, c'est-à-dire trouver des bailleurs de fonds ;

■ de former la main-d'œuvre y travaillant ;

■ d'y organiser le travail efficacement ;

■ de trouver des débouchés pour les marchandises qui y sont produites.

Il s'agit d'un nouvel état qui combine plusieurs rôles dont certains existaient déjà : « À la fois capitaliste, organisateur du travail dans la fabrique, enfin commerçant et grand commerçant, l'industriel est le type nouveau et accompli de l'homme d'affaires » (Mantoux, 1959, p. 394). On assiste donc à la création d'une classe d'industriels qui vient gonfler la classe des capitalistes. Parallèlement à eux, issue de l'industrialisation, naît la classe des ouvriers, constituée des travailleurs salariés qui peuplent les nouvelles entreprises industrielles. C'est toute la société qui va se réorganiser autour de ces deux classes sociales devenues, en l'espace d'un siècle, les deux plus importantes de la société capitaliste industrielle.

Les ouvriers connaîtront des conditions de vie et de travail très difficiles dans les premiers temps. Les salaires sont faibles et ne permettent pas, dans plusieurs cas, de se nourrir et de se loger convenablement. Le travail des femmes et des enfants permet à peine à la famille d'y arriver. Les journées et les semaines de travail sont longues, de 14 à 16 heures par jour, six jours par semaine. Les conditions de travail sont pénibles (l'usine est souvent glaciale l'hiver, torride l'été, l'éclairage est mauvais, les mesures de sécurité inexistantes), et la misère, la sousalimentation, les maladies et les accidents sont fréquents. La situation ne s'améliore pas nécessairement avec le temps, elle se détériore même, du moins dans les débuts, en raison d'une concurrence accrue. De la fin du XVIIe siècle, lors des débuts de l'industrialisation, jusqu'au milieu du XVIIIe, cette concurrence, combinée avec un taux de chômage tournant souvent autour de 15 %, entraîne une baisse des salaires et une dégradation générale des conditions de travail. Cela aboutira éventuellement à des affrontements majeurs entre des groupes d'ouvriers et des capitalistes. Par la suite, la situation aura tendance à s'améliorer, malgré l'existence de cycles économiques, sous l'effet conjugué de la croissance économique, des luttes ouvrières et des législations gouvernementales.

La situation des ouvriers sera moins difficile dans certains pays, comme la France et les États-Unis, pour des raisons qui sont propres à leur histoire, mais, dans l'ensemble, le processus a été semblable dans tous les pays qui ont suivi la voie de l'industrialisation. Pourquoi alors les paysans, les ruraux, les artisans sont-ils allés dans les usines ? Pourquoi y sont-ils restés ? Prenons le cas de l'Angleterre, premier pays à entreprendre la révolution industrielle. Plusieurs raisons incitent les paysans, ou plus généralement les ruraux, à aller travailler dans les usines des villes. Une première se rapporte à la réorganisation de la propriété foncière, connue sous le nom de *Enclosure Acts* (loi prescrivant la division, l'allotissement et la clôture des champs, prairies et pacages ouverts et communs et des terres vagues et communes, sis dans la paroisse de [2]...), qui favorise les propriétaires les plus prospères, ne laissant aux petits paysans que des lopins de terre improductifs et redoublant leurs obligations (clôturer leurs terres, payer leur quote-part pour les frais généraux de l'*enclosure,* etc.), sans compter que les nombreux ouvriers agricoles perdent les avantages qu'ils avaient (les droits d'usage des terres communes) conséquemment à cette réforme. Cette loi du XVIIIe siècle, qui généralisait un mouvement entrepris spontanément par de grands propriétaires dès le XVIe siècle — à la suite d'un accord majoritaire entre propriétaires, il était permis de réaménager et de clôturer un territoire —, a rendu possible la réorganisation complète du territoire agricole dans les diverses paroisses de l'Angleterre pour une plus grande productivité de l'agriculture. Cette réforme, qui a favorisé la concentration des exploitations, a entraîné l'expulsion de nombreux ruraux des terres où ils vivaient auparavant.

De plus, le gouvernement anglais, qui obligeait depuis le XVIIe siècle les paroisses à « parquer dans des *workhouses* pénitentiaires et moralisantes les pauvres sans travail rejetés du monde rural » (Rioux, 1971, p. 166), abroge cette obligation en 1795, précipitant ceux-ci vers les centres manufacturiers. Il faut préciser cependant que beaucoup de ruraux s'y étaient déjà rendus en espérant améliorer leur sort. C'est qu'en effet la vie était tout aussi sinon plus difficile pour un grand nombre de paysans et d'artisans que pour les sans-travail. Fernand Braudel rappelle ce fait lorsqu'il écrit :

> Sans doute, à l'intérieur d'une société où chacun, vivant de son labeur artisanal, était sans fin au bord de la malnutrition et de la faim, le travail des enfants à côté de leurs parents, dans les champs, dans l'atelier familial, dans la boutique, était la règle depuis toujours. (Braudel, 1979, p. 746-747.)

Nous assistons alors à la création d'un véritable marché du travail avec des gens sans emploi ou sans occupation à la recherche d'un travail et des entrepreneurs à la recherche d'une main-d'œuvre pour travailler dans leur atelier ou leur manufacture. Ce marché du travail deviendra une des institutions centrales du capitalisme avec le marché des biens et des services qui étend progressivement son emprise sur toute la société anglaise, puis sur les sociétés européennes.

Pas plus que les gens n'acceptaient passivement leur sort dans le monde rural — en témoignent les révoltes populaires et paysannes qui ont marqué le Moyen Âge (Mullet, 1987) —, les nouveaux ouvriers urbains n'accepteront pas le leur dans les usines. Devant des conditions de travail difficiles qui apportent leur lot de pauvreté, de misère et de maladies, les ouvriers se révoltent à l'occasion. Il y a d'abord les réactions spontanées de violence contre les machines qui leur imposent un rythme soutenu de travail ou qui les remplacent. Il y a aussi les arrêts de travail, les sabotages, les grèves spontanées qui frappent régulièrement les lieux de travail. On tente d'organiser le mouvement ouvrier, de négocier avec les patrons des ententes pour améliorer les conditions de travail, mais la résistance des patrons et des gouvernements qui les appuient est forte. Toute tentative d'organisation est combattue, les syndicats sont même considérés comme des organisations criminelles. Il faudra attendre 1870 avant que l'Angleterre reconnaisse légalement les syndicats, qui n'ont que peu de pouvoir à cette époque.

Les ouvriers s'organisent aussi en coopératives pour se soustraire à l'emprise des patrons, qui est grande. Ainsi naissent les premières coopératives de consommation :

Contre la pratique patronale du salaire payé en partie par des bons échangeables contre des denrées alimentaires ou des produits de première nécessité dans un magasin contrôlé par le patron, et qui souvent débite des marchandises médiocres ou frelatées à prix élevés, contre les intermédiaires qui spéculent sur la faim ouvrière, les premières coopératives apparaissent en 1815. (Rioux, 1971, p. 186.)

L'action des ouvriers débouchera aussi sur l'action politique au sein de partis socialistes et communistes qui proposent des projets de sociétés égalitaires. La classe ouvrière devient le point d'appui de ces partis et ses membres, les agents du changement à entreprendre pour arriver à une société plus égalitaire. Le contrôle de l'État, accusé de servir surtout les intérêts des capitalistes, sera l'enjeu politique principal. On veut le mettre davantage, sinon exclusivement dans certains cas, au service de la classe ouvrière.

1.2   L'APPARITION DE L'ENTREPRISE MODERNE

Les marchands capitalistes sont à l'origine de l'entreprise moderne. Ils commerçaient autant à l'étranger que sur leur propre territoire. Ils allaient chercher des marchandises précieuses (soie, porcelaine, épices, etc.) en Orient et ailleurs dans le monde. Ils équipaient et armaient des bateaux à cette fin. En Europe, ils achetaient la production des artisans et des paysans travaillant à domicile — ces derniers faisaient surtout de la filature et du tissage. Toutes ces marchandises étaient écoulées dans les marchés urbains d'Europe, celles qui étaient produites en Europe servant aussi de valeur d'échange pour obtenir les marchandises en provenance de l'étranger. La croissance des échanges obligea les marchands à couvrir un territoire de plus en plus grand pour se procurer les marchandises réclamées par les marchés urbains d'Europe et les marchés internationaux. C'est ainsi qu'ils durent se rendre dans les régions les plus reculées de leur pays pour trouver une main-d'œuvre capable de produire ces marchandises. Ils fournissaient très souvent les métiers à tisser et la matière première aux paysans. Mais, à l'évidence, ce travail à domicile des paysans — qu'exerçaient aussi leurs enfants et les gens à leur service — et le travail des artisans dans leurs ateliers ne suffisaient pas à la demande, entre autres parce que la production était en règle générale irrégulière et peu abondante. Chacun travaillait davantage en fonction de ses besoins qu'en fonction de ceux des marchands.

Pour remédier à ce problème, des marchands se transformèrent en fabricants, regroupant de plus en plus les artisans et les paysans sous un même toit pour surveiller la production et imposer un rythme de travail plus productif à raison de six jours par semaine et de 12 à 15 heures par jour. Des artisans, parce qu'ils n'avaient pas d'autre choix, acceptaient d'y travailler. Les centres d'artisanat dirigés par les marchands-fabricants se multiplièrent. Pour y attirer les paysans, les marchands cessaient de leur fournir la matière première ou leur retiraient tout simplement leur métier à tisser, de sorte que les plus pauvres d'entre eux, ceux qui avaient besoin de ce surplus pour subsister, étaient obligés de migrer dans les centres, où se trouvaient ces nouveaux lieux de production. C'est ainsi que naîtront les manufactures, qui sont essentiellement au début un lieu où la production est regroupée (Beaud, 1990, p. 67). Les réformes de l'agriculture contribuèrent aussi à fournir de la main-d'œuvre bon marché à ces nouvelles manufactures, comme nous l'avons vu plus haut.

À partir du milieu du XVIIIe siècle, ces manufactures seront remplacées par des fabriques. La fabrique se différencie de la manufacture par l'emploi de machines mues par une source d'énergie qui ne dépend pas de la force de l'homme ou d'un animal. C'est la fabrique qui est au cœur de la révolution industrielle et qui transformera radicalement le monde de la production. Les premières fabriques utiliseront surtout l'énergie hydraulique pour actionner les mécanismes des machines, mais rapidement d'autres sources d'énergie prennent le relais et offrent plus de possibilités. Comme le rappelle Beaud :

> La fabrique utilise une énergie (houille noire pour la chaleur, houille blanche pour actionner les mécanismes) et des machines. Ce n'est qu'à la fin du siècle que les moteurs à vapeur, conçus et expérimentés par Watt entre 1765 et 1775, seront utilisés pour actionner des machines (il y en aura environ cinq cents en service vers 1800). Avec cette énergie est animé un système de machines d'où découle nécessairement l'organisation de la production et les cadences de travail, et qui implique une nouvelle discipline pour les travailleurs qui le servent. Les filatures sont construites, bâtiments de brique de quatre ou cinq étages employant plusieurs centaines d'ouvriers ; des fabriques de fer et de fonte rassemblent plusieurs hauts fourneaux et plusieurs forges. (Beaud, 1990, p. 95.)

Le mouvement des fabriques déclenché en Angleterre s'étendra par la suite ailleurs en Europe et aux États-Unis au XIXe siècle. Mais aux États-Unis, ce n'est qu'après la découverte d'importants gisements d'anthracite (charbon) en Pennsylvanie, en 1830, que la fabrique s'étendra à d'autres productions que le textile. En effet, si les filatures pouvaient fonctionner grâce à l'énergie hydraulique, celle-ci était insuffisante dans d'autres secteurs. Le charbon apportait donc la chaleur élevée et régulière nécessaire aux nouvelles méthodes de production dans les activités de raffinage et de distillation, ainsi que dans les industries de la fusion et de la fonte. Le charbon, désormais disponible en grandes quantités, permit à son tour la naissance de l'industrie sidérurgique moderne, et, dans son sillage, celle des industries de fabrication de machines et des autres industries des métaux dont les États-Unis disposent aujourd'hui. (Chandler, 1988, p. 275.)

Mais, comme le souligne l'historien américain Alfred Chandler (1988, p. 275), « bien que ce soient le charbon, le fer et les machines qui aient fourni respectivement l'énergie, la matière première et l'équipement nécessaire à l'usine moderne, ce sont les chemins de fer et le télégraphe qui ont encouragé la diffusion rapide de la nouvelle forme de production». En effet, ces nouveaux moyens de transport et de communication favoriseront la production et la distribution de masse. Les chemins de fer et le télégraphe assurent l'approvisionnement rapide des usines en matières premières et la distribution tout aussi rapide des marchandises qui y sont produites, ce qui permet aux fabricants de rentabiliser leurs machines et de conserver une main-d'œuvre ouvrière permanente. Du coup, les entrepreneurs seront incités à investir dans de nouvelles usines et dans des installations de plus en plus importantes. De plus, ces moyens contribuent à l'établissement d'une communication rapide et directe entre producteurs et grossistes, ce qui facilite les échanges commerciaux. Les multiples intermédiaires sont désormais supprimés, et l'on verra apparaître de grandes entreprises qui accaparent la distribution.

Il existe donc, à la fin du XIXe siècle, de grandes entreprises de production et de distribution. Ces deux types d'entreprises ont bénéficié de ce que Chandler appelle des économies de vitesse et d'échelle. Ces entreprises fabriquaient ou distribuaient plus rapidement, en plus grande quantité et à un coût moindre que les entreprises traditionnelles de production et de distribution de l'époque. Cette révolution a été autant technique (nouvelles sources d'énergie, nouvelles machines) que managériale (organisation de la production et de la distribution). C'est la naissance de la grande entreprise qui marquera le XXe siècle.

*

*   *

Comme nous venons de le voir, la société capitaliste est issue des pratiques d'une classe d'acteurs — les capitalistes, qu'ils soient marchands, financiers ou industriels — qui réussissent à imposer leurs valeurs à des sociétés dont l'orientation était jusque-là définie d'abord par des acteurs et des enjeux politiques et religieux. C'est la faiblesse historique du pouvoir politique en Europe, un territoire diversifié mais présentant une certaine homogénéité culturelle, qui explique cette percée. Cette faiblesse du pouvoir politique durera plusieurs siècles, et lorsqu'il prendra de la force, ce sera sous la poussée des capitalistes eux-mêmes qui s'en serviront pour étendre leurs pratiques à l'échelle nationale d'abord, puis internationale. Le politique est donc ici assujetti en grande partie à la logique économique (marchande) des capitalistes. Le politique tente bien, à l'occasion, de s'affranchir de cette emprise, mais il y est ramené aussitôt. Les tensions entre les sphères politique et économique sont bien visibles dans toutes les sociétés capitalistes, où le rôle de l'État est constamment discuté, voire remis en question. Ainsi, aussitôt qu'il tente de se définir autrement que comme soutien aux pratiques des capitalistes, il est accusé de freiner le développement et la croissance de l'économie. Nous reviendrons plus loin sur cette importante question.

Nous avons vu aussi que l'industrialisation est un approfondissement du capitalisme et que nos sociétés modernes sont de type industriel. Cela signifie que les entrepreneurs industriels et leurs entreprises restent les acteurs principaux dans ces sociétés. Ils sont appuyés en cela par l'État, qui joue toujours un rôle crucial dans le soutien de ce groupe et de ce système économique. À côté des entrepreneurs et de l'État, il y a les travailleurs salariés avec leurs organisations — les syndicats et les coopératives. Nous avons là — entreprise, syndicat, coopérative et État — les principaux éléments qui tissent l'organisation de nos sociétés capitalistes.

1.3   LES CAPITALISMES À L'ŒUVRE DANS LE MONDE

Nous avons présenté le capitalisme comme un système dominé par les acteurs économiques, en particulier par les entreprises. Nous avons également présenté la création d'organisations telles que les syndicats et les coopératives comme une réaction à la domination des entreprises capitalistes. Nous pouvons aussi associer le développement du capitalisme à celui de l'État moderne, les deux se renforçant mutuellement au cours des siècles à travers une relation complexe (voir le chapitre 4). Selon les époques et les pays, les entrepreneurs capitalistes, les ouvriers, les pouvoirs politiques ont interagi différemment, donnant naissance à diverses formes de capitalisme. C'est ce que nous nous attacherons à montrer ici. En fait, même en ne s'en tenant qu'aux entreprises qui ont des activités dans les pays concernés, c'est-à-dire en excluant les syndicats, les coopératives et l'État, qui donnent souvent au capitalisme sa forme nationale, on peut voir que le capitalisme varie d'un pays à l'autre. En effet, et les travaux de Chandler le démontrent, les grandes entreprises capitalistes varient selon les sociétés, au point d'amener ce dernier à qualifier différemment le capitalisme à l'œuvre dans chacune des sociétés qu'il a étudiées. C'est le premier cas de figure que nous examinerons. Nous croyons cependant mieux rendre compte du phénomène en montrant les interactions que les entreprises ont avec les autres organisations de la société capitaliste, ce que nous ferons par la suite.

1.3.1   LES CAPITALISMES VUS À TRAVERS LE PRISME DE L'ENTREPRISE

Se centrant exclusivement sur les 200 plus grandes entreprises industrielles des trois pays les plus industrialisés de la fin du XIXe siècle jusqu'au milieu du XXe, soit l'Angleterre, les États-Unis et l'Allemagne, Chandler (1992, 1993a, 1993b) relève les traits caractéristiques du capitalisme industriel et les formes différentes qu'il peut prendre. Il montre d'abord qu'au cœur de la dynamique du capitalisme industriel se trouvent les entreprises ayant un grand potentiel organisationnel qui donnent aux industries et aux pays auxquels elles appartiennent un avantage incomparable à l'échelle tant nationale qu'internationale. Ces entreprises sont celles qui, les premières, ont réussi à se transformer en grandes entreprises industrielles modernes, c'est-à-dire celles qui ont largement investi dans leurs capacités de production, de distribution et de gestion (à ce sujet, revoir la section « L'apparition de l'entreprise moderne »). Cette réussite est si grande qu'en 1973, ces mêmes entreprises dominent toujours dans leur industrie, et l'industrie nationale à laquelle elles appartiennent domine le monde.

Ce phénomène de transformation des entreprises a lieu simultanément dans plusieurs pays en voie d'industrialisation, bien que, pour des raisons historiques, ce type de grandes entreprises s'implante davantage aux États-Unis. En fait, aux États-Unis, de telles entreprises se déploient en grand nombre tant dans le secteur de la production que dans celui de la distribution. En Grande-Bretagne, c'est surtout dans le secteur de la distribution que les entrepreneurs réussissent à s'implanter, et en Allemagne, c'est dans le secteur de la production. Selon Chandler, les solutions managériales adoptées par les entrepreneurs d'un pays à l'autre dans les diverses industries face aux défis qu'ils avaient à relever pour rester concurrentiels dans leur pays et dans le monde ont favorisé ou empêché la transformation des entreprises en grandes entreprises industrielles modernes. Il semble que, de ce côté, les entrepreneurs américains et allemands aient mieux réussi que ceux de Grande-Bretagne. À la lumière des différences qu'il constate dans l'évolution des entreprises capitalistes dans ces trois pays, notamment celles qui ont trait à la capacité et à la volonté de créer de grandes entreprises industrielles modernes, Chandler qualifie le capitalisme américain de managérial compétitif, l'anglais, de familial et l'allemand, de coopératif. Examinons cela un peu plus en détail.

Le cas américain est la figure de référence. C'est en effet l'étude de la transformation des entreprises américaines dans la période 1880-1920 qui permet à Chandler de dégager le modèle de grande entreprise industrielle moderne. Aux États-Unis, un marché intérieur en expansion rapide et une population rurale très importante et dispersée sur un vaste territoire favorisent à la fois la production et la distribution à grande échelle. La coordination de ces activités de production et de distribution appelle la mise en place d'équipes de managers au sommet comme à la base. Finalement, les lois antitrust américaines favorisent la fusion d'entreprises, plutôt que l'organisation d'entreprises en cartels, pour desservir cet immense marché. Tous ces éléments, sous l'impulsion d'entrepreneurs et de gestionnaires innovateurs, débouchent finalement sur la création de la grande entreprise industrielle moderne.

Aux États-Unis, le capitalisme est donc de type managérial compétitif, puisque le contexte économique et juridique pousse à la concurrence et à l'innovation organisationnelle (résoudre des problèmes logistiques comme celui d'alimenter un marché en expansion rapide sur un territoire de plus en plus grand sans le recours à la coopération interfirmes [cartels]). Sont dès lors favorisées, les entreprises qui comptent sur les gestionnaires les plus innovateurs, ceux qui sont en mesure de résoudre ces problèmes de logistique et de gestion.

En Grande-Bretagne, les entrepreneurs évoluent aussi dans un marché en expansion, mais celle-ci n'est pas aussi rapide qu'aux États-Unis. Ainsi, en 1870, la population américaine est légèrement supérieure à celle de la Grande-Bretagne, soit respectivement 40 millions d'habitants et 31 millions ; en 1913, la population des États-Unis atteint 100 millions, comparativement à seulement 46 millions en Grande-Bretagne (Chandler, 1992, p. 95). Ce qui accentue encore plus la différence entre les deux pays, c'est que la population de Grande-Bretagne est beaucoup plus concentrée et urbanisée que celle des États-Unis, ce qui ne favorise pas la multiplication des unités de production pour satisfaire la clientèle. En fait, en Grande-Bretagne, « on ne pouvait dégager que peu de bénéfices supplémentaires, en termes de coûts de transport par la construction de nouvelles capacités de production éloignées de l'usine-mère » (Chandler, 1993a, p. 56). Une telle situation explique, en partie du moins, le fait que ce soient surtout des entreprises de distribution, et non de production, qui façonnent la grande entreprise intégrée en Grande-Bretagne. D'autres éléments ont joué, comme le résume Chandler :

> La superficie limitée de la Grande-Bretagne, son manque de matières premières, ses industries encore très rentables — celles qui avaient vu le jour avant l'apparition du chemin de fer et du télégraphe — et ses marchés de consommation extraordinairement riches l'amènent à investir ses ressources (en installations et en hommes) dans les industries de la consommation (et ce, en particulier dans les industries de produits conditionnés et vendus sous marques), de distribution de masse et dans les industries traditionnelles de la première révolution industrielle. (Chandler, 1993a, p. 86.)

Cependant, selon Chandler, plus important encore est l'attachement des entrepreneurs à des valeurs traditionnelles comme la famille, le rang social, etc. En effet, les entrepreneurs anglais étaient très souvent plus préoccupés de conserver la gestion individuelle et familiale de leur entreprise et de s'enrichir que de faire croître leurs entreprises. De plus, le rôle de gestionnaire n'était pas aussi valorisé qu'aux États-Unis, si bien que les universités prestigieuses de Cambridge et d'Oxford n'encourageaient pas tellement la formation en gestion ou en ingénierie, donc les professions de gestionnaire et d'ingénieur qui vont, en revanche, fleurir aux États-Unis et en Allemagne. Il y a eu bien sûr des exceptions, surtout dans le domaine de la distribution où des entrepreneurs ont instauré la grande entreprise industrielle intégrée, mais, dans l'ensemble, les entrepreneurs britanniques, pionniers de la première révolution industrielle, ont été dépassés par ceux des États-Unis et d'Allemagne. Même après que l'Allemagne eut subi des pertes énormes en installations, en ressources et en compétences, conséquemment à sa défaite lors de la Première Guerre mondiale, les entrepreneurs britanniques ont été incapables de profiter de l'occasion pour prendre la place des Allemands sur les marchés et dans les industries que ces derniers dominaient avant la guerre.

La Grande-Bretagne présente ainsi un capitalisme de type familial, selon Chandler, tant ses entrepreneurs sont restés attachés à la gestion personnelle et familiale de leurs entreprises. Ce capitalisme s'est révélé moins efficace que celui des Américains pour conquérir les marchés nés de la deuxième révolution industrielle. Si bien que la Grande-Bretagne, qui détenait 32 % de la production industrielle en 1870, n'en détient plus que 9 % à la veille de la Deuxième Guerre mondiale. Durant la même période, les États-Unis passaient de 23 % à 32 % de la production mondiale, alors que l'Allemagne maintenait sa place avec une production variant entre 10 % et 20 % (Chandler, 1992, p. 26).

En Allemagne, où la population passe de 39 millions d'habitants en 1870 à 66 millions en 1913, la croissance du marché intérieur n'est pas aussi rapide qu'aux États-Unis, bien qu'elle soit supérieure à la croissance du marché de Grande-Bretagne. Comme les entrepreneurs britanniques, et contrairement aux Américains, les entrepreneurs allemands devaient viser beaucoup plus rapidement les marchés mondiaux pour faire croître leurs entreprises et les amener à des tailles semblables à celles des Américains. Ces marchés existaient, mais ils étaient un peu plus difficiles à pénétrer qu'un marché intérieur ; si la Grande-Bretagne visait surtout le marché des pays de l'Empire britannique, l'Allemagne lorgnait plutôt du côté des pays d'Europe de l'Est et du Sud-Est (Chandler, 1993b, p. 59).

Les Allemands ont mieux réussi que les Britanniques à s'imposer dans les entreprises de la seconde révolution industrielle (plus exigeantes en capital et en technologies) parce que, comme aux États-Unis, leur société valorise les gestionnaires et les ingénieurs, et l'avancement des connaissances scientifiques et techniques. Tout le système d'éducation allemand a rapidement été axé sur ces domaines. Les liens très serrés qu'entretient ce système d'éducation avec l'industrie sont l'une des particularités de la façon de faire allemande. On trouvait aussi en Allemagne des entrepreneurs moins attachés à la gestion personnelle et familiale que les Britanniques, bien que légèrement plus que les Américains. Cela donnera naissance à des formules hybrides comme les *Konzerne,* espèce de trusts familiaux.

Par contre, on relève de nombreuses différences entre les Allemands et les Américains, la plus importante étant que les Allemands préconisaient très largement la coopération interfirmes sous forme de cartels pour conquérir de nouveaux marchés. Ce qui était interdit aux États-Unis était parfaitement légal en Allemagne. Or, tout au long de leur développement, les entreprises allemandes ont favorisé cette formule. Même qu'au lendemain de la défaite de leur pays à la Première Guerre mondiale, ils ont renforcé cette tendance. Et ces cartels sont parvenus à se donner une coordination au sommet qui avait l'efficacité de celle des équipes de gestionnaires dirigeant les grandes entreprises industrielles américaines. Ces cartels, qui regroupaient deux ou trois grandes entreprises et des plus petites, permettaient à ces entreprises de se partager le marché, de fixer les prix et les quotas, de rationaliser la production, voire très souvent de partager non seulement les droits et les savoirs, mais aussi les profits, car la part de chacun était établie à l'avance indépendamment des résultats réels des entreprises. Ce processus n'a pas empêché la formation de grandes entreprises intégrées, mais il n'y avait pas, comme aux États-Unis, une incitation législative (lois antitrust) à la fusion. De plus, la taille plus petite du marché allemand incitait moins à l'implantation de plusieurs grandes entreprises qui s'y seraient fait concurrence. En règle générale, les entrepreneurs cherchaient surtout à consolider leurs parts du marché intérieur tout en se lançant ensemble à la conquête de nouveaux marchés extérieurs, action qui fut couronnée de succès dans les secteurs de la production d'équipements de machinerie lourde, de la chimie et des métaux, trois secteurs où le savoir-faire allemand est mondialement reconnu depuis maintenant près d'un siècle.

Le financement des entreprises allemandes se démarque aussi nettement du modèle américain ou anglais. Ces dernières ont été financées plus par les grandes banques polyvalentes que par le marché boursier, comme aux États-Unis. Les banques se trouvaient ainsi à occuper une bonne place dans les conseils d'administration des entreprises et, comme elles avaient souvent des intérêts dans plusieurs entreprises, la concurrence à tout prix n'était pas de mise. La coopération permettait de mieux rentabiliser l'ensemble de leurs investissements. Ce capitalisme, Chandler le qualifie, et avec raison, de coopératif, puisqu'il mise énormément sur la coopération interfirmes.

On le constate, le capitalisme prend très tôt, sous l'impulsion même des chefs d'entreprise, des formes diverses, la concurrence pure et dure n'étant pas la règle guidant toutes les actions. D'autres logiques — familiale, de coopération — ont été mises en œuvre par les entrepreneurs eux-mêmes. Ce sont les contextes d'action différents dans lesquels s'insèrent les divers acteurs entrepreneuriaux qui les amènent à adopter certaines stratégies plutôt que d'autres. Il est vrai cependant que ce sont les entreprises qui ont réussi le triple investissement dont parle Chandler — comme GM et Du Pont, aux États-Unis, Bayer et BASF en Allemagne, Unilever en Grande-Bretagne, etc. — qui sont depuis longtemps les principaux chefs de file de l'industrie à laquelle elles appartiennent à l'échelle mondiale, mais les chemins pour y parvenir ont varié beaucoup, et varient encore, selon les sociétés.

1.3.2 LES CAPITALISMES NATIONAUX

S'il est vrai que Chandler tient bien compte du rôle de l'État en soulignant que ce dernier, par l'adoption de réglementations contraignantes ou incitatives, ainsi que par l'intermédiaire de ses établissements d'enseignement qui favorisent des voies et des contenus d'apprentissage plutôt que d'autres, influe sur l'orientation du développement des entreprises capitalistes, il faut dire qu'il ne s'étend guère sur la question du rôle de celui-ci dans l'établissement des capitalismes nationaux. De plus, il ne traite pas des syndicats qui, dans plusieurs sociétés, semblent avoir joué un rôle prépondérant. Chez Chandler, l'impulsion déterminante reste celle des entrepreneurs[3]. Loin de nous l'idée de contester le fait que ce sont ces derniers qui ont été, et qui restent très souvent, les moteurs du capitalisme, mais il paraît évident que tant l'État que les syndicats ont joué des rôles centraux dans l'histoire du capitalisme, en particulier dans les formes nationales qu'il a prises. De plus, Chandler a limité son étude à trois pays mais qu'en est-il si l'on considère la majorité des pays capitalistes ?

Voyons d'abord ce qu'il en est du rôle de l'État. Nous savons que l'État a pris une place de plus en plus importante dans nos sociétés. Son rôle s'est particulièrement accentué à partir des années 1930, et même une société libérale comme les États-Unis a vu l'État intervenir davantage dans l'économie et le social. La crise économique des années 1930 est d'une telle ampleur que la plupart des gouvernements, sous l'influence des travaux de l'économiste Keynes, interviennent pour aider les plus démunis, stimuler la croissance et l'emploi, réglementer davantage les entreprises, etc. Aux États-Unis, c'est le président Roosevelt qui instaurera des politiques et des programmes qui survivront pour la plupart jusqu'à l'ère Reagan. Ce dernier ne parviendra à démanteler que partiellement les réalisations de Roosevelt et de ses successeurs. Il reste cependant que les États-Unis sont allés moins loin que de nombreux gouvernements d'Europe durant la même période. L'un des éléments qui nous intéressent ici, c'est la portée et l'efficacité des interventions sur le plan économique. La plupart des pays européens d'après-guerre se sont dotés de politiques industrielles pour relancer leur économie affaiblie par une guerre dévastatrice. Par politique industrielle, il faut entendre des politiques élaborées au sommet de l'État, en collaboration ou non avec les entreprises et les syndicats, visant à favoriser le développement économique.

On pourrait classer les différents pays sur une échelle allant de l'État minimal à l'État maximal. On aurait, d'une part, les pays capitalistes plus près de l'État minimal, mais avec des écarts importants entre certains, et, d'autre part, les pays socialistes et les dictatures plus près de l'État maximal. Examinons le cas des pays capitalistes en faisant ressortir les écarts entre eux. L'Allemagne et le Japon ont, par exemple, des États qui cherchent à habiliter les acteurs pour qu'ils donnent un meilleur rendement. Ils encouragent en particulier la coopération entre acteurs, c'est-à-dire entre entreprises, entre entreprises et syndicats, entre universités et entreprises, etc. Ils cherchent à institutionnaliser ces rapports de coopération par la mise en place de lois et de structures. À l'opposé, dans les pays anglo-saxons, l'État cherche peu à encourager ces rapports. Les États-Unis, comme l'Angleterre, ont même rendu illégaux certains types de collaboration. Les États-Unis, par exemple, interdisent non seulement les cartels (depuis le Sherman Act de 1890), mais aussi les investissements croisés entre banques et entreprises (depuis le Clayton Act de 1914) tels qu'ils se pratiquent au Japon et en Allemagne.

Des pays comme l'Italie et la France ont traditionnellement favorisé une forte intervention de l'État, même en l'absence de consensus des acteurs économiques en ce sens. Si bien qu'en France, c'est l'État qui est le véritable maître d'œuvre du développement économique. En fait, dans ce pays, on trouve un grand nombre de diplômés des deux grandes écoles françaises (Polytechnique et ENA) à la tête des grandes entreprises. La plupart du temps, avant d'accéder à de tels postes, ils ont fait un détour par l'administration publique comme député, ministre ou haut fonctionnaire. C'est là une caractéristique du capitalisme d'État à la française. Selon les recherches des sociologues français Michel Bauer et Bernadette Bertin-Mourot (1995), plus du tiers des postes de hauts dirigeants ont été ainsi pourvus en 1993. Les autres dirigeants viennent des grandes fortunes familiales (32 %) ou ont été formés au sein de l'entreprise (21 %). En Allemagne, au contraire, les hauts dirigeants viennent largement (dans une proportion de plus de 65 %) de l'entreprise.

Cette opposition entre les économies coordonnées par l'État et celles qui le sont très peu a marqué une première grande typologie entre les formes de capitalisme, la plus élémentaire et aussi la plus répandue. Selon cette typologie, il n'y aurait que deux types de capitalisme, soit les économies libérales de marché (ELM) et les économies coordonnées de marché (ECM) (Amable, 2005). La réalité est cependant plus complexe puisqu'il est bien difficile de classer dans la même catégorie des pays comme l'Allemagne, le Japon, la Suède, l'Italie et la Corée, par exemple. De plus, l'État joue aussi un rôle important dans l'économie américaine (voir l'encadré 1.1). Pour mieux comprendre ces différences, il faut aussi regarder le rôle des syndicats, celui des établissements d'enseignement et celui d'autres institutions.

Comme nous le voyons dans l'encadré 1.1, même les États-Unis utilisent l'État et la coopération interinstitutionnelle comme ressources, mais, pour des raisons difficiles à expliquer — historiques en grande partie —, les Américains limitent ce recours à certains domaines.

En ce qui concerne les syndicats, ils agissent souvent en tant que régulateurs des rapports sociaux dans presque toutes les sociétés, et comme tels ils sont soit consultés, soit associés d'une façon ou d'une autre dans le fonctionnement de l'État comme de l'économie. Nous savons également que la place qu'ils occupent

---

ENCADRÉ 1.1
Le rôle de l'État dans l'économie américaine

Selon le sociologue américain Rogers Hollingsworth, l'État a joué un rôle prépondérant dans les domaines militaire et sanitaire, mais à son grand étonnement, pas dans les secteurs plus traditionnels, car, selon lui, ce sont dans ces secteurs que les États-Unis ont été les plus performants.

La construction aéronautique, les semi-conducteurs, les circuits intégrés, l'informatique, l'énergie nucléaire, les télécommunications par faisceaux hertziens, les nouveaux matériaux tels les alliages d'acier haute résistance, les plastiques armés, le titane, et les équipements pour la métallurgie comme les machines-outils à contrôle numérique, constituent ainsi des produits et des technologies coordonnés par des réseaux solidement imbriqués dans un tissu complexe de relations de coopération avec des scientifiques et des ingénieurs travaillant dans des laboratoires universitaires, avec l'État (spécialement dans le secteur militaire) ainsi qu'avec d'autres entreprises qui sont à la fois partenaires et rivales. En l'absence de ces réseaux, ces technologies et produits n'auraient pu se développer aux États-Unis. (Hollingsworth, 1996, p. 191-192.)

dans chaque société est variable, que leur orientation idéologique (plus pragmatique ou plus militante) n'est pas la même, etc. Ces caractéristiques teintent forcément leurs rapports avec les entreprises ou avec l'État. Ainsi, aux États-Unis où le taux de syndicalisation est faible, les entreprises ont tendance à percevoir les syndicats comme des adversaires, tandis qu'en Allemagne, où le taux est plus élevé, on les voit davantage comme des partenaires (Albert, 1991, p. 142-144). Il est évident que, dans ce contexte, le rôle des syndicats va varier énormément d'un pays à l'autre. Il est vrai que le rôle et le poids des syndicats dépendent considérablement de la position de l'État et des citoyens d'un pays, mais comme historiquement, ce sont souvent les syndicats qui forcent les États à intervenir davantage, il faut conclure que la place des syndicats dans ces pays repose sur l'acceptation de valeurs collectives plus fortes. Il y a là toute une synergie entre la société, ou les citoyens, et les institutions qui la constituent. Aux États-Unis, la prégnance de l'individualisme dessert les actions collectives comme celles que mènent les syndicats.

En fait, si on regarde de plus près cette synergie entre l'État, les entreprises, les syndicats et d'autres institutions comme les établissements scolaires, on peut dégager plus de deux types de capitalismes. Amable (2005), dans une étude récente menée auprès d'une vingtaine de pays capitalistes pour lesquels nous disposons de suffisamment de données, arrive à cinq grands types de capitalismes : le capitalisme libéral de marché, le capitalisme asiatique, le capitalisme européen continental, le capitalisme social-démocrate et le capitalisme méditerranéen. Il souligne que si la plupart des typologies précédentes n'identifiaient que deux ou trois types de capitalismes, c'est parce qu'elles ne prenaient en compte que quelques dimensions. Il est plus juste selon lui de tenir compte de plus de dimensions et surtout de leur complémentarité qui donne une cohérence à chacun de ces modèles. Il faut également prendre en compte la hiérarchie des dimensions les unes par rapport aux autres dans les différentes sociétés, certaines survalorisant certaines dimensions par rapport à d'autres. Les dimensions qu'il a retenues et qui permettent de différencier ces capitalismes sont les marchés des produits (intensité de la concurrence), les marchés du travail (leur degré de flexibilité), la finance (les systèmes financiers), la protection sociale (le niveau de protection) et l'éducation.

Derrière chaque dimension se trouvent de nombreuses variables et divers indicateurs. Pour mesurer l'intensité de la concurrence dans les marchés des produits, l'auteur s'appuie sur les variables et indicateurs agrégés suivants : contrôle de l'État (actionnariat public et implication dans la gestion des entreprises), obstacles à l'activité d'entreprise (opacité réglementaire et administrative, charges administratives pour la création d'entreprises, obstacles à la concurrence), obstacles explicites à l'échange et à l'investissement (obstacles aux participations, droits de douane) et autres obstacles (mesures discriminatoires, obstacles réglementaires). En ce qui concerne le degré de flexibilité des marchés du travail, il examine particulièrement la législation concernant la protection de l'emploi,

notamment les obstacles procéduraux au licenciement, les coûts directs des licenciements, les périodes d'essai et de préavis, les conditions des contrats provisoires,
etc. Quant aux systèmes financiers, l'analyse de l'auteur couvre « plusieurs aspects
importants de la relation de financement : la source des fonds, le développement
et la dynamique des marchés financiers, la *corporate governance* et le capital-
risque » (Amable, 2005, p. 188). Dans le cas des dépenses de protection sociale,
sont pris en compte le type de dépenses [4], la couverture offerte et la part du public
dans ces dépenses. Finalement, en ce qui concerne l'éducation, l'auteur examine
notamment la mesure et la nature de la standardisation des programmes d'études,
le degré de flexibilité du système (existence ou non d'une deuxième chance), la
nature de la formation professionnelle (à l'école ou en entreprise), le type de
financement principal, public ou privé, du système (*ibid.*, p. 208). Le tableau 1.1
résume très schématiquement les cinq types. Examinons-les de plus près.

Le capitalisme libéral de marché se caractérise par une faible réglementation
des marchés de produits et des marchés du travail. Du côté des marchés de

TABLEAU 1.1

Les cinq formes de capitalismes selon Amable

	Capitalisme libéral de marché	Capitalisme asiatique	Capitalisme européen continental	Capitalisme social-démocrate	Capitalisme méditerranéen
Principaux pays (objet de l'enquête)	Australie Canada Royaume-Uni États-Unis	Japon Corée	Allemagne Autriche Belgique France Irlande Norvège Pays-Bas Suisse	Danemark Finlande Suède	Espagne Grèce Italie Portugal
Marchés de produits	Fortement dérégulés	Concurrence dirigée	Faiblement réglementés	Réglementés	Réglementés
Marchés du travail	Fortement flexibles	Réglementés	Coordonnés	Réglementés	Réglementés
Finance	Par le marché boursier	À base de banques	Institutions financières	À base de banques	À base de banques
Protection sociale	Modèle libéral de protection sociale	Faible niveau de protection sociale	Modèle corporatiste	Modèle universel	Limitée
Éducation	Système éducatif concurrentiel	Système éducatif tertiaire privé	Système éducatif public	Système éducatif public	Système éducatif faible

Source : Inspiré de Amable (2005, p. 221-289).

produits, cela signifie qu'il existe peu de barrières à l'entrepreneuriat, peu de réglementations administratives, peu de contrôles de l'État et peu de participations publiques dans les entreprises. Du côté des marchés du travail, cela signifie que les entreprises jouissent d'une grande flexibilité grâce à une faible protection de l'emploi (licenciement facile, court délai de préavis de mise à pied, sans pénalité excessive, travail temporaire florissant et peu protégé, etc.). Dans ce modèle, les entreprises se financent principalement sur le marché boursier qui agit comme régulateur de la gestion des entreprises (gouvernance d'entreprise) par son système de rémunérations basées sur les résultats en bourse. La protection sociale est assurée par l'emploi qui lui n'est pas très protégé, ce qui veut dire que tant que l'employé conserve son emploi, il peut jouir d'une bonne protection sociale (soins de santé par exemple), du moins dans les grandes entreprises. Toutefois, les marchés du travail peu réglementés lui permettent, en cas de perte d'emploi, de réintégrer plus facilement le marché du travail. Finalement, le système d'éducation est très concurrentiel, notamment au niveau universitaire où les taux de scolarisation sont élevés, et permet une adaptation rapide aux fluctuations du marché.

Comme le souligne Amable, le modèle libéral de marché favorise

[…] la production de marchandises où l'innovation radicale est à la racine de la compétitivité des firmes, comme les ordinateurs ou la biotechnologie […] où la circulation des scientifiques est facile et le financement des équipes de recherche flexible, ce qui est une caractéristique des systèmes scientifiques concurrentiels et décentralisés comme on les trouve dans les économies libérales de marché, en particulier aux États-Unis et au Royaume-Uni. (Amable, 2005, p. 254-255.)

Aux États-Unis, par exemple, c'est un «système financier qui permet le financement de petites entreprises intensives en technologie», combiné avec le système d'éducation qui fournit «les diplômés de l'enseignement supérieur et [les] scientifiques», eux-mêmes produits par «un système universitaire fortement concurrentiel où les départements de recherche sont financés pour des projets de recherche spécifiques par des agences nationales puissantes» (Amable, 2005, p. 254), qui offrent les conditions de développement et de croissance de ces firmes.

Le capitalisme asiatique a des marchés de produits beaucoup plus dirigés — les marchés qui y sont développés sont le fruit de décisions étatiques — et des marchés du travail bien réglementés dominés par la protection de l'emploi. Les banques sont au cœur du système financier qui soutient les entreprises. Elles permettent un développement à long terme des entreprises. En revanche, la protection sociale y est minimale, mais elle est compensée par une protection de l'emploi dans les grandes entreprises. Le système d'éducation est bien développé. Ce modèle a assuré la force des pays asiatiques, comme le Japon et la Corée, dans l'électronique et les machines.

Le capitalisme européen continental a des marchés de produits concurrentiels faiblement réglementés. Les marchés du travail sont coordonnés et il y a une bonne variance relativement à la protection de l'emploi selon les pays, certains limitant le travail provisoire. Le système financier est fondé sur des institutions financières comme les banques et les compagnies d'assurances. Les grandes sociétés (entreprises) sont contrôlées par les institutions financières qui y investissent. La protection sociale repose sur le modèle corporatiste où les allocations sont principalement fondées sur l'emploi. Le système d'éducation est public et gratuit à tous les ordres d'enseignement. L'accent est mis sur l'éducation secondaire, notamment sur l'éducation spécialisée, et les programmes sont standardisés contrairement à ceux des sociétés où l'on pratique le capitalisme libéral de marché.

Contrairement aux autres modèles, «les pays du capitalisme européen continental ne sont pas fortement caractérisés par un mode spécifique de spécialisation scientifique, technologique ou commerciale» (Amable, 2005, p. 265). La trajectoire de chaque pays est en quelque sorte unique.

> Les institutions éducatives et industrielles de l'Allemagne, tels le système d'apprentissage dual, la coopération spécifique entre syndicats et patronat dans la définition des compétences nécessaires ainsi qu'un système de gouvernance d'entreprise fondé sur des liens propres avec les banques ont permis de construire la compétitivité dans des secteurs où la diffusion de la technologie et les compétences de la main-d'œuvre importent le plus: secteurs intensifs en technique et sensibles à la qualité comme la fabrication de machines-outils perfectionnées, de voitures haut de gamme, ou encore de produits chimiques spécifiques. Le système français de l'après-guerre — grandes écoles et relations étroites entre l'industrie et l'administration — a facilité la mise en œuvre de projets technologiques à grande échelle comme l'énergie nucléaire, les fusées de lancement des satellites ou les trains à grande vitesse. (Amable, 2005, p. 253-254.)

Le capitalisme social-démocrate compte sur des marchés de produits et de travail très réglementés. La politique active du marché du travail permet d'offrir de la flexibilité aux entreprises et de bonnes possibilités de reclassement de la main-d'œuvre. Les syndicats jouent un rôle actif dans cette politique en étant des partenaires à part entière. Le financement des entreprises se fait par les banques qui y détiennent du capital. La protection sociale y est universelle et tous y ont droit qu'ils aient un travail régulier ou non. Il y a de fortes dépenses publiques dans l'éducation, notamment en milieu universitaire où les étudiants sont soutenus financièrement. Ce modèle a un avantage comparatif fort dans les activités scientifiques liées à la santé et les secteurs utilisant le bois (Amable, 2005, p. 265).

Finalement, le capitalisme méditerranéen a des marchés de produits et du travail réglementés où les obstacles pour les entrepreneurs et les entreprises sont nombreux et où la présence du secteur public est forte. Les importantes limites au travail temporaire réduisent la flexibilité des entreprises. La propriété des entreprises est concentrée entre les mains de peu de joueurs et les banques y jouent un rôle important. La protection sociale est limitée, mais cela est compensé par une grande protection de l'emploi. On y investit tout de même dans certains programmes sociaux, notamment auprès de la population âgée. Le système d'éducation est peu développé et les investissements en la matière sont faibles, notamment au niveau universitaire, et en particulier en sciences et en technologie. Les taux de scolarisation sont faibles. Les pays de ce modèle sont « spécialisés dans des activités scientifiques traditionnelles comme les mathématiques et la physique et ont une spécialisation commerciale orientée vers des secteurs à faible intensité technologique » (Amable, 2005, p. 265).

La typologie d'Amable est intéressante parce qu'elle s'appuie sur un ensemble de dimensions assez bien documentées, notamment sur des études et des statistiques de l'OCDE. Elle montre bien les conséquences de chacun des modèles en matière de développement économique. Elle montre bien également les liens entre ces modèles et les choix politiques propres à chaque société. Ainsi, le modèle libéral a un électorat majoritairement de centre-droit et de droite alors que le modèle social-démocrate a une majorité d'électeurs à gauche. Toutefois, ces choix politiques renvoient à des choix de valeurs en société, et ces choix culturels sont peu évoqués. Pourtant, il nous semble qu'ils permettent également d'expliquer la grande cohérence des modèles et leurs résistances à la mondialisation.

Ces choix renvoient aux valeurs fondatrices de l'Europe moderne, et des sociétés modernes dans leur ensemble, celles de liberté et d'égalité. Or, pour des raisons propres à l'histoire de chaque société, il semble que certaines valorisent davantage la liberté alors que d'autres valorisent plutôt l'égalité bien que les deux valeurs y soient présentes. Les sociétés allemandes et scandinaves issues des tribus germaniques où dominaient l'idée de communauté conservent un amour pour l'égalité plus grand qu'un pays comme l'Angleterre qui a fait une révolution bourgeoise mettant de l'avant la liberté, notamment celle de commercer et de jouir de la propriété de ses biens. La France, de son côté, a dépassé la révolution anglaise en insistant davantage sur l'égalité des citoyens rejoignant en cela l'Allemagne. Ainsi, les pays qui votent davantage à gauche privilégient l'égalité plutôt que la liberté dans de nombreux choix de sociétés tandis que ceux qui votent à droite valorisent plutôt la liberté dans le même contexte de choix. Ces choix de valeurs enracinés dans l'histoire de chaque pays rendent la transformation radicale des modèles extrêmement difficile, en particulier le passage d'un extrême à l'autre, par exemple le passage du modèle social-démocrate au modèle libéral de marché, ou vice-versa. L'encadré 1.2 illustre le capitalisme québécois.

1.4   VERS LE DÉCLIN DES CAPITALISMES NATIONAUX ?

Selon plusieurs spécialistes, la mondialisation actuelle de l'économie entraînerait la disparition des capitalismes nationaux, ou plutôt le triomphe du modèle libéral. Selon l'économiste britannique Susan Strange (1996, p. 254), « les forces

ENCADRÉ 1.2

Le capitalisme québécois

L'absence de capitaux et de liens privilégiés avec les investisseurs britanniques ou américains a rendu presque impossible le développement des grandes entreprises francophones avant les années 1960. Les entrepreneurs canadiens-français qui se sont lancés dans les secteurs exigeants sur le plan du capital et de la technologie ont en effet été vite dépassés par les Américains ou les Canadiens anglais, qui peuvent disposer plus facilement de capitaux. Le cas de Julien-Édouard Dubuc est exemplaire à ce propos. Il est le premier à fonder une entreprise fabriquant de la pâte à papier au Saguenay au début du XXe siècle. Il en ajoutera plusieurs autres par la suite. De même, en bon industriel, il tentera de diversifier ses activités et de trouver de nouvelles sources de financement pour être en mesure de résister à la poussée anglo-américaine. Il ne réussira pas, faute d'appuis financiers suffisants. Pourtant, les entrepreneurs anglo-saxons qui suivront, comme les Price, Duke, Davis, réussiront parce qu'ils auront accès aux capitaux britanniques ou américains, ce qui leur permettra de faire croître rapidement leurs entreprises et surtout de s'approprier des productions plus prometteuses comme « celle du papier qui exige des investissements quatre fois supérieurs à la production de la pâte » (Girard et Perron, 1989, p. 307).

Les entrepreneurs canadiens-français ont en revanche mieux réussi dans des secteurs comme l'industrie alimentaire, le textile, le cuir et d'autres issus de la première révolution industrielle, plus exigeants en matière de main-d'œuvre mais beaucoup moins pour ce qui est des capitaux. De plus, en réunissant plusieurs entreprises des secteurs manufacturier et financier, certains réussiront à constituer de petits empires industriels régionaux. Nous pensons ici aux empires, familiaux pour la plupart, des Bienvenu, Brillant, Simard, Raymond et Lévesque qui constituent, dans la période 1940-1960, autant de réseaux d'entreprises et de banques étroitement reliés (voir Bélanger et Fournier, 1987, p. 109-121). Ces empires et leurs entreprises résisteront mal à la compétition croissante des entreprises américaines au début des années 1960. Faillites, offres d'achat irrésistibles d'entreprises américaines, mauvaises décisions d'affaires contribuent au démantèlement de ces empires et empêchent la constitution de grandes entreprises francophones compétitrices à l'échelle nationale ou internationale. Il faudra attendre l'intervention de l'État et son soutien financier pour voir s'implanter et s'épanouir de grandes entreprises francophones au Québec.

En 1962, l'État québécois créera la Société générale de financement (SGF), qui vise à soutenir la croissance des entreprises québécoises qui ont besoin de capitaux, et, en 1964, Sidbec, qui veut favoriser la transformation au Québec des ressources minérales comme le fer en y développant une industrie lourde. La nationalisation de l'électricité en 1962, la création de la Société québécoise d'exploration minière (Soquem) en 1965, de la Société de récupération, d'exploitation et de développement forestiers (Rexfor) en 1969, de la Société d'énergie de la Baie James en 1971 et de quelques autres sont motivées par des objectifs similaires : stimuler l'exploitation des ressources naturelles de la province et favoriser, par la même occasion, l'industrialisation du Québec par les francophones. La création de la Caisse de dépôt et placement en 1965 a permis, quant à elle, de réunir des capitaux et de les mettre à la disposition des entreprises francophones.

Ainsi, dans un premier temps, il s'agit de créer des institutions étatiques pouvant soutenir le développement économique et de moderniser les lois (l'adoption d'un nouveau Code du travail qui inclut les employés du secteur public) et les institutions existantes (de nouvelles lois sur les syndicats et les coopératives). Dans un deuxième temps, dans les années 1970 et 1980, il s'agira surtout, selon Alain Noël (1995), de consolider l'entrepreneuriat francophone en soutenant des entreprises — dans des secteurs jugés prometteurs de l'économie québécoise — pour qu'elles puissent faire face à la concurrence anglo-saxonne et étrangère. De grandes entreprises francophones voient ainsi le jour grâce au soutien de l'État et d'autres institutions québécoises qui ont été créées ou ont connu une croissance importante dans les années 1960. Comme le souligne Noël à propos des Canam-Manac, Cascades, Groupe DMR, Groupe GTC, Jean Coutu, Provigo, Quebecor, Téléglobe et Vidéotron:

> Toutes ont fait l'objet de discussions systématiques impliquant tour à tour la Caisse de dépôt et de placement du Québec, le Mouvement Desjardins et le Fonds de solidarité des travailleurs du Québec et souvent aussi la Société de développement industriel, la Banque Nationale du Canada et sa filiale Lévesque, Beaubien, Geoffrion ainsi que des firmes de services professionnels comme Raymond, Chabot, Martin, Paré et associés ou Stikeman Elliott. (Noël, 1995, p. 72.)

Cette forme de collaboration entre les diverses institutions — étatiques, coopératives, syndicales et privées — caractérise le développement économique au Québec depuis les années 1960. Il n'est pas toujours facile d'en arriver à des consensus et à des actions concrètes, mais les grandes réalisations, comme l'établissement de grandes entreprises francophones, sont souvent le fruit de cette collaboration. En définitive, les actions entreprises par les Québécois au XXe siècle ont donné naissance à des institutions coopératives, syndicales et étatiques qui caractérisent l'économie du Québec. En effet, ici plus qu'ailleurs en Amérique du Nord, le fonctionnement de l'économie repose sur des acteurs collectifs, comme la Caisse de dépôt et placement du Québec, le Mouvement Desjardins et le Fonds de solidarité des travailleurs du Québec dans le secteur financier, et sur les liens qu'ils tissent entre eux autour d'objectifs de développement.

Les ressorts de ce modèle de développement sont donc d'ordre sociohistorique. Il fallait plus particulièrement que les Canadiens français prennent d'abord conscience de leur situation d'infériorité économique, du sous-développement économique du Québec. Cette prise de conscience se manifeste dès le milieu du XIXe siècle, puis s'intensifie tout au long du XXe siècle. Le modèle est le résultat de cette prise de conscience sans cesse renouvelée et de diverses initiatives. Ce modèle, qui mise davantage sur l'État, se rapproche des modèles européens continental et social-démocrate tout en étant loin d'être identique et aussi accompli. Il est en tout cas plus près d'un modèle communautaire de capitalisme que le modèle anglo-saxon.

largement statiques de divergence entre les formes de capitalisme moderne ont été submergées par les forces essentiellement dynamiques de convergence dérivées des changements structurels de l'économie mondiale ». Selon elle, les forces qui agiraient dans le sens d'une convergence vers le modèle libéral, et donc vers l'uniformisation du capitalisme, seraient principalement l'accélération du rythme du changement technologique et la mobilité du capital. Ces deux forces contraindraient les entreprises comme l'État à l'internationalisation. Par rapport aux changements technologiques, les entreprises feraient face à une double obligation : d'abord, introduire massivement de nouvelles technologies pour être compétitives sur leur propre marché local ; ensuite, élargir leur marché en allant sur les marchés internationaux pour rentabiliser ces investissements élevés. En voulant soutenir leurs entreprises dans ce projet de conquête des marchés mondiaux, les États ont dû eux-mêmes ouvrir leurs portes aux entreprises étrangères dans un esprit de réciprocité. Les traités de libre-échange concrétisent ces ouvertures réciproques. Tout cela atténue la portée des politiques nationales, puisque les États doivent déréglementer leur propre marché pour permettre cet accès.

Strange constate finalement que les gouvernements sont de plus en plus incapables de gérer leur économie nationale, que les réglementations transnationales se multiplient et que de plus en plus de firmes sont en voie de dénationalisation, phénomènes qui montrent bien le déclin de l'influence des politiques des gouvernements nationaux en matière économique.

L'économiste français Philip G. Cerny (1996) constate pour sa part une véritable internationalisation de la finance qui sape les bases mêmes de la diversité des capitalismes. En fait, selon lui, « une forte tension structurelle s'est créée entre l'internationalisation de la finance et la réglementation financière nationale (depuis le début des années 1980). La réaction irrésistible à cette tension — la "déréglementation" de la finance — a affecté la portée autant que la substance de l'intervention économique » (*ibid.*, p. 238) des États. Bref, « le type de contrôle financier gouvernemental qui a permis aux formes nationales du capitalisme de se diversifier durant les Trente Glorieuses est en voie rapide de disparition » (*ibid.*, p. 245).

L'internationalisation, c'est aussi le développement spectaculaire des marchés financiers à l'échelle planétaire, comme le signale Beaud : « À l'époque de Keynes, dans les années 1930, le montant des activités financières était à peu près deux fois celui du commerce international. Dans les années 1970, il était environ dix fois plus grand. Aujourd'hui, cent fois plus grand ! » (Beaud, cité dans Pichette, 1996, p. B1.) On comprendra alors mieux la pression qu'exerce ce milieu sur les États nationaux par le biais de ses activités internationales.

La politologue française Suzanne Berger (1996) résume bien la situation générale : « En somme, à travers un nombre croissant de négociations locales et internationales, les sociétés sont confrontées à la demande de transformation de leurs règles et institutions intérieures afin de se conformer à un modèle imposé de l'extérieur » (*ibid.*, p. 55), ce modèle étant le modèle libéral tel que le mettent de l'avant les sociétés américaine et britannique et des organismes internationaux comme la Banque mondiale et le Fonds monétaire international. Ces forces nouvelles touchent donc surtout les types de capitalismes non libéraux, les modèles coopératif et étatique.

La solution la plus facile pour faire la transition vers la mondialisation semble être le laisser-faire, qui prend très souvent la forme d'une déconstruction de la trame institutionnelle existante (déréglementation, privatisation, etc.). Or le succès actuel du modèle libéral tient au fait qu'il est plus facile, dans un premier temps, de laisser aller les forces du marché plutôt que de construire de nouvelles institutions publiques de régulation de l'économie (le cas de l'Europe de l'Est) ou que de les transformer en tenant compte de la nouvelle réalité mondiale (le cas de l'Europe de l'Ouest).

En fait, la recherche d'Amable (2005) apporte de fortes nuances à ces interprétations qui dominent dans les années 1990 et 2000. Elle montre la persistance de différents modèles capitalistes malgré la mondialisation. Son étude est d'autant plus convaincante qu'elle s'appuie sur des données des années 1990, particulièrement de la fin de cette période, alors que la mondialisation bat son plein depuis plusieurs années déjà. En fait, la popularité du modèle libéral de marché repose sur sa supposée meilleure performance économique par rapport aux autres modèles. Or, chiffres à l'appui, Amable démontre qu'il n'en est rien. Il utilise pour ce faire les principaux indicateurs habituels (productivité, croissance économique, etc.) où les différences ne sont pas significatives. Il conclut par exemple sur l'importante question des hautes performances innovatrices, que certains comme Strange (1996) jugent les plus déterminantes dans le contexte de la nouvelle économie, qu'il y a au moins deux façons d'y arriver.

> La première est la voie libérale de marché, c'est-à-dire la déréglementation des marchés de produits combinée avec la «flexibilité» du travail. L'autre voie combinerait la coordination avec la réglementation du marché des biens en présence d'un système financier centralisé afin de garantir le financement à long terme. Ce modèle se rapprocherait du modèle social-démocrate idéal typique, mais aussi de certaines particularités du modèle européen continental. (Amable, 2005, p. 289.)

Quant au cas de la Chine, dont l'économie est devenue en quelques années une puissance mondiale (voir l'encadré 1.3), il dément tous les jours l'idée de la fin des capitalismes nationaux. En effet, comment qualifier le succès d'une économie de plus en plus capitaliste dirigée d'une main de fer par un parti communiste national omnipotent? Sommes-nous vraiment en face d'un modèle libéral en émergence? Nous sommes, bien sûr, beaucoup plus proches du type asiatique dont parle Amable, mais n'y a-t-il pas aussi des différences fondamentales entre le cas du Japon et de la Corée du Sud, tous les deux fortement influencés par l'occupation américaine de l'après-guerre, et jouant le jeu de la démocratie? La Chine est-elle en train d'inventer un nouveau type de capitalisme national et de faire la démonstration, contrairement aux idées reçues, que le capitalisme est possible sans démocratie? Bien sûr, nous n'avons pas la réponse, mais le seul cas de l'émergence de la Chine capitaliste, sans parler des autres cas (l'Inde, la Russie,...), suffit à ne pas éliminer trop rapidement l'idée de la persistance de capitalismes nationaux distincts.

ENCADRÉ 1.3
La Chine aux commandes de l'économie du monde ?

De longue date, les salons intimes des élites chinoises aiment se remémorer l'esprit de l'Empire du Milieu : un empire autour duquel gravitent des îles appelées l'Angleterre, l'Allemagne, la France, les États-Unis, la Russie, l'Afrique ; les Chinois occupant le centre du monde et tous les autres n'étant que des barbares.

James McGregor, ex-président de la Chambre de commerce des États-Unis en Chine, devenu sinologue par 15 ans de vie à Pékin, évoque ce trait de caractère des élites chinoises dans un article paru [...] dans le *Washington Post*.

Mais quelle que soit la haute idée qu'on puisse avoir de soi-même en Chine, on ne se raconte pas d'histoires. Quand les Américains ont déclenché le feu d'artifice de missiles contre Bagdad lors de la guerre du Golfe, les autorités chinoises ont installé des écrans de télé géants sur la place publique à Pékin, où des milliers de travailleurs ont pu apprécier le spectacle. C'est dans un bunker voisin que des dirigeants chinois faisaient le vœu, ces jours-là, que jamais Pékin ne serait arrosé de bombes comme l'était alors Bagdad et esquissaient, sur plusieurs décennies au besoin, un plan de modernisation des armées nationales, plan qui fait jaser Washington [...].

Révolutions accélérées

Les dirigeants chinois redécouvraient là, à Bagdad, un trou important dans leur sécurité nationale. Pour le reste, les affaires allaient plutôt bien pour la Chine de 1991, et ça continue de s'améliorer, à l'ahurissement des Américains et du reste du monde.

Doué d'un sens aigu de l'histoire, James McGregor rappelle qu'en 15 ans, la Chine vient de traverser des révolutions que les États-Unis ont mis plus d'un siècle à absorber :

- L'avènement du capitalisme sauvage des *robber barons* à la fin du XIXᵉ siècle ;
- La fièvre spéculative boursière des années 20 ;
- La migration rurale massive vers les villes dans les années 30 ;
- L'émergence consumériste de la classe moyenne des années 50, marquée par la première voiture, la première maison, le premier enfant fréquentant l'université, les premières grandes vacances payées, vêtements à la mode à l'avenant, etc. ;
- L'accès généralisé à l'émancipation sociale comme elle se manifeste depuis les années 60.

En modèle réduit mais en pays immense, les Chinois ont traversé toutes ces phases depuis 15 ans. Ils admirent tout ça, en retiennent l'essentiel, mais comptent bien apporter une variante chinoise au modèle. Ils sont convaincus que les Américains sont un peuple en déclin, note James McGregor, et veulent battre leur proverbe *fu bu guo san dai* (la richesse ne dure que trois générations).

La démarche paraît bien engagée. La Chine d'aujourd'hui contrôle de plus en plus le rythme de la croissance sur la planète. Les Chinois sont heureux d'éponger une part grandissante du déficit américain. Et ils savent que s'ils négligeaient de souscrire à une émission d'obligations du Trésor des États-Unis, la Bourse pourrait s'effondrer.

Un rôle déterminant

Le dernier numéro de *The Economist* va plus loin : « Comment la Chine gère l'économie mondiale », titre le prestigieux magazine.

En acquérant des bons du Trésor des États-Unis à rendement faible, ce qui contribue à accroître les emprunts et les dépenses des ménages états-uniens, il se trouve que c'est Pékin plutôt que Washington qui gère la politique monétaire mondiale, écrit *The Economist* en éditorial.

Le poids de la Chine sur l'économie mondiale ne s'arrête pas là. Le capitalisme mondial doit beaucoup à la Chine ce temps-ci, poursuit *The Economist* dans un article d'analyse : « Il est ironique de constater que les capitalistes occidentaux doivent leur bonne fortune actuelle au plus grand pays communiste du monde. »

Le magazine explique que même si le transfert d'emplois vers la Chine demeure marginal, la menace de ce transfert exerce une pression mondiale à la baisse sur les salaires. Dans la plupart des pays industrialisés, les salaires en tant que proportion du revenu national total sont au plus faible depuis des décennies. Par contre, les profits après impôts l'an dernier ont atteint, par rapport au produit intérieur brut (PIB), leur plus haut niveau en 75 ans ; depuis quelque 25 ans dans le cas de la zone euro et du Japon.

Coupable des déficits commerciaux des autres, la Chine ? Tout le monde pense évidemment au poids que ce pays exerce sur la demande mondiale de pétrole. Forte demande chinoise exercée aussi sur d'autres ressources comme l'aluminium, l'acier, le cuivre et le charbon (dont la Chine est devenue le plus grand consommateur mondial, contribuant ainsi à en faire grimper les prix). Mais c'est oublier que les importations chinoises depuis 10 ans ont augmenté au même rythme que ses exportations. Et que la pression chinoise à la baisse sur le prix des biens de consommation atténue le risque inflationniste causé surtout par le pétrole.

Et la Chine a pour elle des chiffres fabuleux, qu'évoque Jeremy J. Spiegel, professeur de finances à l'Université de Pennsylvanie, dans le *Wall Street Journal*. En 2050, la Chine devrait compter 1,5 milliard de citoyens, contre 400 millions pour les États-Unis. La Chine ne devrait-elle enregistrer, à cette date, que la moitié du PIB actuel du Portugal ou de la Corée du Sud, l'économie chinoise équivaudrait quand même, alors, à près du double de celle des États-Unis.

Source : Pelletier (2005).

À terme, bien qu'Amable (2005) n'y croie pas étant donné l'enracinement social et historique des différents modèles, il y a bien sûr la possibilité que le modèle libéral l'emporte et qu'il y ait une convergence au sein des pays capitalistes, du moins dans les pays occidentaux. Mais est-ce à dire que ce sera la fin de la diversité des capitalismes ? Non, croient plusieurs analystes, ce sera plutôt la fin de l'hégémonie de l'État et des politiques nationales comme sources de différenciation des capitalismes. D'autres sources se manifesteront. Se présentent ici deux possibilités, celle des sous-ensembles locaux et régionaux et celle des ensembles supranationaux. L'Italie des régions est un bel exemple de la première possibilité. Ce ne sont plus les politiques étatiques qui, depuis assez longtemps, distinguent l'Italie et lui donnent ses entreprises les plus dynamiques. C'est plutôt l'existence de réseaux locaux et régionaux dans certains secteurs de l'activité économique. Crouch et Streeck (1996, p. 24) voient là, avec la constitution de secteurs internationaux de production et d'alliances d'entreprises, la principale source de « la diversité future du capitalisme ».

La deuxième possibilité se rapporte à la mise en place d'ensembles plus vastes, supranationaux, comme la Communauté économique européenne (CEE), qui donneraient au capitalisme une orientation différente selon les grandes régions du monde. Certains pensent que pourrait prendre forme, par exemple, une semblable communauté s'inspirant du modèle européen continental qui est à mi-chemin entre le modèle social-démocrate et le modèle méditerranéen. Il est clair en tout cas que le modèle libéral de marché ne réussit pas à convaincre la majorité des Européens. Le rejet, en 2005, du projet de constitution européenne par les Français et les Néerlandais, notamment pour protéger leur modèle social et économique, en est un bel exemple. Malgré de nombreuses concessions faites par les autorités, ce projet de constitution s'inspirait trop du modèle libéral de marché aux yeux des Français.

Tout compte fait, il serait illusoire de croire qu'un seul et même modèle conviendrait à toutes les entreprises et à toutes les populations — qu'elles soient locales, régionales ou nationales — du monde converti au capitalisme. Les raisons sous-jacentes à la diversité des capitalismes à l'échelle nationale — des populations ayant des histoires, des traditions et des institutions différentes — vont jouer sur d'autres plans et contribuer à recréer de la différence. Les modèles ont été par le passé difficilement exportables intégralement et ils continueront de l'être. Par contre, des rectifications, des innovations et des arrangements locaux, régionaux et supranationaux continueront sans doute d'être mis de l'avant par les acteurs, y compris par les entreprises. De plus, il ne faut pas croire que le rôle des États-nations sera nul pour autant, car ils participeront, et ils le font déjà, à la redéfinition de l'économie mondiale. Nous ne savons malheureusement pas si ce qui en sortira sera mieux ou pire pour les populations concernées que ce qui existe actuellement, ni combien de temps durera la transition. Comme le veut la célèbre formule, « seul le temps le dira ». Nous savons uniquement que le processus est amorcé et qu'il favorise, pour l'instant, un modèle libéral de marché.

Notes

1. Prenons l'exemple de la Chine. Elle refuse d'ouvrir son marché au commerce international, malgré maintes missions diplomatiques européennes auprès de l'empereur, et les Anglais en sont profondément choqués, au point de finir par déclarer la guerre à la Chine au XIXe siècle. En effet,

la balance commerciale de l'Angleterre avec la Chine est de plus en plus déficitaire au XIXe siècle : les Anglais y achètent du thé, de la porcelaine, de la soie et d'autres produits, tandis que la Chine n'achète à peu près rien d'autre que du coton. Les marchands anglais vont trouver une marchandise qui leur permettra de rétablir l'équilibre, mais cette marchandise, importée de l'Inde, l'opium, s'avère mortellement dangereuse pour la société chinoise. L'empereur finira par interdire aux marchands chinois d'en faire le commerce avec les Anglais. C'est à ce moment que, au nom de la liberté de commerce, les Anglais déclarent la guerre à la Chine, l'envahissent et l'occupent pendant 70 ans, soit de 1840 à 1911, avec le concours d'autres nations européennes (Peyrefitte, 1989, p. 612 et suiv.).

2. « "Les champs ouverts (*open fields*) ou champs communs (*common fields*) sont des étendues de terrain sur lesquelles les propriétés de plusieurs ayants droit se trouvent dispersées et mêlées." L'expression de *common field* a l'inconvénient de prêter à confusion : elle évoque l'idée d'un communisme [...]. Leurs propriétés ne se confondent pas en un tout indivis : elles sont seulement "dispersées et mêlées", c'est-à-dire subdivisées en un grand nombre de parcelles qui s'intercalent et s'enchevêtrent les unes dans les autres. C'est là, en effet, le trait le plus caractéristique de ce qu'on appelle l'*open field* system. » (Mantoux, 1959, p. 134-135.)

3. À la décharge de Chandler, il faut préciser que son projet portait surtout sur l'histoire des entreprises et que la période couverte, 1880-1948, est une période au cours de laquelle les États intervenaient moins. Cependant, ses études comparatives l'amènent à constater que les différences entre les entreprises américaines, britanniques et allemandes reposent sur des histoires et des cultures propres à chacun de ces pays, mais il explore très peu cette voie et néglige ainsi le rôle des autres acteurs.

4. Voici la liste des dépenses examinées : « Allocations vieillesse, allocations pour les handicapés, assurance maladie, services aux personnes âgées et aux handicapés, allocations au survivant, allocations familiales, services aux familles, indemnités de chômage, prestations maladies, allocations logement et autres » (Amable, 2005, p. 196).

CHAPITRE 2

L'entreprise : des acteurs, des stratégies, des enjeux, du pouvoir

Jean-Pierre Dupuis

Pour la plupart des gens, l'entreprise est plus qu'un simple lieu de travail : c'est un milieu de vie. Ils y passent une grande partie de leur temps, et souvent de leur vie. Ils y créent des liens, parfois très forts, qui marquent l'entreprise. Nous essaierons de comprendre cette vie dans l'entreprise, de voir comment se créent les alliances, les collaborations, les oppositions, les affrontements entre les individus et les groupes qui la composent. Nous verrons que les diverses stratégies des acteurs (collaborations, affrontements, etc.) s'articulent autour de buts et d'intérêts divers, de ressources et d'enjeux différents. Nous verrons également que le type de contrôle qu'exerce l'entreprise et les règles qui la gouvernent influent sur les stratégies des individus et des groupes. Comme nous le découvrirons dans le chapitre 3, il résulte de ces jeux d'acteurs des identités de groupes et d'entreprises qui illustrent la richesse, la complexité et la variété de la vie en entreprise. En fait, les entreprises se distinguent les unes des autres parce que les individus et les groupes qui les composent sont différents : certaines comptent plus d'hommes, d'autres, plus de femmes ; elles sont plus ou moins homogènes culturellement, marquées par les métiers manuels ou les activités intellectuelles ; certaines sont contrôlées par des étrangers, d'autres par des intérêts locaux, par de grands gestionnaires, par une famille, etc. La diversité des acteurs — comme la diversité de leurs buts, de leurs intérêts et de leurs stratégies — se répercute sur la dynamique interne de l'entreprise, l'oriente et lui donne une couleur particulière.

Il importe de reconnaître la variété des dynamiques de l'entreprise pour comprendre le fonctionnement d'entreprises particulières. En effet, penser que toutes les entreprises fonctionnent de la même façon et qu'elles peuvent être gérées selon des principes universels, ou encore que tous les travailleurs réagissent de la même façon devant l'employeur ou devant une situation donnée, c'est assurément aller dans la mauvaise direction, se rendre impuissant et s'empêcher d'agir et d'intervenir avec un minimum d'efficacité. Pour être efficace, le gestionnaire ou le travailleur doit bien comprendre son milieu avant d'agir ou de prendre une décision. Il ne doit surtout pas agir mécaniquement en fonction de quelques recettes prétendument infaillibles. Il ne faut toutefois pas croire pour autant que l'approche proposée ici permet de régler tous les problèmes et de toujours trouver la bonne solution. Loin de nous cette pensée! D'ailleurs, dans les chapitres 2 et 3, tout en reconnaissant la complexité de la vie en entreprise, nous combattons l'idée qu'il existe des solutions faciles, toutes faites, qu'il suffit d'appliquer rigoureusement. Certes, la compréhension de la complexité et de la variété des situations est essentielle, mais elle doit aussi rendre le gestionnaire, ou tout intervenant, modeste. L'idée principale consiste à renverser certaines certitudes simplistes plutôt que d'en proposer de nouvelles.

Pour bien comprendre l'entreprise, son fonctionnement, la vie qui s'y déroule, nous avons besoin de concepts qui la décomposent en différentes parties. Cette décomposition conceptuelle de l'entreprise permet de voir plus en détail ce qui s'y passe, de voir les individus et les groupes à l'œuvre, presque au jour le jour. Elle permet aussi de mieux voir la richesse, la complexité et la variété des situations. Cette opération de décomposition n'a pas pour objectif de réduire l'entreprise à un ensemble d'éléments disparates plus ou moins intégrés, bien au contraire. En fait, c'est l'interdépendance de ces différents éléments de l'entreprise que nous pourrons ainsi mettre en lumière, en montrant qu'une action sur l'un peut avoir des répercussions sur tous les autres. L'entreprise est constituée d'individus et de groupes, de ressources, de règles, de stratégies et d'enjeux fortement interdépendants. Nous allons présenter ces concepts et essayer de voir en quoi ils nous éclairent sur la réalité sociale de l'entreprise.

L'entreprise, c'est d'abord et avant tout des acteurs en interaction. Quels sont ces acteurs? Quels sont leurs buts? leurs ressources? leurs stratégies? Et quels sont les enjeux au centre de leurs interactions? C'est ce que nous allons d'abord examiner dans les premières parties de ce chapitre [1]. Nous examinerons ensuite les différentes formes de régulation et, par conséquent, le pouvoir que l'on trouve dans les entreprises.

2.1 TROIS CATÉGORIES D'ACTEURS ET LES BUTS DES ACTEURS

Voyons d'abord ce que recouvrent les concepts d'acteurs et de buts. Les individus engagés dans l'entreprise sont le point de départ de toute analyse de celle-ci. On les appelle acteurs individuels s'ils sont seuls à accomplir des actions, ou acteurs collectifs s'ils sont regroupés. La chose la plus importante à dire à propos des individus-acteurs, et qui est à la base du modèle d'analyse de sociologues comme Michel Crozier et Erhard Friedberg, c'est que tout individu ou groupe jouit d'une marge de manœuvre, d'une marge de liberté qui lui permet d'agir, c'est-à-dire qu'il a un certain pouvoir, dans une entreprise particulière comme dans la société en général.

Cela signifie qu'il n'y a pas d'acteur sans marge de manœuvre. Et que cette dernière existe parce qu'il est impossible de prévoir et de contraindre totalement les comportements des individus. On ne peut pas en effet contraindre parfaitement un individu parce que le cours de l'action, le futur en fait, est impossible à prévoir. On aura beau essayer, il restera toujours des éléments imprévisibles qui surgiront. Les individus jouissent donc toujours d'une marge de liberté, si petite soit-elle, parce que la prévisibilité n'est jamais complète, qu'ils peuvent exploiter cette marge — cette imprévisibilité — dans leurs interactions avec les autres. Mais c'est aussi parce que l'individu ou le groupe a quelque chose à offrir qu'il a cette marge de manœuvre dans l'entreprise : il a des habiletés manuelles ou intellectuelles, si limitées soient-elles dans certains cas, nécessaires pour y accomplir une tâche, un travail. Il peut arrêter de faire son travail, ou mal le faire volontairement, ce qui lui confère un certain pouvoir. Cela signifie que tous les individus dans une entreprise peuvent être en relation de pouvoir ; que tous peuvent gagner ou perdre quelque chose dans leurs interactions avec les autres, et que, finalement, le monde de l'entreprise peut être une scène d'action pour tous et chacun. Mais cette liberté des individus peut cependant être limitée par les contraintes structurelles propres à l'entreprise et à la société à l'intérieur desquelles ils évoluent, et elle varie beaucoup d'une personne à l'autre. Nous reviendrons sur ce point plus loin.

Pour comprendre la force et la fécondité de cette idée, prenons un cas extrême où il n'existerait, à première vue, aucune marge de liberté pour les individus : celui des prisonniers de camps de concentration (qui sont des organisations). Le psychologue Bruno Bettelheim (1972), qui a lui-même vécu dans un camp de concentration, nous fournit les matériaux nécessaires pour illustrer ce point. Il a observé, et cela est aussi confirmé par les nombreux témoignages qu'il a recueillis, que pour survivre dans un camp de concentration il fallait « se ménager une zone de liberté d'action et de liberté de pensée » (*ibid.*, p. 202) et l'utiliser pour s'adapter, pour résister, pour adopter « l'attitude appropriée dans n'importe quelle circonstance » (*ibid.*, p. 214). Cela pouvait vouloir dire collaborer avec les dirigeants des camps sans perdre sa dignité d'être humain, chercher à améliorer son sort et celui de ses semblables, etc. Ceux qui ne percevaient pas cette marge de liberté, et qui donc ne cherchaient pas à l'utiliser, ont, pour la plupart, péri dans les camps, dira Bettelheim. Il a même montré que les individus qui se regroupaient autour de cellules communistes et qui entreprenaient des actions de représailles contre leurs gardiens et tortionnaires (« vous nous tuez, nous vous tuons, même si le bilan est plus lourd pour nous ») ont survécu en plus grand nombre justement parce qu'ils exploitaient l'infime marge de manœuvre dont ils disposaient pour se faire davantage respecter. Autrement dit, une marge de liberté existe toujours et c'est aux individus de l'exploiter au maximum, en se transformant en acteurs, ne serait-ce que pour augmenter leurs chances de survie dans un camp de concentration. De toute façon, y a-t-il une autre attitude possible, sinon le fatalisme, grand inhibiteur de l'action ?

Il y aurait beaucoup à dire sur les buts tant ils sont liés aux actions des acteurs. En effet, derrière toute action il y a les buts que se sont fixés les acteurs. Ces buts peuvent être clairs, faciles à découvrir, ou inavoués, cachés en quelque sorte, jamais ouvertement formulés. L'intérêt d'une analyse consiste alors souvent à faire ressortir de tels buts cachés, inavoués, qui motivent les acteurs. La connaissance des buts cachés mène à une meilleure compréhension des relations qu'entretiennent les divers acteurs.

Prenons un exemple tiré de l'univers des organisations populaires au Québec. À Rimouski, à la fin des années 1970, des groupes communautaires et des groupes culturels décident de se regrouper et de fonder une organisation, le Regroupement des organismes communautaires et culturels de Rimouski (ROCCR), dans le but de promouvoir leurs intérêts[2]. Rapidement cependant, un clivage se crée entre les groupes du ROCCR à propos des actions à entreprendre face à l'administration municipale qui ne veut pas reconnaître leur regroupement comme un acteur important dans le développement communautaire et culturel à Rimouski. Cette non-reconnaissance se traduit par un refus de la municipalité de participer au financement du ROCCR et de ses groupes membres.

Mais le clivage qui se produit témoigne des autres buts, plus ou moins explicites, qu'avaient les groupes au moment de la fondation du regroupement. Pour les uns, la création du ROCCR devenait un instrument politique et idéologique visant à transformer profondément leur milieu de vie ; pour les autres, il s'agissait plutôt de se donner des services collectifs, comme un centre pour loger les groupes, en vue d'assurer leur survie et leur développement, indépendamment de considérations idéologiques ou politiques. Face à une administration municipale qui reste indifférente à ses appels, la fragile coalition réunissant les groupes des deux tendances éclate, entraînant la dissolution du regroupement au milieu des années 1980. La méprise sur les buts véritables de chacun est donc la principale cause de l'échec de l'expérience rimouskoise.

Regardons maintenant la situation des entreprises. Il y a dans l'entreprise trois principales catégories d'acteurs : les propriétaires, les dirigeants et les employés. Les propriétaires sont des individus, ou des groupes d'individus, qui lancent une entreprise par un investissement en temps et en capitaux ou qui s'associent à une entreprise déjà en place en lui apportant du financement. Ils cherchent par ce moyen à tirer un bénéfice financier ou d'une autre nature. Les dirigeants sont embauchés par les propriétaires ou par leurs représentants pour organiser les activités de production de l'entreprise. Ils veillent à l'organisation, à la coordination et à la réalisation du travail des employés ou des cadres placés sous leur responsabilité. De plus, ils participent souvent, en collaboration avec les propriétaires, à la définition de l'orientation de l'entreprise et à l'établissement de son mode de fonctionnement. Les employés quant à eux doivent accomplir le travail qui leur est assigné par les dirigeants. Ils ont plus ou moins d'autonomie dans l'exécution de ce travail. Ils le font, tout comme les dirigeants, pour obtenir un salaire qui leur permet de gagner leur vie. Les conditions salariales des deux catégories sont cependant très souvent fort différentes dans l'entreprise, les premiers ayant des salaires nettement supérieurs, particulièrement les dirigeants des plus grandes entreprises (voir le tableau 2.1). En gros, nous pourrions dire que les propriétaires financent, contrôlent et orientent l'entreprise, que les dirigeants la gèrent et que les employés exécutent le travail. Chacun apporte ainsi sa contribution au « but » de l'entreprise : produire un bien ou un service.

Mais tout cela n'est pas si simple puisque, comme nous pouvons déjà le deviner, les acteurs des trois catégories poursuivent en fait des buts qui peuvent s'avérer difficilement conciliables. En effet, le profit du propriétaire ne sera-t-il pas d'autant plus élevé que les dépenses en main-d'œuvre, donc les salaires, seront faibles ? Bien sûr, il existe beaucoup d'entreprises et d'industries requérant une main-d'œuvre qualifiée qui ont intérêt à offrir de très bons salaires pour obtenir ou conserver cette main-d'œuvre, mais, toutes choses étant égales par ailleurs, il y a là un potentiel de conflit qui est illustré par les négociations salariales difficiles entre la direction et les employés. Nous pourrions aussi prendre l'exemple des dirigeants qui désirent également avoir de meilleurs salaires, qu'ils obtiennent d'ailleurs plus souvent parce qu'ils sont les représentants des propriétaires de l'entreprise. Or un écart salarial trop grand entre les dirigeants et les employés peut aussi donner lieu à des relations conflictuelles. Comment faire accepter des faibles salaires aux employés dans ce contexte ?

La situation se complique d'autant plus dans une grande entreprise où les grandes catégories d'acteurs peuvent s'organiser en sous-groupes poursuivant chacun des buts différents. Par exemple, la propriété d'une grande entreprise peut être entre les mains d'un actionnaire principal et de petits actionnaires. Il est clair que le poids et le rôle de ces deux types de propriétaires ne sont pas les mêmes, si

TABLEAU 2.1

Les conditions salariales de quelques dirigeants d'entreprise parmi les mieux rémunérés au Canada en 2004 (Salaires en millions de dollars)

1er	Robert Gratton	*Financière Power*	173 millions
2e	Bernard Isautier	*PetroKazakhstan*	93 millions
3e	Gerry Schwartz	*Onex*	76 millions
4e	Frank Stronach	*Magna*	52 millions
10e	Tony Comper	*Banque de Montréal*	13 millions
12e	Alain Bouchard	*Couche-Tard*	12 millions
18e	Paul Desmarais	*Power Corporation*	9 millions
62e	Jean-Marc Eustache	*Transat*	3,9 millions
65e	Pierre Karl Péladeau	*Quebecor*	3,5 millions

Source : G. Bérubé, « 6 000 $ l'heure », *Le Devoir*, 5 mai 2005, p. B1.

bien qu'il importe d'en tenir compte dans l'analyse de l'entreprise. Il se peut que l'actionnaire principal veuille prendre des risques pour obtenir un fort profit à court terme et que les petits actionnaires, au contraire, soient plus prudents et veuillent un rendement sûr et régulier qui s'inscrit dans une perspective à plus long terme. La situation inverse est aussi possible, l'actionnaire principal voulant plus de sécurité à long terme et les petits actionnaires un meilleur rendement à court terme. Il y a là un conflit potentiel entre les propriétaires quant aux buts qui peut perturber toute l'entreprise.

De la même façon, nous pouvons facilement imaginer, par exemple, qu'un conflit puisse éclater entre des hauts dirigeants préoccupés par la croissance rapide de l'entreprise et des dirigeants d'unités plus opérationnelles qui souhaitent mettre de l'avant certains projets pour leur unité et qui acceptent mal les orientations définies par le siège social. Ces derniers pourraient travailler à minimiser les incidences de ces orientations dans leur unité pour maintenir de bonnes relations avec leurs employés et atteindre leur propre but, celui-ci n'étant pas de participer à tout prix à la croissance à court terme de l'entreprise mais plutôt, par exemple, de mettre au point de nouveaux procédés de production jugés non prioritaires par le siège social. Les dirigeants voient dans la mise au point de ces nouveaux procédés une occasion de donner plus d'importance à leur unité, et donc à eux-mêmes, au sein de l'entreprise. Ils peuvent même espérer à terme un redéploiement des activités de l'entreprise autour des projets de leur unité, et obtenir, par la même occasion, de nouvelles responsabilités (la direction du siège social peut-être).

Les désaccords et les conflits entre groupes d'employés peuvent être tout aussi nombreux et fréquents, en particulier dans les grandes entreprises qui comptent différents services, unités et filiales et où les dirigeants dressent les groupes les uns contre les autres. Les employés d'une filiale peuvent se diviser sur des questions comme les demandes patronales de réduction des salaires ou de modification des tâches de travail. Certains voudront conserver les acquis et seront prêts à se battre pour cela, d'autres se montreront plus conciliants et accepteront de faire des concessions. Leur désaccord entraînera la pagaille, voire un conflit profond, entre les différents groupes d'employés.

Nous sommes ainsi loin de la situation d'une petite entreprise où le propriétaire unique, ses deux ou trois dirigeants et sa trentaine d'employés peuvent aisément avoir des objectifs communs, mais encore là la situation peut se corser. En effet, même dans une entreprise de ce genre, une division en sous-groupes peut se produire parmi les employés. Par exemple, un conflit entre employés peut révéler l'existence de sous-groupes ayant des buts différents, certains se contentant d'un certain niveau de salaire, d'autres en revendiquant un meilleur, ou encore demandant une formation en vue de monter dans l'entreprise. Mais qu'importe, qu'il s'agisse d'une petite ou d'une grande entreprise, nous trouvons toujours ces trois catégories d'acteurs dans l'entreprise — propriétaires, dirigeants et employés —, et c'est de là qu'il faut partir pour comprendre son fonctionnement. Il est certain que plus l'entreprise est grande et complexe — un grand nombre d'employés et d'unités de production et de services —, plus il y a d'acteurs et de buts potentiellement différents, ce qui complique forcément la compréhension de sa dynamique. Nous y reviendrons.

Nous pouvons admettre aussi que les acteurs au sein de l'entreprise poursuivent au moins deux grands buts divergents : les propriétaires recherchent le profit, tandis que les dirigeants et les travailleurs recherchent une rémunération. À côté de ces différences élémentaires et reconnues par tous, il peut y avoir une multitude de buts poursuivis dans l'organisation. Cela peut aller du but personnel d'un cadre ou d'un employé cherchant par tous les moyens à obtenir une promotion, quitte même à aller à l'encontre des intérêts de l'entreprise, à celui d'un groupe d'employés qui, désirant obtenir plus de respect de leurs dirigeants, créent un syndicat, à celui d'un propriétaire voulant léguer un patrimoine à ses enfants. Les buts ne sont donc pas uniquement de nature économique, ils peuvent être politiques (plus de pouvoir dans l'entreprise) ou symboliques (plus de respect des patrons). Les cas de figure sont infinis. En outre, les buts peuvent varier dans le temps, et ce qu'on désirait au départ ne correspond plus nécessairement à ce qu'on veut aujourd'hui.

De plus, il se peut que les buts des acteurs varient, en particulier pour les propriétaires, en fonction du type d'entreprise : privée, publique ou coopérative. L'entreprise coopérative et l'entreprise publique ont rarement le profit comme principale motivation. Ces deux types d'entreprises répondent, la plupart du temps, à des impératifs socioéconomiques. L'entreprise coopérative est en général fondée par des individus qui n'ont pas, ou très peu, de ressources financières mais qui veulent améliorer leur sort. Ces individus mettent ensemble leurs maigres ressources pour se donner un service ou un travail qu'ils pourraient difficilement s'offrir autrement : magasin d'alimentation, coopérative d'habitation, caisse populaire, coopérative de travail, etc. L'entreprise publique est créée par les gouvernements, au nom des citoyens qu'ils représentent, dans le but de fournir un service ou un produit qui n'existe pas de manière satisfaisante sur le marché, ou pour mettre en valeur les ressources naturelles du pays, ou encore pour changer le rapport de force économique entre les citoyens dans la société, etc. Pensons à Hydro-Québec qui, dès sa création en 1944, et après son expansion avec la nationalisation de l'électricité au début des années 60, poursuivait plusieurs buts de cette nature : mieux exploiter les ressources hydrauliques du Québec, offrir un service d'électricité de qualité aux citoyens de toutes les régions du Québec, favoriser l'émergence d'un entrepreneuriat et de grands dirigeants francophones, etc. Il est vrai que les entreprises publiques, comme les entreprises privées, peuvent changer de buts — et se donner une orientation plus économique (générer surtout des profits) que politique (changer un rapport de force) par la suite —, mais ceux-ci restent définis par un acteur politique (le gouvernement) et font l'objet de larges débats démocratiques, souvent publics, ce qui n'est pas le cas des entreprises privées. Nous reviendrons plus en profondeur sur les dynamiques introduites par les types de propriété et de contrôle des entreprises un peu plus loin.

2.1.1   TROIS TYPES DE STRATÉGIES

Les relations entre les individus, comme entre les groupes et sous-groupes, sont de trois ordres : la collaboration, l'hostilité ou l'indifférence. Dans une entreprise, par définition, une coopération existe entre les individus et les groupes qui la composent pour atteindre l'objectif minimal qui réunit tous les acteurs : produire un bien ou un service. Par contre, étant donné les buts souvent variés des acteurs, il se peut que des mésententes se fassent jour et que la coopération ne soit plus ou pas possible : il y a alors hostilité entre certains individus, ou entre certains groupes, ou entre des individus et des groupes. Cette hostilité peut mener à des situations plus ou moins graves : sabotage, grève, lock-out, fermeture, démission, vente d'actions, congédiement, etc. L'indifférence découle de l'existence de grandes entreprises où des groupes ne sont pas en interaction directe les uns avec les autres ; ils sont donc, objectivement du moins, en situation d'indifférence les uns par rapport aux autres. La situation peut changer, bien sûr, et l'indifférence peut devenir une relation de collaboration ou d'hostilité.

Par stratégie, nous entendons le choix d'une action parmi un ensemble d'actions possibles pour entrer en relation avec les autres dans l'entreprise. Les individus et les groupes qui interagissent dans l'entreprise adoptent généralement trois grands types de stratégies les uns envers les autres : de collaboration, d'affrontement ou de négociation. Ici, à la lumière du concept de stratégie, la coopération n'est plus considérée comme naturelle et allant de soi, mais elle découle d'un choix des acteurs, ces derniers pouvant, pour toutes sortes de raisons qui leur sont propres, ne pas collaborer. Avec la stratégie d'affrontement, c'est l'hostilité qui s'affiche ouvertement, qui prend une forme concrète dans l'action, qui vise à changer les choses. Finalement, la stratégie de négociation est intermédiaire par rapport aux deux premières : on veut bien collaborer, mais à condition de négocier les aspects de la collaboration, pour que cette dernière ne se fasse pas à n'importe quel prix.

Il est possible, voire fréquent, de passer d'une stratégie à l'autre, mais il n'existe pas de règles ici. La collaboration peut se transformer en affrontement ou en négociation, l'affrontement en négociation ou en collaboration, mais un état stratégique peut tout aussi bien perdurer et avoir des effets néfastes pour l'un des acteurs. Par exemple, la stratégie d'affrontement entre un syndicat local et la direction d'une entreprise peut tout simplement mener à la fermeture de l'unité en question et au déménagement de ses activités dans un autre établissement de l'entreprise. Rien, en effet, ne garantit que l'affrontement s'adoucira et se transformera en négociation ou en collaboration. De même, la stratégie d'affrontement entre les dirigeants de deux divisions peut bien aboutir au congédiement de certains d'entre eux par la haute direction ou par les propriétaires. Les résultats des différentes stratégies des acteurs ne sont donc pas totalement prévisibles. Bref, la situation comporte des risques pour les acteurs, dont celui d'échouer avec les conséquences qui s'ensuivent. Cela soulève toute la question des enjeux sous-jacents aux stratégies, question que nous aborderons bientôt.

Par ailleurs, ces stratégies prennent toutes sortes de formes. Ainsi, la collaboration peut consister dans une alliance temporaire entre deux groupes par rapport à une question bien précise, ou dans un engagement à long terme scellé par un contrat, ou prendre la forme d'une convention collective qui lie tous les acteurs. Pourtant, dans un cas comme dans l'autre, rien, encore une fois, ne garantit la durée de la collaboration. Une alliance peut être rompue avant la fin de la période prévue, comme un contrat ou une convention collective peuvent, en raison d'interprétations différentes par les acteurs, provoquer des conflits. Les collaborations peuvent mettre en présence des acteurs extérieurs à l'entreprise, d'autres syndicats, d'autres entreprises, le gouvernement, des groupes de pression, etc. Par exemple, les dirigeants d'une entreprise peuvent s'allier avec un entrepreneur et confier une partie du travail de ses employés en sous-traitance, en guise de représailles ou pour donner une leçon à des employés qu'ils jugent trop exigeants. On peut aussi avoir recours à un arbitre de l'intérieur, en provenance d'un autre service ou établissement, ou de l'extérieur, nommé par le gouvernement par exemple, pour diriger une négociation difficile, résoudre un affrontement qui dure depuis trop longtemps. En ce sens, l'entreprise n'est pas un univers fermé, et des acteurs et des ressources de l'extérieur peuvent être fréquemment appelés à intervenir dans les rapports entre les différents individus et groupes qui la composent.

2.1.2 LES RESSOURCES INÉGALES DES ACTEURS

Cela nous amène à la question des ressources des acteurs. Pour mettre en œuvre des stratégies, et surtout pour qu'elles soient efficaces, il faut pouvoir s'appuyer sur des ressources. Or, en matière de ressources, les acteurs au sein de l'entreprise sont forcément inégaux, comme nous le montrerons. Définissons d'abord ce que sont les ressources.

Nous entendons par ressources ce sur quoi l'acteur exerce un contrôle et qui est susceptible de devenir un objet d'intérêt pour les autres. Il s'agit de tout ce qu'un acteur peut mobiliser, utiliser dans ses relations avec les autres, pour imposer son point de vue, ses choix, ses désirs, etc. Ces ressources peuvent être matérielles (de l'argent, des biens, des propriétés, des lois et des règlements, etc.) ou symboliques (du prestige, des relations, des compétences, des connaissances, de l'information, etc.). Un acteur peut être une ressource pour un autre. Les règles officielles de l'entreprise peuvent en être une également, les lois d'un pays, etc. L'utilité de ces ressources dépend des situations. Dans certains cas, elles peuvent être très utiles à un acteur, dans d'autres, pas du tout. Elles doivent donc être pertinentes par rapport à une situation donnée pour être mobilisables, efficaces.

Par exemple, dans nos sociétés modernes, l'opinion publique, qui s'exprime par le biais des médias, peut être une ressource importante pour un acteur collectif comme un syndicat, la direction d'une entreprise ou un gouvernement. Mais cette ressource symbolique peut parfois ne pas être mobilisable, ou même pire, se retourner contre l'acteur qui y fait appel. Ainsi, l'opinion publique peut appuyer un syndicat de la fonction publique quand elle trouve la cause juste, comme cela a été le cas des infirmières dans les années 1990, mais dans d'autres contextes, par temps durs de récession et d'instabilité économique, l'opinion publique n'est guère favorable aux syndicats. La situation était toute différente dans les années 1960 alors que, au Québec par exemple, l'appui aux syndicats était assez fort (sur l'image du pouvoir syndical au Québec, voir Rouillard, 1993). Les syndicats peuvent plus difficilement y recourir de nos jours dans leur affrontement avec l'État ou avec les entreprises. On en a eu la preuve lors des dernières rondes de négociation dans la fonction publique québécoise.

Il est clair que, dans l'entreprise, ces ressources se distribuent très inégalement. Les propriétaires disposent en général d'un plus grand et d'un plus riche arsenal de ressources. Ils possèdent l'entreprise et ses installations, ils choisissent leurs dirigeants, ils ont un accès privilégié à l'information, ils ont des ressources financières, et très souvent un accès direct aux capitaux, ils ont des relations dans l'industrie, parfois dans les gouvernements, ils sont reconnus socialement, etc. Il est bien sûr que nous parlons ici des propriétaires qui contrôlent véritablement l'entreprise. Les petits actionnaires, minoritaires, éparpillés, sans contact les uns avec les autres, qui représentent souvent une partie importante des propriétaires des grandes entreprises, ne disposent pas de telles ressources. Les principaux dirigeants d'une entreprise jouissent sensiblement des mêmes ressources que les premiers, surtout s'ils en sont aussi les propriétaires comme c'est souvent le cas dans les petites et moyennes entreprises. Dans les grandes entreprises, seuls quelques dirigeants, étroitement associés aux propriétaires, sont dans cette situation. Les autres se contentent souvent d'un accès privilégié, mais la plupart du temps limité, à l'information et à certaines ressources matérielles et financières.

Pour leur part, les employés ont beaucoup moins de ressources, mais ici aussi les différences entre eux peuvent être très importantes. Un professionnel — comptable, avocat, ingénieur, etc. — qui gère et manipule des informations essentielles pour l'entreprise a plus de ressources à mobiliser qu'un simple ouvrier non spécialisé travaillant sur une chaîne de montage. Ce dernier n'a que très peu de ressources, sinon la force de ses bras lui permettant d'exécuter le travail. C'est pourquoi de nombreuses catégories d'employés ont souvent cherché à se regrouper pour se donner plus de ressources, et donc de pouvoir, dans l'entreprise. L'action syndicale prend ici tout son sens. La reconnaissance formelle des syndicats et l'encadrement juridique de la pratique syndicale sont souvent les principales ressources des employés... syndiqués. Pour les autres, la protection juridique est, en Amérique du Nord, plus faible (voir l'encadré 2.1). Ce n'est pas le cas dans beaucoup de pays d'Europe où, par exemple, les mises à pied peuvent

---

ENCADRÉ 2.1
Les éléments législatifs composant l'encadrement juridique des relations de travail

Selon Mona-Josée Gagnon, trois grands éléments législatifs composent l'encadrement juridique des relations de travail :

1. Des lois universelles qui s'appliquent à tous les milieux de travail ou à tous les salariés, selon leur objet ;
2. Des lois qui mettent en place des structures obligatoires ou facultatives de représentation des salariés dans les milieux de travail ;
3. Des lois qui définissent le rôle et le fonctionnement des syndicats.

À partir de ces ingrédients de base, présents dans des mesures variables, des encadrements juridiques différents se sont constitués, illustrant d'autant des choix politiques. (Gagnon, 1994, p. 19-21.)

Au Québec, par exemple, la Loi sur les normes minimales de travail assure un minimum de droits à tout employé et le Code du travail réglemente les relations patronales-syndicales. Aucune loi ne prescrit, à proprement parler, la mise en place de structures de représentation des salariés.

être très réglementées et très coûteuses pour les entreprises. Par contre, la possibilité de se syndiquer constitue en soi une ressource qui peut être utilisée par les employés dans leurs relations avec les dirigeants.

Cette ressource d'ordre juridique permet à des employés de négocier à armes « plus égales » avec les employeurs. C'est d'ailleurs l'objectif de cette reconnaissance que d'équilibrer un rapport jugé au départ inégal entre employeurs et employés. Le droit de négocier un contrat de travail collectif, et de faire la grève en cas d'impasse dans les négociations, est une ressource importante pour les employés. Bien sûr, le droit de lock-out[3] accordé aux entreprises limite et contrebalance le droit de grève. En revanche, au Québec, la Loi « antiscabs » (anti-briseurs de grève) adoptée en 1977, qui empêche les employeurs de remplacer les grévistes par des briseurs de grève, favorise les salariés syndiqués québécois par rapport aux autres salariés nord-américains. Il est à noter cependant que cette loi ne s'applique qu'aux entreprises formées en vertu de la Loi sur les compagnies de la province de Québec ; les entreprises constituées en vertu de la Loi fédérale sur les sociétés par actions ne sont donc pas soumises à ces dispositions.

La question des ressources est primordiale parce qu'elle conditionne les stratégies que les acteurs choisissent dans leurs relations avec les autres. Cette ressource syndicale est cependant toute relative par rapport à celles de propriétaires d'entreprise qui disposent de plus d'un lieu de production. Ils peuvent par exemple menacer les employés d'une unité de production de déménager leurs activités ailleurs si ces derniers n'entendent pas raison lors d'une négociation ou d'un affrontement. Il est donc clair que les employés, même s'ils sont syndiqués, ont des ressources beaucoup moins importantes que la plupart des propriétaires d'entreprise, ce qui ne les cantonne pas pour autant dans l'inaction.

Cette question des ressources ne se pose pas seulement au regard des relations entre les propriétaires et les dirigeants d'une part et les employés d'une autre. Elle se retrouve aussi dans les relations entre propriétaires, entre dirigeants, entre employés, ou encore entre propriétaires et dirigeants. Nous avons déjà brièvement examiné la question des ressources inégales entre propriétaires au sein de la grande entreprise. Nous avons vu que les petits actionnaires d'une grande entreprise n'ont pas voix au chapitre, mais pourtant ils ne sont pas totalement démunis. Ils peuvent aussi s'en remettre aux tribunaux pour faire valoir ce qu'ils considèrent comme leurs droits par rapport à des actionnaires principaux. Il arrive de plus en plus fréquemment que les juges donnent raison à ces petits actionnaires dans leurs affrontements avec les actionnaires principaux et certains grands dirigeants, mais encore une fois, leurs ressources restent faibles par rapport aux autres et limitent grandement les stratégies qu'ils peuvent mettre en œuvre.

2.1.3 Trois types d'enjeux

Les divers acteurs ont des buts, des ressources et des stratégies et ils agissent en fonction d'enjeux qui les concernent dans l'entreprise, soit comme individu, soit comme acteur collectif. La question des enjeux est centrale parce qu'elle permet de comprendre, au-delà des buts des acteurs et des tâches définies par l'entreprise, les actions et les stratégies des acteurs.

L'enjeu, c'est ce que l'acteur ou les acteurs peuvent gagner ou perdre dans les relations qu'ils ont avec les autres, en particulier par rapport aux stratégies qu'ils mettent de l'avant. Il peut y avoir plusieurs enjeux, certains peuvent être évidents, d'autres moins. L'un des objectifs de l'analyse est justement de mettre au jour les enjeux qui sont véritablement l'objet du rapport de force entre les acteurs. Les ressources peuvent être un enjeu dans la mesure où leur contrôle assure à un acteur un plus grand pouvoir sur les autres. De la même manière, les règles peuvent être des enjeux si elles avantagent certains acteurs au détriment des autres. Les acteurs ayant toujours intérêt à ce que les règles les favorisent, leur modification peut donc être un enjeu important.

Nous pouvons dégager trois principaux types d'enjeux : des enjeux économiques, politiques et symboliques. Jusqu'à maintenant, nous avons surtout parlé d'enjeux économiques. Les propriétaires cherchent à obtenir les meilleurs profits possible en optant soit, selon les entreprises et les contextes, pour une politique salariale généreuse ou peu généreuse ; les employés veulent les meilleurs salaires possible en collaborant avec les dirigeants, ou en les affrontant, etc. Ainsi, les stratégies de collaboration, de négociation ou d'affrontement visent souvent à orienter les actions des uns et des autres vers des conséquences positives pour chacun sur le plan économique. Elles peuvent aussi servir à assurer la survie de l'entreprise ou le maintien des emplois. Mais ce n'est pas tout ce qui motive les actions des acteurs. Certains groupes d'employés font la grève parce qu'un dirigeant ne les respecte pas et qu'ils ont l'impression de n'être pas bien traités, ou tout simplement pour avoir leur mot à dire dans l'organisation du travail. Un dirigeant travaillera à la croissance de l'entreprise pour obtenir une reconnaissance sociale, du prestige, ou adoptera des stratégies visant à éliminer un rival trop ambitieux qui veut prendre sa place. La notion d'enjeux politiques ou symboliques caractérise ces situations.

L'enjeu politique recouvre le désir d'exercer plus de pouvoir ou la peur de perdre du pouvoir dans l'entreprise. Les relations entre les acteurs sont constamment empreintes de ces rapports de pouvoir : le dirigeant d'une unité opérationnelle veut avoir plus de pouvoir par rapport au siège social pour atteindre ses objectifs de production, l'ouvrier veut plus de pouvoir pour voir à l'exécution de son travail, le propriétaire veut exercer le plus grand contrôle, etc. Cette recherche du pouvoir est en fait la recherche d'une plus grande autonomie dans la conduite de sa vie au travail. Ce désir d'autonomie est une caractéristique des individus dans nos sociétés modernes, et il s'accompagne souvent du désir de participer activement au fonctionnement de l'entreprise, d'où la nécessité d'une plus grande démocratie dans cette dernière. Exercer un plus grand pouvoir ou conserver le pouvoir, c'est, concrètement, obtenir de nouvelles ressources pour l'exercer, ou conserver celles qu'on contrôle déjà.

Ces ressources sont d'ordre matériel, décisionnel, informationnel, etc. En effet, pour un dirigeant, disposer d'un budget plus important pour mener à bien un projet est une ressource significative sur le chapitre du pouvoir, et d'autant plus si ces ressources financières sont convoitées par des dirigeants d'autres services ou unités de production. Cela veut dire que son projet l'a emporté, qu'il peut y faire travailler des personnes, et que d'autres projets vont être mis de côté. Il a gagné et d'autres ont perdu. Pour des employés, avoir de nouvelles ressources peut vouloir dire avoir le droit de prendre plus de décisions dans l'exercice de leur tâche, ce qui peut contribuer à enrichir leur travail et à les soustraire un peu de l'autorité de leur supérieur immédiat. Ils ont gagné une certaine autonomie, alors que ce dernier perd un peu de son pouvoir sur eux. Ce peut être aussi d'avoir accès aux informations financières en ayant un siège réservé au conseil d'administration, ce qui leur permettra de mieux faire valoir leurs points de vue, de négocier des conditions salariales et de travail en meilleure connaissance de cause et, donc, d'améliorer leur rapport avec l'employeur. L'enjeu encore ici est politique, soit un peu plus de pouvoir pour les uns, un peu moins pour les autres. En effet, dans ce dernier cas, les dirigeants ne pourraient plus invoquer indûment la situation économique difficile de l'entreprise au moment de la négociation d'un nouveau contrat de travail, comme ils le font souvent, parce que les employés auraient eu accès au bilan de l'entreprise.

Bien sûr, cette ressource, comme toute ressource, est relative. Peut-on l'utiliser? Et dans quelle mesure? Chaque situation est différente. Dans l'exemple d'un siège réservé aux employés au conseil d'administration, il faut voir plus précisément s'il existe un syndicat ou des mécanismes formels pour bien exploiter cette ressource. Il faut voir par exemple si l'entreprise donne aux employés la possibilité de suivre une formation dans le domaine de la gestion pour leur permettre de remplir pleinement leur rôle, et si oui voir qui est chargé de cette formation (les dirigeants ou des spécialistes venus de l'extérieur) et dans quel contexte (favorable ou non). Autant d'aspects qui conditionneront l'usage de cette ressource, son poids, sa portée pour les employés. L'enjeu, ce n'est donc pas exclusivement la reconnaissance d'un droit ou l'obtention d'une ressource, c'est aussi la mise en œuvre, les conditions d'usage de ce droit ou de cette ressource.

Cela nous conduit tout naturellement à l'enjeu symbolique. Avoir une reconnaissance dans l'entreprise, comme lorsque des employés sont admis au conseil d'administration (cas rare, faut-il le préciser en Amérique du Nord, mais plus fréquent en Allemagne, par exemple), après une dure bataille ou une négociation de bonne foi, est d'abord un enjeu symbolique : être reconnu comme interlocuteur valable. Nous avons vu que cela ne suffit pas toujours, surtout si, une fois la bataille gagnée, cette reconnaissance ne se traduit pas par des effets réels, palpables. Mais il y a là un enjeu symbolique, souvent très important. En effet, les employés ont fréquemment l'impression de n'être que «des numéros interchangeables», que de simples instruments de travail facilement remplaçables. Plusieurs conflits dans l'entreprise ont pour cause principale un manque de respect des propriétaires et des dirigeants à leur égard. Pouvoir siéger au conseil d'administration change la dynamique à ce chapitre.

Régulièrement, voire quotidiennement, des enjeux symboliques se jouent dans l'entreprise : des dirigeants qui conservent les privilèges attachés à leurs fonctions tandis que sont réduits les salaires des employés; d'autres qui s'offrent de beaux et spacieux locaux alors que leurs employés de bureau sont entassés les uns sur les autres dans des aires ouvertes; d'autres encore qui se congratulent mutuellement — annonces de nominations dans les journaux, fêtes en l'honneur d'une promotion ou d'un bon coup de l'un d'entre eux, etc. — tandis que leurs employés ne reçoivent jamais de reconnaissance ni de félicitations; ou encore des employés ou des cadres qui ont des traitements de faveur, un plus grand bureau, de petites récompenses à l'occasion (billets de hockey ou invitation à dîner du grand patron). Ces petits riens peuvent finir par gâcher les relations de travail et être la source de conflits ou d'affrontements très durs.

La vie en entreprise ne se réduit donc pas à des enjeux économiques autour des profits, des salaires, de la productivité, du rendement; elle comporte aussi des enjeux politiques, liés à l'autonomie, aux responsabilités, au pouvoir, et des enjeux symboliques, liés à la reconnaissance formelle ou informelle (fêtes, cérémonies, distribution des bureaux, etc.) de son existence, de son identité. Cette dynamique touche autant les dirigeants entre eux, ou les employés entre eux, que les relations entre dirigeants et employés, propriétaires et dirigeants, propriétaires et employés.

LES RÉGULATIONS À L'ŒUVRE

Contrairement aux jeux de société, les jeux de la vie n'ont pas de règles fixes, qui seraient établies une fois pour toutes. Les règles sociales sont construites et transformées par les interactions des acteurs, par le jeu de leurs relations. Ces règles sont à la fois des guides pour l'action et le résultat de l'action. Elles sont parfois évidentes, formelles, comme les lois et les règlements qui régissent nos activités en société, bien que ces lois soient appelées à changer avec le temps, de façon à tenir compte des nouvelles pratiques sociales. Elles sont aussi parfois moins évidentes, moins formelles, comme les codes culturels qui régissent les relations quotidiennes (comment se comporter en public, comment s'habiller pour travailler dans tel ou tel milieu, comment s'adresser au directeur de l'entreprise, etc.). Lorsque les règles contribuent à créer un ensemble social, parce que des individus l'ont voulu en instaurant des règles d'appartenance et d'exclusion, à contraindre les activités de cet ensemble, elles constituent ce que Reynaud (1989) appelle des régulations. La régulation, c'est donc à la fois « le processus de création, de transformation ou de suppression des règles » (*ibid.*, p. 31) et la gestion et le maintien de ces règles comme système (*ibid.*, p. 35-37), ce qui permet finalement l'action collective, celle d'un groupe (*ibid.*, p. 70).

La société et l'organisation, comme tout système social un tant soit peu complexe, comptent de nombreuses régulations. Et ces régulations sont souvent en concurrence entre elles ; il arrive même fréquemment qu'on tente d'imposer sa régulation à d'autres. Comme le résume Reynaud :

> Par définition, une règle exerce une contrainte. Mais cette contrainte n'est pas seulement exercée par une collectivité sur un individu. Elle peut s'exercer sur une autre collectivité qui a déjà ou qui essaie d'avoir ses propres règles. La contrainte qu'exerce une régulation en affronte alors une autre. Réciproquement, l'infraction est la chose la plus naturelle du monde : puisqu'il y a règle, c'est qu'il y a tentation d'agir autrement. Mais l'infraction ne se réduit pas à la déviance individuelle. Elle peut être celle d'un groupe ou d'un individu qui défend ou réclame une autre régulation. Elle peut provenir d'une divergence entre deux règles. (Reynaud, 1989, p. 93.)

Examinons les différentes régulations à l'œuvre dans l'entreprise.

2.2.1 LES RÈGLES ET LES RÉGULATIONS DANS L'ENTREPRISE

L'entreprise est aussi un univers de règles et de régulations. Ainsi, les interactions des acteurs autour d'enjeux, de buts, de stratégies et de ressources contribuent à la construction d'un mode de fonctionnement que cristallisent des règles et des régulations. D'une part, les règles délimitent le jeu des acteurs et de leurs relations dans l'entreprise. D'autre part, comme elles sont aussi le résultat des rapports de force entre les acteurs, elles sont continuellement négociées, voire transformées. Elles sont « la conclusion toujours provisoire, précaire et problématique d'une épreuve de force » (Friedberg, 1993, p. 171). En ce sens, elles sont des régulations, c'est-à-dire à la fois des règles stabilisées et contraignantes pour les individus et les groupes et des processus continus de création-transformation-suppression des règles des groupes.

Nous pouvons relever trois types de régulations, c'est-à-dire des ensembles de règles et de processus permettant l'action collective, à l'œuvre dans l'entreprise : la régulation de contrôle, la régulation autonome et la régulation conjointe (Reynaud, 1989). La régulation de contrôle est la plus connue ; c'est, par exemple, celle de la direction et de l'encadrement dans l'entreprise. Il s'agit des règles et de la structure mises en place pour diriger et surveiller l'exécution du travail par les employés. Elle est en quelque sorte extérieure aux individus et aux groupes sur qui elle s'exerce, au sens où les règles sont imposées par d'autres — propriétaires, dirigeants, cadres ou contremaîtres chargés de s'assurer que les employés accomplissent le travail tel qu'il a été préalablement défini. Les règles de cette régulation désignent explicitement les personnes en position d'autorité, la plupart du temps dans le cadre d'une structure hiérarchique où chacun a quelqu'un au-dessus de lui — d'où son caractère externe. Elles prescrivent de plus pour chacune des situations (même s'il est impossible de toutes les prévoir) auxquelles font face les différents acteurs la conduite à suivre et les mesures à prendre. Ces règles incluent généralement les procédures d'évaluation du personnel, les mesures disciplinaires en cas de manquements, les procédures de correction en cas de problèmes (techniques ou autres), etc. La régulation de contrôle s'appuie en fait sur une assez grande variété de mécanismes, car les éléments qui les composent peuvent s'agencer différemment : ligne hiérarchique longue ou courte, centralisation ou décentralisation des décisions, planification à court terme ou à long terme, etc.

La régulation autonome provient de ceux qui effectuent le travail au quotidien dans des univers plus restreints, plus circonscrits. Il s'agit des règles qu'élaborent progressivement, à travers des expériences partagées et régulières, un groupe d'acteurs. Ce sont, entre autres, les règles de métier que forgent les employés et qui leur permettent de s'approprier un peu plus leur travail tout en codifiant leurs relations interpersonnelles (initiation, intégration, entraide, etc.). Il ne s'agit pas d'une régulation commune et uniforme à la grandeur de l'entreprise. Au contraire, il peut y avoir autant de régulations autonomes qu'il y a de groupes et d'acteurs collectifs dans l'entreprise.

La régulation conjointe naît de la rencontre de la régulation de contrôle et de la régulation autonome, quand des groupes d'employés négocient avec les propriétaires ou les dirigeants les règles de l'entreprise et en arrivent à un arrangement institutionnel. C'est le cas des entreprises où existe un syndicat et où une grande partie des règles sont négociées par les parties syndicale et patronale. C'est le cas aussi dans des pays comme l'Allemagne où il y a une obligation légale de cogestion dans les grandes entreprises. La régulation conjointe n'élimine pas les régulations autonomes, mais elle s'en inspire en grande partie. Elle n'élimine pas non plus la régulation de contrôle, mais elle limite la portée de celle-ci. Encore ici, plusieurs cas de figure sont possibles, puisque les règles négociées, résultat d'une régulation conjointe, peuvent s'appliquer à quelques éléments (promotions et mises à pied, par exemple, en vertu du principe de l'ancienneté) ou à plusieurs (quotas de production, changements technologiques, formation, etc.) de la vie en entreprise.

Pour résumer simplement, la régulation de contrôle, ce sont les règles qu'un groupe impose à un autre, la régulation autonome, ce sont les règles qu'un groupe se donne pour assurer son existence et son fonctionnement, et la régulation conjointe, c'est la négociation des règles qu'un groupe impose à un autre en tenant compte des règles propres à ce groupe. Nous allons dans les prochaines pages donner des exemples concrets de ces trois formes de régulation.

2.2.2 LA RÉGULATION DE CONTRÔLE : LA LOGIQUE DES PROPRIÉTAIRES ET DES DIRIGEANTS

Dans cette section, nous examinerons les différentes formes que peut prendre la régulation de contrôle dans l'entreprise privée. Nous nous intéresserons d'abord au contrôle qu'exercent les propriétaires sur les dirigeants des entreprises. Nous jetterons aussi un rapide regard sur les conséquences de cette régulation sur le contrôle qu'exercent les dirigeants sur les employés, deuxième forme importante de la régulation de contrôle dans l'entreprise.

La régulation de contrôle managériale-actionnariale

Le premier cas de figure que nous considérerons est celui de la régulation de contrôle managériale-actionnariale, assez répandue dans les grandes entreprises américaines. Cette forme de régulation touche en effet plus de 40 % des entreprises américaines, selon une enquête comparative Canada — États-Unis (Rao et Lee-Sing, 1996, p. 7). Il s'agit d'entreprises qui sont la propriété d'actionnaires individuels et institutionnels (fonds de retraite, compagnies d'assurances, etc.) dont aucun ne possède plus de 10 % des actions. La direction de l'entreprise est alors entre les mains de grands gestionnaires qui travaillent en collaboration avec le conseil d'administration représentant les intérêts des actionnaires. La régulation de contrôle qui se met en place ici est celle du contrôle qu'exercent les actionnaires sur les dirigeants par le biais du conseil d'administration. En effet, il s'agit, pour les actionnaires, de s'assurer que les dirigeants travaillent bien pour leurs intérêts à eux. Or, selon de nombreux spécialistes, le conseil d'administration réussit rarement à bien jouer son rôle. Comme le soulignent Monks et Minow :

> Suivant [...] la définition juridique de leur rôle, les conseils [d'administration] existent [...] parce qu'il leur revient de surveiller les gestionnaires, d'embaucher ceux qui effectueront le meilleur travail et de les congédier s'ils ne répondent pas aux attentes. La gestion devrait ainsi se faire selon le bon vouloir du conseil d'administration. Or, la réalité est tout autre. Les administrateurs sont en effet redevables aux gestionnaires de leur nomination, de leur rémunération et de l'information dont ils disposent. Qui plus

est, nombre d'entre eux n'ont pas la capacité ou le désir soit de consacrer du temps ou de l'énergie à superviser le fonctionnement de l'entreprise, soit de s'engager financièrement afin de contribuer à son succès. (Monks et Minow, 1995, p. 184; traduction libre.)

En fait, c'est que le conseil d'administration doit faire face à des dirigeants qui fabriquent et gèrent l'information pertinente, qui la distribuent selon leur volonté. Dit autrement, le conseil d'administration fait face à des dirigeants qui ont leur régulation autonome, c'est-à-dire leurs propres règles de fonctionnement qu'ils modifient à leur gré ou presque. La situation peut cependant varier énormément d'une entreprise à l'autre, selon que le PDG de l'entreprise est ou non président du conseil d'administration — il l'est dans 60 % des cas aux États-Unis (Monks et Minow, 1995, p. 15) —, selon que les actionnaires sont des individus ou des institutions (celles-ci exercent plus de pression sur les conseils d'administration et sur les dirigeants), selon la provenance (de l'extérieur ou de l'entreprise? et dans quelle proportion?) des membres du conseil d'administration (aux États-Unis, par exemple, un conseil d'administration d'une grande entreprise compte en moyenne 13 membres dont 3 viennent de l'entreprise [*ibid.*, p. 181]), etc.

Cette situation de contrôle managérial-actionnarial qui est dominante aux États-Unis est au contraire minoritaire au Canada, ne touchant que 23,1 % des entreprises (Rao et Lee-Sing, 1996, p. 7). Ainsi, au Canada, on trouve plus d'entreprises contrôlées par un actionnaire ou un petit groupe d'actionnaires détenant plus de 50 % des actions (55,5 % des entreprises au Canada par rapport à seulement 24,7 % aux États-Unis [*ibid.*]). De plus, le PDG est beaucoup moins fréquemment le président du conseil d'administration (34,5 % des cas [*ibid.*, p. 15]) bien qu'il siège au conseil d'administration dans la plupart des cas. Dans ces circonstances, la régulation de contrôle des actionnaires sur les dirigeants est moindre, puisque la plupart du temps l'actionnaire principal (ou chaque actionnaire du petit groupe d'actionnaires principaux) est l'un des dirigeants de l'entreprise. Il faut savoir de plus que la vaste majorité des entreprises au Canada, comme en Allemagne ou en France, et contrairement aux États-Unis ou à l'Angleterre, sont des sociétés privées (non cotées en bourse; pas d'états financiers publics) (*ibid.*, p. 48). La logique canadienne se distingue donc grandement de la situation américaine: les propriétaires exercent un contrôle plus direct sur l'entreprise et sa direction. Il s'agit très souvent d'un contrôle personnel ou familial.

La régulation de contrôle personnel ou familial

Le cas de l'entreprise familiale constitue un cas de figure sur lequel il vaut la peine de dire quelques mots, ne serait-ce que parce qu'il s'agit probablement du genre d'entreprise le plus répandu dans le monde. Précisons que ce genre d'entreprise est souvent caractérisé par le désir de constituer un patrimoine familial qu'on entend léguer à ses enfants. Le processus est généralement le suivant: on lance une entreprise, on y intègre progressivement ses enfants, on leur délègue de plus en plus de responsabilités, et on leur cède finalement la direction de l'entreprise. Dans ce modèle, la croissance et les résultats financiers fracassants ne sont pas souvent les principaux objectifs. La régulation de contrôle dans l'entreprise — ses règles, son fonctionnement — est ici d'abord et avant tout marquée par des buts, des intérêts, des stratégies et des enjeux différents pour chacun des membres de la famille, au point que souvent la gestion et le développement de l'entreprise en souffrent. La question de la succession est particulièrement porteuse de conflits (dispute entre parents et enfants sur le choix du successeur, dispute entre enfants quant à l'orientation à donner à l'entreprise, etc.).

La régulation de contrôle institutionnelle

La situation est tout autre dans des pays comme l'Allemagne et le Japon. Dans ces pays, les actionnaires ont encore moins à dire sur le fonctionnement de l'entreprise comparativement à ce qui est admis aux États-Unis et au Canada, c'est-à-dire que leur pouvoir sur les dirigeants est encore plus faible. En fait, les travailleurs y ont souvent un rôle tout aussi important, sinon plus. En ce sens, la régulation de contrôle qu'on trouve dans les entreprises allemandes et japonaises est plus proche d'une situation de régulation conjointe. Il faut cependant rappeler, avec Reynaud (1989), que cette régulation conjointe, fruit d'une négociation entre direction et employés, en s'imposant à tous dans l'entreprise, revêt, à ce titre, une certaine dimension d'extériorité par rapport aux acteurs : « La négociation en forme [entre représentants de la direction et des employés] s'écarte aussi de la rencontre directe entre acteurs parce qu'elle est nécessairement plus centralisée. » (*Ibid.*, p. 113.) De plus, comme le dit Reynaud, « elle ne couvre pas tous les domaines de la vie de l'organisation avec la même efficacité et la même manière […] et les domaines non couverts renaissent sans cesse… » (*ibid.*). Elle est donc en quelque sorte une forme plus douce, plus diffuse, plus démocratique de la régulation de contrôle. Nous l'appellerons « régulation de contrôle institutionnelle ».

Examinons un peu plus longuement le cas des grandes entreprises allemandes et japonaises qui sont généralement la propriété de banques et d'actionnaires privés et qui reposent sur un contrôle passablement différent du contrôle managérial-actionnarial. En Allemagne, par exemple, les acteurs syndiqués jouent, dans les entreprises de plus de 2 000 employés, un rôle important puisqu'ils y ont obtenu la cogestion en 1976. Michel Albert décrit le fonctionnement de ces entreprises :

> Au sommet de celles-ci, on trouve deux instances clés : le *directoire*, responsable de la gestion proprement dite, et le *conseil de surveillance*, élu par l'assemblée des actionnaires et chargé de superviser l'action du directoire. Ces deux organes sont tenus de collaborer en permanence pour assurer la direction harmonieuse de l'entreprise. Il existe donc un système de *check and balance* entre actionnaires et dirigeants qui permet à chacun de se faire entendre, sans pour autant que l'un prédomine.

À cette division des pouvoirs au sommet s'ajoute la fameuse cogestion — ou coresponsabilité — avec le personnel. En Allemagne, elle est le fruit d'une longue tradition qui remonte à 1848. Elle s'exerce à travers le *conseil d'établissement* [...]. Cet organe est consulté sur toutes les questions sociales (formation, licenciements, horaires, mode de paiement des salaires, organisation du travail). Et un accord doit *obligatoirement* intervenir sur ces questions entre le patronat et les conseils d'établissement. Mais les salariés allemands disposent d'un autre moyen d'expression et d'action : le conseil de surveillance dans lequel siègent leurs représentants élus. Depuis la loi de 1976 portant sur les entreprises de plus de 2 000 salariés, leur nombre est égal à celui des actionnaires. Certes, le président du conseil de surveillance est obligatoirement choisi parmi les actionnaires et, en cas de partage des votes, sa voix est prépondérante. Il n'empêche que la représentation et le poids des salariés dans l'un des organes décisifs de l'entreprise sont significatifs. Dans de telles conditions, le dialogue social est perçu comme un impératif faute duquel les entreprises ne pourraient fonctionner. (Albert, 1991, p. 131-132 ; © Éditions du Seuil, 1991 ; reproduit avec permission.)

Ainsi, en Allemagne, les acteurs syndiqués participent souvent à la régulation de contrôle. Elle n'est plus ici l'affaire exclusive des propriétaires et des dirigeants. La présence de tels acteurs, combinée à celle des banques comme propriétaires-actionnaires-gestionnaires, change toute la dynamique de l'entreprise. En fait, les banques jouent ici, mais de façon plus efficace selon certains analystes, le rôle clé de surveillant des dirigeants. Il faut dire que c'est le cadre juridique qui, parce qu'il favorise le rôle d'intermédiaire pour les banques, permet ce meilleur contrôle. Par exemple, les banques sont la principale source de capitaux des entreprises en exerçant « un quasi-monopole », concédé par l'État, « pour l'émission d'actions et d'obligations, autant privées que publiques » (Nekhili, 1997, p. 354 ; les informations qui suivent sur les banques allemandes et japonaises proviennent aussi de cette source). Elles détiennent aussi très souvent une partie du capital, qui dépasse cependant rarement les 10 %. En fait, ce qui fait la différence, c'est la délégation fréquente par les actionnaires individuels de leurs droits de vote aux banques, si bien que ces dernières exercent ultimement le contrôle effectif, avec en moyenne 36 % des droits de vote, dans l'entreprise. Si les banques sont mieux placées que le conseil d'administration à l'américaine pour soumettre à un contrôle les dirigeants de l'entreprise, c'est qu'elles disposent de plus de ressources, notamment en ayant un accès privilégié aux informations financières. Ces dernières leur viennent non seulement de leur rôle de prêteur, mais de toute une série de services qu'elles rendent à l'entreprise : escompte, opérations sur titres, garantie, virement, etc. Elles interviennent en fait directement à toutes les étapes de la vie des entreprises. C'est l'une des manifestations de ce capitalisme continental européen dont nous avons déjà parlé dans le chapitre 1.

De toute évidence domine ici une logique institutionnelle (syndicats-banques-entreprises) qui privilégie la stabilité des capitaux et de la direction. L'entreprise japonaise s'inscrit dans une semblable logique avec la participation des banques et des institutions financières, de même que celle, plus réduite cependant, des salariés (syndicats, cercles de qualité, etc.). Ainsi, comme en Allemagne, les banques financent l'entreprise et en ont le contrôle effectif. En fait, c'est souvent 40 % du capital des entreprises japonaises qui est détenu par des institutions financières. Ces dernières délèguent à une banque principale le contrôle de l'entreprise et de ses dirigeants. Tant et aussi longtemps que tout va bien (profit satisfaisant), cette banque intervient peu, réservant sa faculté d'intervention pour les périodes difficiles:

> En cas de crise, c'est la banque principale qui s'occupe de la réorganisation, de la programmation des modalités de remboursement de l'emprunt et qui juge de l'urgence d'un nouvel endettement. Elle peut aussi recommander la liquidation de certains actifs et orienter sa stratégie dans d'autres directions. Toujours en cas de crise, elle joue le rôle de chef de file et doit garantir la créance du consortium. (Nekhili, 1997, p. 352.)

Au Japon, en revanche, et contrairement à l'Allemagne, aucun arrangement institutionnel sur le plan sociétal ne vient régir les rapports entre dirigeants et employés; c'est plutôt dans chaque entreprise, dans les grandes surtout, que les arrangements se font, et ce, entre le syndicat et la direction. Le rôle du syndicat peut cependant varier énormément d'une entreprise à l'autre. Bernier (1995) donne l'exemple de l'automatisation de certains procédés ou d'un atelier pour illustrer la plus ou moins grande participation des syndicats à la prise de décision.

> Dans certaines entreprises [japonaises], l'avis du syndicat n'est pas officiellement sollicité: il s'agit d'entreprises dans lesquelles la direction est forte, où la rotation des tâches est systématique et où le syndicat est vu comme un outil de la direction. Mais ce n'est pas le cas dans toutes les entreprises. Dans certaines, les décisions au sujet de l'automatisation, par exemple, doivent être approuvées par le syndicat, qui exige des précisions sur les procédés à automatiser, sur les nouveaux systèmes, sur leurs effets sur les tâches et sur la qualification, sur le choix des personnes qui travailleront sur ces systèmes, sur le sort des travailleurs qui seront déplacés, sur la formation qui sera nécessaire pour utiliser ces systèmes. Dans ces cas, le syndicat est partie prenante de la décision et toute décision prise sans son assentiment serait impossible. (Bernier, 1995, p. 199.)

On trouve donc une participation des salariés et des syndicats à la régulation de contrôle dans plusieurs grandes entreprises japonaises, mais cette régulation n'est pas établie par les grands acteurs institutionnels (patronat, centrales syndicales et État), comme dans le cas de l'Allemagne, mais à l'échelle locale.

Il est évident que les cas de figure sont plus nombreux et plus variés que ceux que nous avons examinés ici (voir l'encadré 2.2 pour avoir un bref aperçu d'autres cas de figure), et ce, pour chacun des pays mentionnés. Nous avons présenté seulement certains types dominants, dans la grande entreprise notamment, qui illustrent cette variété. Il reste cependant que, à cause de l'histoire et de la culture propres à chaque pays, certains types restent fortement associés à des

---

ENCADRÉ 2.2
Les entreprises publiques, coopératives et communautaires

Outre les entreprises privées, il existe de nombreuses autres formes d'entreprises: entreprises publiques, entreprises coopératives, entreprises communautaires, etc. La régulation de contrôle dans ces entreprises obéit à des logiques différentes de celles de l'entreprise privée. Dans l'entreprise publique, c'est l'État, plus particulièrement le gouvernement, qui est l'acteur principal, qui définit les orientations de l'entreprise, qui y nomme les dirigeants, qui y recueille les profits. Nous appelons «régulation de type sociopolitique» ce type de régulation propre à l'entreprise publique. Pour sa part, l'entreprise coopérative met en place une régulation de contrôle collective et égalitaire. Ce sont les membres propriétaires de l'entreprise qui prennent les décisions concernant l'orientation de l'entreprise et le type de direction qu'elle se donnera, et ce, dans un cadre de stricte égalité. Quant à l'entreprise communautaire, elle peut prendre plusieurs formes: la régulation peut venir d'un organisme à but non lucratif, d'une association de bénévoles, de militants politiques, etc.

---

pays particuliers. Ainsi, la régulation managériale-actionnariale est davantage associée aux États-Unis et à l'Angleterre (capitalisme libéral de marché), et la régulation institutionnelle à l'Allemagne et au Japon (capitalisme européen continental et capitalisme asiatique). Certains pays, comme la France, se trouvent dans une situation intermédiaire où le rôle des banques est plus grand qu'aux États-Unis — il faut dire que dans ce dernier pays le régime juridique «conduit réellement à une séparation entre les prêteurs et les actionnaires: il limite ainsi les banques à discipliner les dirigeants des firmes dans lesquelles elles investissent» (Nekhili, 1997, p. 347) — où par ailleurs le rôle du marché (par le biais des actionnaires) est plus grand.

Comment se traduisent ces différentes formes de régulation de contrôle pour ce qui est du contrôle des dirigeants sur les employés? À la lumière de ce qui précède, on peut conclure, avec d'autres (Albert, 1991), que la régulation de contrôle institutionnelle assure une plus grande stabilité de la direction comme du personnel et permet une plus grande participation des travailleurs, produisant ainsi à la fois une régulation de contrôle plus stable et plus susceptible d'être négociée que dans le cas de la régulation managériale-actionnariale. Dans ce dernier cas, comme des analystes l'ont noté (Kourchid, 1992, par exemple), la participation des employés à la gestion de l'entreprise, à sa régulation, est possible mais plus rare et se fait surtout sur un mode individualisé, en l'absence d'instances représentant les employés ou de syndicats. Le pouvoir des employés y est donc passablement réduit, et ceux-ci sont davantage à la merci de réorganisations radicales de l'entreprise, incluant des mouvements de personnel importants. Du point de vue de la dynamique sociale de l'entreprise, il y a donc une différence importante entre les deux modes de régulation de contrôle: l'un reconnaît les acteurs collectifs et leur aménage des espaces de négociation, l'autre les reconnaît rarement, sinon jamais, et ne leur aménage à peu près aucun espace de négociation.

*
* *

Nous le voyons, les types de propriété et de contrôle (managérial, personnel, familial, institutionnel) pèsent lourd sur l'entreprise, sa direction et ses employés. Ce sont les propriétaires de l'entreprise, ou ses dirigeants dans certains cas, et, en dernier ressort, leurs buts, leurs intérêts, leurs ressources, leurs stratégies et les enjeux qui inspirent leurs actions, de même que leurs valeurs et leurs représentations, qui modulent — dans le contexte des contraintes d'un cadre sociétal et institutionnel comme nous l'avons vu — la régulation de contrôle dans l'entreprise.

2.2.3 LA RÉGULATION AUTONOME : LA LOGIQUE DES EXÉCUTANTS

La régulation autonome est, rappelons-le, celle des exécutants qui, pour rendre leur travail plus agréable, plus acceptable et plus efficace très souvent, forgent des règles de comportement qui leur sont propres. Cette régulation touche non seulement les travailleurs salariés, mais aussi des cadres et des dirigeants qui, travaillant régulièrement au sein d'équipes d'employés ayant un même statut, élaborent leurs propres règles d'interaction. Nous allons examiner quelques cas pour illustrer cette régulation autonome. D'abord celui des groupes de travailleurs exposés à des risques physiques ou psychologiques importants, comme les mineurs, les travailleurs de la construction ou les infirmières affectées aux soins intensifs ou aux soins des cancéreux, conditions qui donnent lieu à une régulation particulière. Ensuite, nous nous pencherons sur le cas des salariés pratiquant des métiers moins dangereux mais parfois ennuyeux et répétitifs, comme le travail à la chaîne. Nous verrons alors un autre type de régulation autonome à l'œuvre. Finalement, nous examinerons le cas des cadres et des dirigeants travaillant en équipes.

Les mineurs pratiquent un métier difficile et dans des conditions très dures et très dangereuses [4]. En effet, les mineurs se trouvent dans un lieu de travail hostile où il fait toujours noir, où il y a beaucoup de poussières, d'eau et de boue, où les écarts de température sont grands et où les risques d'accidents graves pouvant entraîner la mort sont élevés. Ces conditions de travail difficiles provoquent un stress qu'il faut gérer. Or, les mineurs ont perfectionné une façon de composer avec ces conditions de travail, une gestion qui constitue une partie importante de la régulation autonome de leur groupe. Ainsi, les mineurs ne parlent jamais des risques d'accidents (provoqués par un effondrement du toit d'un tunnel ou par le détachement d'une roche de la paroi) associés à la pratique de leur métier. Car en parler serait y penser et y penser ferait ressurgir la peur tapie au fond d'eux, ce qui les empêcherait de travailler. Non seulement ne parlent-ils pas de ces dangers sur les lieux de travail (sauf après un accident, où il faut exorciser le danger et la peur par la parole), mais ils n'en parlent pas non plus à l'extérieur, ni entre eux, ni avec les parents et les amis. C'est un sujet tabou.

Une deuxième stratégie pour conjurer la peur consiste à travailler sans interruption. Les mineurs détestent les temps morts dans la mine et ils font tout pour éviter les situations où il y en aurait trop. C'est que, durant les temps morts, lorsque la machinerie ne fonctionne plus, ils entendent vivre la mine : bruits, craquements, etc. Ces bruits et craquements sont bien sûr le résultat de l'exploitation intensive de la mine. Mais ils rappellent aux mineurs l'existence du danger, des risques d'effondrement. C'est pourquoi les mineurs aiment travailler en équipes, auprès de compagnons très sociables et avec qui ils peuvent parler durant les temps morts. Tout cela évite d'entendre vivre la mine. C'est pour cette raison qu'un chef d'équipe ou un superviseur n'hésitera jamais à déplacer des mineurs qui ne s'entendent pas bien. D'ailleurs, un mineur qui ne trouverait pas de compagnons pourrait difficilement conserver son poste.

La bonne entente avec les collègues est importante pour une autre raison. En cas d'accident, le mineur doit pouvoir compter sur l'autre pour le secourir. Or, s'il ne s'entend pas bien avec lui, ou s'il n'a pas confiance en lui parce qu'il a tendance à avoir peur et à paniquer, il sait qu'il ne pourra pas compter sur son aide, d'où la tendance chez les mineurs à se mettre à l'épreuve, et surtout à tester les nouveaux, en jouant des tours. Ces mises à l'épreuve permettent aux mineurs de se trouver des compagnons en qui ils auront pleinement confiance et servent à séparer les mineurs de carrière des autres. L'un des tours des mineurs pour éprouver un compagnon sur qui on aurait des doutes est de simuler un effondrement. Pour ce faire, un mineur éteint la lumière de son casque et se cache dans un tunnel pour attendre le passage de l'individu à éprouver. Juste après le passage de ce dernier, le mineur s'approchera silencieusement de lui par-derrière et lui appliquera d'un doigt une légère pression au-dessus de l'épaule pour simuler la chute d'une petite pierre, souvent annonciatrice d'un effondrement plus important. Et là, il surveillera la réaction du mineur. Il s'attend à une réaction de peur, mais ce qu'il veut mesurer, c'est l'ampleur de celle-ci. Si le mineur panique et «part à courir comme un fou dans la mine» — ce qui arrive parfois —, alors il saura qu'il ne pourra pas lui faire confiance en cas d'accident. En effet, ce dernier pourrait aussi bien, s'il se met à courir en tous sens, se blesser en butant contre la machinerie ou se tuer en tombant dans un trou de mine. Il ne sera en tout cas d'aucun secours. Encore une fois, un mineur qui n'a pas la confiance de son ou de ses compagnons sera déplacé.

Trois règles de métier au centre du travail des mineurs (du moins des mineurs abitibiens) se dégagent de tout cela, qui pourraient se résumer ainsi : il faut être «travaillant» ; il faut être sociable ; il ne faut pas être peureux ni fantasque. Il faut être «travaillant» parce que le salaire est lié à la productivité et que, surtout, le travail «effréné» est une stratégie défensive pour conjurer la peur. Il faut être sociable parce que les journées de travail sont longues, les conditions de travail difficiles et que le seul réconfort des mineurs se trouve finalement dans les bonnes relations qu'ils entretiennent avec leurs compagnons de travail. Il ne faut pas avoir peur parce que, non seulement cette réaction rend le travail difficile, mais elle rappelle aux autres mineurs la peur tapie au fond de chacun d'eux. Toutefois, il ne faut pas être fantasque non plus parce que cela aussi rappelle la peur : un chien qui jappe, dit-on, est un chien qui a peur. C'est pourquoi les mineurs réservent aussi des tours particuliers aux plus fantasques d'entre eux. Ainsi, si on ne doit pas parler de la peur pour ne pas la faire surgir, on ne doit pas non plus la nier en la défiant inconsidérément. Et, nous l'avons déjà souligné, la direction reconnaît et respecte cette régulation, notamment en se soumettant à la règle du choix des compagnons des mineurs.

Nous retrouvons des règles semblables dans les métiers de la construction. Damien Cru (1987), qui a étudié le cas des tailleurs de pierre parisiens, dégage quatre règles qu'il nomme ainsi : la règle d'or, la règle de l'outillage, la règle du temps et la règle du libre passage. Ces règles ont pour fonctions d'assurer la qualité de travail, la sécurité dans l'exercice du métier (taille et pose de la pierre sur les bâtiments), et de favoriser une bonne gestion des relations interpersonnelles. La règle du temps renvoie à la pratique sécuritaire du métier. Elle dit qu'il ne faut ni courir ni s'endormir, ce qui fait référence à la fois au temps d'observation et d'inspection qui précède le début des travaux que s'accordent les ouvriers — et que ne comprennent pas toujours les patrons ou les observateurs extérieurs — et aux risques d'accidents que comporte le fait de travailler trop rapidement quand on est sur un échafaudage.

> Et chaque tailleur de pierre connaît l'importance d'une bonne mise en chantier de son caillou, c'est-à-dire d'une bonne disposition de sa pierre face à lui. Un emplacement dégagé, où l'on peut travailler avec aisance ; une bonne hauteur ; une bonne inclinaison pour suivre le trait sans recevoir d'éclat dans l'œil et sans en envoyer à ses voisins ; un bon calage pour éviter que le caillou ne bringuebale ou ne tombe ; si possible, une étagère pour les outils à portée de la main ; bref, mieux vaut prendre le temps de s'installer confortablement, on y gagne en temps, en fatigue, en précision, et l'on évite les accidents. (Cru, 1987, p. 34.)

Les autres règles renvoient à différents aspects du métier. La règle d'or consiste pour chacun à terminer le caillou, le travail qu'il a commencé, condition de la maîtrise complète du processus et de la reconnaissance du travail accompli. La règle de l'outillage spécifie que chacun travaille avec ses propres outils, signifiant à la fois personnalisation du travail et autonomie. La dernière règle, celle du libre passage, pose que chacun peut circuler librement dans tout le chantier, ce qui donne la possibilité au tailleur de se promener et de s'informer de l'état des travaux avant de commencer à y travailler, de flâner plutôt que de bâcler son travail ou de s'énerver sur son échafaudage, ce qui serait finalement dangereux pour lui et pour les autres, et peu productif pour l'entreprise.

Comme le dit si bien Cru, il ne faut pas confondre ces règles de métier, qui organisent le travail et la vie du groupe, avec les règlements d'une entreprise. La différence entre les deux est fondamentale:

> *Et c'est là qu'une règle de métier diffère radicalement d'un règlement,* d'un règlement intérieur d'entreprise par exemple. Il n'y a aucune sanction prévue contre les contrevenants. Celui qui ne respecte jamais la règle se met tout simplement hors jeu, et peut alors difficilement tenir dans une équipe où la règle est très forte. (Cru, 1987, p. 37.)

Pour illustrer cette affirmation de Cru, considérons le cas d'une infirmière qui travaillait aux soins des cancéreux et qui a été incapable de s'adapter aux règles du groupe[5]. Celle-ci prenait tellement à cœur son métier qu'elle soutenait non seulement les patients mais aussi les parents et les amis de ces derniers tout au long de la maladie, allant même jusqu'à les accompagner aux funérailles et à vivre avec eux le deuil quand il y avait un décès. Ce faisant, elle allait cependant à l'encontre des règles mises en place par les infirmières côtoyant régulièrement la mort et qui consistent notamment à prendre ses distances par rapport aux patients, cela pour se protéger de l'anxiété que suscite le contact quotidien avec la mort (sur ces règles, voir Carpentier-Roy, 1991). La principale stratégie, ou règle, dans ce métier est de dépersonnaliser la relation. Par exemple, les infirmières, tout comme les médecins, appelleront très souvent les patients non pas par leur nom mais par le numéro de la chambre qu'ils occupent ou par le nom de la maladie qu'ils ont, du genre: «As-tu vu le 209 (ou le cancer du poumon) ce matin?» Il s'agit pour elles de ne pas s'investir émotivement dans la relation pour être en mesure de bien exercer leur métier, et surtout pour pouvoir continuer de l'exercer longtemps. Pour les mêmes raisons, certaines infirmières éviteront d'aller voir le patient ou de s'attarder dans la chambre pendant les heures de visite pour ne pas rencontrer et connaître les parents ou les amis du malade, ce qui lui rendrait encore plus insupportable la condition difficile du patient, et l'idée même de son éventuelle mort.

Cette infirmière a quitté la pratique après un certain temps, traitant ses collègues de sans-cœur et les hôpitaux, de boîtes inhumaines. Mais, pour la plupart des infirmières, il est évident qu'un tel investissement rend impossible la pratique à long terme du métier d'infirmière. Cet investissement draine toutes les énergies de la personne et la rend inapte à poursuivre son travail. C'était le cas de cette infirmière qui vivait constamment des émotions fortes et qui a fini par craquer. Une situation semblable existe aux soins intensifs. Là aussi, il s'agit de prendre ses distances, de dédramatiser la mort. Or, comme le souligne la sociologue Marie-Claire Carpentier-Roy (1991, p. 77-78), nous retrouvons dans une salle de soins intensifs des stratégies de défense tournant autour de l'hyperactivité, de bruits et de rires: paroles ridiculisant la mort, railleries plus ou moins grossières sur l'état des malades inconscients, rires très bruyants à propos de tout et de rien, mouvements brusques, etc. Comme les mineurs qui ne veulent pas entendre vivre la mine, les infirmières ne veulent pas entendre venir la mort. Les deux extraits d'entrevue qui suivent expliquent l'attitude des infirmières:

> Si on ne sait pas rire, on crève et les infirmières qui ne comprennent pas cela ne durent pas longtemps aux soins intensifs. [...]

> Après avoir vécu trois morts consécutives, c'est comme si j'étais plus capable d'en prendre. [...] Tout ce que je pouvais, c'était de faire des folies là-dessus, je pouvais rien faire d'autre que des folies, il n'y avait aucune autre porte de sortie, en rire. (Carpentier-Roy, 1991, p. 78.)

D'autres règles ont cours dans les métiers moins risqués physiquement ou psychologiquement, règles qui ont pour but de rendre tolérables non pas la peur, les risques ou la mort, mais la monotonie, la répétition propres à certains métiers, tout en modelant les rapports interpersonnels. Dans le travail répétitif et monotone, comme celui d'employé sur une chaîne d'assemblage, il existe aussi des règles qui visent à organiser le travail, à se l'approprier, à le rendre un peu plus intéressant. Et ces règles peuvent être assez différentes d'une entreprise à l'autre. Dans une entreprise où des quotas sont fixés, les ouvriers se défonceront pour les atteindre le plus vite possible en vue de s'accorder un temps de détente pendant lequel ils pourront bavarder, rire et s'amuser un peu tout en faisant semblant de travailler. Dans une autre, au salaire horaire fixe, les ouvriers suivront volontairement une certaine cadence, ni trop rapide ni trop lente, pour garder un certain contrôle sur leur temps de travail afin de respirer un peu. Dans les deux cas, les ouvriers qui refusent de suivre le rythme imposé par le groupe risquent de se voir marginalisés, isolés ou pris en grippe par certains et, dans bien des cas, finissent par quitter l'usine ou y mènent une existence misérable. De même, des dirigeants ou contremaîtres zélés qui voudraient changer les méthodes de travail des employés peuvent se heurter à une forte résistance. « Si le travail est fait, et bien fait, pourquoi nous embêter ? » diraient les ouvriers. Ces derniers ne cherchent qu'à rendre leur travail supportable, plus intéressant, en se ménageant du temps à eux.

Le sociologue américain Donald F. Roy (1959) a réalisé une étude, devenue célèbre, qui met en évidence les stratégies des ouvriers effectuant des tâches répétitives et monotones. Son étude sur les opérateurs d'une petite usine américaine qui actionnaient une machine à longueur de journée montre bien comment ces derniers ont réussi, malgré tout, à donner un sens à leur travail en élaborant, comme le souligne John Hassard (1990, p. 225), « un ensemble de rites marquant le retour de certains moments. Il [Roy] note que ces ouvriers réussissent à rendre leur temps de travail supportable en superposant au processus technique de production tout un ensemble de rites sociaux ».

Ces ouvriers découpaient leur longue journée de travail, de 11 à 12 heures par jour dans bien des cas, en plusieurs tranches qu'ils désignaient par des noms qui n'avaient de sens que pour eux :

> [Ces] moments [...] étaient chaque fois l'occasion de se livrer à une forme particulière d'interaction sociale. Le retour régulier de ces moments (l'heure des pêches, l'heure des bananes, l'heure de la fenêtre, du remontant, du poisson, du cola), auxquels étaient associés des thèmes particuliers (plaisanteries

ou thèmes « sérieux ») transformait la journée de travail — qui, autrement, n'aurait été qu'un unique et interminable espace de temps — en une série d'activités sociales périodiques. (Hassard, 1990, p. 226.)

Le découpage du temps et sa réappropriation par le groupe constituent ici une stratégie des travailleurs pour lutter contre la monotonie, la linéarité, la répétition du travail et une défense contre l'ennui et l'aliénation qui en découlent. Nous retrouvons fréquemment une telle stratégie dans ce type d'emplois.

Les dirigeants et les cadres ne font pas exception lorsqu'ils travaillent ensemble, en équipes. Ils ont aussi leurs règles, leur régulation autonome, qui obéissent à la même logique que celle qui fonde la régulation autonome chez les employés. Prenons l'exemple des cadres, catégorie assez large qui englobe tout aussi bien des individus hautement scolarisés (le diplômé universitaire en administration) que des individus peu scolarisés (le cadre formé en entreprise), travaillant dans le secteur public ou le secteur privé, dans de grandes comme dans de plus petites entreprises, actionnaires ou non de l'entreprise, etc.[6]. La plupart d'entre eux vivent une incertitude extrême quant à leur avenir professionnel dans l'entreprise. En effet, les cadres peuvent être promus très rapidement dans une entreprise comme ils peuvent être déclassés tout aussi rapidement. Ils sont en fait à la merci non seulement du contexte et des performances économiques de l'entreprise, mais aussi de l'humeur des dirigeants et des actionnaires qui peuvent en tout temps les déplacer, les rétrograder, leur accorder une promotion, etc. Tout l'univers du cadre tourne autour de la promotion ou de la non-rétrogradation. Cette situation d'instabilité que vit le cadre tient à la fois à sa non-organisation collective — il n'a pas la plupart du temps de syndicat pour le protéger et le contrat qu'il signe avec l'employeur est conclu sur une base individuelle — et au caractère flou et indéfinissable de sa tâche et de ses compétences. La gestion étant plus un art qu'une pratique aux règles bien définies, ce qui permet à un cadre de monter ou de descendre dans l'entreprise dépend plus de la subjectivité des acteurs que dans d'autres professions où ce sont des connaissances précises qui donnent accès à un emploi, d'autant plus si ces professions se sont dotées de corporations professionnelles pour se défendre. Pensons entre autres aux ingénieurs ou aux médecins. Ce climat d'incertitude qui marque la vie des cadres colore fortement leurs relations. Les cadres ont toujours l'impression d'être en compétition les uns avec les autres et d'être tout aussi près d'une promotion que d'une rétrogradation ou un licenciement. Il n'est pas rare d'ailleurs que, dans un contexte de réorganisation, un cadre remercié s'attendait plutôt à une promotion ou, inversement, un cadre s'attendant à être mis à la porte se trouve promu. C'est dire combien l'incertitude peut régner dans une entreprise.

Que font les cadres pour composer avec ce contexte ? Quelles sont leurs stratégies collectives de défense ? Quelles règles de fonctionnement se donnent-ils ? D'un côté, ils font preuve d'un dévouement total à l'endroit de l'entreprise en se montrant réceptifs aux suggestions des dirigeants, en étant disponibles pour faire du travail supplémentaire — les cadres travaillent bien souvent beaucoup plus que le nombre d'heures par semaine stipulé dans leur contrat —, en faisant corps avec l'entreprise au moment d'une prise de décision difficile — s'il faut congédier du personnel par exemple —, en se conformant aux règles informelles du groupe (tenue vestimentaire conservatrice par exemple), etc. D'un autre côté, afin de mettre toutes les chances de leur côté, ils restent à l'affût des connaissances et des modes dans leur domaine. À ce titre, la formation continue est l'une des stratégies privilégiées. Il n'est pas rare, de nos jours, que des cadres d'entreprise passent une grande partie de leur vie à suivre des cours de perfectionnement dans des universités ou ailleurs, des plus âgés aux plus jeunes d'ailleurs. Les plus âgés continuent leur formation dans l'espoir de conserver leur poste quelques années de plus devant les jeunes loups frais émoulus des universités et à la recherche d'un emploi. Les plus jeunes cadres se perfectionnent surtout pour se mettre sur la trajectoire des promotions. Il n'est ainsi pas rare de voir de jeunes bacheliers en administration entreprendre, quelques années après l'obtention de leur diplôme, une maîtrise en administration (MBA) pour montrer à leur patron leur désir d'apprendre et de monter dans l'entreprise. Cet exercice est bien souvent purement symbolique — lié entre autres au prestige plus grand du MBA — puisqu'il s'agit fréquemment de suivre de nouveau des cours identiques à ceux qu'on vient juste de terminer.

Tout ce processus permet aux cadres de se reconnaître entre eux et ainsi de participer, à leur niveau de responsabilité, à la sélection des cadres qui restent, qui montent ou qui partent, puisque, faut-il le préciser, il y a très souvent un cadre au-dessus ou en dessous d'un autre cadre. Ainsi, ceux qui restent après une réorganisation ou qui ont une promotion quand des postes s'ouvrent sont souvent ceux qui se sont dévoués le plus, qui ont fait des heures supplémentaires, qui ont suivi des formations complémentaires, qui se sont conformés aux normes du groupe (tenue vestimentaire, rapports interpersonnels), tandis que ceux qui partent sont les marginaux, les critiques, les moins disponibles, etc. Par exemple, quand la Banque Nationale du Canada a réorganisé ses services financiers dans les années 1980, notamment en réduisant son personnel, les cadres licenciés furent ceux qui n'avaient pas fait d'heures supplémentaires au cours des dernières années[7]. Les raisons qui ont pu motiver ces refus (charges familiales, maladie, etc.) ne comptaient pas. À ce sujet, il faut d'ailleurs rappeler que les cadres masculins mariés dont les femmes ne travaillent pas et se consacrent à la vie familiale ont des revenus plus élevés et des promotions plus fréquentes que les autres (Morris, 1997, p. 72).

2.2.4 LA RÉGULATION CONJOINTE : AU CARREFOUR DES DEUX LOGIQUES

Nous l'avons dit déjà, la régulation conjointe est celle qui découle de la rencontre de la régulation de contrôle et de la régulation autonome. En Amérique du Nord, c'est surtout dans le cadre de la négociation d'un contrat de travail dans l'entreprise où il existe un syndicat que cette rencontre se réalise parce qu'il n'y a pas véritablement de lois forçant les dirigeants à tenir compte du point de vue des employés dans la gestion de l'entreprise comme en Allemagne et en France. L'action syndicale a cependant eu jusqu'à récemment une portée limitée. C'est que les syndicats se sont en général contentés d'obtenir de bons salaires et de bons avantages sociaux (congés de maladie, vacances statutaires payées, etc.) en laissant aux dirigeants pleine latitude quant à la gestion, à quelques exceptions près (la plus importante étant la reconnaissance du principe d'ancienneté dans l'attribution du travail). Le compromis nord-américain entre patrons et syndicats impliquait l'abandon du droit de gestion aux dirigeants en échange d'un certain niveau de vie pour les salariés.

Cependant, l'intensification de la compétition, qui a contribué à la détérioration de la situation économique en Amérique du Nord, a quelque peu renversé cet état de choses, si bien qu'il est de plus en plus difficile pour les entreprises de s'en tenir à un tel arrangement. Il faut dire que, voulant devenir plus compétitives, les entreprises se sont attaquées entre autres aux coûts de la main-d'œuvre. Ce faisant, elles sont devenues moins généreuses envers leurs employés, pratiquant à grande échelle les réductions salariales et les mises à pied. De plus, elles exigeaient une collaboration accrue des employés pour atteindre de nouveaux objectifs de productivité, et dans ce but ont mis en place une nouvelle organisation du travail, ce qui touchait forcément les régulations à l'œuvre dans les entreprises. En réaction à ces exigences patronales, les syndicats ont proposé leur propre mode de participation ou, à tout le moins, ont cherché à poser leurs conditions de participation. C'est ainsi que les grandes centrales syndicales québécoises ont, tour à tour, donné leur aval à des expériences de participation à la gestion. Reynald Bourque et Paul-André Lapointe (1992) ont analysé cinq de ces expériences. Il s'agit d'entreprises où de nouvelles conventions collectives ont été négociées par des syndicats affiliés à la CSN au début des années 1990 : Aciers Atlas (Tracy), Abitibi-Price (usine Kénogami), Alcan (usine Saint-Maurice), MIL-Davie (Lauzon) et GEC-Alsthom (Tracy). Ils ont constaté que :

> Dans la plupart des cas analysés, les syndicats ont consenti des assouplissements aux chapitres de la flexibilité des métiers et de l'élargissement des tâches en échange de certains avantages comme les préretraites. Ces concessions sur les règles de travail sont beaucoup plus présentes que les concessions salariales dans les cas étudiés. […] Les gains syndicaux en regard de ces concessions reposent principalement sur la consolidation des emplois existants par l'amélioration de la productivité, et sur la responsabilité accrue des salariés et des chefs d'équipe dans l'organisation du travail. (Bourque et Lapointe, 1992, p. 580.)

Concrètement, cela veut dire que la régulation autonome des groupes d'exécutants est davantage reconnue par l'entreprise qui délaisse certains des contrôles traditionnels auxquels elle les soumettait. L'entreprise espère ainsi obtenir une meilleure productivité. La régulation de contrôle se trouve à sacrifier des postes de cadres subalternes et de contremaîtres pour s'en remettre au sens de la responsabilité des groupes d'exécutants, ou encore à entériner une situation où, dans les faits, ce sont les employés qui assumaient la gestion d'un processus de travail.

Prenons le cas présenté par Denis Harrisson et Normand Laplante (1994) d'une usine de métaux primaires où les travailleurs sont affiliés à la CSN. Cette usine connaît des conflits et des affrontements entre les contremaîtres et les salariés, et le syndicat refuse, au milieu des années 1980, de participer à l'implantation de cercles de qualité visant à relancer l'entreprise, qui éprouve de sérieuses difficultés financières. La direction décide alors d'interrompre les activités pour trois mois en laissant planer la rumeur d'une fermeture définitive. Cet électrochoc convainc les ouvriers de changer d'attitude et l'entreprise relance le processus avec une nouvelle équipe de cadres, ce qui assainit le climat. Pour établir une véritable coopération, il faut des actions plus concrètes et plus significatives pour les salariés. La direction fera le premier pas en reconnaissant une partie de la régulation autonome exercée par ces derniers. Elle pourra ensuite leur faire accepter plus aisément des projets pour améliorer la qualité. La situation se résume ainsi:

> Avant le début du projet de coopération, le travail s'effectuait en processus continu de trois quarts de travail de huit heures. Par contre, les salariés avaient institué des quotas informels de production leur permettant de compléter leur tâche quotidienne en six heures. Peu de temps après le début du projet, les horaires de travail ont été modifiés. La direction et le syndicat ont conclu une entente non écrite pour répartir le travail sur trois quarts de travail de six heures consécutives, mais à la condition de maintenir le niveau de production. Le quart de nuit est supprimé et les travailleurs conservent la même rémunération. (Harrisson et Laplante, 1994, p. 716.)

Il s'agit donc de créer un climat de confiance qui, souvent, a disparu et de transcrire les nouveaux arrangements dans des ententes que les acteurs chercheront à rendre de plus en plus formelles, par la signature de documents officiels engageant les deux parties, pour assurer leur pérennité. Ces ententes ne remplacent pas les conventions collectives, mais elles cherchent à assouplir leur application en permettant de régler, dans un climat de confiance, de coopération et de partenariat, les problèmes qui se présentent dans l'atelier. Elles sont peut-être, comme le soulignent Harrisson et Laplante, les germes d'un nouveau système de relations de travail dans les entreprises contemporaines. On ne trouvait pas de telles forces à l'œuvre dans les entreprises dépourvues de syndicat, ce qui ne veut pas dire qu'il n'y a pas eu là des arrangements allant dans ce sens. Le cas de Cascades au Québec est l'un de ces rares exemples, bien que l'efficacité des ententes conclues avec les travailleurs soit largement contestée (Lapointe, 1996; Pépin, 1996). Ainsi, il peut exister une régulation conjointe qu'il y ait ou non un syndicat dans l'entreprise, bien que dans le premier cas on offre plus de ressources aux employés pour obtenir une participation réelle.

Or, les salariés ne sont pas pour autant libérés du contrôle par la direction de l'entreprise. Dans cette nouvelle approche, le contrôle découle plus des résultats de l'entreprise que de la supervision directe de leur travail. Ils savent ainsi que si le rendement de l'entreprise n'est pas à la hauteur des espérances de la direction, celle-ci pourrait bien mettre un terme aux ententes, ou encore fermer l'établissement et déménager les activités dans une autre région ou un autre pays. On assiste donc plutôt à une transformation de la régulation de contrôle qu'à son abolition. Nul doute cependant que l'autonomie, les régulations autonomes sont davantage valorisées. La régulation conjointe est donc toujours celle de la rencontre des deux régulations traditionnelles et signale l'état de compromis entre elles. La situation actuelle, caractérisée par des crises économiques et sociales, favorise, jusqu'à un certain point, l'extension de ce type de régulation en forçant les acteurs à collaborer pour assurer la survie de leur entreprise. Les limites de cette approche dépendent donc de la bonne volonté des acteurs en présence comme de celle des gouvernements. Ces derniers peuvent en effet l'encourager, voire la rendre obligatoire comme cela se fait dans certains pays pour les grandes entreprises (se rappeler encore une fois le cas de la cogestion en Allemagne).

*
* *

L'entreprise est ainsi un lieu d'action et de régulation, de stratégies et d'enjeux auxquels tous les acteurs participent, chacun à sa façon. Ils y construisent un milieu de vie qui les marquent profondément et qui contribuent à la construction d'identités fortes comme nous le verrons dans le prochain chapitre.

Notes

1. Ces parties s'inspirent largement et librement des travaux de Friedberg (1972), de Crozier et Friedberg (1977) et de Friedberg (1993).
2. Cet exemple est tiré de Dupuis (1985).
3. Le droit de lock-out est la possibilité pour l'employeur de fermer son entreprise temporairement en cas d'impasse dans les négociations, mais il doit le faire avant que les employés ne déclenchent eux-mêmes la grève puisqu'il s'agit de deux droits qui ne peuvent s'exercer simultanément. Au Québec, seul celui qui agit le premier peut se prévaloir de son droit pendant un conflit de travail.
4. Les informations qui suivent sont tirées de notre enquête auprès des mineurs abitibiens (Dupuis, 2002).
5. Le cas de cette infirmière est présenté dans un reportage intitulé *Être fonctionnaires*. Ce reportage a été diffusé par Radio-Québec dans le cadre de l'émission *Première ligne* en 1989.
6. Ce qui suit sur les cadres s'inspire très librement de Boltanski (1982).
7. Selon une communication personnelle avec un ex-cadre de la Banque Nationale du Canada. Ce cadre a « survécu » à la réorganisation. Il a quitté cette institution quelques années plus tard pour occuper un poste plus important dans une autre organisation.

CHAPITRE 3

Les identités de groupe et d'entreprises

Jean-Pierre Dupuis

Les entreprises sont constituées d'individus et de groupes d'individus qui entrent en interaction les uns avec les autres à propos de ressources et d'enjeux. Le jeu de leurs interactions produit des règles et des régulations qui conditionnent en retour les jeux à venir. Lorsque ces règles et ces régulations perdurent dans le temps, elles deviennent l'univers premier de référence des individus et des groupes, la clé par laquelle ils accèdent à la compréhension de leur milieu de travail et, souvent, d'une partie du monde. Cet univers dépasse l'idée de règles et de régulations pour englober d'autres dimensions sociales de la vie en entreprise. C'est dans cet univers que naissent les identités de groupes et d'entreprises. Dans ce chapitre, nous allons examiner cette question. Définissons d'abord la notion d'identité.

La notion d'identité est difficile à cerner tant l'usage que les auteurs en font et le sens qu'ils lui attribuent varient. Il s'agit d'une notion polysémique qui peut renvoyer autant à l'individu (identité individuelle) qu'à un groupe ou à une collectivité plus grande, comme une région ou une nation (identité collective). De plus, l'identité n'est jamais donnée; elle n'est pas une caractéristique que posséderait une fois pour toutes un individu, un groupe ou une collectivité. L'identité est plutôt une réalité construite qui situe l'individu et le groupe dans le monde. La valeur explicative de la notion d'identité, en particulier quand elle met en cause un groupe ou une collectivité, tient à cette polysémie et à cette flexibilité d'utilisation:

> La valeur heuristique de l'identité semble tenir en effet aux relations qu'elle permet d'établir entre les phénomènes très variés — façons de dire, façons de faire, systèmes de représentations — auxquels elle participe et dont la cohérence n'est pas donnée *a priori*. Ces relations peuvent être établies parce que les identités collectives procèdent d'un processus de totalisation tant par l'accumulation de traits différenciateurs liés à l'appartenance à des classes sociales et à des groupes localisés que par leur capacité à construire des représentations collectives. (Chevalier et Morel, 1985, p. 3.)

Qu'est-ce que cela veut dire? Cela veut dire que la valeur du concept d'identité repose sur sa malléabilité, sa souplesse d'utilisation. Il s'agit d'un concept syncrétique, c'est-à-dire qui synthétise l'ensemble des caractéristiques propres à un individu ou à une collectivité (groupe, organisation, communauté, etc.) et qui permet de différencier les individus ou les groupes les uns par rapport aux autres. On pourrait, par exemple, distinguer deux individus ou deux groupes par quelques caractéristiques ou par un ensemble plus vaste de caractéristiques. Dans les deux cas, on pourrait utiliser le concept d'identité pour résumer, synthétiser les différences de caractéristiques en disant que l'un a une identité de type x et l'autre, une identité de type y. Les identités qui nous intéressent ici sont celles qui naissent au travail et qui donnent des identités de groupes ou d'entreprises.

Concrètement, les identités sociales et collectives peuvent être vues, selon le sociologue français Jean-Pierre Olivier de Sardan (1984), comme des idéologies, des représentations ou des pratiques territorialisées. Nous croyons que, pour en rendre compte le plus fidèlement possible, il faut les voir comme étant tout cela à la fois. C'est ce que fait l'anthropologue québécois Marc-Adélard Tremblay (1983), par exemple, dans ses études sur l'identité québécoise. Les notions qu'il utilise, bien qu'elles soient différentes — visions du monde, image de soi et genres de vie —, renvoient *grosso modo* au même découpage de la réalité. Renaud Sainsaulieu (1977, 1988), qui s'est intéressé plus particulièrement aux identités au travail, reprend sensiblement le même découpage. Il parle d'espaces d'identification, de système de représentations et de sociabilités. C'est ce grand découpage que nous retiendrons dans un premier temps pour rendre compte de l'identité collective des groupes et des entreprises.

Comme les autres formes d'identités, les identités de groupes au travail et d'entreprises sont changeantes et sujettes à des transformations en profondeur en fonction des contextes. Il est plus juste alors de parler de dynamique identitaire puisque ces identités se transforment au rythme des changements touchant le travail, les entreprises et la société. C'est pourquoi plusieurs auteurs parlent de stratégies identitaires, signifiant par là que les groupes et les entreprises prennent position dans certaines situations les concernant et qu'ils jouent la carte identitaire, utilisant en quelque sorte leur identité — s'en forgeant une au besoin, plus ou moins artificielle, comme le font certaines entreprises — comme ressource. Le politologue Jacques Chevalier (1996-1997, p. 37) soutient d'ailleurs que «ce qui joue dans l'identité, c'est en effet la construction du lien social, les processus d'intégration sociale, les rapports de domination et de pouvoir […]. [C'est pourquoi] la question de l'identité doit être considérée comme politique par essence».

À travers l'expression de leur identité, les groupes comme les entreprises affirment et défendent finalement leurs raisons d'être comme travailleurs ou comme entreprises. Ils affirment et défendent leurs valeurs et leurs intérêts. L'identité, c'est donc très souvent la prise de conscience de son existence en tant que collectivité. Nous allons examiner dans un premier temps les identités de groupes au travail, puis celles des entreprises.

| 3.1 | LES IDENTITÉS DE GROUPES AU TRAVAIL |

Reprenons ici l'exemple des mineurs présenté dans le chapitre précédent. Les règles et les régulations dont nous avons parlé sont constitutives de leur identité, mais cette dernière est loin de se réduire à ces seuls éléments. Au-delà des règles et des régulations, il y a tout un monde qui comprend, comme nous le disions plus haut, une image de soi, une vision du monde et un genre de vie particulier et localisé. Qu'en est-il des mineurs? Ces derniers ont tendance à se percevoir comme des individus joyeux, fêtards même, insouciants face à l'avenir, vivant au jour le jour, mais vivant la vie à fond, à cent à l'heure. De plus, ils se perçoivent comme une communauté fortement égalitaire et solidaire. Leur vision du monde est plutôt fataliste, faite de résignation à leur travail ou à leur situation en général. Ils savent, par exemple, que leur métier est dur, dangereux, qu'il comporte des risques pour leur santé, mais ils croient qu'il n'y a pas grand-chose à faire. Comme le dit l'un d'eux à propos des troubles respiratoires que peut entraîner le travail constant dans un milieu poussiéreux: «Nous sommes des petits filtreurs ambulants, et les petits filtreurs ne se changent pas.» Ce fatalisme ressemble beaucoup à celui des Indiens travaillant dans les mines de Bolivie: «Nous mangeons la mine et la mine nous mange[1].» Leur vision du monde est qu'il s'en trouve des plus gros, des plus forts qu'eux, et qu'on n'y peut rien. Nous pourrions résumer ainsi leur philosophie de vie: Nous sommes des mineurs, et nous allons mourir de la mine, tel est notre destin. En attendant rions, dépensons, fêtons.

Pourtant, la situation des mineurs n'est pas partout la même. Les mineurs de Bolivie ne vivent pas la situation de ceux de l'Abitibi, par exemple, et même entre ces derniers, il peut exister des différences. Il suffit que les conditions de travail changent et l'identité, une partie du moins, s'en trouve profondément modifiée. Ainsi en est-il des mineurs abitibiens qui se retrouvent dans des entreprises de sous-traitance où les règles et les régulations instaurées dans les grandes entreprises minières ne tiennent plus. En effet, la sous-traitance s'est développée quand les entreprises minières ont peu à peu confié à de petites entreprises les travaux parmi les plus dangereux et les plus risqués, comme la construction de nouveaux puits et de cheminées à minerai. Ce faisant, les grandes entreprises minières ont pu améliorer leurs résultats en matière de sécurité et de santé au travail (moins d'accidents, moins de dépenses). En fait, les risques et les coûts qui y sont associés ont été transférés aux petites entreprises et surtout aux mineurs qui y travaillent. La situation de ces mineurs est différente de celle des autres. Ils travaillent sous pression — dans un univers où la production à tout prix est le maître-mot — dans des conditions très difficiles et dangereuses.

Ainsi, les trois règles de métier dont nous avons parlé ne jouent pas toujours. Il faut bien sûr être «travaillant» pour abattre le travail et éviter de trop penser aux risques d'accidents. Par contre, l'exigence de sociabilité ne tient plus la plupart du temps. Pressés par l'entrepreneur, rémunérés en fonction du nombre de pieds abattus dans la journée, ils n'ont pas le temps de socialiser, ou de se jouer des tours. Même s'ils le voulaient, ils ne le pourraient pas, car dans le puits, la cheminée ou la rampe où ils travaillent, le bruit couvre leur voix, la poussière et la boue les aveuglent. Travaillant tous à la même place, ils n'ont pas non plus la possibilité de choisir leurs compagnons ou d'en changer. Ils travaillent si vite qu'ils prennent constamment des risques avec les outils et les explosifs. Les accidents sont nombreux, mais la paye est bonne. La règle de n'être ni peureux ni fantasque ne tient pas ici qu'à moitié. En effet, pour exercer le travail dans ces conditions, il ne faut certes pas être peureux, mais plus, il faut être très fantasque. Défier la mort au quotidien est la seule façon de survivre dans cet univers. Pas besoin d'épreuves et de tours pour éprouver les autres, cela se fait dans les conditions «normales», au quotidien. Voici comment, philosophe, un mineur travaillant pour une petite entreprise de sous-traitance décrit les risques liés à son travail :

> Faut pas tu regardes ça [les dangers], c'est pire. Tu en vois tout le temps. Surtout quand tu es sur la *slip,* la roche à un certain angle, tu coupes ça, tu peux t'en imaginer des *lousses* assez effrayants. Mon voisin, celui qui m'a fait rentrer, il peut pus travailler dans les mines, il a eu un gros accident. Lui un *lousse* est parti d'une *slip* pis te l'a accoté sur l'autre bord, une affaire de 16 tonnes, personne s'est fait tuer. Quand le gros morceau est parti il était accoté sur d'autres, ça a fait des éclats de roches, il y a eu des petites blessures. Si tu fais juste regarder ça tu vas *jumper.* La chienne va te poigner. C'est un job faut tu sois fantasque. Tu es toujours sur un *well plate,* ça a huit pouces, tu es debout là-dessus, à 1 900 pieds dans les airs. Si tu commences à dire si… je tombe. Non, tu fais ton *shift.* (Tiré de Dupuis, 2002, p. 225.)

Ces mineurs, les autres les appellent des «bouleux» et les traitent de fous. Il est intéressant de noter que ce terme dérive du mot anglais *bull* («taureau») et qu'il fait référence à l'opiniâtreté du taureau qui, tête baissée, continue de charger le torero, même s'il connaît le danger, à la manière du mineur qui travaille tête baissée et qui s'expose à tous les risques. La figure de légende d'un bouleux nous est décrite par l'un de ses compagnons :

> C'est la deuxième «grosse» accident qu'il a. Il est fou le gars. Il est tout ouvert ici en arrière. Pis il travaille sept jours par semaine, douze heures par jour. Ah, c'est un fou. Son deuxième accident, des *air blasts* qu'on appelle, la pression vient assez fort dans les roches que, à un moment donné, ça décolle tout seul. Pis il s'est fait enterrer dans sept, huit pieds de roches par-dessus lui. Ils l'ont sorti, y l'ont monté à l'hôpital, une semaine après il était encore en dessous. Là, en ce moment, il est sept jours semaine, le gars est fini… (Tiré de Dupuis, 2002, p. 224.)

Ce jeune mineur rêvait de sortir au plus vite de ce milieu pour joindre l'autre catégorie dont, manifestement, il partageait l'opinion sur les «fous». Nous le voyons, un abîme sépare les deux milieux et les deux catégories de mineurs, et les conditions de travail très dures que connaissent les mineurs donnent lieu à des règles et à des régulations au travail d'un tout autre genre. Dans un cas, des mécanismes de médiatisation de la peur et des risques s'installent, une sociabilité et un respect se manifestent, absents dans l'autre. Les mineurs « fous » ne sont pas solidaires, c'est chacun pour soi, le seul objectif étant de gagner un gros salaire. L'estime de soi de ces mineurs est beaucoup plus faible, leur vision du monde est encore plus fataliste et ils ont un genre de vie encore plus dommageable pour la santé : plus d'alcool et de drogue dans ce milieu que dans l'autre. Il faut dire que certains de ces mineurs sont incapables de descendre dans le « trou » sans être sous l'effet de la drogue tant les conditions sont difficiles.

L'identité de mineurs n'est pas la seule qui va varier en fonction des contextes de travail. Prenons le cas des comptables qui ont vu leur identité se transformer plusieurs fois au cours du siècle [2]. C'est d'abord le déclin des comptables salariés non professionnels au début du siècle, conséquemment à la mécanisation d'une partie du contrôle interne des entreprises et, surtout, à la suite de la montée de la demande sociale d'une vérification externe des états financiers des entreprises au bénéfice des actionnaires, des créanciers et des gouvernements. Le krach boursier de 1929, en révélant l'absence d'informations publiques fiables sur les entreprises, a servi ici de tremplin à une nouvelle génération de comptables. L'image type du comptable devient celle du professionnel autonome, maîtrisant un savoir spécialisé, au service de la collectivité, qui s'autocontrôle par le biais d'une corporation. Le comptable agréé est un professionnel ayant une responsabilité sociale importante (qui est de donner une information fiable sur l'état financier des entreprises et des gouvernements) reconnue par l'État qui lui cède le monopole de la vérification publique. Il jouit par conséquent d'un certain prestige et occupe un rang social élevé.

Cette identité de professionnel autonome va cependant s'effriter à partir des années 1960 sous l'action de plusieurs phénomènes. En effet, la monopolisation de l'économie par les grandes firmes, en particulier au Québec et au Canada par de grandes firmes sous contrôle étranger, et l'accroissement du rôle de l'État vont entraîner la création de grandes firmes comptables plus aptes à fournir des services de masse à ces entreprises. Dans ce contexte, le comptable agréé est de moins en moins un travailleur autonome (4 % d'entre eux au Québec en 1981) et de plus en plus, comme à la fin du XIXe siècle en quelque sorte, un travailleur salarié. Il est soit au service d'une grande firme comptable (47 % d'entre eux y sont salariés en 1981), elle-même fortement dépendante des grandes entreprises, soit directement au service de l'entreprise qui l'embauche comme contrôleur interne ou gestionnaire (34 % des comptables agréés) (Bernard et Hamel, 1982, p. 128-130). Ces transformations ont pour conséquence le déclassement du comptable agréé au profit d'autres catégories de comptables plus près de la gestion des entreprises. Ainsi le prestige et le rang social du comptable agréé sont moindres aujourd'hui qu'il y a 30 ans, si bien que la majorité des étudiants en comptabilité ne se dirigent plus vers cette profession mais davantage vers les autres, en particulier celle de comptable en management accrédité (CMA). Les comptables se divisent ainsi, comme les mineurs, en quelques « tribus » aux identités variant selon les contextes et les époques (voir l'encadré 3.1).

ENCADRÉ 3.1

La chicane des bas bruns

Vous pensez que les comptables sont des gens plates et ennuyeux, dénués de toute passion. Détrompez-vous. Il suffit d'organiser une petite soirée entre virtuoses de la calculette puis de lancer tout bonnement le sujet de leur formation et de leur titre professionnel. Dans la minute qui suivra, vous les verrez s'enflammer et s'entre-déchirer.

Les compétences sont le *hot button* des comptables. Et avec un ambitieux projet de fusion au Québec, leurs ordres professionnels viennent tout juste de l'enfoncer.

En effet, par un caprice dont le Canada a seul le secret, il y a trois « sortes » de comptables au pays : les comptables agréés (CA), les comptables généraux licenciés (CGA) et les comptables en management accrédités (CMA). Ouf ! Et comme les professions sont de compétence provinciale, il y a donc trois ordres comptables par province, pour un total de 30, sans compter les associations nationales et les ordres qui existent potentiellement (je n'ai pas eu le temps de vérifier) au Nunavut et ailleurs. Une aberration.

Au baccalauréat, tous les comptables suivent les mêmes cours. La différence tient à la formation complémentaire. Si les CA font leur stage de deux ans dans un cabinet comptable, par exemple, les CMA font le leur en entreprise. Si les CA doivent suivre 10 cours (30 crédits) de deuxième cycle pour obtenir leur diplôme, les CGA s'en tirent avec cinq cours (15 crédits).

Ces différences ne sont pas très significatives, mais elles ont un impact considérable sur les carrières et les salaires des comptables.

Au Québec, par exemple, seuls les CA ont le droit de vérifier les états financiers des entreprises en vertu d'une loi adoptée en 1946. Jusqu'à tout récemment, c'était la même chose en Ontario et en Nouvelle-Écosse. Toutefois, cet héritage pèse toujours, puisque les CA conservent un quasi-monopole sur cette activité dans ces deux provinces. Partout ailleurs, en revanche, les comptables de toutes allégeances peuvent vérifier les livres des entreprises.

Cette chasse gardée enrage depuis toujours les autres comptables, surtout les CGA, qui s'estiment tout à fait qualifiés pour exécuter ce travail, eux qui vérifient déjà les livres des commissions scolaires, des municipalités et des coopératives. Mais la majorité des CA considèrent les CGA de haut. D'où une virulente guerre intestine qui dure depuis plusieurs décennies.

Voilà plus de 30 ans qu'il est question de fusionner les trois ordres comptables du Québec. Le gouvernement avait poussé pour un tel regroupement lorsqu'il avait créé l'Office des professions du Québec, en 1973, mais avait fini par couper au plus court. Les ordres comptables ont relancé le débat à la fin des années 80, pour dissiper la confusion autant dans le public que chez les employeurs. Mais encore une fois, ce sont les plantureux contrats de vérification qui ont déchiré la profession, les CA refusant de partager le gâteau. La rumeur veut même que de grands cabinets comptables aient tout fait pour torpiller le projet de rapprochement en finançant une campagne du « non » : en permettant aux apprentis comptables de choisir où ils voulaient effectuer leur stage, il aurait tari une source de main-d'œuvre bon marché…

Quinze ans plus tard, le projet de fusion des ordres québécois refait surface. Il n'est pas clair qui a approché qui en premier. Tous affirment en être venus à la même conclusion après avoir réfléchi sur l'avenir de la profession depuis 2003. Des négociations qualifiées de sérieuses ont commencé en février dernier.

Presque au même moment, ont appris les dirigeants de ces trois ordres, les représentants des associations nationales des CA et des CMA se rapprochaient. Voilà pourquoi ils ont tous dévoilé leurs « fiançailles » le même jour, mardi, ce qui n'était pas sans ajouter à la confusion. Dans ce dernier cas, toutefois, les CGA, ces spécialistes de la planification financière, ne sont pas impliqués. Les CGA de l'Ontario ont d'ailleurs dénoncé l'entente, qu'ils assimilent à une mainmise des CA sur les CMA.

Pourquoi ce mariage à trois réussirait-il cette fois-ci ? De un, les CA sont, pratiquement, en voie d'échapper leur monopole dans la vérification. Le gouvernement de l'Ontario a déjà adopté une loi qui ouvrait la vérification des livres des entreprises aux autres experts-comptables autorisés, loi dont la réglementation reste toutefois à être détaillée. Et le Québec pourrait s'engager dans la même voie, puisque l'Office des professions étudie actuellement la question.

De deux, une pénurie de comptables se pointe à l'horizon. Il y aura donc du travail pour tout le monde, en vérification comme ailleurs.

Plutôt que de marauder chez les étudiants en sciences comptables pour recruter de nouveaux membres, les trois ordres devraient séduire les cégépiens qui n'ont que du dédain pour la chose comptable. Plutôt que de discréditer leurs compétences respectives, les comptables devraient redorer le blason de la profession, terni par les manipulations financières qui ont fait scandale ces dernières années.

Mais cela, c'est la façon logique et détachée de voir la chose. Or, quand il s'agit de changer les lettres qui suivent son nom sur sa carte professionnelle, le débat se teinte d'une grande charge d'émotivité. Aussi, si le passé est garant de l'avenir, il serait plus qu'hasardeux de parier sur l'issue de ce projet de fusion dont les modalités, comme la formation commune du « nouveau comptable québécois », sont encore inconnues.

D'ici à ce que les comptables se prononcent sur la question, à l'automne s'ils en ont même l'occasion, attendez-vous à ce qu'il y ait quelques chemises blanches bien amidonnées qui se déchirent.

Source : S. Cousineau, « La chicane des bas bruns », *La Presse Affaires*, 14 mai 2004, p. 5.

On peut relever ainsi des identités de secrétaires, de caissières, de commis, de techniciens, d'ouvriers, de professionnels, de cadres, etc., qui, tout en comportant pour chacun des groupes des caractéristiques communes, présentent des différences importantes en fonction du type d'industrie dans laquelle les individus s'insèrent, du type d'organisation et de division du travail en place dans l'entreprise, ou de la composition ethnique, sexuelle ou générationnelle de la main-d'œuvre. Il peut même arriver que ce soit une caractéristique de l'industrie, de l'entreprise ou de la main-d'œuvre qui soit la plus importante dans la construction de l'identité plutôt que la tâche elle-même. Par exemple, les ouvrières immigrées qui travaillent dans le textile vont souvent se diviser en sous-groupes dans une entreprise selon leur appartenance ethnique (revoir l'exemple présenté au chapitre 8). L'identité associée en théorie à la condition de travailleuse est alors remodelée en fonction des sous-groupes ethniques. Ceux-ci seront la plupart du temps hiérarchisés sur le fondement de la force d'une communauté dans l'entreprise (la première communauté entrée, certains de leurs membres occupent des postes clés comme contremaîtres ou cadres subalternes, etc.).

Il y a donc une infinité de groupes et d'identités possibles dans l'entreprise. Le sociologue français Renaud Sainsaulieu (1977) a essayé de mettre un peu d'ordre dans tout cela pour montrer qu'il se dégage de grands modèles d'identité collective. À partir d'une enquête menée dans plusieurs entreprises françaises dans les années 1960 et au début des années 1970, Sainsaulieu a isolé quatre grands modèles d'identité collective qui caractérisent l'époque marquée alors par une forte croissance économique et une relative prospérité. Ces quatre modèles sont transversaux au sens où on peut les retrouver aussi bien chez les ouvriers et les employés que chez les techniciens et les cadres, bien que les proportions de l'un ou de l'autre groupe puissent varier selon les métiers. Sainsaulieu nomme ces quatre modèles identitaires comme suit : le modèle fusionnel, le modèle de la négociation, le modèle de la mobilité professionnelle et le modèle de retrait. Chacun de ces modèles identitaires recouvre une culture propre qui définit les relations entre les individus du groupe et celles qu'ils entretiennent avec les autres.

Dans une enquête qu'il a menée dans les années 1990 avec une équipe de sociologues sur la transformation des entreprises françaises, Sainsaulieu a pu constater une évolution des types d'identités qu'il avait répertoriés dans les années 1960 et 1970 (Francfort et autres, 1995). Cette évolution est due aux bouleversements économiques et technologiques qui se sont produits depuis, notamment à la détérioration de la situation économique dans la plupart des pays occidentaux. Nous sommes en effet passés d'une situation de croissance et de prospérité économiques à une situation de crise quasi permanente où dominent la faible croissance, les pertes d'emplois et le chômage élevé. Non seulement ce nouveau contexte a-t-il modifié les identités au travail des années 1970, mais il a aussi permis de découvrir de nouveaux modèles : le modèle professionnel de service public et le modèle entrepreneurial (voir l'encadré 3.2 sur les différents modèles identitaires et leur transformation).

ENCADRÉ 3.2
Les modèles identitaires et leur transformation dans le temps

Le modèle réglementaire (ancien modèle de retrait). Ce modèle était caractérisé par « une très faible entrée dans le jeu des relations interpersonnelles et collectives avec les pairs. On a très peu d'amis parmi ses collègues, les relations restent superficielles dans le travail, le groupe est refusé, le leader aussi, et l'on se cantonne dans une sorte de séparatisme prudent. [...] Le travail n'est pas une valeur dans une telle hypothèse de relations, on y voit surtout une nécessité économique ou le moyen de réaliser un projet extérieur impliquant d'autres relations et d'autres créations » (Sainsaulieu, 1988, p. 174). Sainsaulieu et ses collaborateurs notent une permanence de ce modèle caractérisé par un rapport très instrumental au travail et par une faible socialisation par le travail. Le progrès technologique et les crises économiques qui se succèdent, en favorisant l'exclusion du travail, ont aussi grossi le nombre d'exécutants susceptibles de s'identifier à ce modèle. Paradoxalement, s'ils sont plus nombreux que jamais à se retrouver dans cette catégorie, beaucoup semblent désireux de s'investir davantage dans le travail. De plus, dans certains services de l'administration, il s'agit d'un modèle qui tend à devenir plus pacifique et « dans lequel la suspicion entre collègues et l'évitement du chef ont régressé » (Francfort et autres, 1995, p. 231). Ici, la peur de perdre son emploi semble être la première motivation de ces employés et ouvriers à participer davantage.

Le modèle communautaire (ancien modèle fusionnel). Ce modèle englobait traditionnellement les ouvriers peu qualifiés accomplissant des tâches simples et répétitives à l'extrême, sur la chaîne d'assemblage et dans les productions en série. « Les représentations collectives renvoyaient à une sorte de modèle fusionnel des relations où le collectif est valorisé comme refuge et une protection contre les divergences et les clivages. [...] Les valeurs de la masse, de l'unité, de la camaraderie, l'emportent ici. » (Sainsaulieu, 1988, p. 173.) Ce modèle serait en déclin, il s'effriterait « en raison des restructurations et de la déqualification professionnelle que connaissent certains métiers. Il n'est plus le fait que d'une population d'ouvriers et de cadres ayant une ancienneté importante (souvent plus de quinze ans), issus du même terroir ou du même milieu social » (*Sciences humaines*, 1996-1997, p. 26) et appartenant à des entreprises des secteurs traditionnels (automobile, sidérurgie, transports, secteur bancaire). Il se caractérise « par un écart important entre des valeurs héritées du passé (convivialité, soutien d'un chef porte-parole, solidarité dans la lutte, garantie de l'emploi) et la réalité actuelle des situations relationnelles et professionnelles (dilution et atomisation des relations, menace sur l'emploi et le poste de travail) » (Francfort et autres, 1995, p. 237).

Le modèle professionnel (ancien modèle de la négociation). Ce modèle était marqué « par la négociation et l'acceptation des différences. On [le] retrouve principalement chez les professionnels ouvriers, mais aussi, et avec des nuances, chez les employés et agents techniques exerçant un véritable métier, ou encore chez les cadres ayant de véritables responsabilités d'encadrement » (Sainsaulieu, 1988, p. 173). Il « s'étend aujourd'hui aux nouvelles professions du secteur industriel ayant un rapport étroit à la technologie, et alliant conception et exécution des tâches (personnels de conduite de *process* automatique, activités de maintenance…) » (*Sciences humaines,* 1996-1997, p. 26). Ce qui caractérise ce modèle, c'est le mode de socialisation «fondé sur des interactions professionnelles» continues et très riches et où la pratique d'un métier est en réalité «un processus d'accomplissement de soi» (Francfort et autres, 1995, p. 248, 254). C'est le modèle de l'artisan transposé aux nouvelles réalités du travail, notamment à celles qui sont liées aux industries à haute technologie.

Le modèle de la mobilité (professionnelle). Ce modèle apparaissait «davantage dans les situations de mobilité socioprofessionnelle prolongées, dans les entreprises où il y a eu de la promotion interne grâce à la croissance du personnel et du nombre de ses cadres et agents techniques, entraînés par ce mouvement ascendant sur des filières d'évolution personnelle rapide. C'est en gros la culture des autodidactes vivant une mobilité sociale en entreprises» (Sainsaulieu, 1988, p. 174). Dans ce modèle, «on trouve aujourd'hui des individus pour qui les phases de modernisation et les innovations constituent une opportunité favorable leur permettant une implication et une adaptation à des situations évolutives de travail. Dans un contexte où les possibilités de promotion se font plus rares, leur projet de réalisation individuelle nécessite des stratégies beaucoup plus offensives» (*Sciences humaines,* 1996-1997, p. 26), comme se donner une formation à toute épreuve et entretenir soigneusement des relations privilégiées avec des acteurs clés.

Le modèle professionnel de service public. Ce modèle «tranche radicalement avec les images traditionnelles de ritualisme et de routine de l'administration. Ces nouvelles attitudes qui se caractérisent par l'autonomie, la responsabilité et la compétence avaient déjà été identifiées chez les travailleurs sociaux» (*Sciences humaines,* 1996-1997, p. 26) et s'étendent à de plus en plus de fonctionnaires. Il s'agit d'une nouvelle dynamique qui est liée à la remise en cause de l'État et à sa transformation en cours relativement, entre autres choses, à la façon de fournir les services. Cette dynamique touche particulièrement les fonctionnaires en contact direct avec le public. En fait, selon Francfort et autres :

> Une partie du travail dans ces univers bureaucratiques ne correspond plus à la logique réglementaire qui demeure l'archétype dans les représentations de l'administration. Dans leur situation de travail, les agents doivent faire face à des situations non réglées à l'avance par des procédures. Ils ont la nécessité d'interpréter et d'arbitrer pour pouvoir appliquer la Loi. Or, ils sont de plus en plus exposés à la relation directe et permanente à l'usager (ligne téléphonique directe, permanence du guichet, personnalisation des relations). Ainsi, à travers le contenu du travail et ce qui en constitue le cœur, la gestion de la relation, se crée une compétence relationnelle spécifique, une identification à une mission, dont la mise en œuvre constitue explicitement un métier. (Francfort et autres, 1995, p. 245.)

Le modèle entrepreneurial. «Ce dernier modèle identitaire, le plus nouveau, fait apparaître des individus qui se mobilisent individuellement et collectivement pour leur entreprise. Ils vivent d'intenses sociabilités au travail, et revendiquent une appartenance à un collectif. Nouveaux chevaliers des temps modernes, ils mettent leur compétence au service d'une organisation qui les intègre. » (Francfort et autres, 1995, p. 262.) Ce modèle «constitue une alliance entre un attachement maison traditionnel et une forme plus moderne et offensive de culture d'entreprise. L'intégration à l'entreprise y est très forte, celle-ci étant vécue comme le lieu d'une communauté d'individus […], de construction d'expertise […], de la carrière possible [...] et du dépassement de soi» (*ibid.*, p. 267). Les chercheurs constatent que ce modèle est commun à «des individus qui ne sont ni créateurs d'entreprise, ni grands dirigeants, ni propriétaires d'entreprise. Pour ces entrepreneurs, l'entreprise appartient à ceux qui peuvent contribuer à sa richesse ou à sa perte. On les trouve principalement dans des fonctions en relation étroite et quotidienne avec l'environnement de l'entreprise, dans la catégorie des cadres et des dirigeants diplômés de l'enseignement supérieur» (*ibid.*, p. 268). Cette identité est apparue dans le cadre d'une forte concurrence entre les entreprises, de la montée des PME et des rationalisations des entreprises qui ont marqué les années 1980.

Résumons. L'entreprise regroupe des individus qui ont tous une ou des tâches particulières à accomplir. Certains dirigent, d'autres exécutent, mais tous ont des buts, disposent de ressources et agissent en fonction d'enjeux qui leur sont propres, ce qui se traduit par des actions et des stratégies particulières (de collaboration, d'affrontement ou de compromis). Une véritable dynamique se trouve ainsi créée, qui prend place dans un univers de règles et de régulations. Certaines règles et régulations sont imposées par la direction, d'autres naissent naturellement dans des sous-groupes d'employés, d'ouvriers ou de cadres qui doivent travailler quotidiennement ensemble et qui partagent souvent le même espace ou la même tâche. Partageant une même tâche, ou ayant le même métier ou la même formation, ou vivant la même situation, ils en viennent à acquérir une identité de groupe fondée sur des valeurs, des symboles, des histoires qui leur sont propres. Ces identités de groupes sont parfois limitées au cadre de l'entreprise, comme dans le cas des travailleuses immigrées au sein d'une usine de textile. D'autres fois, elles débordent largement ce cadre, comme dans le cas des mineurs et des comptables, pour donner naissance à de véritables communautés professionnelles. Ces identités s'inscrivent par ailleurs dans le contexte de leur époque et sont transformées et redéfinies en fonction des transformations sociales. Par exemple, les mineurs adoptent des stratégies identitaires de modèle communautaire dans des conditions idéales de travail. Par contre, là où les conditions sont mauvaises, comme celles que connaissent les mineurs travaillant pour les petites entreprises de sous-traitance, le modèle communautaire peut difficilement s'épanouir. Les mineurs sont alors plus près du modèle de retrait (ou réglementaire). Le travail y est réduit à sa dimension économique, et chaque mineur ne pense d'abord qu'à lui. La notion de collectif ou de communauté telle que la vivent les autres mineurs — avec leur sociabilité intense et leurs luttes collectives — leur est presque totalement inconnue.

L'entreprise est donc un lieu fortement marqué par des identités de groupes plus ou moins affirmées, et plus ou moins stables dans le temps. Nous disons «plus ou moins affirmées» parce qu'il arrive souvent que ces identités soient latentes et qu'elles n'éclatent au grand jour que lorsque survient une situation de crise. Jusque-là, les individus ne se reconnaissaient pas nécessairement comme un groupe ayant une identité propre à défendre malgré la présence de règles, de façons de faire ou de voir les choses communes. Ces éléments échappent souvent à la conscience, et il faut parfois que des catégories d'employés se sentent menacés de perdre des ressources, des privilèges, voire leurs emplois, pour se rendre compte enfin qu'ils partagent une même situation, une même condition, un même destin, une même identité. La situation de crise agit alors comme révélateur de l'identité latente. Nous ne parlons pas ici des identités de mineurs ou de comptables, par exemple, qui sont bien affirmées et bien reconnues socialement, mais de celles de groupes d'employés qui ne s'identifient pas aussi fortement à un métier. Il peut s'agir de simples ouvriers non spécialisés dans une entreprise industrielle, mais que le travail quotidien dans l'entreprise a amenés à définir des règles, des régulations, des valeurs, des symboles qui les rassemblent et qui constituent les fondements d'une identité de groupe.

3.2   LES IDENTITÉS D'ENTREPRISES

L'idée des identités d'entreprises est une extension de celle des identités de groupes, à cette différence qu'elles se forgent souvent en vertu des régulations de contrôle et des régulations conjointes plutôt qu'en vertu des régulations autonomes. En effet, ce que partagent tous les membres d'une même entreprise, ce n'est pas ce que vit chaque groupe quotidiennement dans les différents lieux de travail, services, unités et établissements, mais bien l'orientation donnée à l'entreprise par les dirigeants, la coordination mise en place pour faire fonctionner l'ensemble, le discours public sur l'entreprise, etc. C'est autour de ces éléments — plus près de la régulation de contrôle ou de la régulation conjointe — que peut s'articuler une identité d'entreprise. Encore ici, le contexte social et économique joue un grand rôle dans la nature de cette identité. En effet, une entreprise en déclin dans une économie en croissance n'aura pas du tout la même identité qu'une entreprise en croissance dans une économie en déclin, pour prendre deux exemples extrêmes. La première aura probablement, mais cela reste à vérifier par une enquête de terrain, une identité faible, peu mobilisatrice pour son personnel, tandis que la deuxième s'affichera comme un *success story*, voudra faire connaître son modèle, ses façons de faire, à des acteurs économiques inquiets et peu sûrs d'eux. Pensons, dans ce dernier cas, à Cascades ou à Bombardier, au Québec, et voyons ce qu'il en est.

Dans les années 1990, les deux entreprises ne cessent d'accumuler les succès alors que l'économie se porte mal et que bon nombre d'entreprises ferment leurs portes ou sont en pleine rationalisation (réorganisation et mises à pied). Les modèles de Cascades et de Bombardier sont dès lors célébrés, analysés, décortiqués. Bien sûr, les analyses sérieuses montrent que ce n'est pas le bonheur total, que des employés se sentent lésés, qu'il se produit bien des accrochages et des conflits dans ces entreprises, mais leur reconnaissance publique, les innovations technologiques qui s'y font (chez Bombardier en particulier), les contrats qui pleuvent de l'étranger sont, très souvent, pour les employés et les dirigeants des sources d'identification assez fortes. Il est à noter par ailleurs que cette identification à l'entreprise ne signifie pas que tous les employés et dirigeants se rangent entièrement, et en tout temps, aux politiques et décisions des entreprises. Loin de nous l'idée de réduire l'identité de l'entreprise à une question de consensus des acteurs sur ses grandes comme ses petites politiques. Au contraire, l'identité d'une entreprise peut fort bien être marquée par des conflits permanents, récurrents, violents, comme chez Firestone à Joliette qui a vécu plusieurs grèves très dures depuis son ouverture dans les années 1960. Par exemple, la grève de 1995-1996, a duré six mois et a fortement ébranlé l'économie de la région. Elle est un résultat de cette culture du conflit. Ce n'est qu'au cours des dernières années qu'un changement de culture est intervenu dans l'entreprise (pour une courte histoire des relations de travail dans cette entreprise, voir l'encadré 3.3). L'identité ne repose donc pas uniquement sur les discours ou les politiques des dirigeants, mais aussi sur les relations quotidiennes entre employés et dirigeants, qui peuvent être des relations de respect ou de non-respect, de collaboration ou d'affrontement, etc. L'identité, c'est aussi ce qui caractérise plus particulièrement une entreprise, ce qui la distingue, et qui est reconnu comme tel par les acteurs concernés ou par des observateurs extérieurs.

L'identité de l'entreprise dépend ainsi de l'intégration des divers acteurs et des identités de groupes propres à chacune. Certaines entreprises réussissent mieux que d'autres à intégrer tous les acteurs et les groupes, à satisfaire les revendications et les besoins d'identification des uns et des autres. Dans le cas des entreprises qui réussissent moins bien l'intégration, il faut distinguer celles qui y sont parvenues, mais qui vivent actuellement un processus de désintégration, de celles qui n'y sont jamais parvenues parce que les différents groupes n'ont jamais adhéré à une culture ou à un projet communs. Trois situations, correspondant à autant d'états différents, sont donc possibles quant à l'intégration sociale en entreprise : l'intégration réussie (intégration culturelle), jamais réussie (confrontation culturelle), déjà réussie mais en voie d'effritement (désintégration culturelle). Chacune de ces situations contribue à la formation des identités différentes des entreprises.

Nous avons déjà mentionné les cas de Cascades et de Bombardier comme des exemples d'intégration culturelle réussie. Nous donnons ces exemples avec les réserves qui s'imposent : ce sont les établissements les plus anciens qui vivent le plus intensément cette identification à l'entreprise. Par exemple, les travailleurs et les dirigeants de l'usine Cascades de Kingsey Falls et ceux de l'usine Bombardier de Valcourt sont beaucoup plus attachés à l'entreprise que ceux des établissements qui se sont joints à ces grands groupes dans les années 1990. Ces derniers établissements connaissent des problèmes de transition qui empêchent pareille identification. Pensons notamment à l'usine Cascades d'East Angus où les travailleurs ont beaucoup de difficulté à faire respecter les droits inscrits dans leur

ENCADRÉ 3.3

Les relations de travail chez Bridgestone-Firestone

L'entreprise Firestone de Joliette a été ouverte en 1966 par la société américaine Firestone Tire and Rubber. L'entreprise japonaise Bridgestone s'est portée acquéreur de Firestone en 1988, créant ainsi la nouvelle société Bridgestone-Firestone. Au moment du déclenchement de la grève en août 1995, l'usine employait 900 personnes et fabriquait 14 000 pneus par jour dont 90 % étaient exportés aux États-Unis. À l'automne 1995, cinq des six usines Bridgestone des États-Unis étaient en grève. Les employés luttaient contre les méthodes de travail à la japonaise jugées trop exigeantes (Clément, 1995, p. A1).

En 1995, l'usine de Joliette n'en est pas à sa première grève ; elle en est en fait à sa cinquième. La première a eu lieu en 1969. Elle a duré 11 semaines, et les travailleurs revendiquaient déjà à l'époque de meilleures conditions de travail. Cette revendication reviendra dans tous les conflits par la suite. La grève de 1973 est la deuxième. Elle a été la plus dure et la plus longue, ayant duré 11 mois. Outre de meilleures conditions de travail et des salaires plus élevés — ils gagnaient à l'époque 1,05 $ de moins de l'heure que leurs homologues de l'usine de Hamilton, en Ontario —, les travailleurs exigeaient que le français soit la langue de travail à l'usine. Les deux autres grèves ont lieu en 1978, d'une durée de trois mois, et en 1983, une courte grève de deux semaines. Toutes ces grèves ont instauré au fil des ans une méfiance mutuelle, voire, selon certains, une culture du conflit entre les employés et la direction (Perreault, 1996, p. A23).

La longue grève de 1995-1996 n'améliore pas la situation. De nombreux ouvriers sont sortis fortement frustrés de ce dernier conflit et ils en veulent beaucoup à la direction. Comme le rapporte le journaliste Jean-Paul Charbonneau (1996, p. A1), les travailleurs ont accepté les offres « finales » de l'entreprise, mais bien à contrecœur : « La majorité des syndiqués sont sortis de la salle en colère, le visage long. » D'ailleurs, un représentant syndical « est d'avis que si rien n'est fait pour améliorer le climat, l'usine de Joliette sera dans l'obligation de fermer dans quelques années » (*ibid.*).

La signature d'une nouvelle convention collective en 2005 confirme un changement de culture entrepris il y a cinq ans, selon Leila Rainville, la directrice des ressources humaines à l'usine de Joliette (Comité sectoriel de la main d'œuvre de l'industrie du caoutchouc du Québec, 2005, p. 30)

convention collective, ou à ceux des usines belge et irlandaise pour qui le nom de Bombardier ne revêt pas la même signification que pour les travailleurs québécois. Rien n'assure d'ailleurs que la situation changera à terme (sur Cascades, voir Pépin, 1996 ; Lavigueur, 1997 ; sur Bombardier, voir Tremblay, 1994). Il est possible que, dans ces établissements, l'identité se construise autour d'autres valeurs et d'autres réalités culturelles, malgré les efforts des dirigeants. La construction de l'identité de l'entreprise est un processus très long qui engage les acteurs dans une histoire commune s'étendant souvent sur plusieurs générations. Attardons-nous un peu plus longuement sur le cas de Bombardier pour mieux comprendre cette dynamique culturelle des entreprises[3].

L'invention par Joseph-Armand Bombardier d'un « lourd véhicule équipé de chenilles et de skis capable de circuler sur la neige et de sortir de leur isolement hivernal les populations des régions rurales du Québec » (Tremblay, 1994, p. 6) a été le point de départ de cette entreprise fondée à Valcourt en 1942. Une quinzaine d'années plus tard, Bombardier invente la motoneige qui lance définitivement l'entreprise. De 1964 à 1972, cette dernière connaît, sous le règne de Laurent Beaudoin, gendre de Bombardier, une croissance remarquable, le chiffre d'affaires passant de 10 à 183 millions de dollars. La crise du pétrole de 1973, une inflation galopante et une plus grande sensibilité à l'environnement entraînent une importante baisse de la consommation de la motoneige qui menace la survie de l'entreprise. En réaction à cette menace, l'entreprise va entreprendre une diversification de sa production.

Une première conversion l'amène dans le secteur du transport en commun où elle obtient, en 1974, un important contrat pour fabriquer la deuxième génération de voitures du métro de Montréal, même si elle n'a aucune expertise dans ce secteur. Le désir des promoteurs de confier ce lucratif contrat à une firme québécoise y est pour beaucoup. C'est à l'usine de fabrication de motoneiges de La Pocatière, transformée pour les besoins de la cause, que seront construites ces voitures. L'opération est un franc succès et l'obtention, en 1984, d'un contrat de plus d'un milliard de dollars canadiens pour la construction de 825 voitures de métro pour la ville de New York permet de confirmer cette percée dans le secteur du transport en commun. Par la suite, Bombardier consolide sa présence dans ce secteur en faisant l'acquisition d'entreprises de fabrication de matériel de transport roulant : Brugeoise et Nivelles (BN) en Belgique, ANF-Industrie en France, UTDC en Ontario et Concarril au Mexique. Puis, à partir de 1986, l'entreprise fait une première percée dans le secteur de l'aéronautique en se portant acquéreur de Canadair, au Québec. Elle s'implantera plus solidement dans ce secteur en faisant l'acquisition de Short Brothers en Irlande du Nord, de Learjet aux États-Unis et de Havilland en Ontario.

Qu'en est-il alors de l'identité et de la culture de Bombardier, qui acquiert souvent des entreprises plus anciennes et plus grosses que ses propres usines au Québec ? Rappelons que l'identité de l'entreprise s'est développée à Valcourt du début des années 1940 jusqu'au début des années 1970 autour de la construction d'autoneiges et de motoneiges. Elle a donc à la fois reçu la marque de son fondateur, Joseph-Armand Bombardier, et celle de son milieu, Valcourt, une petite municipalité de l'Estrie. Tremblay (1994, p. 109) parle de fierté, de solidarité, d'intégrité, de débrouillardise, de travail et de simplicité, sur un fond de conservatisme et de paternalisme, pour décrire ce milieu et le fondateur. Les vieux employés de Valcourt ont une expression qui illustre bien ce sentiment d'appartenance : « Quand on se coupe, on saigne jaune », faisant ainsi référence à la couleur jaune moutarde des premières motoneiges Ski-Doo (*ibid.,* p. 4). Cette culture a été enrichie par la suite par Laurent Beaudoin et son bras droit, Raymond Royer, ainsi que par les cadres et les employés de La Pocatière. Selon Tremblay :

> Parmi la trentaine d'usines exploitées par Bombardier à travers le monde, Valcourt et La Pocatière sont les modèles. Valcourt porte l'héritage de Joseph-Armand Bombardier et de son gendre Laurent Beaudoin, tandis que La Pocatière transmet celui de Raymond Royer. On pourrait se risquer à dire, sans trop caricaturer, que l'usine idéale emploierait les travailleurs de Valcourt et les cadres de La Pocatière. Cette synthèse, Bombardier tentera de la transmettre à ses autres usines, mais la greffe ne prendra pas toujours. (Tremblay, 1994, p. 33 ; reproduit avec permission.)

L'implantation de la culture Bombardier est parfois très difficile. En Belgique, par exemple, la direction belge de la Brugeoise et Nivelles (BN) — spécialisée dans la fabrication de matériel roulant ferroviaire — n'a jamais accepté l'achat de l'entreprise par des étrangers. Elle acceptait encore plus difficilement que ces derniers viennent lui donner des leçons de gestion étant donné que la Belgique fut le premier pays européen à construire un chemin de fer. C'est en quelque sorte l'histoire et la tradition d'un pays contre la culture d'une jeune entreprise québécoise. La direction de Bombardier a pourtant été tolérante et a cherché à changer les manières de faire progressivement. Mais, après quelques années aux résultats médiocres, la direction de Bombardier s'est vue dans l'obligation de restructurer l'entreprise et de remplacer une bonne partie de la direction de BN qui s'entêtait à ne pas vouloir modifier ses façons de faire malgré les mauvais résultats financiers. Il y a donc, dans les premières années, un climat de confrontation autant entre la direction de Bombardier et celle de BN qu'entre la direction et les employés syndiqués qui vivent mal la restructuration. On ne peut pas dire ici que la culture Bombardier s'impose facilement.

La situation est plus facile avec la direction de Short Brothers à Belfast qui accepte plus aisément la philosophie de gestion de Bombardier axée sur la participation des cadres et des employés. Pourtant, d'autres problèmes compliquent drôlement les choses. Shorts est le plus gros employeur privé de l'Irlande du Nord et est situé au cœur de Belfast, le lieu d'un long et interminable conflit entre les protestants et les catholiques. Shorts a été longtemps considéré comme un bastion de la communauté protestante — l'usine est située du côté protestant — et compte peu de travailleurs catholiques, situation en voie de s'équilibrer, comme l'explique Tremblay :

> [...] à la suite de pressions locales et internationales, de deux législations sur l'égalité des chances à l'emploi, et de décisions prises par les nouveaux propriétaires québécois, l'entreprise s'ouvre de plus en plus à la minorité catholique, qui représente aujourd'hui 13,5 % de ses travailleurs en usine, comparativement à moins de 5 % au milieu des années quatre-vingt. À terme, Shorts vise 26 %, soit la proportion des catholiques qui habitent dans la région de Belfast. (Tremblay, 1994, p. 73 ; reproduit avec permission.)

Pour tenter de faire dérailler le processus de réconciliation entre les communautés protestante et catholique à l'intérieur de l'entreprise, l'Armée républicaine irlandaise (IRA) a fait exploser huit bombes aux abords de l'usine depuis que Bombardier en est le propriétaire. De plus, les travailleurs catholiques de l'usine ont été l'objet de menaces de mort de la part d'une organisation secrète loyaliste. On le voit, il y a là des enjeux et des identités qui dépassent largement la philosophie de gestion de Bombardier, bien que cette dernière ne soit pas irréconciable avec les projets des modérés ouverts à une participation plus grande des catholiques de l'Irlande du Nord. Les dirigeants québécois ont par ailleurs une certaine expérience des tensions interethniques puisqu'elles ne sont pas absentes de leur réalité dans la province.

Au Québec, c'est l'acquisition de Canadair par Bombardier qui a été une source de tensions culturelles. Canadair était essentiellement une entreprise anglo-saxonne, voire britannique, puisqu'elle recrutait chaque année une dizaine d'ingénieurs en Grande-Bretagne. L'achat de l'entreprise par Bombardier fut un choc pour les cadres et les employés :

> […] lorsque Laurent Beaudoin prononce presque entièrement en français son premier discours devant les employés, un frisson traverse la majorité anglophone. «Jamais de ma vie je n'aurais cru que mon chèque de paye porterait un jour un nom de compagnie français», confie un autre employé. (Tremblay, 1994, p. 57 ; reproduit avec permission.)

La mise en place des principes de gestion de Bombardier se fera dans un climat très difficile. L'embauche de cadres et d'ingénieurs québécois vient aussi bouleverser les habitudes des cadres et des ingénieurs britanniques de Canadair et il se crée un clivage entre les deux groupes. Il a fallu faire venir Raymond Royer, le bras droit de Beaudoin, et une équipe de cadres formés à La Pocatière pour changer les choses chez Canadair :

> Depuis l'arrivée de Bombardier, «on a changé la culture de la direction de l'entreprise, soutient Brown [président du groupe Canadair], à l'automne 1990. Avant, Canadair était une pyramide monolithique ; une seule personne décidait de tout après avoir consulté un ou deux ministres. On a décentralisé l'entreprise en divisions, chacune avec son système financier, sa stratégie et sa comptabilité. On veut maximiser le potentiel de chaque individu en maximisant son autorité et ses responsabilités. » (Tremblay, 1994, p. 65-66 ; reproduit avec permission.)

Le changement a été important, même si les principes de gestion de Bombardier sont loin d'être totalement intégrés au moment de l'enquête de Tremblay. Mais encore ici, on ne peut pas dire que du « sang jaune » coule dans les veines de tous les cadres et de tous les employés, à preuve le conflit chez Canadair au printemps 1997 qui a opposé les employés à la direction relativement aux salaires et aux conditions de travail.

Ainsi, pour BN en Belgique, Shorts en Irlande du Nord et Canadair au Québec, dans l'ouest de l'île de Montréal, on ne peut pas parler d'une identification et d'une intégration semblables à celles qui caractérisent les usines de Valcourt ou de La Pocatière. En fait, loin d'assister à une intégration culturelle réussie, ces entreprises vivent plutôt une période de transition, marquée de désintégration et de confrontation culturelles. Et si jamais l'intégration culturelle se réalisait, en conformité avec les principes de gestion de l'entreprise mère, il n'est pas dit pour autant que l'identité et l'identification auraient la même couleur. Ce n'est de toute façon pas l'objectif de Laurent Beaudoin, qui est bien conscient des limites des transferts culturels et qui explique :

> [...] il est illusoire de penser que l'on va transférer exactement les mêmes valeurs à tous. Ce que tu peux changer dans une organisation, c'est la façon de voir certaines choses ; comme d'être entreprenant plutôt que d'avoir peur de brasser la cage. On essaie de mettre dans la tête des gens qu'il faut générer des nouvelles idées pour se renforcer et se développer davantage. Il est très important que les dirigeants aient cette même vision. (Tremblay, 1994, p. 121 ; reproduit avec permission.)

Avec Bombardier et ses différentes usines dans le monde, nous voyons donc à la fois des cas d'intégration, de désintégration et de confrontation culturelles. Ces cas sont fréquents dans un contexte de mondialisation de l'économie qui provoque beaucoup de turbulence et bouleverse les dynamiques identitaires des entreprises. Ce sont souvent les groupes d'employés et de cadres subalternes qui vivent le plus durement les restructurations et les changements d'activités qui en découlent. Un dernier exemple, tiré de l'enquête de Francfort, Osty, Sainsaulieu et Uhalde, illustre bien cette situation en mettant en scène une entreprise en pleine réorientation de ses activités :

> L'entreprise Z a opéré un changement de stratégie depuis les cinq dernières années. Spécialisée dans la fabrication d'ascenseurs depuis de nombreuses années, elle se tourne depuis peu vers le développement du service après-vente (dépannage) qui devient désormais le secteur rentable de l'entreprise. La fabrication est réduite à de l'assemblage de pièces standardisées et connaît un processus de déqualification professionnelle. Anciens du secteur valorisé dans l'entreprise, les « professionnels dépossédés » se réfugient dans l'évocation d'une époque plus valorisante pour eux et se désinvestissent de leur travail.

> Le secteur de dépannage connaît en revanche un fort développement et beaucoup de jeunes sont recrutés pour être formés et pour pouvoir répondre à une demande toujours croissante. Davantage attirés par un projet de mobilité ascensionnelle en interne ou en externe, ils sont moins attachés à l'entreprise que les professionnels traditionnels et se caractérisent par des logiques plus individuelles.

> Deux conceptions du métier s'affrontent : une conception communautaire, attachée à l'entreprise, valorisant le travail bien fait, et une conception individuelle du métier, privilégiant le bricolage au bel ouvrage, les relations sélectives à l'esprit d'équipe et le projet individuel à la carrière maison.

Derrière la vision professionnelle, c'est une conception du fonctionnement de l'entreprise et des processus de socialisation qui sont en jeu. L'arrivée massive de jeunes sonne le glas de l'ancienne communauté professionnelle maison, et fait émerger des identités différenciées qui cherchent à s'imposer au sein de l'entreprise. (Francfort et autres, 1995, p. 301; reproduit avec permission.)

Nous voyons bien ici les conséquences de la transformation de la mission d'une entreprise pour les acteurs : un groupe qui monte, l'autre qui descend. Il est facile d'imaginer les tensions engendrées par cette situation et la difficulté pour les cadres à gérer la transition à la satisfaction de tous. Cette situation est caractéristique des entreprises en pleine transformation. Or, le contexte actuel de mondialisation force de nombreuses entreprises à se transformer ou à se reconvertir (l'encadré 3.4 présente une typologie des entreprises à l'heure de la mondialisation). On comprendra alors qu'il y ait aussi, au-delà des compressions salariales et des mises à pied qui touchent des milliers de travailleurs, des conséquences d'un tout autre genre pour ceux qui restent. En effet, le redéploiement des activités dans une entreprise et la réorganisation du travail qui s'ensuit pour la rendre plus productive affectent les travailleurs et les cadres qui restent en transformant non seulement la façon dont ils accomplissent leur travail, mais aussi leur identité profonde. Il y a là une réalité qui explique très souvent les difficultés auxquelles font face les gestionnaires chargés de la réorganisation de l'entreprise. De toute évidence, ces derniers ne sont pas toujours conscients des dynamiques à l'œuvre dans leur entreprise et de l'attachement des travailleurs à l'identité de l'entreprise.

ENCADRÉ 3.4
Une typologie sociologique des entreprises

De 1987 à 1994, Renaud Sainsaulieu et une équipe de chercheurs ont mené une enquête colossale en France auprès de 80 entreprises privées et publiques — des PME et des grandes entreprises orientées vers les services ou la production — au cours de laquelle ils ont réalisé plus de 4 000 entretiens d'une durée de plus d'une heure et demie (Francfort et autres, 1995, p. 22). Un de leurs objectifs était de construire une typologie des entreprises « capable d'éclairer la variété des situations de travail dans lesquelles devaient s'implanter les politiques de gestion des ressources humaines et les plans de modernisation » (*ibid.*, p. 9) durant cette période de grande transformation sociale et économique. Finalement, ils ont mis en évidence cinq types d'entreprises où la dynamique sociale interne est bien marquée.

L'entreprise duale (19 entreprises sur 80)

Ce « sont en majorité des entreprises du secteur tertiaire, fournissant des services très divers destinés aux particuliers (conseils et interventions dans les domaines éducatifs, techniques, médicaux, financiers, administratifs) et plus rarement aux entreprises (conseil).

Certaines produisent toutefois des biens industriels (équipements électroniques) ou des biens de consommation courante destinés aux particuliers (produits alimentaires). Le nouveau secteur du tertiaire y est bien représenté (restauration, nettoyage industriel).» (Francfort et autres, 1995, p. 324.) Elles font face à une concurrence nouvelle et forte provenant de l'international (prix plus bas et augmentation de la qualité). Pour y répondre, elles optent pour des changements technologiques et la flexibilité de la main-d'œuvre, mais une bonne part de leur fonctionnement reste traditionnelle. Ainsi, l'entreprise est duale au sens où à l'intérieur de celle-ci «des unités professionnelles côtoient des unités bureaucratiques, des ateliers tayloriens jouxtent des îlots flexibles, et des activités fortement mécanisées cohabitent avec des activités manuelles.» (*Ibid.,* p. 327.) L'antagonisme ouvert entre les groupes porteurs du changement et ceux qui en sont exclus caractérise ce type d'entreprise.

L'entreprise bureaucratique (13 entreprises sur 80)

Ce type archi-connu correspond aux services offert par les gouvernements locaux, régionaux et national. Contrairement à l'entreprise duale, l'entreprise bureaucratique semble en grande partie protégée des pressions de l'environnement externe, de la concurrence. À ce titre, elle continue à fonctionner autour de règles institutionnelles communes qui protègent l'emploi et limite les transformations des méthodes de travail. Certains secteurs qui correspondent à des besoins nouveaux sont cependant plus flexibles.

L'entreprise modernisée (15 entreprises sur 80)

L'entreprise modernisée est issue des grandes traditions industrielles et a survécu à des crises plus ou moins graves. Elle a su négocier les transformations nécessaires à sa survie. Elle se caractérise notamment par «la transformation [de son] système productif et [par] le développement de nouvelles pratiques de gestion des hommes» (Francfort et autres, 1995, p. 385). Ces pratiques (pratiques de flexibilité, gestion individuelle et collective multiforme, etc.) sont négociées avec tous les acteurs et servent à augmenter la qualification d'un grand nombre d'employés.

L'entreprise en crise (16 entreprises sur 80)

Contrairement à l'entreprise modernisée, l'entreprise en crise — issue aussi très souvent du monde industriel traditionnel — n'a pas réussi à négocier la transformation avec les acteurs en présence. Dans ces entreprises, la direction fait table rase du passé et essaie de construire une dynamique nouvelle. Ce faisant, les changements technologiques qui sont introduits contribuent à la déqualification des travailleurs plutôt qu'à leur qualification, créant un sentiment d'exclusion chez une partie de plus en plus grande de la main-d'œuvre. En fait, selon les auteurs, «tout semble évoquer un type intermédiaire entre l'entreprise modernisée, avec laquelle elle partage un mouvement de transformation, et l'entreprise duale, avec laquelle elle partage un état de différenciation culturelle» (Francfort et autres, 1995, p. 441). L'entreprise est bloquée et marquée par des confrontations sociales entre les acteurs de la modernisation, les exclus de la modernisation, l'encadrement et les syndicats.

L'entreprise communauté (17 entreprises sur 80)

Selon les auteurs, «l'entreprise communauté surprend par la profonde originalité de son mode de fonctionnement, mais en même temps par la force des stéréotypes qu'elle ne manque pas d'évoquer. Monde en plein développement, performance économique certaine, mobilisation individuelle et collective de ses salariés, homogénéité de leurs discours dans le sens d'une grande satisfaction au travail et d'une confiance en l'avenir, attachement de tous à son nom et son histoire, mythification du fondateur… » (Francfort et autres, 1995, p. 437.) Ce sont « majoritairement des entreprises de petite taille (moins de 2 000 salariés), toutes confrontées à des marchés dynamiques. Entreprises privées, elles sont issues d'un capitalisme familial qui en conserve souvent la maîtrise après plusieurs générations […] Elles se développent dans des activités faiblement capitalistiques comme le bâtiment, le commerce, l'ingénierie, l'agro-alimentaire ou la petite mécanique… » (*Ibid.*, p. 438.) Le système de relations entre acteurs repose sur le consensus et l'organisation offre une forte flexibilité.

3.3 LES IDENTITÉS AU CŒUR DES CHANGEMENTS

L'entreprise met en présence des acteurs aux buts, aux ressources et aux stratégies très différents et dont les actions sont déterminées par des enjeux variés. Compte tenu de ces éléments, les relations que ces acteurs entretiennent entre eux donnent naissance à des règles et à des régulations qui se cristallisent très souvent dans des identités de groupes et d'entreprises. L'entreprise est ainsi le résultat du jeu des acteurs, c'est-à-dire de leurs interactions. Elle est aussi le fruit des relations qu'ils ont avec la société qui les entoure puisque celle-ci impose des contraintes (par le biais de lois ou de pratiques culturelles) qui limitent et orientent les relations entre acteurs. Ces buts, ces ressources, ces stratégies, ces enjeux, ces régulations, ces identités ne sont pas donnés une fois pour toutes ; ils sont appelés à changer au gré de l'évolution et des transformations des acteurs et de la société. Ces changements peuvent être profonds ou superficiels, progressifs ou soudains, planifiés ou non, etc. Autrement dit, ils peuvent prendre plusieurs formes.

Pour la majorité des spécialistes, le contenu du changement renvoie aux transformations des politiques et des structures de l'entreprise. Pour notre part, et conformément à notre exposé sur la dynamique interne de l'entreprise, nous préférons envisager la question du contenu du changement sous l'angle des acteurs, des buts, des ressources, des stratégies, des enjeux, des règles, des régulations et des identités. Une telle perspective n'est pas du tout incompatible avec le point de vue des spécialistes, bien au contraire, puisqu'il s'agit essentiellement de présenter les politiques et les structures par le biais de la dynamique des acteurs. Le cœur du changement réside donc dans les relations qui s'établissent entre les acteurs et les politiques et structures de l'entreprise. Nous dirons qu'il y a changement si une modification se produit dans les buts, les ressources, les stratégies, les enjeux, les régulations et les identités. Qu'importe que ce changement corresponde à une modification de la structure de pouvoir, à un changement technologique ou à un redéploiement des activités. C'est dans la mesure où il atteint les acteurs, et surtout leurs relations, que le changement sera considéré comme tel.

Il y a, bien sûr, des différences énormes entre le changement qui marque les ressources ou les stratégies d'un acteur et celui qui touche aux régulations entre acteurs ou à leurs identités. Nous croyons d'ailleurs que la portée du changement variera en fonction du type et du nombre de dimensions touchées. Quand toutes les dimensions sont concernées, nous croyons qu'il s'agit d'un changement profond, radical, qui se traduira à terme par un changement d'identité de l'entreprise. En revanche, si le changement n'atteint que les ressources ou les stratégies d'un acteur sans modifier en profondeur les régulations ou l'identité des groupes, il est, selon nous, moins profond, plus localisé, et il n'aura que peu d'effet sur l'identité de l'entreprise. Il n'est alors qu'un effet normal du jeu des acteurs dans l'entreprise. En effet, il y a toujours du mouvement ou des microchangements de la vie dans l'entreprise. C'est pourquoi nous parlons de la dynamique de l'entreprise.

La ligne de démarcation quant au changement semble être les régulations, c'est-à-dire la nature des relations entre les acteurs. Si la nature de ces relations change, avec, par exemple, l'établissement d'une régulation conjointe dans une entreprise où traditionnellement régulation de contrôle et régulations autonomes s'ignorent ou s'affrontent, nous croyons qu'il y a là un véritable changement. Autrement, des corrections se font, on apporte des transformations mineures, mais rien n'est bouleversé de façon importante, aucun changement significatif ne survient. Les acteurs et l'entreprise conservent ou modifient très légèrement leurs identités, sans plus. En fin de compte, rien ne sort du train-train presque quotidien et normal de la vie en entreprise. Cette dernière n'est en effet jamais statique, mais elle n'est pas pour autant constamment aux prises avec une situation de changement radical.

Pour illustrer cette problématique, examinons un exemple concret. Celui-ci nous permettra de mettre en évidence le rôle des acteurs et celui du contexte, plus large. Il nous permettra aussi de voir les identités à l'œuvre. (Les deux analyses qui suivent ce chapitre, celle de Paul-André Lapointe sur la grève de l'Alcan et celle de Denis Harrisson sur le changement à Primétal, illustrent aussi très bien cette problématique).

3.3.1   Un exemple de ruptures et de continuités : Hydro-Québec

Hydro-Québec est une société d'État relevant du gouvernement québécois. Elle est l'un des plus importants producteurs et distributeurs d'électricité du monde (Chanlat, Bolduc et Larouche, 1984, p. 23). Elle est le produit d'un double mouvement de nationalisation : le premier consiste dans la nationalisation, en 1944, d'une compagnie montréalaise, la Montreal Light, Heat, and Power (MLHP) ; le deuxième mouvement se caractérise par la nationalisation, en 1963, d'un ensemble de compagnies privées productrices d'électricité (*ibid.*, 1984). Le tout produit une entreprise monopoliste d'État dans la distribution de l'électricité au Québec.

La nationalisation de 1963 représentait tout un changement pour Hydro-Québec et lui a posé un problème de taille. Comment, en effet, intégrer dans une entreprise qui comptait déjà 4 600 employés, des personnes et des groupes venant de 11 entreprises, soit plus de 5 300 personnes, ayant des façons de voir et de faire très différentes? Les dirigeants de l'époque ont sagement choisi de créer une double structure qui permettait de préserver, pour un certain temps du moins, les identités des divers établissements et personnels. Cette structure comprenait un centre et des unités régionales constituées sur la base des anciennes entreprises (voir les figures 3.1 et 3.2). Elle ne favorisait pas cependant l'intégration de ces établissements, groupes et personnes dans une même grande entreprise. Cette intégration s'est faite plus progressivement, sous l'action décisive d'un groupe, celui des ingénieurs, qui a pris de plus en plus de place dans l'entreprise, le facteur déterminant étant les projets de construction de grands barrages sur les rivières Manicouagan et aux Outardes sur la Côte-Nord et sur la rivière La Grande à la Baie-James, comme l'expliquent Taïeb Hafsi et Christiane Demers :

> Il semble que l'unification soit venue [...] des grandes réalisations des années 1960 et 1970. Les grands projets ont en effet permis de mobiliser les énergies et de susciter les efforts de jeunes cadres brillants et ambitieux. Grâce à ses succès technologiques et économiques, l'entreprise devint le symbole de toute une génération de jeunes francophones québécois. (Hafsi et Demers, 1989, p. 91.)

En effet, la forte croissance de la demande d'électricité dans les années 1960, consécutive à une forte croissance économique, oblige Hydro-Québec à augmenter rapidement sa capacité de production et donc à construire de nouvelles centrales électriques. Dans ce contexte, les ingénieurs responsables de la construction des barrages et des centrales deviennent rapidement le groupe d'acteurs le plus important et le plus puissant dans l'entreprise. Ils maîtrisent l'incertitude la plus pertinente pour l'entreprise à ce moment-là, à savoir la capacité de répondre à la forte demande d'électricité par la construction de nouvelles centrales. En effet, l'entreprise, pour assurer sa légitimité et pour justifier la nationalisation, doit être en mesure de livrer la marchandise. Toute incapacité à assurer un approvisionnement adéquat en électricité aux habitations des villages, des villes et des banlieues en pleine expansion et aux entreprises en pleine transformation sera vue comme un échec de la nationalisation et, par la même occasion, du savoir-faire des Québécois. Le sort d'Hydro-Québec repose donc entre les mains des ingénieurs, seuls capables de concevoir et de construire les équipements nécessaires.

Ainsi, petit à petit, les ingénieurs, les constructeurs de barrages, prennent de plus en plus de place dans l'entreprise parce qu'ils peuvent maîtriser l'incertitude

FIGURE 3.1

La structure d'Hydro-Québec, 1er janvier 1966

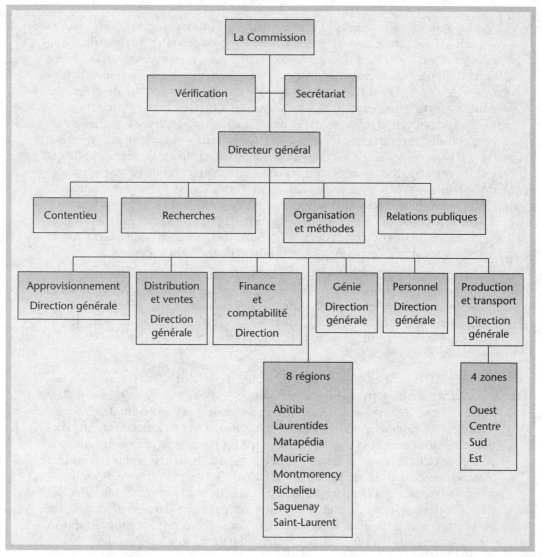

Source: Chanlat, Bolduc et Larouche (1984, p. 79). Reproduit avec permission.

qui pèse le plus sur elle. À tel point que, dans les années 1970, ce sont eux qui déterminent la demande d'électricité et donc les équipements qui seront nécessaires dans l'avenir. La nationalisation de 1963, planifiée et réalisée par le gouvernement québécois, a donc transformé radicalement l'entreprise en donnant

FIGURE 3.2

La structure d'une région type, Hydro-Québec, 1er janvier 1966

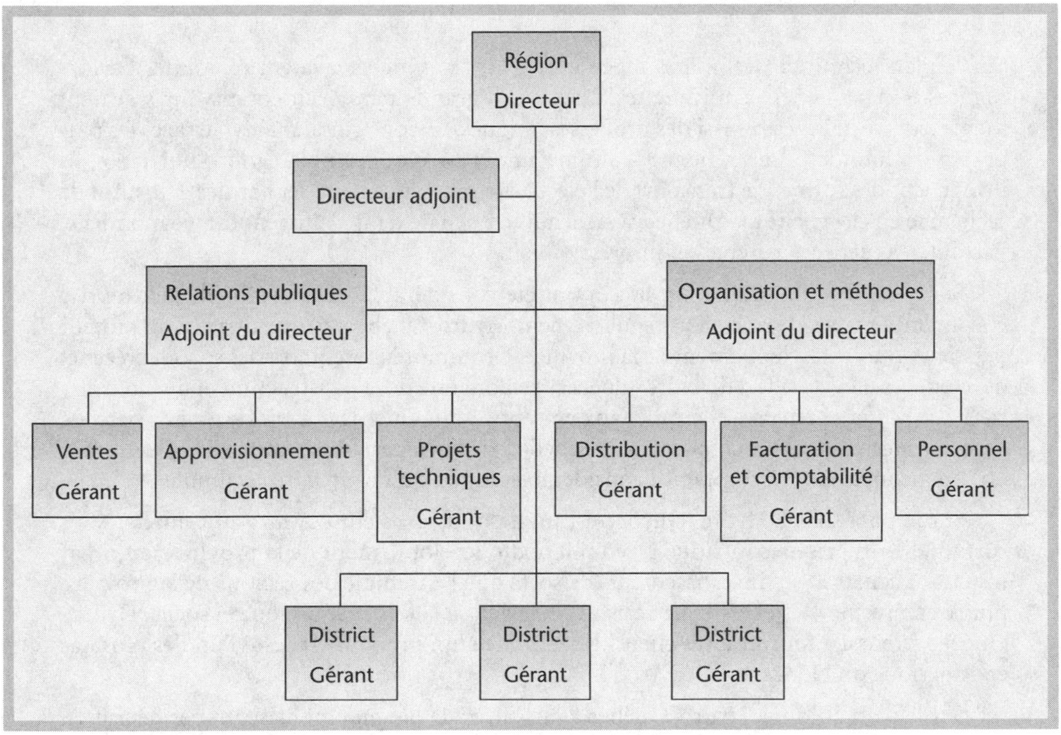

Source : Chanlat, Bolduc et Larouche (1984, p. 79). Reproduit avec permission.

l'occasion à un groupe de s'imposer au point de changer la nature des relations qu'il entretient avec les autres et de donner une nouvelle identité, de constructeur au lieu de distributeur, à l'entreprise. Il s'agit donc ici d'un changement radical imposé par le propriétaire, qui a été suivi d'un changement plus progressif, non planifié, de la dynamique interne de l'entreprise.

Comme le soulignent Hafsi et Demers, le rôle central que joue le groupe des ingénieurs dans l'entreprise va lui attirer l'antipathie des autres divisions de l'entreprise, malgré les réussites assez éclatantes de celle-ci (sur les réussites, voir l'encadré 3.5) :

> Le groupe Équipement [les ingénieurs] était donc, implicitement ou explicitement, en conflit avec tous les autres groupes, mais sa logique dominait l'ensemble d'Hydro-Québec. Le plan de l'entreprise, par exemple, était le « plan d'Équipement » et les besoins de construction avaient la priorité sur tous les autres. Le groupe Équipement a, jusqu'au début des années 1980, dominé la direction générale de l'entreprise et représentait « l'establishment

---

ENCADRÉ 3.5

Les réussites d'Hydro-Québec

Sur le plan technique, les jeunes ingénieurs d'Hydro-Québec avaient réussi des performances non seulement équivalentes à celles des grands pays occidentaux, mais avaient même dans certains cas réussi des prouesses uniques. Ils construisaient les barrages les plus grands au monde, ils arrivaient à dominer une nature qui semblait toute-puissante, ils inventaient des formes de transport de l'électricité révolutionnaires et hardies. L'Institut de recherche en électricité du Québec avait acquis en peu de temps une renommée mondiale. Partout, le Québec surprenait et impressionnait.

Sur le plan économique, les succès ont été considérables. Les profits de l'entreprise étaient importants et croissaient régulièrement. Hydro-Québec se révélait aussi un moteur puissant pour le développement de la province. De nombreuses entreprises se sont créées et développées dans le sillon d'Hydro-Québec. Le domaine de la construction et de l'ingénierie a acquis une maîtrise qui permet aux entreprises du Québec d'avoir de grands succès à l'échelle internationale. En matière de production hydroélectrique, les entreprises du Québec ont même un avantage compétitif considérable du fait du savoir-faire accumulé […].

Sur le plan social, Hydro-Québec est un des plus gros employeurs au Canada. Mais surtout, l'entreprise a contribué à l'équilibre du développement de la province, en organisant ses achats et ses investissements de sorte que l'ensemble des régions de la province puisse en profiter […]. De plus, et c'est là un facteur à la fois économique et social, Hydro-Québec a réussi à fournir à ses clients l'électricité à un prix qui est resté l'un des plus bas en Amérique du Nord.

Sur le plan culturel, Hydro-Québec a fait faire à la langue française un pas décisif en démontrant qu'elle pouvait, en Amérique du Nord, être une langue de travail à la fois pour la gestion et pour la technique. Hydro-Québec a aussi été une grande université pour les ingénieurs francophones et a contribué à renforcer la renommée et la valeur de l'École polytechnique de Montréal.

Finalement, sur le plan politique, Hydro-Québec a été la tête de pont de l'émergence d'une nouvelle élite québécoise capable de prendre en main les leviers économiques du pays et de renforcer le pouvoir politique des francophones. Elle a généré des comportements scientifiques et économiques et des attitudes qui ont profondément transformé la société québécoise.

Source: Hafsi et Demers (1989, p. 109-110).

---

de l'organisation». Le groupe Exploitation, surtout Clientèles et régions, et le groupe de la SEBJ [Société d'énergie de la Baie James] étaient prêts à endosser tout changement qui aurait modifié le rapport de force en leur faveur. (Hafsi et Demers, 1989, p. 122-123.)

Le changement survient en 1982, quand le gouvernement nomme un nouveau président à la tête d'Hydro-Québec. Le gouvernement craint en effet que l'entreprise, qui continue de planifier la réalisation de mégaprojets, se dirige vers la catastrophe étant donné la baisse considérable de la croissance de la demande d'électricité au Québec depuis la fin des années 1970. La direction d'alors, dominée par les ingénieurs, croyait, quant à elle, que cette baisse de la demande serait temporaire et ne voulait pas modifier ses plans. Cette stratégie lui coûtera cher.

Le nouveau président, Guy Coulombe, a pour mandat d'évaluer la situation et de prendre les décisions qui s'imposent. Très tôt, le président découvre à l'intérieur de l'entreprise des personnes et des groupes qui ne partagent pas la lecture de la situation de la direction. Il s'entoure de ces acteurs et cherche à assurer un meilleur «équilibre entre le groupe Exploitation et le groupe Équipement» (Hafsi et Demers, 1989, p. 123) qui mènera, selon lui, à des plans de développement plus réalistes.

La nouvelle direction veut en fait transformer le «constructeur de barrages» en «vendeur d'électricité», étant donné la baisse de la croissance de la demande et les surplus considérables que produira Hydro-Québec dans les années à venir. On opte, d'une part, pour l'amélioration du réseau, du service et des programmes destinés à la clientèle et pour la négociation de contrats de vente (des surplus) à des producteurs d'électricité américains et, d'autre part, pour le report de nombreux grands projets (comme Grande-Baleine prévu pour le début des années 1990). Le pouvoir se déplace donc dans l'entreprise de l'acteur Équipement-Génie (les ingénieurs) à l'acteur Exploitation, région et clientèle puisque c'est ce dernier qui maîtrise en très grande partie les incertitudes désormais les plus pertinentes pour l'entreprise, soit l'écoulement des surplus et le service à la clientèle. Tout cela bien sûr aura d'heureux résultats si l'analyse de la situation qui a été faite est juste. L'impression de perte de pouvoir est grande chez les acteurs du groupe Équipement :

> On sent qu'il y a un glissement vis-à-vis de l'Exploitation, notre rôle glisse vers l'Exploitation, c'est l'impression qu'on a. [...] Le groupe Exploitation a grugé petit à petit l'exécution et la conception de certains équipements. La dernière panne (la panne générale [de 1988]) a d'ailleurs résulté de ça. (Administrateur d'ingénierie chez Hydro-Québec, dans Demers, 1990, p. 152.)

L'enjeu semble grand pour le groupe Équipement, pour qui le changement correspond au désir de la nouvelle direction de faire disparaître cette unité, ou du moins de réduire au minimum son rôle, et de confier tous les contrats d'ingénierie et de construction, ou la majorité de ceux-ci, à l'externe (Demers, 1990, p. 148-150), ce qui ne s'est pas produit finalement.

> On avait l'impression qu'ils avaient autre chose en arrière de la tête. On disait qu'on voulait un groupe Équipement fort, mais ce qu'on voyait c'est qu'Équipement perdait des bouts. [...] Pour moi, ce n'est pas clair ce qu'ils voulaient faire — s'ils voulaient éliminer Équipement, ils n'ont pas réussi, s'ils ne voulaient pas le faire, ils l'ont pas mal amoché. (Chef de travaux chez Hydro-Québec, dans Demers, 1990, p. 151.)

Puis, en 1988, on procède, sous un nouveau gouvernement, à un autre changement de direction, ce qui, lié à la reprise économique après 1983 annonçant une augmentation de la demande, va remettre le groupe Équipement à l'avant-scène. Le projet de Grande-Baleine, reporté aux calendes grecques ou presque il n'y a pas si longtemps, redevient prioritaire. Encore une fois, une modification dans l'environnement, favorable aux constructeurs de barrages celle-là, vient changer le rapport de force à l'intérieur d'Hydro-Québec. Cette modification est d'autant plus favorable que le nouveau gouvernement encourage non seulement la vente des surplus d'électricité aux États-Unis, mais aussi une production protégée et garantie, ce qui ne déplaît pas, par ailleurs, aux vendeurs d'électricité récemment formés dans l'entreprise qui auront pour mission de trouver des acheteurs.

Ce dernier changement est moins radical qu'il ne paraît. Il permet en fait de redonner une place importante au groupe des ingénieurs (Équipement) tout en maintenant celle du groupe Exploitation, puisque c'est ce dernier qui devra vendre et mettre en marché aux États-Unis les surplus annoncés. Mais on connaît la suite : la résistance de la nation crie ainsi qu'une baisse de la demande dans le Nord-Est américain ont entraîné l'annulation des contrats avec les États-Unis.

Qu'illustre cet exemple ? D'abord, l'incidence du contexte économique et des projets du propriétaire, en l'occurrence le gouvernement du Québec, sur les changements vécus au sein d'Hydro-Québec durant ces 30 dernières années. C'est le propriétaire qui décide au début des années 1960 de nationaliser d'autres entreprises et de les intégrer à Hydro-Québec. C'est encore lui qui décide, au début des années 1980, d'opérer un changement radical d'orientation en favorisant davantage l'économie d'énergie, la vente d'électricité et le service à la clientèle plutôt que la construction de grands barrages. Ce dernier changement, introduit et planifié par la nouvelle direction, aura un succès médiocre, surtout à cause, encore une fois, d'un contexte et d'un gouvernement redevenus plus favorables à la construction de nouvelles centrales électriques.

Nous avons vu également l'influence d'un groupe, les ingénieurs, sur le développement et l'identité de l'entreprise. C'est lui qui réussira l'intégration des divers établissements sous la poussée de ses projets de construction de barrages. Ce groupe en viendra à occuper beaucoup de place dans l'entreprise, au point d'infléchir ses politiques, d'imposer son programme, etc. Il s'agit là d'un véritable changement progressif de l'identité d'Hydro-Québec, qui passe d'une identité de distributeur d'électricité à une identité de constructeur de barrages. Dit autrement, l'identité d'un groupe devient celle de toute l'entreprise grâce aux réalisations de celui-ci. Ce groupe résistera à un changement planifié le défavorisant au début des années 1980 et retrouvera vers la fin de cette même décennie son importance, pour un temps du moins. Son identité en sera ébranlée, mais pas au point d'être transformée en profondeur.

Nous pouvons donc conclure que, si la nationalisation amorcée en 1963 entraîne finalement un changement radical (en transformant les relations entre acteurs et l'identité de l'entreprise), et ce, malgré les tentatives faites pour minimiser ce changement à l'interne à l'époque (pensons à la double structure), le changement planifié des années 1980, qui se voulait radical, a été finalement moins profond quoique important. L'identité de l'entreprise sera plus ébranlée encore par l'échec du projet de Grande-Baleine et les récents déboires d'Hydro-Québec avec la construction des petits barrages, les dépenses somptuaires de ses hauts dirigeants et les compressions annoncées par le gouvernement. À l'interne, les personnes et les groupes vivent des heures difficiles.

3.4 LA COMPLEXITÉ SOCIALE DE L'ENTREPRISE

D'un point de vue sociologique, l'entreprise est une réalité sociale complexe. Les nombreux acteurs qui la composent ont différents buts, certains personnels, d'autres liés à l'entreprise, qui mobilisent diverses ressources et appellent des stratégies variées. Les relations entre acteurs qui en découlent s'articulent autour d'enjeux personnels, organisationnels et sociétaux. Ces jeux dans l'entreprise et hors de l'entreprise influent profondément sur l'orientation et le fonctionnement de celle-ci. Ces relations et ces jeux se cristallisent dans des règles, des régulations et des identités qui donnent un sens aux acteurs. Ces derniers vont alors, en fonction de cette dynamique interne et des relations avec l'extérieur, s'identifier plus ou moins fortement à l'entreprise.

La complexité sociale de l'entreprise tient notamment à l'interdépendance des divers éléments qui la composent. Changer l'une de ces composantes, c'est souvent changer toute la dynamique interne. Un acteur est-il mis de côté, des ressources coupées ou transférées à un autre acteur, une stratégie ou un enjeu redéfinis par le contexte extérieur, et c'est toute la dynamique de l'entreprise qui risque de changer.

L'entreprise est donc une réalité mouvante, sujette à des transformations fréquentes. Comprendre l'entreprise d'un point de vue sociologique, c'est être conscient de ces jeux d'acteurs, de ces enjeux non seulement économiques, mais aussi politiques, symboliques, identitaires. Pour les employés comme pour les cadres, l'entreprise est plus qu'un lieu de travail, c'est un milieu de vie. En ce sens, c'est un lieu d'expression et de construction de soi à travers des relations sociales riches et complexes, comme dans la «vraie vie», parce que, justement, la vie au travail, c'est la vraie vie.

Pour le gestionnaire, prendre conscience de ces dynamiques sociales à l'œuvre dans l'entreprise est primordial. Cette prise de conscience lui permet de prendre toute la mesure des conséquences et de la portée de ses actes, à la fois pour les personnes et pour l'entreprise. Certaines décisions et actions vont favoriser davantage l'intégration des divers acteurs, individus comme groupes, dans l'entreprise, alors que d'autres accentueront les divisions, les antagonismes. Tout l'art de la gestion repose sur ces actions intégratrices qui donnent une cohérence à l'entreprise. Mais il est évident que la multiplicité des buts, des intérêts, des valeurs et des identités des acteurs rend cette tâche presque impossible. La recherche de cohérence devient dès lors un guide d'action plus qu'une fin en soi.

La figure 3.3 schématise les principales dimensions de l'analyse de l'entreprise qui ont été examinées dans les deux derniers chapitres. Cette grille permet de poser un diagnostic quant à la dynamique interne d'une entreprise. Elle indique la voie à suivre pour y arriver. Ainsi, il faut d'abord isoler les acteurs de l'entreprise, découvrir leurs buts et leurs ressources, puis déterminer la nature de leurs relations et de leurs régulations et finalement mettre au jour les identités de groupes. L'identité de l'entreprise pourra être globalement caractérisée par l'état de sa dynamique sociale (confrontation culturelle, intégration culturelle ou désintégration culturelle) et être plus finement appréciée à la lumière des différents éléments (le dénombrement des acteurs et leurs buts et ressources, leurs stratégies, les règles, etc.) qui composent la grille.

Notes

1. D'après le titre de l'ouvrage de l'anthropologue June Nash (1979) sur les Indiens mineurs de Bolivie : *We Eat the Mines and the Mines Eat Us.*
2. Pour ce qui suit sur les comptables, nous nous référons à Bernard et Hamel (1982).
3. Les informations sur Bombardier qui suivent sont tirées de Tremblay (1994).

FIGURE 3.3

La dynamique interne de l'entreprise — une grille sociologique

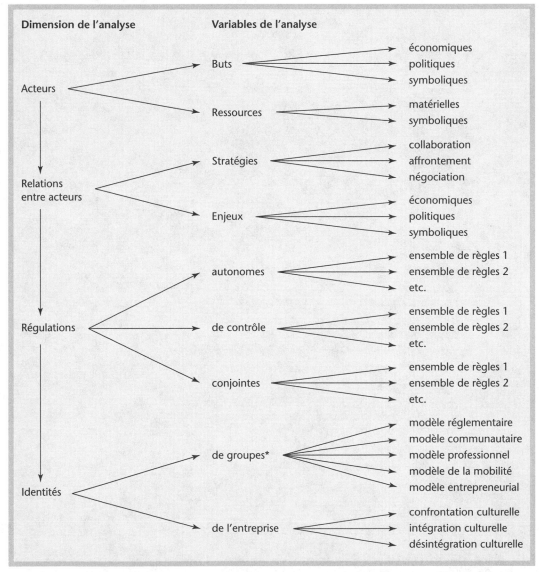

* Nous reprenons ici cinq des six modèles identitaires de groupes proposés par Francfort et autres (1995). Il ne s'agit que d'un guide d'observation; nous pourrions découvrir d'autres types d'identités ou plus exactement ressentir la nécessité de découper plus finement les différents types, ce que font d'ailleurs Francfort et ses collaborateurs à propos du modèle professionnel qu'ils scindent en deux (c'est pourquoi nous les avons regroupés sous la même étiquette.)

DEUXIÈME PARTIE

Acteurs institutionnels, mondialisation et entreprises

CHAPITRE 4

L'État : définition, formes et tendances

Joseph Facal

Nous insistons depuis le début sur le fait que l'entreprise n'exerce pas ses activités en vase clos, mais au sein de sociétés dans lesquelles elle est en interaction avec d'autres acteurs institutionnels. Parmi ceux-ci, l'État joue un rôle central.

Mais de quoi au juste parlons-nous quand nous évoquons l'État ? Quelles sont ses principales fonctions ? Comment sont-elles apparues ? Peut-on classer les différents types d'État ? Quels sont ses rapports les plus usuels avec l'entreprise ? Quelles sont les principales tendances de son évolution ? Qu'en est-il du cas particulier du Québec ?

4.1 QU'EST-CE QUE L'ÉTAT ?

Dans leur *Dictionnaire critique de la sociologie*, Raymond Boudon et François Bourricaud (1982, p. 220) nous préviennent d'entrée de jeu qu'il est pratiquement impossible de définir l'État d'une manière pleinement satisfaisante. Non seulement les tentatives pour clarifier cette notion ont-elles peine à se mettre à l'abri du dérapage polémique et partisan, mais en outre, la question de savoir ce que la définition doit ou ne doit pas englober se pose d'emblée : faut-il, par exemple, limiter la notion d'État à celle de gouvernement au point d'en faire des synonymes ?

À défaut de pouvoir clore le débat, on peut se rabattre sur la plus classique de toutes les définitions. Le plus grand de tous les sociologues, l'allemand Max Weber (1864-1920) voit dans l'État l'organisation par laquelle s'institutionnalise le pouvoir politique, principalement par l'exercice légitime de la force et de la contrainte physique (Birnbaum et autres, 1994, p. 102). Cette définition complexe appelle plusieurs commentaires.

La notion clé, ici, est celle de pouvoir. Le pouvoir n'est pas que politique. On peut observer dans notre vie quotidienne de multiples manifestations de pouvoir :

la relation entre des parents et leurs enfants, entre l'employeur et ses employés, entre un enseignant et ses étudiants (Delwit, 2001, p. 20). Il n'y a pas d'essence abstraite et immuable du pouvoir. Tout pouvoir implique nécessairement une relation asymétrique entre au moins deux individus, qui fluctue selon le rapport de force et le contexte, par laquelle l'acteur A « a la capacité d'obtenir que B fasse ce que B n'aurait pas fait de lui-même et qui est conforme aux intimations ou aux suggestions de A » (Boudon et Bourricaud, 1982, p. 425).

Quand ce type particulier de pouvoir qu'est le pouvoir politique devient institutionnalisé, il s'incarne habituellement dans cette organisation qu'est l'État. Nous entendons ici par « institutionnalisation », le « processus de transfert de pouvoir d'une personne physique à une instance abstraite » (Hastings, 1996, p. 22). La principale caractéristique de ce type de pouvoir institutionnalisé est qu'il est généralement le seul, dans nos sociétés, à disposer de la capacité et de la légitimité, théoriquement au nom de l'intérêt général ou du bien commun, d'utiliser la force de ses lois, de sa police ou de son armée pour contraindre les individus à se comporter d'une certaine manière. On dit enfin de ce pouvoir qu'il est *légitime* quand ses directives « font l'objet de l'adhésion, ou du moins de l'acquiescement, de ceux auxquels elles sont destinées. Cet acquiescement résigné ou cette adhésion enthousiaste contribuent à faire du pouvoir une obligation morale ou juridique qui lie le dominé au dominant, ou au titulaire du pouvoir » (Boudon et Bourricaud, 1982, p. 427). Mais en cas de refus du citoyen d'obéir au pouvoir politique, cette institution qu'est l'État, qu'elle soit perçue comme légitime ou non, pourra toujours mobiliser des ressources pour sanctionner le contrevenant.

Il importe de noter que si l'État est aujourd'hui la forme d'organisation du pouvoir politique la plus répandue, elle n'a pas toujours été la seule. Il est arrivé dans le passé que les autorités religieuses détiennent l'essentiel du pouvoir politique. Les tribus peuvent aussi être vues comme des formes de société sans État. Mais le triomphe de cette version moderne d'organisation du pouvoir politique qu'est l'État a virtuellement fait disparaître ces autres formes d'organisation du pouvoir politique (Debbasch et Pontier, 1995, p. 26). L'encadré 4.1 résume les conditions essentielles à l'existence d'un État.

Qu'en est-il maintenant de l'expression si fréquente : l'État de droit ? Birnbaum et ses collaborateurs notent qu'elle est habituellement utilisée de manière assez subjective pour distinguer les régimes authentiquement démocratiques et les régimes dictatoriaux, ces derniers faisant peu de cas du droit (Birnbaum et autres, 1994, p. 103). Mais la question est complexe, car bien des dictatures revêtent d'apparats légaux le pouvoir politique qui s'y exerce et se disent démocratiques, et bien des démocraties incontestables peuvent être le théâtre d'initiatives gouvernementales légales mais perçues comme dépourvues de légitimité.

L'expression courante « État-nation » est, elle aussi, chargée d'ambiguïtés. En effet, l'association des deux notions ne va pas de soi. La notion d'État a une connotation juridique et institutionnelle. Celle de nation renvoie plutôt aux traits culturels, linguistiques, plus rarement ethniques, et à la mémoire d'un héritage

---

ENCADRÉ 4.1

Les conditions nécessaires à la présence d'un État

Jean-William Lapierre (1985, p. 372) propose cinq conditions, discutables mais qui ne sont pas sans mérite, qui doivent être réunies pour dire que nous sommes en présence d'un État :

1. La présence d'une population dont la reproduction doit être régulièrement assurée ;

2. La présence d'un espace, qu'elle habite, aménage ou modifie ;

3. L'existence d'un mode de production économique assurant sa subsistance et des surplus destinés à satisfaire diverses demandes sociales ;

4. L'existence de codes de communication entre ses membres qui leur sont communs et les distinguent d'autres populations ;

5. La présence d'un système de règles assurant la coordination des activités de ses membres, c'est-à-dire des procédures de règlement des tensions et conflits.

---

historique partagé par une communauté humaine. On utilise donc habituellement l'expression « État-nation » pour désigner des sociétés comme la France, somme toute peu nombreuses, dans lesquelles les deux notions sont pratiquement imbriquées l'une dans l'autre, au point que citoyenneté et nationalité deviennent presque indissociables. Ce n'est évidemment pas le cas d'États comme ceux, par exemple, d'Afrique, dans lesquels on trouve, à l'intérieur d'un même territoire national, de nombreuses solidarités culturelles, linguistiques, ethniques, tribales, qui créent entre les individus des liens souvent plus profonds que leur attachement à une citoyenneté légale commune, et qui trouvent souvent des relais à l'extérieur des frontières de l'État.

Peut-on, enfin, se permettre de considérer les notions d'État et de gouvernement comme équivalentes ? Ici encore, rien n'est simple. On entend habituellement par gouvernement, dans son sens le plus large, l'ensemble des individus et des organes qui détiennent et constituent le pouvoir politique qui régit un État. Mais Birnbaum note aussi que, dans beaucoup de contextes, le mot désigne plus précisément « le pouvoir exécutif voire, dans les régimes à exécutif bicéphale, seulement l'ensemble des ministres collectivement responsables devant le Parlement, par opposition au chef de l'État » (Birnbaum et autres, 1994, p. 117).

4.2   LES RAISONS DE L'INSTITUTIONNALISATION DU POUVOIR POLITIQUE

On s'entend habituellement pour situer l'émergence de l'État, dans les formes qui préfigurent l'État moderne, au Moyen Âge, en Europe, au terme d'un processus de très longue durée de centralisation politico-administrative, le plus souvent autour d'un pouvoir royal.

Les principaux facteurs explicatifs qui peuvent être invoqués ont été relevés par Pascal Delwit (2001, p. 23-25) :

■ Le développement progressif du commerce entraîne l'émergence de marchés de plus en plus vastes. Pour faciliter la circulation des biens, il devient alors impératif de centraliser davantage une autorité politique jusque-là fragmentée entre une multitude de chefs féodaux.

■ En outre, on réalise progressivement les inconvénients causés par les guerres incessantes entre ces multiples pouvoirs fragmentés : insécurité perpétuelle, destruction des récoltes lors des combats, et instabilité politique qui rend problématique toute entreprise à long terme ; d'où la centralisation progressive du pouvoir politique afin de sécuriser davantage la vie en société.

■ L'émergence de l'État moderne va aussi de pair avec l'urbanisation, les deux phénomènes se renforçant l'un l'autre ; Fernand Braudel (1979, p. 602) l'explique ainsi :

Ces villes […] représentent d'énormes dépenses, leur économie ne s'équilibre que du dehors, d'autres doivent payer leur luxe. Alors, à quoi servent-elles dans cet Occident où elles surgissent et s'imposent si puissamment ? Elles fabriquent les États modernes, énorme tâche, énorme besogne. Elles marquent un tournant de l'histoire du monde. Elles fabriquent ces marchés nationaux sans quoi l'État moderne serait pure fiction. Car en vérité le marché britannique ne naît pas seulement à cause de l'Union politique de l'Angleterre avec l'Écosse (1707), de l'Union Act avec l'Irlande (1801), ni à cause de la suppression bénéfique en soi de tant de péages, ou de l'animation des transports, de la « folie des canaux » et de la mer libre-échangiste par nature qui enveloppe les îles, mais bien des flux et des reflux de marchandises vers et à partir de Londres, énorme cœur exigeant qui rythme tout, bouleverse et apaise tout. Ajoutez le rôle culturel, intellectuel et même révolutionnaire de ces serres chaudes : il est énorme. Mais il se paie et se fait payer à très haut prix.

■ On comprend aussi que le progrès est facilité par la stabilité institutionnelle du pouvoir politique ; on cherche donc à l'inscrire progressivement dans la durée. Georges Burdeau (1970, p. 48) l'explique ainsi :

Dans l'institution étatique, le pouvoir dont la permanence est établie, ce n'est évidemment pas la puissance personnelle des individus qui usent de ses prérogatives, c'est le pouvoir institutionnalisé. Il est tout à fait significatif d'observer à quel point, dans les débuts du XVIᵉ siècle, lorsque prend forme l'idée d'État, la recherche de la durée du pouvoir a été une véritable obsession chez les théoriciens politiques. Toute l'œuvre de Machiavel notamment peut être considérée comme un recueil de maximes et de recettes destinées à garantir la stabilité de l'autorité.

■ La constitution d'armées de plus en plus permanentes et davantage centralisées autour de ces pouvoirs politiques émergents, plutôt que levées selon les circonstances, entraîne des accroissements de coûts importants. Il en résulte une accélération de la monétarisation de l'économie afin de prélever plus facilement l'impôt royal, et donc des interventions politiques plus fréquentes dans l'économie, qui affaiblissent encore l'ordre politique médiéval (Déloye, 1997, p. 45).

■ La montée du pouvoir politique institutionnalisé autour des rois va aussi de pair avec l'affaiblissement de la légitimité des autres formes concurrentes de pouvoir, principalement celui de l'Église et des seigneurs locaux (Delwit, 2001, p. 25).

La première forme que prend donc cet État moderne en devenir est celle d'un État dynastique autour de la figure du roi ou du souverain. Ce pouvoir politique est transmis et renforcé par les liens et les alliances dynastiques. L'Angleterre et la France sont les deux pays où se constitue cet État moderne qui verra son cercle se compléter graduellement en Europe à partir du XVIe siècle (Bergeron, 1990, p. 106). Mais en Angleterre, un ensemble d'innovations politiques avaient vu le jour dès le XIIIe siècle, qui contribuèrent à la création de cet État moderne, comme « la Grande Charte de 1215, les Provisions d'Oxford, le Parlement (The Mother of Parliaments), le procès par jury, puis l'Habeas Corpus, etc. » (*ibid.*, p. 86). La France, grande rivale de l'Angleterre, lui emboîte rapidement le pas par « l'édification progressive d'une bureaucratie […] permettant […] de prétendre régir, depuis Paris, le gouvernement des provinces » (*ibid.*, p. 89).

Cette forme dynastique de l'État deviendra souvent absolutiste, voire impérialiste par la suite, les rois abusant en quelque sorte de leur pouvoir de souveraineté. Les révolutions française (1789) et américaine (1776) s'attaquent ensuite à ces formes d'États et aux abus qu'elles autorisent. En fait, ce qui est remis en question, ce n'est pas tant « le principe même de l'État, ni l'institution étatique comme unité de fonctionnement, mais bien plutôt la nature et les limites d'un pouvoir trop fort et trop centralisé (l'absolutiste), trop distant et trop rigide (l'impérialiste) » (Bergeron, 1990, p. 133). Ces révolutions mettront fin au pouvoir monarchique absolutiste ou impérialiste sur ces deux territoires.

Une idée nouvelle s'impose alors : celle de la souveraineté non plus d'un roi, mais d'un peuple ou d'une nation. Ce n'est donc plus autour de la figure du roi que se construiront l'autorité et les fonctions publiques, mais autour du peuple ou de la nation et de ses représentants désignés (élus). Ainsi, à partir du début du XIXe siècle, se déploie progressivement une forme d'État « national » qui va ébranler la forme d'État dynastique, absolutiste ou impérialiste présente dans d'autres pays. Il est à noter qu'en Angleterre, dans la foulée des deux révolutions de 1648 et de 1688, la monarchie absolutiste s'était déjà progressivement transformée en monarchie parlementaire. Après la Révolution française de 1789, d'autres pays suivront la voie anglaise et se transformeront en monarchies parlementaires.

Pour limiter le pouvoir de l'État, qu'il soit monarchique ou républicain, le moyen tout trouvé sera de le soumettre à une constitution. Ce processus de transformation atteignit son apogée quand l'État « accepta de constitutionnaliser son autorité, de voir dans son propre consentement à ces autolimitations une manifestation même de souveraineté» (Bergeron, 1990, p. 215). La constitutionnalisation du pouvoir de l'État marque donc le triomphe du principe de droit sur les conceptions plus personnelles du pouvoir politique. L'adoption de la Constitution britannique en 1688, les constitutions issues des révolutions française et américaine du XVIIIe siècle en sont des figures exemplaires. Elles aboutirent à notre conception moderne de l'État, qui est l'État dit «de droit», et à son évolution ultérieure comme «État-providence», qui élargit la notion de droit-protecteur à celle de droit-assureur (droit d'être soigné, droit à un salaire minimum, etc.). Nous y reviendrons.

Ainsi, paradoxalement, alors qu'aujourd'hui on condamne l'omnipotence de l'État, celui-ci s'est structuré historiquement en autolimitant le pouvoir politique. Les tentatives absolutistes des puissantes monarchies furent continuellement combattues, tout comme le furent les régimes totalitaires du XXe siècle. Il y a là une constance dans l'histoire de l'Europe depuis la chute de l'Empire romain: celle de l'incapacité pour un pouvoir politique de s'emparer de ce continent en entier et de le soumettre à sa toute-puissance. Et, nous l'avons vu précédemment, c'est cette absence d'un pouvoir politique tout-puissant qui a donné naissance à la société capitaliste, société dominée par les acteurs économiques. Il n'est donc pas étonnant que la montée de l'État, accompagnant et soutenant celle du capitalisme, ait été encadrée, limitée par une société civile dominée par les acteurs économiques. Les libertés individuelles (notamment la liberté de commercer), la protection de la propriété privée (celle des marchands tout particulièrement) ont donc été au cœur du fondement de cet État moderne autolimitant son pouvoir.

Il est toutefois vital de garder en tête que cette émergence progressive de l'État moderne s'est étirée sur des siècles, à partir de la fin du Moyen Âge, que sa généralisation est, somme toute, relativement récente, et que, dans certaines parties du monde, ce processus se poursuit encore.

4.3 LES GRANDES FONCTIONS DE L'ÉTAT

De nos jours, il n'y a pratiquement aucun domaine dans lequel l'État n'intervient pas d'une façon ou d'une autre, mais il n'en a pas toujours été ainsi. Nous sommes progressivement passés, pour reprendre une expression bien connue, de l'État-gendarme à l'État-providence.

À l'origine, les fonctions de l'État se limitent presque exclusivement au maintien de l'ordre. Les forces de police assurent la paix sociale. Les tribunaux règlent les différends légaux. L'armée protège le territoire national contre les menaces extérieures. Le grand philosophe libéral Benjamin Constant (1767-1830) dira à ce sujet: «La législation comme le gouvernement n'ont que deux objets: le premier, de prévenir les désordres intérieurs, le second de repousser les invasions étrangères » (Debbasch et Pontier, 1995, p. 54). À cela s'ajoutent des fonctions diplomatiques de représentation de cet État auprès des autres États, et des fonctions économiques limitées à l'origine à l'émission d'une monnaie et à la perception des impôts.

C'est à partir du XIXᵉ siècle et surtout au XXᵉ siècle que de nouvelles fonctions étatiques sont venues s'ajouter à ses missions d'origine. Trois principaux facteurs, qui se renforcent les uns les autres, expliquent ce développement: la montée graduelle de l'influence, du moins jusqu'à tout récemment, de doctrines d'inspiration socialiste qui prônent l'intervention de l'État pour pallier les dysfonctions du marché, le besoin pour les gouvernements de réagir aux désorganisations résultant des crises économiques, surtout celle des années 30, et aux destructions causées par les deux guerres mondiales, celle de 1914-1918 et celle de 1939-1945, et les pressions, devenues aujourd'hui permanentes, de nouvelles catégories sociales qui multiplient les revendications: ouvriers, paysans, patrons, classes moyennes, femmes, aînés, jeunes.

Au cours des dernières décennies, l'État a multiplié ses interventions surtout dans les domaines économique et social. Sur le plan économique, à des degrés variables selon les pays, les conjonctures et l'idéologie des gouvernements en place, l'État s'est progressivement attribué les responsabilités de stimuler la croissance économique, de prévenir la surchauffe économique, d'encourager la création d'emplois, de construire des infrastructures de transport et de communication, de favoriser certains créneaux jugés stratégiques comme l'innovation et les hautes technologies, de venir en aide à des industries en difficulté, allant jusqu'à prendre lui-même le contrôle de pans entiers de l'économie par le biais d'entreprises publiques.

Sur le plan social, l'État a progressivement pris en charge, dans la très grande majorité des sociétés occidentales, l'organisation de la majeure partie de l'enseignement, la prestation des soins de santé, la promotion des arts, de la culture, des sports, la protection du patrimoine, de l'environnement, en plus de mettre en place de nombreux programmes sociaux de protection des individus contre les coûts et les risques liés au vieillissement, aux accidents, à la perte d'un emploi ou à la pauvreté aiguë. Aujourd'hui, on chercherait en vain en Occident, sauf peut-être aux États-Unis, un secteur de la société dans lequel l'État ne fait pas, d'une façon ou d'une autre, sentir sa présence: d'où l'expression d'« État-providence » pour désigner cette prise en charge par l'État, au nom de la collectivité, de l'individu du berceau jusqu'à la tombe.

4.4   LES PRINCIPAUX TYPES DE RÉGIMES POLITIQUES

La diversité des régimes politiques est telle qu'il est extrêmement périlleux d'essayer de les classer. Cette diversité s'explique évidemment par les raisons et les circonstances historiques qui ont vu naître ces régimes, les principes philosophiques sur lesquels ils reposent, les traditions culturelles et religieuses qui sont les leurs, et les contextes et conjonctures dans lesquels ils évoluent.

La classification la plus ancienne des régimes politiques que nous connaissions est celle de l'historien grec Hérodote (484-452 av. J.-C.), fondée sur le nombre de personnes qui détiennent le pouvoir (Duhamel et Mercier, 2000, p. 15). Il distinguait la monarchie (du grec *monarkhia,* formé de *monos,* qui veut dire « seul » ou « unique », et de *arkhos,* qui veut dire « celui qui guide » ou « chef ») pour désigner les régimes dans lesquels une seule personne détient le pouvoir, l'oligarchie (du grec *oligarkhia,* formé de *oligos,* qui veut dire « petit nombre » et de *arkhos*) pour qualifier les régimes dans lesquels un petit groupe de gens détient le pouvoir, et la démocratie (du grec *demokratia,* formé de *dêmos* qui veut dire « peuple » et de *kratos* qui signifie « force » ou « pouvoir », pour désigner les régimes dans lesquels les citoyens, directement ou par le biais de représentants qu'ils désignent, exercent le pouvoir. Les deux philosophes les plus illustres de la Grèce antique, Platon (428-347 av. J.-C.) et Aristote (384-322 av. J.-C.), se livrèrent aussi à des comparaisons des différents régimes politiques de leur temps afin de tenter d'en déterminer le meilleur.

C'est d'ailleurs là une des difficultés de l'exercice. On peut choisir de classer les régimes politiques de manière ouvertement normative, en fonction de leur correspondance plus ou moins grande avec un régime idéal, ce qui pose le problème de déterminer quelles sont les valeurs les plus importantes : la liberté, l'égalité, l'ordre, la stabilité des institutions ou d'autres encore.

Même les classifications qui se veulent aussi objectives que possible butent sur deux autres difficultés que Duhamel et Mercier (2000, p. 16) font bien ressortir. Les critères de classification sont habituellement si généraux qu'ils parviennent difficilement à tenir compte des contextes sociopolitiques particuliers et à faire ressortir, par exemple, les différences entre le régime *démocratique* français et le régime *démocratique* allemand. De plus, la plupart des typologies sont habituellement intemporelles. Elles n'arrivent pas à rendre compte des changements que peut connaître un régime : un régime peut, par exemple, devenir plus ou moins démocratique selon les circonstances. Ajoutons aussi que, dans la joute politique, les acteurs utiliseront régulièrement des mots comme *antidémocratique, autoritaire, fasciste, communiste, libéral* ou *néolibéral* pour attaquer leurs rivaux, les chargeant ainsi de connotations péjoratives qui compliquent la compréhension.

La typologie la plus classique des régimes politiques en science politique est celle qui distingue trois grandes catégories — les régimes démocratiques, les régimes autoritaires et les régimes totalitaires —, chacune de ces catégories, surtout les deux premières, pouvant à son tour se subdiviser en de multiples sous-catégories (Delwit, 2001, p. 52).

Mais ici encore, rien n'est simple. La ligne de démarcation entre un régime autoritaire et un régime totalitaire n'est pas toujours évidente. Des régimes autoritaires, voire totalitaires, peuvent se donner des apparences formelles de démocratie ou même parfois tolérer des espaces, aussi ténus soient-ils, de démocratie. Un régime peut être dictatorial et être perçu comme un moindre mal par le peuple, du moins à ses débuts, s'il fait suite à un régime formellement démocratique mais jugé corrompu et inefficace. Il peut aussi arriver qu'un régime se dote de formes constitutionnelles légales, mais que ses lois contiennent des éléments de discrimination tels qu'on ne peut en aucune façon les considérer comme des régimes démocratiques : l'Afrique du Sud du temps de l'apartheid en est le cas type. Bien des pays, notamment en Amérique latine, alternent entre la démocratie et les dictatures militaires. En outre, il est fréquent qu'un dictateur accède au pouvoir, comme Hitler par exemple, en remportant des élections démocratiques.

De nombreux régimes sont aussi très difficiles à classer. Le régime politique irakien du temps de Saddam Hussein était-il autoritaire ou totalitaire ? L'Égypte de Moubarak est un régime autoritaire, mais semble en voie d'assouplissement. Comment classer l'actuel régime politique chinois, qui s'ouvre à l'économie de marché de façon accélérée, tout en maintenant le monopole du pouvoir politique entre les mains du parti communiste, mais en variant, selon la conjoncture, le degré de tolérance des autorités à l'endroit des opposants au régime ?

Reprenons tout de même la classification la plus usuelle dans la littérature politologique : il y aurait donc des régimes démocratiques, des régimes autoritaires et des régimes totalitaires.

4.4.1 LES RÉGIMES DÉMOCRATIQUES

Un régime démocratique est un régime dans lequel le pouvoir est détenu par le peuple et exercé pour le peuple, c'est-à-dire pour son bénéfice, par opposition aux régimes dans lesquels le pouvoir est détenu par une seule personne ou par un petit groupe de personnes. Mais comme le note Pascal Delwit (2001, p. 72), « que faut-il entendre par le "peuple" et comment comprendre l'exercice du pouvoir "par" et "pour" le peuple ? ».

Ces questions ne peuvent être tranchées de manière pleinement satisfaisante. Dans la mesure toutefois où il y a consensus pour voir dans les démocraties occidentales la forme très imparfaite mais pour le moment la plus avancée de démocratie, nous suivons le politologue Jean-Louis Quermonne (1986, p. 18-19) qui leur prête cinq traits caractéristiques (voir l'encadré 4.2).

Il va de soi cependant que la généralité de ces traits ne permet pas de distinguer, par exemple, des régimes aussi démocratiques mais différents que ceux des États-Unis, de la Grande-Bretagne ou de la France. Au sein de la grande famille des régimes démocratiques, on tend donc à distinguer les régimes dits *parlementaires* des régimes dits *présidentiels*, chacun d'entre eux pouvant à son tour se subdiviser en de nombreuses sous-catégories.

Un régime parlementaire est un régime dans lequel, selon toutes sortes de variantes, « le gouvernement, qui exerce le pouvoir exécutif au nom d'un chef d'État

ENCADRÉ 4.2

Les traits caractéristiques de la démocratie

1. Le choix des gouvernements par les élections libres

À ce sujet, trois conditions doivent être respectées :

■ La liberté de candidature :

Elle «a pour corollaire la libre formation et le libre fonctionnement des partis politiques» ;

■ La liberté de suffrage :

Elle «implique le suffrage universel et égal des hommes et des femmes [...] et [...] obéit à l'adage anglais : *One man, one vote*» ;

■ La liberté de scrutin :

Elle «repose sur deux exigences : le secret (qui justifie l'isoloir) et l'égalité des conditions d'information et de propagande au cours de la campagne électorale».

2. L'exercice du pouvoir gouvernemental par la majorité

«Celle-ci peut se dégager soit à l'occasion d'un scrutin direct (élection présidentielle), soit à la faveur d'un scrutin indirect (majorité parlementaire et investiture du gouvernement par l'assemblée issue du suffrage universel) ; dès lors, le gouvernement de la majorité est légitime.»

3. L'obligation pour la majorité de respecter l'opposition

Cela «entraîne deux conséquences : le droit pour l'opposition à la libre critique et le droit, à la suite de nouvelles élections libres, à l'alternance au pouvoir».

4. Le principe du constitutionnalisme

Ce principe «signifie que les pouvoirs publics, comme d'ailleurs les citoyens, sont tenus au respect de la Constitution, ce qui entraîne pour les partis l'obligation de faire preuve d'un consensus minimum (à condition, naturellement, que les institutions aient été démocratiquement adoptées), et pour les pouvoirs publics de se soumettre au contrôle de la constitutionnalité et de la légalité de leurs actes par un organe juridictionnel indépendant».

5. La garantie des droits fondamentaux et le respect de l'État de droit

La «garantie accordée aux *droits fondamentaux* des citoyens et, le cas échéant, des communautés intermédiaires "exige" l'application de l'*État de droit* et son respect par quiconque».

Source: Adapté de Quermonne (1986, p. 17-18) dans Mercier et Duhamel (2000, p. 17).

[...] est responsable devant une Assemblée législative, elle-même susceptible d'être dissoute» (Birnbaum et autres, 1994, p. 234-235). Les régimes présidentiels sont ceux dans lesquels il n'existe pas de liens de dépendance institutionnelle réciproque entre la branche législative et la branche exécutive, au sens où le pouvoir exécutif ne peut dissoudre l'instance législative et cette dernière ne peut renverser le président, sauf dans des cas tout à fait exceptionnels comme la procédure américaine de l'*impeachment* initiée contre les présidents Richard Nixon et Bill Clinton.

Au-delà des différences formelles entre un régime démocratique et un autre, nombre d'auteurs soulignent toutefois que de tels traits institutionnels ne peuvent se perpétuer que parce que les citoyens de ces sociétés partagent certaines valeurs fondamentales comme la liberté et l'égalité de droit et en sont profondément imprégnés. Ils partagent en ce sens une véritable éthique sociale, qui fait donc de la démocratie non seulement un ensemble d'institutions et de règles, mais une véritable culture politique.

4.4.2 LES RÉGIMES AUTORITAIRES

On retrouve dans cette catégorie des régimes politiques de toute nature, qui n'ont en commun que d'être définis négativement par rapport à l'idéal démocratique. Pascal Delwit (2001, p. 52) leur prête les traits communs suivants:

- Il n'y a pas d'élections «réelles», de mise en concurrence «véritable» entre des candidats aux responsabilités publiques;
- Il n'y a dès lors pas d'alternance;
- Les rapports entre gouvernants et gouvernés reposeraient sur la force — à tout le moins sur la contrainte — plutôt que sur la persuasion;
- Il ne s'agirait pas d'un État de droit.

Mais il s'empresse de nous rappeler que la plupart des régimes autoritaires prennent soin de se revêtir d'apparences formelles démocratiques et légales, voire constitutionnelles (*ibid.*, p. 52).

À l'échelle de l'histoire, les régimes autoritaires ont été les plus nombreux. Il est crucial de noter, comme le fait Serge Berstein (1992, p. 33), que les authentiques progrès de la démocratie dans le monde sont extrêmement récents. On fait ici référence à la fin des dictatures militaires en Amérique latine (Argentine, Brésil, Uruguay, Chili, Paraguay), à la démocratisation croissante de quelques pays asiatiques comme la Corée du Sud ou les Philippines, à quelques percées démocratiques sur le continent africain, comme en Afrique du Sud, au milieu de reculs de la démocratie (Côte d'Ivoire, Zimbabwe), et bien sûr à l'effondrement du bloc soviétique après la chute du mur de Berlin en 1989. La totalité des pays du Proche et du Moyen-Orient peut être classée dans la catégorie des régimes autoritaires, à l'exception d'Israël, mais du mouvement semble s'y dessiner. Un pays comme Haïti défie toute classification.

Guy Hermet propose quatre grands types de régimes autoritaires: les régimes de pouvoir patrimonial, les régimes de «caudillos», les dictatures libérales et ceux qu'il appelle les «autoritarismes contemporains» (Delwit, 2001, p. 54).

Les régimes de pouvoir patrimonial seraient ceux dans lesquels un clan familial détient le pouvoir, se le transmet de façon héréditaire, et entretient la confusion entre les biens du clan et les biens de l'État. On pense ici spontanément à des pays comme l'Arabie Saoudite ou le Koweït.

Les régimes de «caudillos» sont propres à l'Amérique latine. Le terme «caudillo», qui renvoie à la notion de chef de bande devenu chef militaire, fait référence «aux leaders latino-américains qui, au regard de la seule légitimité de la force et de leur capacité de conserver le pouvoir face à leurs rivaux, ont restauré un ordre minimal bien qu'arbitraire et souvent sanguinaire dans les petits États libérés de la tutelle espagnole» (Berstein, 1992, p. 43).

Selon Guy Hermet (1985, p. 280), «vis-à-vis de la population comme de tous les intermédiaires qui le relient à celle-ci, le caudillo mise sur les relations affectives de loyauté personnelle qui caractérisent tous les systèmes de patronage et de clientèle». Les régimes caudillistes ont en commun avec les régimes de pouvoir patrimonial les caractéristiques suivantes (Delwit, 2001, p. 54):

- L'appropriation privée de l'État et des biens de l'État;

- Un fonctionnement de type clientélaire ou basé sur le patronage;

- La volonté de se prémunir contre l'émergence d'une souveraineté populaire;

- Les formes de légitimité sont tantôt liées au pouvoir charismatique tantôt liées à la tradition;

- La religion — souvent catholique — joue aussi un rôle essentiel de justification de ce type de pouvoir.

Les dictatures libérales, pour leur part, peuvent se subdiviser en deux grandes catégories: les autoritarismes libéraux et les diverses formes de populisme (Delwit, 2001, p. 54).

L'autoritarisme libéral renvoie à certains régimes européens de la seconde moitié du XIXe siècle, comme l'Allemagne sous Bismarck (1815-1898) ou la France sous Napoléon III (1808-1873) qui voulurent, dans le cadre d'un régime autoritaire où l'État joue un rôle central, assurer le décollage économique de leur nation de façon volontariste, sur la base d'une philosophie économique libérale, mais en préparant l'élargissement du suffrage universel et en mettant en place des programmes sociaux qui préfigurent l'avènement de l'État-providence, afin de tenter de couper l'herbe sous le pied à une classe ouvrière séduite par les doctrines socialistes[1].

Les populismes autoritaires désignent des régimes politiques comme l'Argentine sous Perón, de 1946 à 1955, dans lesquels un leader fort, souvent charismatique, exerce un pouvoir très personnalisé, tout en prétendant incarner la volonté populaire, afin de contourner ainsi des organisations comme les partis politiques ou les syndicats.

Enfin, dans la catégorie très générale des autoritarismes contemporains, Pascal Delwit (2001, p. 57) distingue, d'une part, les régimes ultraconservateurs et anticommunistes et, d'autre part, les États issus de la décolonisation pendant la période dite de la guerre froide, allant *grosso modo* de 1945 à l'effondrement du bloc soviétique.

Les premiers désignent essentiellement l'Espagne sous Franco de 1939 à 1975 et le Portugal sous Salazar de 1933 à 1974. Il faut se reporter à l'entre-deux-guerres pour comprendre leur avènement. Les séquelles laissées par la guerre de 1914-1918, les craintes suscitées par la révolution bolchévique en 1917, et le discrédit que le libéralisme économique et la démocratie parlementaire subissent à cause de la crise des années 30 ouvrent la voie à deux soulèvements militaires en Espagne et au Portugal, où l'on porte au pouvoir deux régimes farouchement anti-communistes, ultraconservateurs, profondément nationalistes et ouvertement soutenus par l'Église catholique.

On rangera enfin dans la catégorie des régimes autoritaires la très grande majorité des régimes qui, surtout en Afrique et en Asie, se sont libérés de la tutelle coloniale après la Seconde Guerre mondiale. Dans un contexte de guerre froide, c'est-à-dire de division bipolaire du monde entre un camp occidental regroupé autour des États-Unis et un bloc socialiste constitué autour de l'URSS, les nouveaux États issus de la fin des empires coloniaux européens seront pour la plupart forcés de se ranger dans un camp ou dans l'autre. Ceux qui eurent un temps de velléités de neutralité, comme Cuba, durent rapidement choisir leur camp. Au nom du réalisme et de la nécessité de contenir l'expansionnisme soviétique, l'installation de nombreux régimes autoritaires mais alliés fut donc tolérée, voire encouragée par les États-Unis. À la différence de l'Afrique ou de l'Asie, l'Amérique latine a ceci de particulier que les régimes démocratiques y ont fréquemment précédé, puis suivi des régimes autoritaires.

Si on retrouve la plupart de ces régimes autoritaires dans les pays dits en voie de développement, c'est aussi parce que beaucoup d'entre eux n'ont aucune tradition démocratique et n'ont connu que des gouvernements qui se maintiennent au pouvoir par la force. Il faut dire cependant que, dans des sociétés où les difficultés et la désorganisation sont permanentes, ces régimes autoritaires aiment se présenter comme l'unique voie de sortie de la crise. La question de savoir si ces régimes sont des causes ou des conséquences du marasme économique et social ne peut être résolue de façon générale.

4.4.3 LES RÉGIMES TOTALITAIRES

La classification d'un régime politique dans la catégorie des régimes totalitaires est encore plus problématique en raison de la connotation extrêmement polémique et péjorative que charrient le mot «totalitarisme» et l'adjectif «totalitaire». Krzysztof Pomian (1999, p.160) nous met en garde comme suit :

Ces mots, nous l'avons vu, ont eux-mêmes une longue histoire. Ils sont chargés d'émotion. Ils comportent un jugement de valeur tout à fait explicite. Ils ont été sur-exploités par les propagandes et la presse. Et ils souffrent d'une polysémie qui interdit de les utiliser sans précautions.

On doit à Hannah Arendt, dans *The Origins of Totalitarianism*[2], publié pour la première fois en 1951, la première caractérisation de ce qu'est un régime totalitaire, qu'elle élabora à partir des deux exemples les plus achevés pour elle de régimes totalitaires : l'Union soviétique et l'Allemagne nazie. Pour elle, un régime totalitaire se distingue de tous les autres types de régimes oppressifs connus auparavant par les caractéristiques suivantes (Delwit, p. 62) :

- Il détruirait toutes les traditions sociales, juridiques et politiques du pays ;

- Il transformerait toujours « les classes en masse », dépersonnaliserait l'individu, le « décitoyenniserait » ;

- Il déplacerait le centre du pouvoir de l'armée à l'individu ;

- Il mettrait en œuvre une politique étrangère visant ouvertement à la domination du monde ;

- Il agirait selon un système de valeurs radicalement différentes de ce que l'histoire avait jusqu'alors connu ;

- La terreur y serait un moyen de réalisation d'une loi du mouvement et serait portée à son paroxysme.

Bref, un régime politique totalitaire, à la différence d'un régime politique autoritaire, est un système de domination totale. Après Arendt, Raymond Aron, dans son classique *Démocratie et totalitarisme*, publié en 1965, essaiera à son tour de dégager les cinq traits constitutifs fondamentaux des régimes totalitaires (Debbasch et Pontier, 1995, p. 94) (voir l'encadré 4.3).

À la lumière de la caractérisation décrite par Aron, discutable mais forte et devenue classique, on classera donc sans peine, dans la catégorie des régimes totalitaires, le fascisme allemand, les régimes communistes de l'Europe de l'Est entre 1945 et la chute du mur de Berlin et, de nos jours, la Corée du Nord. Quant à savoir si le régime de Fidel Castro à Cuba est à ranger ou non dans cette catégorie, la question continue de déchaîner les passions. Mais on n'insistera jamais assez sur l'extrême prudence avec laquelle il faut manier cette notion si chargée, que l'on vide de sa portée et dont on affaiblit l'horreur légitime qu'elle inspire si, comme le souligne Charles Debbasch (Debbasch et Pontier, 1995, p. 95), on en fait un usage large et inconsidéré.

4.5 — L'ÉTAT ET L'ENTREPRISE

Dans la mesure où toute entreprise exerce ses activités dans des sociétés au sein desquelles les principales règles formelles de fonctionnement, soient les lois et les

---

ENCADRÉ 4.3
Les cinq traits constitutifs fondamentaux des régimes totalitaires
selon Raymond Aron

1. Le phénomène totalitaire intervient dans un régime qui accorde à un parti le monopole de l'activité politique.

2. Le parti monopolistique est animé ou armé d'une idéologie à laquelle il confère une autorité absolue et qui, par la suite, devient la vérité officielle de l'État.

3. Pour répandre cette vérité officielle, l'État se réserve à son tour un double monopole, le monopole des moyens de force et celui des moyens de persuasion. L'ensemble des moyens de communication, radio, télévision, presse, est dirigé, commandé par l'État et ceux qui le représentent.

4. La plupart des activités économiques et professionnelles sont soumises à l'État et deviennent, d'une certaine façon, partie de l'État lui-même. Comme l'État est inséparable de son idéologie, la plupart des activités économiques et professionnelles sont colorées par la vérité officielle.

5. Tout étant désormais activité d'État et toute activité étant soumise à l'idéologie, une faute commise dans une activité économique ou professionnelle est simultanément une faute idéologique. D'où, au point d'arrivée, une politisation, une transfiguration idéologique de tout.

---

règlements, sont édictées par l'État, quel que soit le type de régime politique, il convient de se pencher un instant sur les rapports entre l'État et l'entreprise.

Cela nous semble particulièrement important à double titre. D'une part, la littérature scientifique managériale est à cet égard curieusement désincarnée et nous dépeint trop souvent l'entreprise comme si elle agissait dans un environnement sans État ou dans lequel ce dernier est une lointaine abstraction. D'autre part, la plupart des gestionnaires tendent à voir l'État strictement comme une nuisance et non comme une ressource potentielle, et à se comporter à son égard de manière réactive plutôt que proactive, ne s'en souciant que lorsqu'ils prennent connaissance d'une intention gouvernementale potentiellement négative de leur point de vue.

Il faut d'abord prendre la pleine mesure de la formidable croissance de la place prise par les gouvernements dans nos sociétés au cours du dernier siècle. L'un des indicateurs les plus fréquemment utilisés pour prendre cette mesure est la croissance des dépenses effectuées par les gouvernements — qu'on qualifie de dépenses publiques — en pourcentage du PIB, c'est-à-dire de la richesse totale produite par un pays. À cet égard, le tableau 4.1 est éloquent.

On y voit la progression forte et régulière, sur pratiquement un siècle, du poids des dépenses totales de tous les paliers de gouvernement dans un même

TABLEAU 4.1

Croissance des dépenses totales des gouvernements
1870-1996 (en pourcentage du PIB)

	Vers 1870	1913	1920	1937	1960	1980	1990	1996
Allemagne	10,0	14,8	25,0	34,1	32,4	47,9	45,1	49,1
Australie	18,3	16,5	19,3	14,8	21,2	34,1	34,9	35,9
Autriche	10,5	17,0	14,7	20,6	35,7	48,1	38,6	51,6
Canada	—	—	16,7	25,0	28,6	38,8	46,0	44,7
États-Unis	7,3	7,5	12,1	19,7	27,0	31,4	32,8	32,4
France	12,6	17,0	27,6	29,0	34,6	46,1	49,8	55,0
Irlande	—	—	18,8	25,5	28,0	48,9	41,2	42,0
Italie	13,7	17,1	30,1	31,1	30,1	42,1	53,4	52,7
Japon	8,8	8,3	14,8	25,4	17,5	32,0	31,3	35,9
Norvège	5,9	9,3	16,0	11,8	29,9	43,8	54,9	49,2
Nouvelle-Zélande	—	—	24,6	25,3	26,9	38,1	41,3	34,7
Royaume-Uni	9,4	12,7	26,2	30,0	32,2	43,0	39,9	43,0
Suède	5,7	10,4	10,9	16,5	31,0	60,1	59,1	64,2
Suisse	16,5	14,0	17,0	24,1	17,2	32,8	33,5	39,4
Moyenne	10,8	13,1	19,6	23,8	28,0	41,9	43,0	45,0

Source: Adapté de Mueller (2003, p. 503).

pays pour les principales nations occidentales en proportion de la richesse totale produite. On note partout une forte accélération des dépenses publiques après la Seconde Guerre mondiale, et notamment pendant les deux décennies allant de 1960 à 1980. La forte croissance économique pendant les trois décennies après 1945 a donné aux États occidentaux les revenus fiscaux qui leur ont permis de mettre en place de nombreux programmes sociaux. Mais ces interventions s'expliquent aussi par la prédominance des idées keynésiennes et social-démocrates, à tout le moins jusqu'au début des années 1980, les revendications de nombreux groupes sociaux, et la tendance des gouvernements à engager des dépenses pour favoriser leur réélection.

L'encadré 4.4 résume les actions des gouvernements qui influencent l'entreprise.

Il est crucial de comprendre que la relation entre l'État et l'entreprise n'est pas une relation statique, unidimensionnelle et en vase clos. Il s'agit d'une relation *dynamique, complexe, multidimensionnelle, séquentielle,* d'*interdépendance* et influencée par de nombreux facteurs *exogènes,* c'est-à-dire issus de l'environnement économique, politique et social dans lequel se développe la relation entre les deux acteurs.

La relation est *dynamique* en ce sens que le rapport de force entre l'État et l'entreprise, et les enjeux qui sont au cœur de la relation changent périodiquement. Elle est *complexe* parce qu'il pourra s'agir, selon les circonstances, d'une

ENCADRÉ 4.4
Les nombreuses facettes de l'action des gouvernements qui influencent l'entreprise selon William Stanbury[3]

- Les gouvernements ont recours à diverses politiques économiques et fiscales afin de stimuler la croissance économique et créer un climat propice aux investissements.

- Les gouvernements subventionnent de nombreuses entreprises, soit parce qu'elles se trouvent dans des secteurs en difficulté auxquels on souhaite venir en aide, soit parce qu'elles sont dans des créneaux jugés stratégiques pour l'avenir.

- Les gouvernements sont eux-mêmes l'un des plus gros acheteurs des biens et des services produits par les entreprises.

- Les gouvernements dotent nos sociétés d'infrastructures de transport et de télécommunication essentielles au développement économique.

- Les gouvernements prennent à leur charge la majeure partie de l'éducation et de la formation des travailleurs.

- La plupart des gouvernements occidentaux ont mis en place des régimes publics d'assurance-maladie qui, malgré les difficultés qu'ils connaissent, jouent un rôle essentiel dans la protection de la santé des travailleurs.

- Les gouvernements prélèvent des impôts ou des taxes sur les revenus des particuliers et des entreprises, sur les biens immobiliers, sur la consommation, sur les gains en capital et sur pratiquement toutes les autres sources de revenus.

- Les gouvernements cherchent à encourager les exportations des entreprises issues de leur pays par l'organisation de missions à l'étranger, de foires commerciales, de campagnes publicitaires et d'efforts diplomatiques pour ouvrir les marchés étrangers.

- Les gouvernements prêtent de l'argent ou offrent des garanties de prêts aux entreprises.

- Les gouvernements possèdent eux-mêmes des entreprises publiques qui sont fréquemment des acteurs majeurs dans leur secteur respectif ou des partenaires d'intérêts privés dans des entreprises mixtes.

- Les gouvernements réglementent de nombreux aspects de l'activité d'un grand nombre de firmes : quotas de production, prix de vente, sécurité, hygiène, publicité, droits des travailleurs, équité salariale, contrôles environnementaux et bien d'autres.

- Les gouvernements viennent parfois à la rescousse d'entreprises en faillite ou au bord de l'être.

- Les gouvernements financent les activités de nombreux groupes de pression dont les revendications entrent souvent en conflit avec les entreprises.

relation de confrontation, de collaboration, voire d'un aller et retour entre les deux. Elle est *multidimensionnelle* dans la mesure où il arrivera que plusieurs enjeux, de différentes natures, soient simultanément en cause et dans diverses arènes : législative, réglementaire, juridique, avec une portée locale, régionale, nationale ou internationale. Elle est *séquentielle* parce qu'elle prend souvent la forme d'une partie sans fin : les deux pourront s'affronter successivement autour d'enjeux différents, chacun enregistrant tantôt des victoires, tantôt des défaites. La relation en est aussi une d'*interdépendance* dans la mesure où, même dans les situations les plus tendues, l'entreprise sait qu'elle a besoin d'un État fonctionnel et l'État sait qu'il a besoin d'entreprises prospères.

La relation entre l'État et l'entreprise n'est pas non plus une relation en vase clos. Elle est profondément influencée par des facteurs politiques, économiques ou sociaux issus de l'environnement externe. Ces facteurs pourront être de type institutionnel — c'est-à-dire liés aux formes, aux structures et aux règles formelles en vigueur dans une société —, de type conjoncturel, ou encore être liés à des mutations plus profondes et habituellement plus lentes de nos sociétés. Évoquons les principaux sans prétendre à l'exhaustivité.

Parmi les facteurs qui influencent profondément la relation entre l'État et l'entreprise et qu'on rangera, par convenance, dans la catégorie économique, bien qu'il soit à vrai dire multidimensionnel, on évoquera d'abord l'approfondissement probable de la mondialisation, qu'on définira ici comme l'intensification et l'accélération croissante des échanges économiques et de la circulation des capitaux, qui renforcent l'interdépendance économique, politique et technologique des individus, des groupes et des nations. Il est certain que la concurrence accrue qui en résulte dans plusieurs secteurs est à la fois une source d'occasions favorables sur les marchés étrangers pour les entreprises et une source de problèmes pour elles sur leurs marchés domestiques, ce qui se traduit par des pressions sur les États pour leur venir en aide. Il se trouve cependant que ces mêmes États sont de plus en plus liés par des ententes internationales qui, au nom de la facilitation de la circulation des biens, des capitaux et des personnes, limitent leur droit d'imposer des mesures protectionnistes, comme des barrières tarifaires, pour soutenir leurs industries nationales.

Il est clair aussi qu'un certain nombre de traits propres à chaque société et à chaque secteur économique viennent influencer la relation État-entreprise. Pensons par exemple au plus ou moins grand degré de concurrence ou de concentration dans une industrie, à la plus ou moins grande dépendance d'une société à l'endroit du commerce extérieur, au plus ou moins grand contrôle d'une économie par des intérêts étrangers, à la plus ou moins grande capacité d'une population de se payer des biens de consommation, ou encore à la plus ou moins grande force du mouvement syndical dans une société.

Enfin, la conjoncture économique influencera aussi profondément la relation entre nos deux acteurs. Lors des ralentissements économiques, les pressions se feront beaucoup plus fortes sur l'État pour qu'il vienne en aide aux entreprises. Par ailleurs, si un ralentissement économique affecte les revenus fiscaux d'un gouvernement et le contraint à faire des choix budgétaires difficiles, il sera généralement plus prompt à réduire son soutien à la grande entreprise qu'à prendre les mesures les plus impopulaires sur le plan politique, soit les compressions budgétaires dans les services de santé ou de l'éducation.

Des facteurs politiques colorent aussi profondément la relation entre l'État et l'entreprise. Au premier rang, mentionnons le type de régime politique. Si nous sommes dans un régime parlementaire de type britannique, comme au Québec ou au Canada, le pouvoir véritable résidera dans le Conseil des ministres et chez les hauts fonctionnaires, et c'est là que ceux qui représentent les intérêts des entreprises tenteront habituellement de faire sentir leur influence. Dans un régime politique présidentiel ou bicaméral, où l'obligation pour un élu de respecter la ligne de son parti est beaucoup moins forte, comme aux États-Unis, le pouvoir du parlementaire individuel sera beaucoup plus fort, et fera de lui la cible d'une plus grande sollicitation de la part des représentants de l'entreprise.

Le fait qu'un État ait un gouvernement central unique ou qu'il s'agisse d'un État fédéral dans lequel les pouvoirs politiques sont répartis entre différents gouvernements influencera également la relation entre l'État et l'entreprise. Le degré de compétition entre les partis politiques qui aspirent au pouvoir sera un autre facteur d'influence : les stratégies des entreprises et des détenteurs du pouvoir politique seront en effet très différentes selon qu'il y a alternance régulière de deux ou de plusieurs partis au pouvoir, ou selon que le même parti est virtuellement assuré d'être toujours au pouvoir.

Dans le même ordre d'idées, la relation entre l'État et l'entreprise ne sera pas la même selon qu'elle se développe dans une société très stable du point de vue institutionnel ou dans une société où des coups d'État ou d'autres changements abrupts des règles du jeu ont de fortes chances de survenir. Enfin, dans les sociétés les plus authentiquement démocratiques, le calendrier électoral pourra être une ressource que les acteurs tenteront d'utiliser à leur profit. Un gouvernement qui viendra tout juste d'être élu aura généralement beaucoup plus de marge de manœuvre pour agir — et donc choisir de dire oui ou non aux pressions — alors qu'un gouvernement en fin de mandat électoral, surtout si ses chances d'être réélu semblent incertaines, sera habituellement plus vulnérable aux pressions.

D'autres facteurs, davantage liés cette fois à l'évolution des valeurs au sein de nos sociétés, viendront aussi puissamment influencer la relation entre l'État et l'entreprise. Le pouvoir grandissant des femmes, tant au sein de l'entreprise que dans les appareils politiques, fera en sorte que des problématiques comme l'équité salariale, la conciliation famille-travail ou le harcèlement sexuel en milieu de travail prendront de plus en plus de place. L'importance plus grande accordée aux questions environnementales se traduira en pressions accrues pour que l'État impose aux entreprises des contraintes plus strictes relativement à l'émission de substances polluantes, à la protection des habitats naturels ou à un accroissement de la tendance à concevoir dans une perspective de développement durable. Le vieillissement de la population dans les sociétés occidentales amènera probablement les gouvernements à s'ouvrir davantage à l'immigration, ce qui donnera une importance accrue à toutes les questions liées à la gestion en entreprise des différences culturelles entre les individus.

Il nous semble cependant encore plus fondamental d'insister sur le fait que les sociétés diffèrent profondément entre elles au sujet de l'importance que les individus accordent à des valeurs comme la liberté, l'égalité, la solidarité ou la responsabilité. Ces différences de sensibilité sur le plan des valeurs détermineront fortement ce que les gens considèrent être la responsabilité de chaque individu, le rôle et la responsabilité de l'État, et sur ce qui sera jugé comme un comportement acceptable ou non de la part des entreprises.

Par exemple, des sociétés voisines comme le Canada et les États-Unis, qui semblent avoir tant en commun, sont à cet égard profondément différentes, comme l'a bien expliqué Seymour Martin Lipset (1990) dans son ouvrage classique *Continental Divide*. Pour des raisons qui remontent aux circonstances de la naissance des États-Unis — qui fut une rébellion populaire et bourgeoise contre un pouvoir aristocratique et colonial perçu comme oppressant —, la société américaine est une société qui valorise fortement la liberté individuelle, la responsabilité individuelle, les droits individuels, l'esprit d'entreprise, et où le pouvoir de l'État y est davantage vu comme une menace potentielle aux droits et aux libertés individuels, et doit donc être balisé constitutionnellement. Pour le meilleur ou pour le pire, chacun y est vu comme davantage responsable de son sort. En comparaison, la sensibilité dominante au Canada est moins individualiste et plus collectiviste, et l'État y est davantage vu comme l'incarnation de l'intérêt général, qui, à ce titre, a donc la charge de l'organisation de la solidarité collective.

Ces différences collectives de sensibilité entre une société et une autre auront une influence cruciale sur les relations entre l'État et l'entreprise. Par exemple, en règle générale, aux États-Unis, les pertes d'emploi consécutives à une fermeture d'usine n'entraîneront pas sur les gouvernements les mêmes pressions pour qu'ils viennent en aide aux individus et aux communautés affectés, et la direction de l'entreprise sera jugée moins négativement qu'au Canada. Autrement dit, dans une société où la protection contre les aléas de la vie — perte d'emploi, pauvreté, maladie, accident, vieillesse — est vue plus comme une responsabilité collective qu'une responsabilité individuelle, l'État sera plus interventionniste, la fiscalité plus lourde et les programmes sociaux plus nombreux.

4.6   LA MONDIALISATION ENTRAÎNE-T-ELLE LE DÉCLIN DE L'ÉTAT ?

Dans le premier chapitre, nous avons vu qu'il fallait fortement relativiser l'idée selon laquelle la mondialisation entraînerait à terme le déclin des différents modèles capitalistes au profit du capitalisme de type libéral, dont les États-Unis seraient l'idéal type. Qu'en est-il maintenant de cette autre idée qui voudrait que la mondialisation entraîne un déclin irréversible de l'État ?

Nous avons précédemment défini la mondialisation comme un processus d'accélération et d'intensification des échanges économiques et de la circulation des capitaux, qui accentue l'interdépendance économique, politique et technologique entre les individus, les groupes et les nations. Il serait réducteur d'y voir un phénomène exclusivement économique. Chose certaine, s'il n'existe aucun consensus sur l'impact de ce phénomène sur les États, l'un des points de vue sur cette question semble plus convaincant que les autres.

David Held (1999) voit en effet trois principaux courants de pensée dans le débat en cours sur la mondialisation : le courant *sceptique,* le courant *hypermondialiste* et le courant *transformationniste.*

Le courant *sceptique* regrouperait des auteurs comme Hirst et Thompson (1997) pour qui la mondialisation n'est pas cette radicale nouveauté qu'on prétend. D'une part, ils notent que, dès le XIXe siècle, les échanges économiques à l'échelle internationale créaient des liens d'interdépendance entre les nations et, d'autre part, que l'économie internationale n'est pas encore suffisamment intégrée pour qu'on puisse la qualifier de véritablement mondialisée. Le commerce international se fait principalement entre trois grands blocs économiques régionaux : l'Amérique du Nord, l'Union Européenne et les pays de la zone asiatique du Pacifique. Par exemple, le principal partenaire commercial du Mexique et du Canada est évidemment les États-Unis. Les pays européens commercent principalement entre eux. De très nombreux pays, voire des continents entiers comme l'Afrique, sont peu ou pas intégrés dans le circuit des échanges économiques à l'échelle mondiale. Les regroupements en cours sont surtout régionaux, voire continentaux, et ce sont les États qui en sont les forces motrices.

Le courant que Held qualifie de *hypermondialiste,* incarné par des auteurs comme le japonais Kenichi Ohmae (1995), croit au contraire que la mondialisation nous entraîne inexorablement vers un monde où les frontières nationales auront de moins en moins d'importance et où les forces du marché auront de plus en plus d'ascendance sur les gouvernements nationaux. Ces auteurs soutiennent que les États ont de moins en moins de contrôle sur leurs économies nationales, et que des problématiques comme l'environnement ou la volatilité des marchés financiers, qui nécessiteront des régulations à l'échelle globale, accentueront encore cette perte d'influence. La crise de confiance à l'endroit de la classe politique, qui s'intensifie selon ces auteurs, s'expliquerait en bonne partie par le fait que les citoyens sentent bien l'impuissance croissante de leurs représentants élus.

Enfin, le courant *transformationniste,* qui regroupe des penseurs comme Anthony Giddens (2000) et James Rosenau (1997), admet volontiers l'énorme impact de la mondialisation sur nos vies, mais note que l'ordre international conserve aussi de nombreux traits traditionnels. Le rôle de l'État se transforme certes, mais il reste central. La mondialisation, disent ces auteurs, est un processus multidirectionnel et multidimensionnel, qui ne se réduit pas à ses seuls aspects économiques et qui, s'il charrie son lot de pressions en faveur d'une plus grande uniformisation des modes de vie et des politiques, permet aussi à chaque collectivité de réaliser l'importance de préserver une identité distincte. Loin de rester passifs, les États ont d'ailleurs entrepris, chacun à leur manière, de repenser leurs structures et leurs façons de faire. On se risquera donc ici à dire, sans entrer dans les détails, que c'est cette vision des choses, à mi-chemin entre les deux premières, qui semble la plus conforme à la réalité. Mais on verra aussi plus tard que cette mondialisation, si on ne lui oppose pas de contrepoids politique, représente aussi un danger pour la démocratie.

Notons pour le moment que l'interdépendance croissante qui résulte de la mondialisation conduit au transfert de certaines responsabilités traditionnelles des États dans des forums décisionnels internationaux, qui prennent donc une importance stratégique accrue. Parce qu'elle s'accompagne d'un désir des populations d'être de plus en plus impliquées dans la détermination de leur propre avenir, cette interdépendance conduit aussi au transfert de certaines responsabilités sur le plan local. C'est ainsi que les gouvernements municipaux, par exemple, ou même des organisations dirigées par les utilisateurs eux-mêmes, comme les conseils d'établissements ou les centres de la petite enfance au Québec, prennent une importance nouvelle. Le pouvoir politique, jadis concentré à l'échelon de l'État national, se fragmente et se redistribue désormais à l'échelle locale, régionale, nationale, continentale et mondiale.

Plutôt que de dire que la mondialisation entraînera une marginalisation inexorable de l'État, il semble beaucoup plus juste de dire qu'elle modifiera les fonctions et les attributs d'une entité qui reste au centre de l'ordre mondial [4]. Les grands forums internationaux au sein desquels se négocient les nouvelles formes de régulation de la mondialisation — l'OMC, l'ONU, l'UNESCO — sont d'abord et avant tout des organisations interétatiques où ne siègent que les gouvernements des États souverains. Autre évidence : le nombre d'États souverains dans le monde ne cesse de croître. Ils étaient 51 à joindre l'ONU en 1945, 122 en 1965, 189 au moment d'écrire ces lignes. La tendance est à la hausse, pas à la baisse, et rien ne permet d'en prédire la fin. Autrement dit, nonobstant les transformations indéniables dans le rôle de l'État, les peuples ne semblent pas en voie d'en venir à penser qu'il ne sert plus à rien d'avoir un État qui sera le leur.

On ne voit guère non plus quel autre acteur institutionnel pourrait assumer des fonctions qui resteront tout aussi névralgiques qu'elles le sont depuis des décennies, voire des siècles : le maintien de la paix et de la sécurité, l'administration de la justice, la détermination des grandes politiques publiques, la mise en place de services publics, la protection des droits des minorités ou les interventions pour pallier les dysfonctions des marchés.

Il est cependant vrai que la mondialisation permet aux entreprises multinationales de mettre les États en concurrence les uns avec les autres avant de choisir de s'installer chez celui qui leur offrira les meilleures conditions. Les gouvernements sont donc de plus en plus contraints de se soucier de l'efficacité de leurs services publics, et doivent adopter des politiques en matière d'économie, de fiscalité, de formation de la main-d'œuvre, de recherche et de développement, et d'investissement dans les infrastructures de transport orientées vers la création du contexte le plus propice pour attirer des investisseurs. Bien sûr, d'autres facteurs fondamentaux expliquent aussi les réformes administratives dans le secteur public en cours dans la majorité des démocraties occidentales depuis quelques années : le poids de la dette publique, l'impact du vieillissement de la population sur les dépenses publiques, les possibilités offertes par les nouvelles technologies de l'information, le mécontentement des électeurs à l'endroit des services publics et le retour en force, ces dernières années, d'une idéologie libérale qui met une pression considérable sur nombre d'États en laissant entendre que le secteur privé pourrait s'acquitter de plusieurs tâches mieux que le secteur public.

L'ensemble de tous ces facteurs explique pourquoi de nombreuses administrations publiques ont entrepris, dans la foulée de la voie ouverte par Margaret Thatcher en Grande-Bretagne et par Ronald Reagan aux États-Unis au début des années 1980, de se doter, selon les particularités de la situation de chacun, de nouveaux cadres de gestion fondés sur des principes regroupés sous l'expression de « nouveau management public » (NMP) : accent mis sur la satisfaction d'un citoyen présenté désormais comme un client, gestion par résultats, assouplissement des règles, décentralisation et déconcentration, reddition de comptes accrue des hauts fonctionnaires devant les élus et introduction d'entente de gestion liant le financement à l'atteinte de résultats.

Personne ne niera non plus que la mondialisation fait en sorte que l'État n'a plus une entière discrétion dans l'élaboration de ses politiques. Ce qui se décide, par exemple, à l'OMC, limite singulièrement la marge de manœuvre des États. Même des forums purement délibératifs finissent par gruger cette autonomie des États en exerçant sur eux une pression politique, voire économique. Toutefois, cette discrétion perdue par l'État dans l'élaboration des politiques sur son territoire a été compensée par la possibilité, en participant à ces divers forums, de négocier avec les autres États ce qui se passera sur leur territoire. En ce sens, le droit de participer à part entière à ces forums internationaux est en voie de devenir, en raison de son caractère de plus en plus névralgique, l'un des attributs fondamentaux de la souveraineté étatique.

Cependant, le fait que la mondialisation, si on ne lui oppose pas de contrepoids politique approprié, entraîne un indéniable déficit démocratique constitue une réelle source d'inquiétude. Le cas européen est patent. Des pans de souveraineté ont été retirés aux parlements nationaux pour être transférés aux instances politiques de l'Union européenne, particulièrement au Conseil de l'Union. Mais comme les États y sont tout naturellement représentés par leur exécutif respectif, l'élaboration de bien des politiques publiques échappe dorénavant aux parlements nationaux, c'est-à-dire au pouvoir législatif. Il en résulte un indéniable rétrécissement de la capacité du plus grand nombre de participer à la vie politique de l'État.

De plus, dans les pays où la souveraineté étatique est partagée entre un gouvernement fédéral et des entités territoriales fédérées, comme c'est le cas au Canada, ce déficit démocratique se creuse. Avec la libéralisation des marchés et son corollaire, la liberté de circulation, on constate de plus en plus que même les politiques de nature plus locale qui relèvent ordinairement de l'entité fédérée, par exemple les politiques sociales, font désormais l'objet de discussions dans l'arène internationale. Or, c'est la branche exécutive du gouvernement central qui participe aux forums internationaux au sein desquels est dorénavant élaborée une portion grandissante des politiques publiques, même lorsque celles-ci relèvent en principe des compétences exclusives des entités fédérées. La mondialisation a donc pour effet, dans un régime fédéral comme celui du Canada, de perturber encore davantage une charpente constitutionnelle déjà très ébranlée.

Le principe fédéral s'érode parce que les entités fédérées perdent, avec la mondialisation, une part significative de leur marge de manœuvre dans l'élaboration des politiques publiques, sans être pour autant compensées par une participation directe aux forums internationaux, comme le sont les États unitaires ou les gouvernements centraux des fédérations. Cette situation profite plutôt au gouvernement central qui s'attribue le droit de débattre de sujets relevant normalement de l'autorité des provinces, ce qui équivaut, dans les faits, à un transfert indirect en sa faveur de pouvoirs qui relèvent des provinces. On ne trouvera sans doute pas dans le monde de plus belle illustration de ce phénomène que le cas du fédéralisme canadien.

Voilà pourquoi la mondialisation semble aussi s'accompagner d'une montée des mouvements autonomistes à travers le monde. Loin d'être, comme d'aucuns l'ont suggéré, une réaction contre la mondialisation, un repli sur soi-même, il s'agit en réalité d'une ouverture affirmative. Le mouvement en faveur de l'Union européenne de la part de régions parmi les plus autonomistes d'Europe illustre bien qu'il n'y a pas de contradiction entre ces deux tendances, bien au contraire. On pourrait dire la même chose du Québec, dont la population a toujours été, par exemple, plutôt favorable au libre-échange nord-américain.

Cette forte persistance de l'attachement des peuples à leur État national à l'ère de la mondialisation s'explique aussi bien sûr par le caractère abstrait, théorique et désincarné de la liaison entre un individu seul et une humanité de six milliards de personnes. Des relais intermédiaires entre le local et le planétaire sont requis, qui s'appellent État national, peuple ou nation, et qui se fondent sur des besoins d'appartenance et d'identité parfaitement légitimes, et dont rien ne laisse entrevoir la disparition.

4.7	LA CRISE DE L'ÉTAT-PROVIDENCE

Nous avons vu précédemment qu'à partir de la deuxième moitié du XIXᵉ siècle, initialement en Europe, sous la pression des revendications de la classe ouvrière et plus tard des classes moyennes, émerge une conception nouvelle de l'État et des fonctions qui doivent être les siennes. On passe progressivement de la conception libérale d'un État qui maintient l'ordre, administre la justice et laisse le marché s'autoréguler, à une conception de l'État basée sur une définition élargie de l'intérêt général et des droits des citoyens, qui se traduit par des interventions beaucoup plus nombreuses et institutionnalisées des pouvoirs publics dans tous les domaines de la vie collective. On appelle État-providence cette conception de l'État devenue aujourd'hui dominante dans les sociétés occidentales, bien que l'expression anglaise *Welfare State*, qui connote l'idée d'un État chargé du bien-être collectif, soit sans doute plus parlante et plus exacte.

Les pressions issues de la mondialisation ne sont évidemment pas les seules auxquelles est soumis présentement l'État-providence. Chose certaine, cette impression que l'État a de plus en plus de difficulté à répondre aux problématiques nouvelles que pose l'évolution de nos sociétés semble se répandre partout. Une croissance économique faible et irrégulière, la pression de plus en plus forte que le vieillissement de la population exerce sur les finances publiques, l'incapacité chronique de faire participer à la vie productive de nombreux exclus, le sentiment largement répandu que la qualité des services publics n'est pas à la hauteur des prélèvements fiscaux, tout cela a fait naître, dans toutes les sociétés occidentales, des débats sur la façon dont il faudrait réformer nos systèmes économiques et sociaux afin de mieux combiner dynamisme économique et protection sociale. C'est ainsi qu'il est maintenant admis que l'État-providence est en crise.

Il faut cependant se garder de trop généraliser. Toutes les sociétés occidentales doivent relever ces mêmes défis, mais les débats qui s'y déroulent et les tentatives de réforme sont fortement déterminés par le contexte propre à chacune d'entre elles. On ne s'étonnera donc pas que nombre d'auteurs aient tenté de classer en grandes catégories les divers types d'État-providence. Par exemple, si l'on prend comme critère de classification le rôle de l'État dans la vie économique, nous avons vu au premier chapitre que Jean-Pierre Dupuis propose de suivre la typologie d'Amable qui distingue cinq types de capitalisme. Mais on peut aussi, par exemple, classer les différents types d'État-providence plutôt sous l'angle des régimes de protection sociale qu'ils offrent.

Dans un ouvrage devenu un classique du débat sur l'État-providence, le sociologue suédois Gösta Esping-Andersen (1990) propose trois grandes catégories d'État-providence :

1. Un État-providence libéral dans lequel les mécanismes de marché jouent un rôle central, et où la protection sociale financée collectivement est peu

étendue et limitée aux plus démunis ; Esping-Andersen classe ici des sociétés comme les États-Unis, le Japon, la Suisse et, ce qui est infiniment discutable, le Canada ;

2. Un État-providence dit conservateur, corporatiste ou bismarckien, dont la France et l'Allemagne seraient les exemples les plus représentatifs, dans lequel les programmes de protection sociale sont plus étendus, mais liés au travail salarié, en ce sens qu'ils sont conçus de manière à protéger, au moins partiellement, les revenus du travailleur lorsque la maladie, la vieillesse ou un accident l'empêchent de subvenir lui-même à ses besoins ;

3. Un État-providence social-démocrate, dont les sociétés scandinaves seraient les plus représentatives, et dans lequel la protection sociale est universelle, c'est-à-dire accessible à tous, mais modulée selon la condition de chacun, très étendue, fortement redistributive des riches vers les pauvres, et donc financée par une fiscalité lourde et très progressive.

Si cette classification est devenue classique, c'est sans doute parce qu'elle fut l'une des premières et des plus systématiques. Mais elle s'est bien sûr attirée des critiques nombreuses et bien documentées. Gérard Boismenu (1994, p. 403-419) conteste, à notre avis avec raison, que le Canada soit regroupé dans la même catégorie que les États-Unis alors que la protection sociale y est infiniment plus développée, plus universaliste et plus enracinée dans les valeurs collectives auxquelles sont attachés les Canadiens. Peter Abrahamson (1994, p. 171-188), quant à lui, s'insurge contre le regroupement de tous les pays nordiques dans une même famille scandinave en faisant valoir les différences notables qui distinguent la Suède de la Finlande. Des auteurs comme Bruno Palier et Giuliano Bonoli (1995, p. 668-698) se refusent à classer la France dans la même catégorie que l'Allemagne. Ils opposent, par exemple, les mesures de soutien à la famille très progressistes de la France, alors que l'État-providence allemand est effectivement né, à la fin du XIXe siècle, de l'intention des élites conservatrices liées à l'Église de couper l'herbe sous le pied à la gauche en s'attirant les bonnes grâces de la classe ouvrière par une législation clairvoyante. Pour sa part, Maurizio Ferrera (1996, p. 17-37) note aussi, un peu comme Amable dont Jean-Pierre Dupuis a déjà traité dans le premier chapitre, les problèmes que pose le fait de classer des pays méditerranéens comme l'Italie ou l'Espagne dans la même catégorie que l'Allemagne, l'Autriche ou la Belgique.

Ces réserves étant faites, il reste que la crise de l'État-providence, dans toutes les sociétés occidentales — y compris aux États-Unis, mais d'une manière très particulière dans ce cas —, se manifeste sous la forme d'une crise à quatre dimensions : une crise *financière*, une crise de *légitimité*, une crise de *rigidité* et une crise de *représentation*.

Il y a d'abord crise financière parce que les besoins sociaux que l'on demande à l'État, donc aux contribuables, sont en théorie illimités alors que les ressources, elles, sont limitées. On conçoit mal une situation hypothétique où les groupes organisés cesseraient de revendiquer plus pour ceux qu'ils disent représenter. Dans un contexte où le financement de la solidarité passe exclusivement par l'État, l'allongement de l'espérance de vie combinée avec la stagnation du taux de natalité mettront une pression toujours plus considérable sur les finances publiques, donc sur des travailleurs dont le nombre baissera en termes relatifs ou absolus, et dont les impôts financeront les services que consommera la partie la plus âgée de la population, qui ira en augmentant, et qui contribuera peu ou pas à leur financement, si rien ne change.

De cette crise d'abord budgétaire découle une crise de légitimité. Cette croissance exponentielle et théoriquement illimitée des besoins conduit certains segments de la population à remettre en question cette solidarité devenue mécanique au point qu'on en perd de vue la finalité. Jusqu'où faut-il lutter contre les inégalités? À partir de quel moment des problèmes individuels doivent-ils devenir des problématiques collectives? Où se situe la limite du pourcentage du revenu personnel qui doit être payé au fisc? Dans quelle mesure, par exemple, la lourdeur de la fiscalité n'encourage-t-elle pas l'évasion fiscale, ou la dépendance à l'endroit de l'État n'alimente-t-elle pas l'oisiveté? Au fond, jusqu'à quel point chacun est-il responsable de sa propre condition? Il est extraordinairement difficile de discuter sereinement de ces questions, car elles mettent en cause nos valeurs les plus fondamentales. Prenant appui sur ces questionnements cruciaux et légitimes, les tenants les plus durs du camp libéral en viennent donc à remettre en cause la raison d'être même de l'État-providence. Nous sentons tous qu'il existe effectivement une ligne au-delà de laquelle le poids et la place de l'État deviennent contre-productifs, mais personne n'est en mesure d'établir hors de tout doute où elle se trouve.

L'État-providence vit aussi une crise de rigidité. Né dans des sociétés industrielles et conçu en fonction d'une régulation fordiste du monde du travail, il repose sur une planification et une organisation centralisées de la solidarité, alors que les nouvelles technologies, la diversification des statuts sur le marché du travail, les exigences accrues de populations de plus en plus instruites, la plus grande vitesse des changements sociaux, la complexité sans cesse croissante de nos sociétés requièrent au contraire davantage de souplesse et de sur-mesure dans l'offre de services publics.

Enfin, la combinaison de ces facteurs accentue un désenchantement croissant à l'endroit de la démocratie représentative traditionnelle — celle qui nous fait élire des représentants à intervalles réguliers que nous mandatons pour décider à notre place. Ce scepticisme des citoyens alimente une revendication encore diffuse mais évidente pour des formes de démocratie plus participatives — dont un rassemblement altermondialiste comme celui de Porto Alegre, au Brésil, est devenu emblématique —, c'est-à-dire une revendication venue d'en bas pour que le pouvoir réel, que la mondialisation semble éloigner du simple citoyen, revienne vers ce dernier. La diffusion incontestable de cette protestation met donc aussi à mal l'organisation et la distribution traditionnelles du pouvoir politique dans l'État-providence.

Cet ébranlement généralisé de l'État-providence se traduit évidemment par des débats politiques qui sont colorés par l'histoire, les valeurs et la culture politique propres à chaque société. Mais on peut dire schématiquement que ce débat pose en fait la question de savoir où doit se situer le point d'équilibre entre les deux grandes valeurs fondatrices de la démocratie en Occident : la liberté et l'égalité ou, si l'on préfère, le pôle individuel et le pôle collectif. Trop d'égalité finit par tuer la liberté, mais trop de liberté creuse les inégalités au point de priver de liberté les plus faibles.

Joseph-Yvon Thériault (2005, p. 631-640) résume ainsi le débat en cours : ceux qui considèrent que la démocratie repose en dernière instance chez le peuple réel, et non dans une volonté générale qu'ils jugent abstraite, estimeront qu'il faut surmonter cette crise de l'État-providence en redonnant au citoyen davantage de responsabilités individuelles et de moyens, notamment par une diminution des impôts et par des interventions de l'État plus ciblées et moins universalistes ; ceux qui pensent, au contraire, qu'il est abstrait de parler de liberté individuelle quand des gens n'ont pas les moyens matériels de l'exercer, soutiendront plutôt que la démocratie authentique passe par la construction d'une volonté générale et d'une définition largement partagée du Bien commun, que seul l'État peut prendre en charge ; ils estiment donc qu'il faut préserver, voire renforcer les mécanismes institutionnels de solidarité. Il est un peu réducteur, mais pas entièrement faux, d'associer le premier camp à une pensée libérale classée plutôt *à droite* et le second à des positions sociales-démocrates ou même socialistes classées plutôt *à gauche*. Mais il faut manier avec la plus grande prudence ces notions floues et souvent mobilisées à des fins polémiques.

Il reste que ces dernières années, c'est le premier camp qui semble avoir eu le haut du pavé, ce qui a conduit le second à se réfugier dans une posture largement défensive. Mais il est évident aussi que les projets politiques les plus radicaux de déconstruction de l'État-providence n'ont triomphé nulle part et que, sous la menace de voir remis en question des acquis sociaux, les populations redécouvrent qu'elles sont plus attachées à l'État-providence qu'elles ne l'avaient réalisé.

4.8   UN CAS PARTICULIER : LE MODÈLE QUÉBÉCOIS

Les débats en cours au Québec sur le rôle de l'État, sur les missions qu'il devrait prioriser, sur le poids des impôts, sur la place qu'il faudrait faire ou non au secteur privé dans le domaine de la santé, sur le maintien ou non du gel des frais de scolarité universitaires, sur les interventions de l'État pour aider des régions en difficulté ou pour soutenir de grands projets industriels, pour ne nommer que ceux-là, sont autant de dimensions locales et sectorielles de ce débat plus général sur l'État-providence qui a lieu partout en Occident. Une expression s'est imposée dans notre vie publique pour qualifier la forme particulière prise par l'État-providence au Québec et les rapports économiques et sociaux entre acteurs qui en découlent : le *modèle québécois*.

Personne ne nie sérieusement les progrès spectaculaires du Québec depuis quarante ans, mais certains soutiennent qu'ils s'expliquent précisément par le modèle de développement collectif en vigueur ici alors que d'autres soutiennent que des progrès plus spectaculaires auraient pu être accomplis autrement. Les premiers seront portés à insister sur le rattrapage effectué par le Québec quand on le compare, par exemple, à l'Ontario ou à des moyennes canadiennes ou aux États-Unis. Les seconds mettront l'accent sur les retards qui persistent. Il n'existe pas non plus de consensus sur le degré de rattrapage effectué par le Québec puisque le portrait pourra varier énormément selon les indicateurs de comparaison retenus. Dans sa version plus polémique, le débat prendra la forme d'un questionnement : le modèle québécois est-il dépassé ou non ? Faut-il approfondir encore la logique qui le sous-tend ou l'assouplir ? Et comment ?

On ne fera évidemment pas le tour de ces questions ici. On se contentera plutôt de donner quatre éléments de clarification : le premier relatif à la manière dont il faut comprendre le sens de l'expression *modèle québécois*, le second en rapport avec les circonstances de son développement historique et son degré d'originalité, le troisième concernant les critères de mesure de sa performance, et le dernier à propos des grandes positions dans le débat sur l'avenir du modèle québécois.

Le mot « modèle » est souvent pris dans son sens normatif pour désigner un individu ou une réalisation jugés admirables, et que d'autres devraient prendre en exemple et chercher à imiter. Dans ce sens, on parle parfois d'un élève studieux et assidu comme d'un *modèle* pour les autres. On ne compte plus, par exemple, les ouvrages qui, dans les années 1960, chantaient les louanges du « modèle suédois », puis qui, dans les années 1970, se mirent à chanter les louanges du « modèle japonais ». Dans les années 1980, nombre de spécialistes des réformes de l'administration publique furent fascinés par les réformes radicales introduites en Nouvelle-Zélande et parlaient avec admiration du « modèle néo-zélandais ». Ils ont déchanté depuis.

Ce n'est pas du tout dans ce sens qu'on utilise habituellement l'expression *modèle québécois*. Même ses plus chauds défenseurs ne vont pas jusqu'à le proposer en exemple au monde entier. On utilise l'expression pour désigner plutôt une façon simplifiée de caractériser, en faisant ressortir ses traits les plus typiques, les principaux aspects de l'organisation collective de la société québécoise. On parlera donc du modèle québécois comme on parle d'un « modèle » en langage mathématique pour représenter, en le simplifiant, un processus complexe, ou encore comme le modèle réduit d'un avion reproduit les principaux traits de l'appareil véritable, mais évidemment pas ses moindres détails. En sociologie, c'est la notion d'idéal type, que l'on doit à Max Weber, qui s'en approche le plus[5].

Les caractérisations de ce qu'est le modèle québécois sont innombrables et aucune d'entre elles ne clôt le débat[6]. Les principaux traits constitutifs de la manière dont les rapports économiques et sociaux sont organisés au Québec se perçoivent tout de même assez facilement : interventionnisme fort de l'État dans les domaines économique et social, solidarité collective et services publics organisés sous l'égide de l'État au moyen d'une fiscalité élevée et fortement progressive, et recherche de grands consensus sociaux sur les orientations collectives à suivre par une institutionnalisation assez poussée de la concertation, particulièrement entre les grands acteurs institutionnels que sont les entreprises, les syndicats, les gouvernements et, plus récemment, les groupes sociaux disant représenter la société civile.

Jean-Pierre Dupuis a déjà noté dans le premier chapitre que les principaux traits de ce modèle s'expliquent par la trajectoire sociohistorique d'une collectivité francophone qui voulait s'extraire d'une situation d'infériorité économique et politique, par suite de son éloignement d'un capital longtemps entre des mains anglophones, et qui a donc fait de l'État son principal levier de développement collectif. Le résultat est un modèle de développement dont certains aspects sont proches des modèles européens d'inspiration sociale-démocrate, mais qui inclut aussi des traits typiquement nord-américains.

Ce modèle n'est d'ailleurs pas resté figé. Plusieurs auteurs, comme Benoît Lévesque (2003), notent deux grandes phases dans l'évolution du modèle québécois. Une première phase est celle de sa construction, qui court *grosso modo* du début des années 1960 jusqu'à la fin des années 1970, au cours de laquelle l'État se fait planificateur et entrepreneur sur le plan économique, afin d'accélérer le développement industriel du Québec. Sur le plan social, l'État se substitue aux communautés religieuses et organise les grands services publics de santé et d'éducation sur des bases d'accessibilité universelle et de financement collectif par la voie de la fiscalité. Les mécanismes de concertation institutionnelle sont encore très peu développés à cette époque. Les années 1980, qui sont celles de l'ébranlement de l'État-providence, seront une décennie de tâtonnements, oscillant entre la tenue des premiers grands sommets de concertation entre le gouvernement, les patrons et les syndicats sous le gouvernement du Parti québécois, et une tentative qui fit long feu, dans la deuxième moitié des années 1980, sous le gouvernement de Robert Bourassa, pour réduire la place de l'État.

Puis, depuis le début des années 1990, on verrait, selon B. Lévesque, émerger progressivement un nouveau paradigme de développement qu'il qualifie de modèle québécois de seconde génération. L'État devient moins un planificateur et un maître d'œuvre du développement collectif, et davantage un État stratège et un accompagnateur de l'entreprise privée dans des créneaux spécialisés et jugés vitaux pour l'avenir. On passe progressivement d'une optique de construction à une optique de consolidation, puis d'adaptation. Les mécanismes de concertation s'institutionnalisent progressivement. Les interventions de l'État à des fins sociales cherchent à être plus ciblées, plus fines et visent désormais l'équité plutôt que l'égalité. Ce découpage est certes discutable et on pourrait multiplier les objections à coups d'exemples, mais il contient suffisamment de vérité pour être recevable.

Il faut cependant prendre garde d'exagérer l'originalité du modèle québécois. La modernisation du Québec, de l'après-guerre à aujourd'hui, a emprunté des formes générales très similaires à celles des autres sociétés industrielles : enrichissement collectif, mise en place de programmes sociaux très étendus, tertiarisation de l'économie, montée de la scolarisation, urbanisation, décléricalisation, ouverture sur le monde, diversification de la population et ainsi de suite. Il est donc extraordinairement difficile de départager le rôle respectif des forces externes et internes de la société québécoise dans l'émergence de ces transformations.

Il n'est pas faux non plus de faire commencer la construction du modèle québécois avec l'avènement de cette période appelée la Révolution tranquille à partir de 1960. On peut caractériser cette dernière comme une modernisation accélérée des institutions québécoises, animée à la fois par une rationalité technocratique et une soif de justice sociale, et portée surtout par une nouvelle élite davantage éduquée. Ce redressement avait bien sûr été précédé, surtout depuis la Seconde Guerre mondiale, par ce que Fernand Dumont (1997, p. 20) a qualifié de « prodigieux travail d'interprétation » de nous-mêmes, mais dont on pourrait retrouver la trace jusque dans la deuxième moitié du XIXe siècle.

Sans doute en partie pour se justifier d'avoir voulu changer le cours des choses, le récit longtemps dominant sur la Révolution tranquille, construit par ceux qui en furent les protagonistes, a qualifié de Grande Noirceur le Québec d'avant 1960 : un Québec étouffant et conservateur, disait-on, qui refusait obstinément d'embrasser la modernité[7]. On admet aujourd'hui qu'à bien des égards, l'accélération du développement du Québec pendant la Révolution tranquille s'est préparée tout au long des deux ou trois décennies précédentes. Il y avait bel et bien du retard par rapport au reste de l'Amérique du Nord, mais plus un seul historien sérieux ne soutient la thèse d'un Québec demeuré immobile avant 1960.

Depuis la fin du XIXe siècle, il existait un entrepreneurship industriel francophone (Toulouse, 1979). Le libéralisme était beaucoup plus présent que ne l'avait donné à penser l'historiographie conservatrice (Roy, 1988). Le niveau d'instruction, quand on le compare, n'était pas le désastre anticipé (Verrette, 1989). Le peuple n'était pas entièrement sous la coupe du clergé (Wallot, 1973). Les villes étaient déjà les moteurs du développement économique depuis un siècle (Linteau, 1981). Le syndicalisme n'était pas moins revendicateur parce que catholique (Rouillard, 1989). Les sciences sociales progressaient (Warren, 2003). Des courants modernistes traversaient tous les arts (Lamonde et Trépanier, 1986). Et la liste pourrait s'allonger.

Quant aux causes de ce retard du Québec, leur étude a fait naître plusieurs des plus grandes œuvres des sciences sociales au Québec. Les historiens de l'École de Montréal — Séguin, Brunet, Frégault — soutiendront que nous étions une société «normale», mais qui fut déstructurée, décapitée par la Conquête, puis assujettie et minorisée par l'Union et la Confédération. D'où un nationalisme dont la fonction principale en fut une de compensation. Les historiens de l'École de Laval — Fernand Ouellet au premier rang — pointeront plutôt du doigt l'inexistence d'un «esprit capitaliste» au sens wébérien sous le Régime français, l'obscurantisme religieux et le nationalisme d'arrière-garde de nos élites.

Cela dit, depuis que la science économique et la sociologie ont raffiné leurs méthodes quantitatives, on ne compte plus les efforts pour mesurer ce retard économique et social du Québec. Mais à cause des visées polémiques qui accompagnent la plupart de ces contributions et de la variété des critères de mesure, il devient impossible de trancher pour de bon la question. On s'entend généralement pour reconnaître qu'à la lumière des critères les plus usuels — par exemple le PIB par habitant pondéré en fonction du coût de la vie, donc du pouvoir d'achat —, le Québec réduit progressivement son retard, bien qu'il demeure encore un peu au-dessous de la moyenne canadienne, un peu plus loin de l'Ontario, et encore plus loin des États-Unis. Il y a donc rattrapage, mais la vitesse et les facettes spécifiques de ce rattrapage sont discutables. Les causes de ce rattrapage ne font pas non plus l'unanimité, mais les progrès spectaculaires de la scolarisation moyenne des Québécois semblent avoir été un facteur déterminant.

Si l'on choisit d'examiner d'autres critères de performance, on pourra parvenir à d'autres conclusions. Par exemple, il est vrai que le Québec est nettement moins riche sur le plan collectif que la moyenne américaine. Par contre, les écarts entre les riches et les pauvres sont beaucoup moins élevés au Québec qu'aux États-Unis, bien qu'ils soient très similaires entre le Québec et le reste du Canada. Autrement dit, il vaut mieux être riche aux États-Unis que riche au Québec, et il vaut mieux être pauvre au Québec que pauvre aux États-Unis (Lisée, 2003, p. 31-47).

Le débat sur les performances du modèle québécois est donc un débat que la science peut éclairer, mais qu'elle ne peut clore pour de bon, parce qu'il est traversé de part en part par des considérations idéologiques. Lévesque, Bourque et Vaillancourt (1999, p. 1-10) proposent donc de regrouper en trois grandes catégories les positions idéologiques relatives au modèle québécois. La première est celle qui propose d'approfondir encore la logique exclusivement étatiste héritée de la Révolution tranquille: interventionnisme lourd de l'État dans le développement économique, maintien du quasi-monopole du financement étatique des services publics par le biais de la fiscalité, et élargissement des droits sociaux. La deuxième catégorie est celle qui propose de rompre, plus ou moins nettement, avec l'étatisme, et de faire une plus large place au secteur privé et à la régulation par les mécanismes de marché. Et la dernière, qui est la plus difficile à cerner parce qu'elle est en voie de construction, est celle qui, tournant le dos à ce que ces auteurs appellent «l'ultra-gauche» et «l'ultra-droite», cherche à faire émerger un modèle assis sur un État qui veut faire mieux plutôt que faire plus ou moins, en développant une plus grande autonomie chez les gens par une éducation et une formation mieux adaptées, en décentralisant des pouvoirs vers les collectivités locales, en développant des partenariats nouveaux avec le milieu associatif et communautaire, et en instaurant de nouvelles formes de démocratie participative.

Au fond, bon nombre des débats politiques les plus fondamentaux dans nos sociétés peuvent se situer le long d'un axe imaginaire sur lequel on peut placer à un extrême l'individualisme intégral et, à l'autre, le collectivisme intégral. Selon les sociétés, les époques et les rapports de force, le centre de gravité politique sera plus ou moins près de l'un ou l'autre des pôles. On pourrait aller jusqu'à dire que nos débats naissent des efforts des uns et des autres pour ramener ce centre de gravité davantage d'un côté ou de l'autre, et aussi du fait qu'à chaque fois que nous avons collectivement le sentiment d'être allés trop loin dans un sens, une réaction inverse nous ramène dans l'autre direction.

Notes

1. Voir par exemple Hermet (1996).
2. Traduit en français sous le titre *Le système totalitaire,* Paris, Points – Seuil, 1972.
3. La section qui suit s'inspire très largement de W. Stanbury (1993), p. 2-18.
4. Je reprends ici des passages tirés de J. Facal, «L'État, la nation et l'État-nation», dans M. Scymour (sous la dir. de), *États-nations, multinations et organisations supranationales,* Montréal, Liber, 2002, p. 477-481.
5. Voir à cet égard R. Boudon et F. Bouricaud, *Dictionnaire critique de la sociologie,* Paris, PUF, 1982, p. 621-623.
6. On trouvera plusieurs des plus importantes contributions à ce débat sur le modèle québécois à l'adresse suivante : www.politiquessociales.net.
7. Je reprends ici des remarques déjà faites dans Facal (2005).

CHAPITRE 5

Les organisations économiques supraétatiques : historique, évolution et enjeux

Sébastien Arcand

La place grandissante des organisations internationales dans divers secteurs d'activité des sociétés contemporaines est incontestable. Qu'il s'agisse de leur rôle dans l'élaboration de mesures de protection sanitaire à l'échelle planétaire ou de sécurité en matière de pratiques financières, pour ne citer que ces exemples, les organisations supraétatiques sont des acteurs incontournables dans la reconfiguration du système international amorcée par le processus de globalisation contemporain. Bien que le rôle diffère d'une organisation à l'autre, on peut dégager certains points communs dans leurs pratiques. Ainsi, toutes ces organisations agissent au-delà des frontières nationales des pays tout en étant influencées par des intérêts nationaux (gouvernements, mouvements sociaux, multinationales, etc.). En cela, la présence accrue de ces organisations supraétatiques ne marque pas la fin de l'État-nation et de ses prérogatives en tant qu'acteur dominant à l'échelle nationale ou internationale. En effet, la plupart de ces organisations ont été mises sur pied et sont contrôlées par des gouvernements de pays souverains, même si on ne peut nier que les organisations supraétatiques occupent une place prépondérante dans la structuration d'un ordre mondial globalisé se caractérisant par un accroissement des échanges commerciaux internationaux et un éclatement des cadres nationaux de régulation (Adda, 2001).

Sans accorder une importance plus grande à certaines de ces organisations plutôt qu'à d'autres, force est de reconnaître qu'elles n'ont pas toutes la même influence et la même capacité d'intervention. Certaines jouissent de l'appui d'un grand nombre de pays, d'autres ont développé, sous l'instigation de grandes puissances comme les États-Unis, une position hégémonique qui leur permet d'avoir une ascendance déterminante sur la conduite de pays moins nantis, alors que d'autres tirent leur pouvoir de l'intérêt accru accordé à leur domaine d'activité par la communauté internationale comme c'est le cas, notamment, pour les organisations engagées dans les causes environnementales et la santé publique.

Il en est de même des organisations supraétatiques dont le mandat et les actions s'inscrivent dans la sphère économique. Compte tenu de la domination du capitalisme à l'échelle planétaire et de sa capacité d'orienter, de façonner et de transformer des rapports sociaux dépassant le seul domaine des transactions commerciales et financières, ces organisations supraétatiques à caractère économique se trouvent dans une situation favorable par rapport à l'ensemble des organisations vouées à d'autres fonctions. Tout en reconnaissant l'importance de ces « autres » organisations supraétatiques, le présent texte porte essentiellement sur les organisations économiques supraétatiques.

Nous tenterons d'abord de comprendre l'historique de ces organisations. Nous nous pencherons ensuite sur quelques-uns de ces acteurs économiques. Ce sera l'occasion d'explorer plus en détail certaines organisations internationales telles que le Fonds monétaire international (FMI), la Banque mondiale (BM) et l'Organisation mondiale du commerce (OMC). Des organisations régionales comme l'Union européenne, l'Accord de libre-échange nord-américain (ALENA) et l'Association des nations de l'Asie du Sud-Est (ANASE) seront aussi étudiées. Pour compléter le portrait général, deux tableaux comprenant des informations sur ces organisations et sur d'autres seront présentés. Finalement, nous aborderons les enjeux importants en rapport avec le rôle et la place des organisations économiques supraétatiques dans le système mondial actuel. Toutefois, avant d'aborder les dimensions historiques du développement des organisations supraétatiques, une définition générale de ces organisations s'impose.

LES ORGANISATIONS ÉCONOMIQUES SUPRAÉTATIQUES : UNE DÉFINITION

Une organisation économique supraétatique s'inscrit dans le domaine des transactions marchandes et financières et favorise l'ouverture des marchés locaux (nationaux) à des acteurs de diverses nationalités. La définition suivante prend en compte cette réalité :

> Une organisation économique supraétatique est une association d'États qui acceptent de délaisser certains pouvoirs dans le but de mettre en commun des intérêts pour agir sur la sphère macroéconomique. Les pratiques et les mesures imposées par cette organisation peuvent avoir des répercussions positives ou négatives sur les pratiques et les structures des différents acteurs nationaux (États, entreprises, syndicats, citoyens).

Cette définition générale fait ressortir l'importance des liens entre les organisations supraétatiques et l'évolution interne des pays. Autrement dit, on ne saurait reconnaître l'importance de ces organisations sans préalablement considérer que le système global international est encore et toujours dominé par des acteurs nationaux, mais que ce pouvoir est de plus en plus menacé par certaines entreprises multinationales. De plus, la définition proposée met en lumière le caractère permanent et structuré de ces organisations, entre autres parce qu'elles sont régies par une charte ratifiée par l'ensemble des membres qui couvre des champs de compétence préalablement définis. La section suivante portera sur l'évolution historique de ces organisations et sur leur importance grandissante au cours du XXᵉ siècle.

5.1 BREF HISTORIQUE DU DÉVELOPPEMENT DES ORGANISATIONS ÉCONOMIQUES SUPRAÉTATIQUES AU XXᵉ SIÈCLE

La quête d'une stabilité mondiale passant par la présence d'organisations supra-étatiques n'est ni nouvelle ni propre au phénomène de globalisation tel qu'on l'entend aujourd'hui. En effet, depuis la fin de l'époque médiévale et l'apparition de l'État-nation, on observe l'émergence d'idées et de tentatives de mise en application de ces idées prônant la création de structures favorisant la mise en commun d'intérêts nationaux parfois divergents et potentiellement conflictuels. C'est notamment le cas dans le contexte européen, bastion historique du capitalisme mais aussi lieu de multiples affrontements armés, où l'on observe une volonté séculaire de constituer une telle « communauté des nations ». En effet, que ce soit par des tentatives de refonte des relations interétatiques par les traités de Westphalie signés en 1648, qui ont mis fin à la guerre de Trente Ans (1618-1648), le Congrès de Vienne de 1815 ou, plus près de nous, la création de l'Union européenne, ou encore à travers les idéaux de personnages historiques d'envergure tels que Napoléon 1ᵉʳ et certains philosophes du siècle des Lumières comme Emmanuel Kant avec son *Projet de paix perpétuelle,* la volonté de favoriser la stabilité et la paix commune est récurrente dans l'histoire de l'Europe et du monde occidental en général.

Bien que l'idée de mettre en place des organisations pour réguler les relations internationales tant sur le plan politique que sur le plan économique soit relativement ancienne, c'est seulement au début du XXᵉ siècle que sont véritablement apparues les premières organisations supraétatiques. Tout en étant largement dominées par des préoccupations d'ordre politique (sécurité, stabilité des frontières géopolitiques), ces premières organisations ont tracé la voie au système international actuel au sein duquel les organisations économiques occupent une place déterminante. Toutefois, il faudra attendre la fin de la Première Guerre mondiale en 1918 pour que soit créée une véritable organisation supraétatique internationale chapeautant un ensemble d'intérêts nationaux. C'est ainsi que, sur l'initiative du président américain Woodrow Wilson, la Société des Nations (SDN), ancêtre de l'Organisation des Nations Unies (ONU), a été créée. La SDN avait pour objectif de « construire un nouvel ordre mondial favorable à la paix et de rendre le monde plus sûr pour la démocratie » (Brasseul, 2003)[1]. Les chemins de la SDN seront cependant parsemés d'obstacles à un point tel qu'il lui sera impossible de les surmonter.

5.1.1 La grande déception : grandeurs et misères de la Société des Nations

Les nombreuses transformations apportées au système international et la mise en commun de certains intérêts nationaux sont attribuables aux échecs répétés des tentatives pour construire un système stable participant d'une vision commune des rapports planétaires. Le premier de ces échecs est sans l'ombre d'un doute le déclenchement de la Première Guerre mondiale et ses multiples répercussions tant sur les populations européennes que sur l'espoir de voir un jour une certaine harmonie régner au sein des pays occidentaux, maîtres d'œuvre de l'organisation du système-monde. Après l'armistice de 1918 mettant fin à une guerre de quatre ans qui a laissé dans son sillon son lot de désolations et des relations toujours tendues entre les pays, notamment la France et l'Allemagne, les dirigeants des pays occidentaux ont jugé qu'il devenait prioritaire de mettre en place un organisme supraétatique ayant pour mission de prévenir d'autres conflits. C'est ainsi que la Société des Nations (SDN) a vu le jour en 1920.

Les premières années de l'après-guerre sont marquées par une certaine prospérité économique, politique et monétaire. Cela est surtout vrai pour l'Europe et l'Amérique du Nord qui vivent à l'ère des années folles marquant une pause relative dans la prolifération des horreurs de la guerre, des échecs diplomatiques successifs et des graves crises socioéconomiques[2]. Cette période de prospérité sera cependant mise à rude épreuve une première fois en 1929, alors que le monde capitaliste subit une véritable secousse sismique sur le plan économique à la suite du krach boursier. Pendant que l'économie de la plupart des pays capitalistes s'effondre, l'URSS semble jouir d'une certaine croissance attribuable notamment au rattrapage de son économie planifiée sur l'ensemble des pays capitalistes. Cette crise aura des répercussions sur le déclenchement éventuel de la Deuxième Guerre mondiale en 1939, mais également sur la manière de concevoir et d'organiser le système économique capitaliste à venir. En effet, la crise de 1929 a montré les limites du « laisser-faire » dans l'économie capitaliste de même que la faiblesse des organisations supraétatiques de l'époque dans la régulation de l'économie de marché[3]. Les causes de cette crise sont multiples et il serait réducteur d'en attribuer la seule responsabilité à la faiblesse des organisations économiques supraétatiques. Néanmoins, leur incapacité à prévenir la crise et à trouver les moyens d'intervention appropriés en a accentué les effets sur l'économie mondiale.

Les années 1930 se caractérisent par une baisse importante de la prospérité et si les économies capitalistes semblent se remettre tranquillement de la crise de 1929, sur le plan social et politique, on assiste à la montée du conservatisme et à une forte augmentation du nombre de pauvres tant en Europe qu'aux États-Unis (Brasseul, 2003). C'est ainsi qu'aux États-Unis, le protectionnisme, la prohibition, l'isolationnisme à l'égard du reste du monde, sauf du reste de l'Amérique considérée comme leur chasse gardée depuis la doctrine de Monroe en 1823, et la ségrégation raciale deviennent les principales caractéristiques du pays, qui constitue une puissance en émergence. Sur le plan macroéconomique, on assiste, dans les années 1930, à la poursuite du déclin des « vieilles industries », qui se soldera par l'avènement de l'ère postindustrielle au cours des années 1960 (Bell, 1976). Comme le souligne Margaret Gordon citée par Brasseul (2003), les États-Unis ne sont pas les seuls à modifier leurs pratiques économiques. En effet, les années 1920-1930 marquent un élargissement considérable des frontières politiques de l'Europe. Au lieu de favoriser l'ouverture des marchés, les acteurs nationaux ont plutôt le réflexe de favoriser le protectionnisme économique de crainte de subir les contrecoups de cette ouverture. Cela ralentit le commerce en Europe, entraînant un effet « désastreux sur le développement économique du continent [européen] » au cours de ces deux décennies (Brasseul, 2003, p. 124). L'incapacité de la Société des Nations à prévenir le krach de 1929 ou du moins à en atténuer les effets négatifs ne reflète que l'une des nombreuses faiblesses de cette organisation.

La SDN a certes de nobles intentions, mais elle est née des politiques revanchardes à l'égard de l'Allemagne qui se trouvait dans un état lamentable après sa défaite de 1918. La ratification des traités après cette défaite et l'engagement de la SDN ont eu des conséquences économiques déterminantes pour la disparition à moyen terme de cette même SDN. Cette « paix » conclue au profit des seuls vainqueurs sert la cause du fascisme en Allemagne au cours des années 1930. La situation désastreuse dans laquelle l'Allemagne est plongée après sa défaite de 1918 doit être considérée comme une cause directe de l'arrivée au pouvoir d'Adolf Hitler et éventuellement du déclenchement de la Deuxième Guerre mondiale. Cette guerre, inégalée jusqu'à ce jour, tant par son intensité et ses atrocités que par le nombre de pays qui y ont participé, a eu tôt fait de démontrer l'inefficacité de la SDN pour stabiliser le système politique et économique mondial. En revanche, au même moment, certaines organisations ont réussi à se tailler une place et à jouer un rôle important. C'est le cas notamment de l'Organisation internationale du travail (OIT) qui est encore très active aujourd'hui.

5.1.2 L'Organisation internationale du travail et la Banque des règlements internationaux

Outre la SDN créée avant la Deuxième Guerre mondiale, nous retiendrons le rôle de l'Organisation internationale du travail (OIT), créée en 1919, et dont l'objectif premier était de favoriser l'amélioration des conditions de travail d'un point de vue humanitaire, politique et économique. Malgré des changements importants survenus au cours des dernières décennies sur le plan des relations internationales, l'OIT a réussi à adapter son mode de fonctionnement et ses structures au nouveau contexte de mondialisation et elle n'hésite pas à défendre des travailleurs partout dans le monde contre les excès de la globalisation. Aujourd'hui, 178 pays sont membres de l'OIT et des problématiques comme le travail des enfants et l'égalité des hommes et des femmes en matière d'emploi sont au cœur des préoccupations de l'OIT (OIT, 2005).

Quant à la Banque des règlements internationaux, dont le siège social se situe à Bâle en Suisse, elle a été créée en 1930 après une intense activité diplomatique autour du problème des réparations exigées à l'Allemagne et a aussi joué un rôle important avant et après la Deuxième Guerre mondiale. Après s'être occupée de défendre et de promouvoir les accords de Bretton Woods, sur lesquels nous reviendrons plus loin, la Banque supervise aujourd'hui le travail des banques actives à l'échelle mondiale, ce qui en fait la «banque centrale des banques centrales».

En somme, en dépit de leur faible capacité d'intervention et du désordre dans lequel elles cherchent à combattre la crise économique et la montée du chômage dans les années 1930, ces premières organisations à caractère international ont favorisé la mise en place d'une «véritable administration internationale, créant peu à peu l'habitude des négociations permanentes» (Fontanel, 1981, p. 24). L'une des conséquences positives de l'échec des politiques économiques mondiales avant la Deuxième Guerre mondiale est certes d'avoir favorisé, au sein des pays à économie de marché, une remise en question de certains grands paramètres sur lesquels reposait le capitalisme et d'avoir corrigé les aspects les plus néfastes du capitalisme. C'est à cette époque que l'on constate que les effets des excès du protectionnisme et des mauvaises politiques monétaires peuvent être atténués non seulement par de meilleures politiques nationales, mais également par la création d'organisations internationales chargées de structurer et de contrôler l'économie de marché pour lui permettre de prospérer, de prendre de l'expansion et ultimement d'occuper une position hégémonique dans le système économique international[4]. Pour Rey et Robert (1996), l'un des principaux objectifs des institutions antérieures à 1944 n'est pas d'«établir un système économique mondial, ni de discipliner l'intervention des États dans l'organisation de leurs échanges économiques avec le reste du monde» (p. 17). C'est dire qu'à cette époque il ne s'agissait pas d'inscrire ces institutions à caractère économique dans des rapports dépassant les exigences ponctuelles de tel ou tel marché. Leurs objectifs généraux étaient plutôt de corriger, au besoin et cas par cas, les imperfections du système.

5.1.3   L'ORDRE ÉCONOMIQUE APRÈS LA DEUXIÈME GUERRE MONDIALE: RÔLE ET PLACE DES ORGANISATIONS SUPRAÉTATIQUES

Avec le déclenchement de la Deuxième Guerre mondiale, il apparaît évident que le système international nécessite des changements importants. Cette idée va se concrétiser avant même la fin de ce conflit mondial et c'est alors que plusieurs institutions et organisations seront créées. L'un des principaux événements qui ont mené à une restructuration du système international est sans l'ombre d'un doute la rencontre de Bretton Woods que nous allons maintenant étudier en détail.

5.1.4 LES ACCORDS DE BRETTON WOODS OU QUAND LES VAINQUEURS ORGANISENT LE SYSTÈME D'APRÈS-GUERRE

Connus aussi sous le nom de « Conférence monétaire et financière des Nations Unies », les accords de Bretton Woods tirent leur appellation du nom d'un centre de villégiature dans l'État du New Hampshire aux États-Unis où se sont réunis les représentants de 44 pays qui ont décidé du statut du Fonds monétaire international (FMI) et de la Banque internationale pour la reconstruction et le développement (BIRD), mieux connue sous le nom de Banque mondiale (BM). Nous reviendrons plus loin sur ces deux organisations, mais pour l'instant mentionnons que le FMI constituait la charte des relations monétaires alors que la BM devait « mettre le crédit de ses États membres au service de la collecte de l'épargne aux fins de la reconstruction des pays ruinés et du développement des régions les plus pauvres » (Rey et Robert, 1996).

Quoi qu'il en soit, la période qui suit la Deuxième Guerre mondiale n'est pas uniquement celle de l'émergence des organisations économiques supraétatiques. C'est aussi une période de forte prospérité économique qui durera environ trente ans, les « Trente Glorieuses », et qui commencera à décliner avec les chocs pétroliers successifs au cours des années 1970. Plusieurs facteurs expliquent la forte croissance d'après-guerre tels que la qualité du capital humain, l'abondance de la main-d'œuvre, l'introduction de la production de masse, les taux d'investissement élevés et les politiques keynésiennes pour ne nommer que ceux-là. À cela il faut ajouter la libéralisation des échanges qui, sous l'essor des organisations et des traités internationaux, montre bien que tant l'Europe occidentale que les États-Unis et le Japon, soit les pays développés à économie de marché, semblent avoir appris des erreurs du passé, notamment des politiques protectionnistes à outrance. L'investissement international reprend peu à peu de sa vigueur sous l'égide des organisations supraétatiques qui font disparaître progressivement les entraves aux mouvements de capitaux et qui favorisent le « retour des grandes monnaies à la convertibilité externe vers 1957 » (Berstein et Milza, 1987).

Comme le souligne Brasseul (2003), ce n'est pas seulement le système capitaliste, au sens strict du terme, qui bénéficiera de l'apport des organisations supraétatiques après la Deuxième Guerre mondiale :

> Les institutions mises en place après la guerre [Deuxième] ont facilité la croissance économique, notamment dans les relations du travail, par une coopération tripartite État/Patrons/Syndicats — un aspect du capitalisme mixte, ou du libéralisme dirigé, qui se met en place alors — autorisant des compromis sociaux, la modération des salaires en échange d'investissements productifs, ce qui permet d'améliorer le sort de tous à long terme. (Brasseul, 2003, p. 172.)

À partir des années 1950, le capitalisme prend une autre tangente et dans ce nouveau système international apparaissent des modes de régulation de l'économie parfois novateurs mais surtout stables[5].

Il ne faut pas oublier que les accords de Bretton Woods sont le fruit de rencontres entre les futurs vainqueurs alors que la guerre n'est pas encore terminée. Cela aura des répercussions importantes sur la répartition du pouvoir au sein des structures du système international. En effet, et c'est là un reproche souvent adressé aux organisations actuelles, ces dernières sont encore et toujours contrôlées par et pour les vainqueurs de la Deuxième Guerre mondiale avec, au premier plan, les États-Unis et les pays européens. On peut donc se demander si les organisations économiques supraétatiques qui encadrent le système international sont le reflet d'un ordre mondial archaïque ou s'ils témoignent d'une réalité actuelle. Voyons maintenant de plus près quelques-unes des organisations supraétatiques contemporaines.

5.2   QUELQUES ORGANISATIONS ET LEUR INFLUENCE : LES ORGANISATIONS À PORTÉE INTERNATIONALE

Après avoir tracé un bref historique du développement des organisations supraétatiques dans le système international, voyons maintenant quelques-unes des organisations qui jouent un rôle important dans la structuration du système économique mondial en ce début de siècle. Le choix de ces organisations a été fait en fonction de leur importance sur le plan international ou régional quant au développement et à l'orientation de politiques économiques nationales et internationales. Nous commencerons par les deux piliers issus de la rencontre de Bretton Woods, soit le Fonds monétaire international et la Banque mondiale. Cela permettra de voir si le modèle de l'après-guerre est toujours pertinent dans le contexte actuel. À ces deux organisations s'ajoute l'Organisation mondiale du commerce (OMC), elle aussi héritière du contexte idéologique et économique de l'après-guerre. Pour refléter la dimension « régionale » des organisations supraétatiques du point de vue macroéconomique et en montrer l'importance, nous nous pencherons également sur trois organisations régionales, soit l'Union européenne (UE), l'Accord de libre-échange nord-américain (ALENA) et l'Association des nations de l'Asie du Sud-Est (ANASE).

5.2.1   LA BANQUE INTERNATIONALE POUR LA RECONSTRUCTION ET LE DÉVELOPPEMENT (LA BANQUE MONDIALE)

Issue des accords de Bretton Woods de 1944, la Banque mondiale a pour premier objectif, comme son nom officiel l'indique, de répondre aux problèmes de développement et de reconstruction qui se posent notamment après un conflit. S'inspirant de la philosophie du libéralisme, la Banque mondiale consacre peu à peu ses efforts aux prêts pour le développement. Toutefois, elle ne pourra pas toujours remplir cette mission compte tenu de la faible capacité de rembourser des pays pauvres, principaux « clients » de la Banque au cours des cinquante dernières années (Banque mondiale, 2003 ; Fontanel, 1981). Aujourd'hui, l'appellation « Banque mondiale » désigne trois institutions : la Banque elle-même, l'Association internationale pour le développement (AID) fondée en 1960 et dont les prêts sont destinés aux pays les moins développés, et la Société financière internationale (SFI) fondée en 1965 pour financer les entreprises privées. Quoi qu'il en soit, les objectifs de la Banque mondiale ont été modifiés au cours des dernières décennies. Aujourd'hui, son principal objectif est de réduire la pauvreté et de favoriser la création de petites entreprises. Depuis quelques années, sous l'effet des nombreuses critiques qui lui ont été adressées, la Banque mondiale a adopté de nouvelles politiques sur des questions environnementales, notamment l'eau potable, ainsi que sur divers aspects à caractère social (Wikipédia, 2005).

Les ressources financières de la Banque mondiale proviennent à la fois d'investisseurs privés et publics, et les prêts sont accordés à des fins productives en fonction des possibilités réelles de remboursement. Les ressources dont dispose la Banque sont d'ordre économique (les emprunts et les revenus), ainsi que du capital social disponible dans chaque pays concerné, soit la qualité de la main-d'œuvre, les liens de coopération et de collaboration au sein d'une société, le degré de cohésion sociale, etc. Les critères pour accorder un prêt à un pays relèvent des principes suivants : la rentabilité du projet, la conception du projet, l'intérêt du projet pour le développement économique du pays, la qualité prévisible de la gestion, la possibilité de remboursement de l'emprunt et la difficulté de l'emprunteur de recourir à d'autres sources de financement (Banque mondiale, 2003).

Les ressources de la Banque mondiale sont importantes, mais elles ne sont pas illimitées et elles varient en fonction des conjonctures économiques. Composée de 184 États membres, la Banque mondiale est largement dominée par les représentants des pays développés, car ce sont eux qui souscrivent le plus au capital dont elle dispose. Si l'on ajoute à cela le fait que depuis sa création la Banque mondiale est dirigée systématiquement par un Américain, force est de constater que le pouvoir et la volonté d'intervention de la Banque sont largement tributaires de ses bailleurs de fonds, les pays développés, qui peuvent ainsi décider de la nature de l'aide et des sommes à allouer aux pays demandeurs, qui sont majoritairement des pays en voie de développement. De plus, les prêts sont accordés uniquement en fonction des aspects économiques sans égard au régime politique, ce qui alimente les critiques quant à la possibilité que les organisations économiques supraétatiques puissent participer indirectement à la mise en place et au maintien de régimes politiques autoritaires et antidémocratiques. Autrement dit, la Banque mondiale n'accepte aucune responsabilité sur le plan éthique ; seuls les résultats financiers comptent. C'est ainsi que plusieurs s'élèvent contre l'apparente contradiction entre, d'une part, la croyance de la Banque dans les lois du marché et dans l'entreprise privée pour enrayer la pauvreté alors que, d'autre part, elle demande aux États tributaires de son aide de couper dans les services sociaux en fonction de la politique dite des «3 D» (déflation, dévaluation, déréglementation) basée sur les faibles coûts de main-d'œuvre, ce qui ne semble pas suffisant pour attirer les investissements étrangers. Concrètement, la mesure dite de «conditionnalité» incite la Banque mondiale à imposer des conditions qui peuvent aller à l'encontre des intérêts des pays concernés, principalement parce que les intérêts économiques sous-jacents aux conditions imposées portent dans bien des cas sur des points relevant historiquement du domaine politique[6]. Ces «conditionnalités» signifient non seulement qu'un prêt est accordé à un pays en fonction de sa capacité de rembourser, mais également en fonction de sa volonté de réaliser certains objectifs de libéralisation de son économie prédéterminés par la Banque mondiale qui, rappelons-le, est dominée par les acteurs les plus puissants du capitalisme, c'est-à-dire ceux qui possèdent le capital et par extension, ceux qui prêtent aux pays demandeurs.

Comme on le constate, les contraintes liées aux emprunts et aux conditions de remboursement auxquelles sont soumis les pays emprunteurs entraînent une restriction des actions potentielles de ces pays pour régler des problèmes endémiques qui, dans bien des cas, dépassent le cadre rigide de la Banque mondiale. C'est ainsi que se crée un certain déséquilibre entre les pays pourvoyeurs, soit les pays riches, et ceux qui demandent de l'aide au développement. En y regardant de plus près, on constate que la structure organisationnelle de la Banque mondiale favorise les pays riches au détriment des pays pauvres.

En 2005, la Banque mondiale compte 184 pays membres qui sont aussi membres du Fonds monétaire international. En vertu des statuts, tous ces pays souscrivent aux parts du capital de la Banque et le nombre de parts reflète le poids économique de chacun des États membres. La Banque est dirigée par le président, un Américain, et placée, avec son conseil d'administration, sous l'autorité du Conseil des gouverneurs composé d'un gouverneur et d'un suppléant nommés par chaque État membre, selon les modalités propres à chaque État. Le plus souvent, le gouverneur et son suppléant sont le ministre des Finances et le gouverneur de la Banque centrale. Le Conseil des gouverneurs dispose de tous les pouvoirs, dont les suivants:

- Admettre de nouveaux États;
- Augmenter ou réduire le capital social de l'institution;
- Suspendre un État membre;
- Conclure des accords avec d'autres organismes internationaux;
- Suspendre les opérations de la Banque;
- Fixer le partage de ses bénéfices;
- Statuer sur les recours exercés contre les interprétations d'un accord donné par les administrateurs.

Les 24 administrateurs sont nommés selon leur statut. C'est pourquoi les cinq plus grands pays donateurs (États-Unis, Japon, Allemagne, France, Royaume-Uni) peuvent désigner leurs représentants, alors que les 19 autres doivent être élus par les gouverneurs des pays qu'ils représentent. Les États membres de la Banque sont ainsi représentés au conseil d'administration. Le président de l'institution est formellement choisi par les administrateurs, ce qui leur donne un pouvoir accru. Le président préside les réunions du conseil d'administration sans prendre part au vote, sauf si le partage des voix est égal. Dans ce cas, il dispose d'une voix prépondérante. Son mandat est généralement de cinq ans. Il assure la direction et l'organisation de l'ensemble des services de la Banque mondiale et gère l'ensemble des activités sous les instructions des administrateurs et sous leur contrôle. Il a le pouvoir de nommer l'ensemble du personnel de la Banque, ce qui lui donne une grande marge de manœuvre. Le siège de la Banque, comme la plus grande partie de son personnel, se trouve à Washington. Depuis 1997, des réformes ont été entreprises pour rendre les services bancaires plus accessibles aux emprunteurs et pour décentraliser les activités de la Banque.

Même si elle est de plus en plus remise en question parce qu'elle reproduit des processus de domination des pays riches sur les pays pauvres, la Banque mondiale n'est toutefois pas l'organisation économique supraétatique la plus décriée de nos jours. Elle semble en effet jouir d'une certaine sympathie, notamment parce qu'elle s'occupe de développement international et de reconstruction dans des pays en voie de développement. À l'opposé, le Fonds monétaire international, second pilier de Bretton Woods, suscite le mécontentement parce qu'il est passé de gardien de l'ordre monétaire international à «police financière des pays en développement, imposant des politiques d'ajustements aux pays se trouvant dans l'impossibilité de rembourser leurs dettes» (Adda, 2001).

5.2.2 LE FONDS MONÉTAIRE INTERNATIONAL (FMI)

Le Fonds monétaire international (FMI) s'occupe de la promotion de la coopération monétaire internationale et du développement harmonieux du commerce international dans un souci de favoriser la stabilité des changes grâce notamment à l'établissement d'un «système multilatéral de règlement des transactions courantes» (FMI, 2005). À l'origine, le FMI constituait la charte des relations monétaires internationales et devait participer activement à la stabilisation des échanges monétaires pour éviter, entre autres, qu'une crise comme celle vécue dans les années 1930 ne se reproduise.

Le Fonds monétaire international est la première concrétisation d'un système monétaire international à vocation mondiale fondé sur un traité international (Rey et Robert, 1996). Doté de ressources importantes, le FMI est devenu aujourd'hui l'une des organisations économiques supraétatiques les plus importantes du système capitaliste, mais aussi l'une des plus décriées. Ses programmes d'ajustement structurel (PAS) sont fort controversés tant pour les actions qu'ils exigent de la part des pays qui doivent en suivre les préceptes que pour les conséquences négatives qu'ils entraînent sur les populations locales qui voient leurs gouvernements privatiser certains services et réduire de manière importante les dépenses publiques en matière de santé et d'éducation (Stiglitz, 2002). Élaborés en échange de l'attribution de prêts, les programmes d'ajustement structurel doivent en principe permettre aux pays en développement de rembourser leur dette en adoptant une série de mesures en cinq points, soit la dévaluation de la devise, la promotion des exportations aux dépens des cultures vivrières, la libéralisation du commerce, la réduction des restrictions imposées aux investissements étrangers et les privatisations (Deblock et Aoul, 2001 ; France Attac, 2005).

Considérant leur impact sur les pays qui appliquent ces mesures, les PAS auraient pour effet d'ouvrir les marchés locaux aux multinationales, laissant ainsi les marchands locaux sans aucune prise sur leur économie, voire sur leurs produits, et favoriseraient les intérêts privés des multinationales au détriment des processus transparents d'élaboration de politiques permettant d'enrayer la pauvreté. À cet égard, le cas de l'Argentine présenté dans l'encadré 5.1 est un exemple probant du décalage entre les programmes d'ajustement structurel et les véritables nécessités des pays où les PAS sont appliqués.

ENCADRÉ 5.1
La crise argentine et le rôle du Fonds monétaire international

Reconnue pour suivre fidèlement les recommandations du Fonds monétaire international (FMI), l'Argentine a, depuis les années 1980, grandement comprimé les dépenses publiques tel que le demandait le FMI et certaines grandes institutions financières américaines. Les gouvernements argentins qui ont succédé au régime militaire du début des années 1980 ont rigoureusement mis en application les mesures imposées par des experts américains. Le pays visait ainsi à se désendetter et à s'ajuster structurellement au marché mondial afin de « rompre définitivement avec les politiques "dirigistes" du passé », grandes responsables de la crise de la dette des années 1980 (Zacharie, 2002). Cette restructuration de l'économie argentine a eu pour effet de remettre dans les mains de capitaux internationaux une part importante des grands secteurs de l'économie nationale, tels que l'énergie, les télécommunications et même le système des soins de santé. Entre 1983 et 2000, la dette extérieure du pays a pratiquement quadruplé (Zacharie, 2002). Sensible aux soubresauts de l'économie internationale, l'Argentine a subi des crises financières successives au cours des années 1990, notamment sous l'influence de la crise mexicaine. À partir de ce moment, les capitaux internationaux ont commencé à se raréfier et, dans la deuxième moitié des années 1990, la crise a pris une tournure dramatique pour ce pays considéré comme l'un des pays latino-américains les plus développés sur le plan social et économique. Embourbée dans une grave crise financière et dans des dettes qui n'en finissent plus de s'accumuler, l'Argentine épuise ses réserves en tentant tant bien que mal de maintenir le peso argentin au même niveau que le dollar américain, équivalence en place depuis 1991 et qui devait, à l'origine, contribuer à endiguer l'hyperinflation que connaissait le pays. Sous le président Carlos Menem qui, avec le soutien du FMI, avait entrepris une série de réformes d'ajustement structurel dans le but d'assainir l'économie du pays, l'Argentine devait se sortir rapidement de la crise. Toutefois, la récession de 1999, combinée avec des conditions financières difficiles, une diminution des partenaires commerciaux, une dégradation des termes de l'échange et une détérioration des finances publiques, sans parler des incertitudes politiques qui accompagnent cette conjoncture, plongera le pays dans une situation encore plus difficile. La crainte des investisseurs internationaux a accentué la crise et c'est alors que le congrès américain et le FMI ont décidé d'intervenir encore plus activement.

Les solutions envisagées pour retrouver la souplesse budgétaire ont été la privatisation totale du système de retraite et d'une partie du recouvrement des impôts ainsi que la dérégulation de la sécurité sociale (Deblock et Aoul, 2001). Non seulement les exportations ont-elles baissé, rendant l'Argentine moins compétitive que le Brésil, un de ses concurrents immédiats, mais en outre la facture énergétique a augmenté considérablement et le prix des produits agricoles a subi une baisse importante. Ces programmes d'ajustement structurel (PAS) ont échoué sur le plan économique. De plus, ils ont entraîné des effets sociaux désastreux. Ces mesures, considérées comme ultralibérales, ont été mises en place sous l'influence du FMI et n'ont pas fait l'objet de débats politiques au sein du congrès argentin. Depuis 2000, l'accroissement de la pauvreté et des inégalités a atteint un niveau sans précédent dans ce pays considéré par plusieurs comme l'égal des pays européens occidentaux grâce à la présence historique d'une classe moyenne stable. Cette même classe moyenne a souffert de la crise de la fin des années 1990, contribuant ainsi à accentuer les effets néfastes des mesures mises en place. Comme la crise s'aggravait, en 2000, le FMI a exigé une plus grande austérité budgétaire, dont un moratoire de cinq ans sur les dépenses publiques, la privatisation complète du système de retraite, la suppression des retraites publiques, la privatisation du système de santé publique et la diminution des dépenses budgétaires consacrées à l'enseignement supérieur (Deblock et Aoul, 2001).

La crise financière qui a durement secoué l'Argentine en novembre 2000 est sans doute attribuable à un ensemble de pratiques discutables de la part des différents gouvernements qui se sont succédés depuis les années 1980, mais elle révèle également l'échec des institutions financières internationales. Incapables d'anticiper la crise, le FMI et la Banque mondiale ont dû intervenir d'urgence et *a posteriori*. Les contraintes auxquelles ces organisations ont soumis l'Argentine au cours des vingt dernières années n'ont pas réussi à résorber les étapes annonciatrices de la crise de novembre 2000 considérée comme l'apogée des problèmes qui perdurent depuis les années 1980. L'un des reproches les plus souvent adressés aux institutions de Bretton Woods dans le cas de l'Argentine, comme dans le cas de tous les autres pays dits « émergents » d'ailleurs, est d'avoir mal évalué les effets déséquilibrants des mesures auxquelles elles ont contraint l'Argentine. Incapables de réguler convenablement le système financier international et ses effets sur des pays tels que l'Argentine, les institutions de Bretton Woods sont aujourd'hui accusées de privilégier des intérêts économiques mondiaux, voire privés, au détriment des économies locales et de participer à l'appauvrissement d'une partie importante des populations concernées.

ENCADRÉ 5.2

Les crises asiatiques et les mesures inadéquates du FMI

Les crises asiatiques ont été un fait marquant des années 1990 et montrent à quel point les pratiques du FMI ne sont pas toujours adaptées aux pays qui ont besoin de redresser leur économie. En octobre 1997, l'Indonésie est plongée dans une crise importante et, sur instruction du FMI, elle entre dans un processus d'austérité budgétaire et monétaire, tandis que d'autres pays asiatiques tels que la Chine et la Malaisie ont pu éviter la crise grâce notamment à des pratiques monétaires expansionnistes, et donc totalement contraires à ce que préconise le FMI. L'exemple de la Corée est une autre bonne illustration de ce phénomène.

Alors que 50 % des entreprises sud-coréennes sont en difficulté dans les pires moments de la crise, le pays choisit de ne pas imiter ses voisins, notamment l'Indonésie, et décide de favoriser la nationalisation de son réseau bancaire et de maintenir un flux de crédit, ce qui est contraire aux politiques du FMI et du Trésor américain, acteurs fort influents au sein du Fonds monétaire international. De plus, la Corée a refusé de se débarrasser de la surcapacité de tout un pan de son industrie, notamment celle des semi-conducteurs, et lorsque le marché s'est remis à fonctionner plus normalement, le pays a pu répondre à la demande et faire redémarrer son économie (Stiglitz, 2003). En somme, et plusieurs commentateurs et experts abondent dans ce sens, la meilleure façon pour un pays de se sortir d'une crise est de ne pas suivre à la lettre les recommandations, voire les exigences du FMI, et ce, même si le pays s'expose à des réprimandes de la part du Fonds. En mettant la faute sur les structures internes d'un pays (dépenses publiques trop élevées par exemple), le FMI semble oublier parfois qu'une crise économique peut aussi être conjoncturelle et par le fait même se résorber avec des politiques économiques plus expansionnistes qu'austères.

De par le rôle qui lui a été confié dès 1944, le FMI occupe une place déterminante dans les politiques économiques des pays qui reçoivent son aide, notamment parce qu'il surveille la situation macroéconomique de ces pays et qu'il peut à tout moment suspendre cette aide s'il juge qu'un pays dépense plus d'argent qu'il n'en reçoit (entrées fiscales et aide étrangère confondues). C'est donc dire que non seulement le FMI détermine la somme à allouer aux pays demandeurs, mais qu'en plus, il dicte la manière dont l'argent sera dépensé. La crise de certains pays asiatiques décrite dans l'encadré 5.2 est un autre exemple qui illustre bien ce phénomène en montrant l'inadéquation qui peut parfois survenir entre les besoins réels des pays en crise et les mesures imposées par le FMI avec l'aide d'autres organisations internationales[7].

5.2.3 L'Organisation mondiale du commerce (OMC)

Héritière du General Agreement on Tariffs and Trade (GATT) signé en 1947 (accord général sur les tarifs douaniers et le commerce), l'Organisation mondiale du commerce (OMC) est l'une des plus jeunes organisations internationales d'importance puisqu'elle n'est mise en place qu'en 1995. Créée à la suite des accords de l'Uruguay Round de 1994, l'OMC est la dernière étape d'un long processus d'accords multilatéraux signés entre plusieurs États concernant des règles commerciales. Parmi ces règles, on trouve :

- l'accord relatif à la mise en place de mesures antidumping ;
- l'accord relatif à l'évaluation en douane ;
- l'accord relatif aux textiles et aux vêtements ;
- la propriété intellectuelle.

Plusieurs autres domaines relatifs aux échanges commerciaux relèvent de l'OMC dont les fonctions principales sont de gérer les accords associés à l'OMC et de prendre les décisions prévues par ces accords, de servir de forum de négociations multilatérales, d'administrer les procédures de règlement des différends, d'administrer le mécanisme d'examen des politiques commerciales, et de coopérer avec le FMI et la Banque mondiale (Rey et Robert, 1996). Alors que les accords du GATT ont été ratifiés pour éviter que des mesures protectionnistes ne freinent le développement du capitalisme et ne créent les conditions pour que survienne une autre crise boursière, l'OMC est aujourd'hui critiquée pour accroître les effets néfastes de la mondialisation et les écarts entre les pays riches et les pays pauvres.

Parmi les réalisations du GATT, et de l'OMC par la suite, on observe depuis 1948 une baisse moyenne de 80 % des droits de douanes des pays industrialisés (OMC, 2005). La baisse des tarifs douaniers depuis 1948 a favorisé l'accroissement rapide des échanges commerciaux qui, en 2000, étaient vingt-deux fois supérieurs à ce qu'ils étaient en 1948. De même, les exportations ont augmenté, en moyenne, de 6 % par année depuis les débuts (OMC, 2005). Cela dit, les efforts pour endiguer les mesures protectionnistes se frottent parfois à des pratiques contradictoires de la part d'États qui prétendent prôner la philosophie d'ouverture des marchés et d'abolition des barrières tarifaires. Le contexte général dans lequel se déroulent les cycles de négociation de l'OMC et les mesures qui y sont envisagées suscitent des critiques de la part de différents acteurs tels que les organismes non gouvernementaux qui accusent l'OMC d'être idéologique et de considérer que le commerce est obligatoirement un signe de développement et de richesse. Certains économistes abondent dans le même sens et considèrent que la mondialisation et ses principaux défenseurs, dont l'OMC, ne tiennent pas compte de la position des pays pauvres (Chossudovsky, 1998). Les critiques proviennent même de certains milieux proches des entreprises qui voudraient revenir à des mesures « néoprotectionnistes » parce que l'ouverture tous azimuts des marchés crée une concurrence déloyale relativement aux bas prix. Ainsi, on constate qu'à l'instar du FMI et de la Banque mondiale, l'OMC n'échappe pas aux critiques qui se font de plus en plus nombreuses en ce début de XXIᵉ siècle. Parmi ces critiques, notons celles concernant le désir de l'OMC de soumettre à certaines règles l'aide alimentaire apportée par l'ONU aux pays pauvres pour empêcher l'émergence de certains problèmes touchant les échanges commerciaux[8].

Parmi les règles que l'OMC veut mettre en place concernant l'aide alimentaire, il est proposé d'interdire les contributions en nature des États et de n'accepter que les dons en argent, ce qui réduira sensiblement la capacité de la communauté internationale à fournir une aide appropriée aux populations dans le besoin parmi lesquelles on trouve un nombre important de femmes et d'enfants. En effet, comme les ressources financières des pays donateurs sont limitées, si on les empêche de donner des dons en nature, ils ne pourront participer activement à la lutte contre la faim dans le monde. De plus, l'ONU fournit 45 % de l'aide internationale à des pays qui ne sont pas membres de l'OMC, ce qui signifie que de nombreux pays qui reçoivent une aide humanitaire n'ont aucun droit de parole sur des décisions qui les concernent directement[9]. Le tableau 5.1 présente des organisations économiques supraétatiques incluant les trois principales qui ont été décrites précédemment, soit l'OMC, la BM et le FMI, et qui jouent un rôle actif sur le plan macroéconomique.

Les organisations présentées dans ce tableau sont parmi les plus importantes structures supranationales qui régissent le système mondial sur le plan économique. Toutefois, leur importance réside également dans leur capacité à influencer directement d'autres sphères d'activités telles que le politique et le social. Compte tenu de l'influence de ces organisations et de l'impact de leurs décisions, ces dernières sont devenues, au cours des dernières années, des cibles de choix pour les opposants à la globalisation telle qu'elle évolue depuis la deuxième moitié des années 1990. Les critiques sont principalement dirigées contre les mesures imposées aux pays en développement pour assainir leurs finances publiques. Notons que ces critiques proviennent de différentes sources, dont le courant altermondialiste sur lequel nous reviendrons plus loin, et qu'elles peuvent aussi prendre une dimension concrète comme ce fut le cas avec la création de la Banque africaine de développement (BAD) en 1964, dont le siège social est à Abidjan en Côte d'Ivoire, mais qui est temporairement relocalisé à Tunis depuis 2003 (Banque africaine de développement, 2005).

Née dans la foulée du processus de décolonisation qui a été amorcé au cours des années 1960, la Banque africaine de développement a été créée dans le but d'intégrer le continent dans un ensemble un peu plus homogène et d'empêcher les pays colonisateurs comme la France, l'Italie, l'Espagne et la Grande-Bretagne de maintenir leur emprise sur les destinées politiques et économiques des pays africains. Devenue au fil des décennies une institution financière incontournable dans le contexte africain, la BAD compte parmi ses membres 53 pays du continent africain et 24 autres pays parmi lesquels on trouve le Canada, le Japon, le Danemark, l'Arabie saoudite et les États-Unis. Outre l'intégration du continent et « l'éloignement » des anciennes métropoles colonisatrices des affaires des États africains, la BAD remplit plusieurs fonctions : consentir des prêts, fournir une aide technique dans la préparation et l'exécution des projets et des programmes

TABLEAU 5.1

Des organisations supranationales à portée internationale [10]

Nom	Date de création et siège social	Pays membres en 2005	Objectifs	Domaines de compétence
Organisation mondiale du commerce (OMC)	1994 Genève	150 pays	Créer et maintenir un système commercial solide et prospère à l'échelle planétaire.	■ Marchandises ■ Services ■ Propriété intellectuelle ■ Règlement des différends ■ Examen des politiques ■ Soutien aux pays en développement
Banque mondiale (BM)	1944 Washington D.C.	184 pays	Reconstruire. Lutter contre la pauvreté. Régler des conflits.	■ Économies en transition ■ Urgence humanitaire
Fonds monétaire international (FMI)	1944 Washington D.C.	184 pays	Développer harmonieusement le commerce mondial. Stabiliser les changes. Résoudre des problèmes de balance de paiement.	■ Secteurs financiers ■ Politiques économiques ■ Politiques monétaires ■ Échanges internationaux ■ Réduction de la pauvreté ■ Emploi
Conseil économique et social (ECOSOC), Organisation des Nations Unies	1945 New York	54 pays élus pour trois ans	Coordonner les activités économiques et sociales de l'ONU.	■ Économie ■ Aspect social ■ Aspect culturel ■ Éducation ■ Santé publique
G8	1975	France, États-Unis, Grande-Bretagne, Allemagne, Japon, Italie, Canada, Union européenne (Russie, membre invité)	Tenir une réunion annuelle portant sur les enjeux économiques et politiques.	■ Gestion macro-économique ■ Échanges internationaux ■ Relations avec les pays en développement
Organisation de coopération et de développement économique (OCDE)	1961 Paris	30 pays membres issus de démocraties de marché	Favoriser la bonne gouvernance des secteurs privés et publics grâce à une surveillance structurelle des secteurs économiques clés des pays.	■ Plus de trente secteurs d'activité allant des migrations internationales au problème du blanchiment d'argent, en passant par l'éducation et la croissance économique.

de développement, promouvoir des injections de capital public et privé, et accorder une attention particulière aux projets de dimension nationale et multinationale (Hafsi et Le Louarn, 2000). La BAD touche divers secteurs d'activité, notamment le développement rural, et les questions liées aux rapports de genre et d'inclusion, à l'aménagement urbain et à l'État de droit.

5.3 QUELQUES ORGANISATIONS ET LEUR INFLUENCE : LES ORGANISATIONS À PORTÉE RÉGIONALE

Alors que l'organisation du système international contemporain s'articule de plus en plus autour d'une logique purement économique et financière sur le plan international, pendant des décennies ce sont les clivages politiques qui orientaient jusqu'au système économique international lui-même. Toutefois, le processus de globalisation actuel doit être remis en perspective, car, comme le souligne Barthe (2003), ce sont plutôt les regroupements régionaux qui sont pertinents de nos jours. Alors que les organisations internationales, notamment celles qui ont été présentées précédemment, ont pour objectif de réguler le commerce international, les organisations supraétatiques de type régional, qui consistent en des entités regroupant des États ayant généralement des frontières communes entre au moins deux des pays membres, ont pour objectif de favoriser les échanges commerciaux et d'accroître la stabilité d'une région donnée. Bien que les organisations supraétatiques de type régional favorisent des pratiques nouvelles, il peut aussi s'agir d'une formalisation de relations politiques et économiques déjà inscrites dans les pratiques des acteurs en présence. Généralement, de telles organisations regroupent des pays culturellement similaires, mais ce n'est pas une condition *sine qua non*. C'est pourquoi il existe autant de modèles qu'il y a d'organisations[11].

Pour les besoins de la cause, nous avons sélectionné trois organisations supraétatiques qui, bien qu'elles aient des pratiques qui dépassent la seule sphère économique, ont une influence importante sur l'évolution du système économique dans leur région respective et, par conséquent, sur l'ensemble du système capitaliste mondial. Ces trois organisations sont, dans l'ordre, l'Union européenne (UE), l'Accord de libre-échange nord-américain (ALENA) et l'Association des nations de l'Asie du Sud-Est (ANASE).

5.3.1 L'UNION EUROPÉENNE

Lorsqu'il est question d'organisation régionale, un des premiers noms qui vient à l'esprit est certes l'Union européenne (UE). Forte d'une alliance regroupant, en 2005, 25 États membres pour une population totale de 458 915 480 personnes, l'UE est la concrétisation d'un rêve longtemps caressé et dont le processus d'élargissement devrait se poursuivre au cours des années à venir. L'idée même de regrouper les pays européens sous une seule bannière vient d'une interminable suite de conflits armés entre les puissances européennes traditionnelles que sont la France, l'Allemagne et l'Angleterre. Bien que l'idée de la création d'une union européenne soit présente dans l'esprit de plusieurs depuis longtemps, il faudra attendre la fin de la Deuxième Guerre mondiale pour voir le projet se concrétiser.

La situation catastrophique dans laquelle a été plongée la majorité des pays européens après la Deuxième Guerre mondiale nécessitait des mesures extraordinaires, ce qui a favorisé l'évolution du projet d'une union européenne. La coordination d'une aide à l'échelle continentale a donc contribué, du moins au début, à faire évoluer rapidement la mise en commun d'intérêts nationaux[12]. Alors qu'à la fin des années 1940, les institutions de l'Europe se limitaient à la Commission économique pour l'Europe (ECE) dont le mandat était de fournir une organisation économique intergouvernementale fonctionnant sur une base sectorielle large (charbon, transport), aujourd'hui les activités de l'Union européenne couvrent un large éventail de domaines (Larat, 2004). Parmi les champs de compétence de l'UE, notons l'agriculture, les droits humains et le commerce extérieur. Parmi les institutions européennes, on trouve un parlement, une banque centrale de même qu'un fonds européen d'investissement, sans oublier une monnaie unique, l'euro, qui a cours dans la plupart des pays membres.

La rationalité institutionnelle et économique de l'Union européenne permet de mettre en lumière la nécessité du communautarisme exigé de la part de chacun des pays membres qui, en revanche, jouissent d'un accès direct à un marché économique de très grande envergure et à la mise en commun de la gestion de problèmes qui les concernent tous (immigration, lois du travail, politiques sociales, libre circulation des biens et des personnes, etc.). À cet égard, le défi de l'Union européenne n'est pas tant d'adapter ses institutions à la réalité de chacun des membres mais bien de favoriser l'intégration des diverses composantes nationales et régionales au sein d'une structure commune. C'est ainsi que la question de la flexibilité des institutions européennes de même que la relation conflictuelle entre la « raison d'État » et la perte de souveraineté nationale au profit de l'UE sont des défis toujours d'actualité et qui devraient le demeurer compte tenu de l'augmentation rapide du nombre de pays membres au cours des dernières années et de l'augmentation à prévoir au cours des années à venir.

Sur le plan strictement économique, les plus grands défis de l'UE demeurent liés au processus de soutien financier aux différents acteurs (PME, grandes entreprises, États), notamment quant au transfert de technologies, à la libre circulation de la main-d'œuvre et aux divers accords permettant de concurrencer, sur le plan international, des géants économiques comme les États-Unis, la Chine et éventuellement l'Inde (Boillot, 2003). Toutefois, le plus grand défi de l'UE et de chacun de ses membres relève de la double logique dans laquelle toute organisation régionale s'inscrit : d'une part, la logique de l'État-nation au sein de laquelle les gouvernements sont redevables de leurs populations respectives souvent réfractaires à tout affaiblissement de l'économie nationale au profit de l'ensemble de l'Union et, d'autre part, la logique du régionalisme qui exige que chaque entité nationale travaille au mieux-être de l'ensemble de l'Union, quitte à devoir accepter un certain affaiblissement de sa souveraineté. En somme, la relation difficile entre la logique nationale et la logique régionale est au cœur même des défis contemporains de l'évolution de l'UE et des possibilités qu'elle est censée offrir aux différents acteurs (entreprises, mouvements sociaux, gouvernements, citoyens, etc.). Toutefois, un élément lié à l'accélération du processus de globalisation observable depuis quelques années tend à légitimer en quelque sorte tout élargissement éventuel de l'UE et à justifier toute action prise en ce sens.

5.3.2 L'Accord de libre-échange nord-américain (ALENA)

Moins complet en matière de prérogatives que les accords régissant l'Union européenne, l'Accord de libre-échange nord-américain (ALENA) n'en demeure pas moins important à cause des populations qu'il dessert, soit près de 450 millions de personnes, et de l'importance des transactions marchandes qu'il génère. À titre d'exemple, en 2004, 85 % des exportations canadiennes allaient vers les États-Unis et environ 1 % vers le Mexique. De même, toujours en 2004, les importations en provenance des États-Unis comptaient pour 59 % du total des importations au Canada alors que les produits en provenance du Mexique comptaient pour 4 % (Commerce international Canada, 2005). Il est à noter que cet accord a permis au Canada et au Mexique de multiplier leurs exportations vers les États-Unis. Ainsi, les exportateurs canadiens y expédient désormais plus de la moitié de leur production, tandis que la part mexicaine du marché états-unien des importations a presque doublé, passant de 6,9 % en 1993, c'est-à-dire avant l'ALENA, à 11,6 % en 2002 (Commerce international Canada, 2005).

L'impact positif de l'ALENA sur les trois pays membres est indéniable. Aux yeux de plusieurs, c'est même l'ALENA qui, grâce au commerce avec les États-Unis, a permis au Mexique de se sortir de la crise dans laquelle il a été plongé en 1994 et non les politiques du FMI comme certains l'ont laissé croire [13]. Est-ce à dire que l'ALENA ne pose aucun problème quant aux relations entre les membres ou que le niveau de vie des populations concernées est à son meilleur ? Certainement pas et le litige sur le bois d'œuvre entre le Canada et les États-Unis montre bien les problèmes qui peuvent survenir entre les pays membres. De plus, la hausse réelle du niveau de vie de la population mexicaine fait trop souvent oublier l'état de pauvreté et de désolation dans lequel se trouvent les populations autochtones de ce pays [14]. En effet, la hausse du niveau de vie et son impact sur la hausse des salaires au Mexique a entraîné la fermeture d'usines, les fameuses *maquiladoras,* pour la plupart américaines, qui ont préféré déménager ailleurs, même en Chine, plutôt que de verser un salaire plus élevé aux employés. Comme on le constate, même les organisations supraétatiques régionales, en principe plus souples et mieux adaptées aux besoins de leurs membres, peuvent contribuer à affaiblir les pouvoirs des États au profit de grandes firmes multinationales. En examinant le conflit du bois d'œuvre entre le Canada et les États-Unis, voyons comment l'ALENA permet de régler un litige entre des partenaires commerciaux.

ENCADRÉ 5.3
Le litige du bois d'œuvre entre le Canada et les États-Unis

En signant l'ALENA en 1994, le Canada, les États-Unis et le Mexique se sont engagés, notamment, à éliminer les obstacles au commerce des produits et des services et à faciliter la circulation de ces produits et services entre les trois pays membres. L'article 102 prévoit des procédures «efficaces pour la mise en œuvre et l'application du présent accord, pour son administration conjointe et pour le règlement des différends» (Commerce international Canada, 2005). Plusieurs articles sont aussi prévus pour régler des litiges. Dans le cas du conflit commercial opposant le Canada et les États-Unis sur l'importation du bois d'œuvre canadien en sol américain, il faut d'abord revenir sur les arguments invoqués par l'une et l'autre des parties pour bien saisir la dynamique du conflit de même que les mécanismes de règlement des différends tels qu'ils sont stipulés dans l'Accord de libre-échange nord-américain (ALENA).

Le bois d'œuvre est l'un des principaux produits d'exportation du Canada vers les États-Unis. En 2003, le Canada a exporté plus de 19 milliards de «pieds-planche», ce qui représente une valeur de 6,8 milliards de dollars (Commerce international Canada, 2005). Au Canada, plus de 290 000 personnes travaillent dans le secteur forestier, alors qu'aux États-Unis la production interne ne suffit pas à la demande, notamment dans le secteur de la construction. C'est pourquoi non seulement le bois d'œuvre canadien est en demande aux États-Unis, mais il constitue en outre une source de revenus directe et indirecte de première importance pour les deux pays. C'est donc dire que d'un point de vue strictement économique, l'exportation de bois d'œuvre canadien vers les États-Unis est un des piliers de la relation commerciale entre le Canada et les États-Unis.

En dépit de l'importance du commerce du bois d'œuvre pour les deux pays, le gouvernement américain, sous la pression du lobby des producteurs de bois aux États-Unis, a limité l'arrivée massive de bois d'œuvre canadien et a imposé à partir de 2002 des mesures compensatoires d'environ 22 % au Canada pour l'exportation de son bois d'œuvre. Pour exiger ces droits compensatoires, le gouvernement américain a allégué que les programmes de droits de coupe provinciaux canadiens constituent des subventions aux entreprises, ce qui contrevient aux mesures de l'ALENA. Par le fait même, le gouvernement américain considère que le Canada pratique du dumping commercial en vendant son bois d'œuvre à des prix très bas rendus possibles par les subventions du gouvernement canadien. Le gouvernement canadien conteste ces mesures compensatoires imposées depuis le 22 mars 2002 par le département américain du Commerce arguant qu'elles sont non fondées et illégales selon les accords signés en 1994. Depuis 2002, le gouvernement du Canada s'est adressé à plusieurs instances disciplinaires afin d'obliger les États-Unis à revenir sur leur décision et à mettre fin aux droits compensatoires.

Dans un premier temps, le Canada s'est adressé à des groupes spéciaux binationaux formés en vertu de l'ALENA. Après une série de jugements et de contestations, le Canada a obtenu gain de cause et le gouvernement américain a été sommé de mettre fin à ses mesures compensatoires. Afin de donner plus de poids à ses revendications, le gouvernement canadien s'est également adressé à l'Organisation mondiale du commerce (OMC) alléguant que les États-Unis ne respectaient pas les règles du commerce international en vigueur. Après une série de décisions tantôt favorables, tantôt défavorables à la cause du Canada, le 5 décembre 2005, l'OMC a statué en faveur du Canada en soulignant que la « méthode employée par les États-Unis pour fixer les droits compensateurs imposés sur le bois d'œuvre canadien [allait] à l'encontre des règles de l'OMC. » (Ministère des Affaires étrangères et du Commerce international, 2005.) Le processus d'arbitrage n'est pas complété, mais le gouvernement américain pourrait être tenu de verser des compensations s'il décide de ne pas se conformer aux décisions de l'OMC. On estime que les États-Unis pourraient être contraints de verser environ 200 millions de dollars au Canada, ce qui est en deçà des sommes que les producteurs canadiens de bois d'œuvre estiment avoir perdu depuis le début du litige. Le gouvernement canadien s'est aussi adressé au Tribunal de commerce international des États-Unis (CIT), qui devrait rendre une décision d'ici juin 2006. Une autre victoire permettrait au Canada de récupérer une partie des sommes perdues depuis le début de ce litige et obligerait les États-Unis à respecter des règles qu'ils ont eux-mêmes signées en 1994 lors de la ratification de l'ALENA. Si le conflit commercial ne se règle pas dans un avenir rapproché, le gouvernement du Canada a annoncé qu'il pourrait riposter en rendant le pétrole canadien moins accessible pour les États-Unis, ce qui mécontente le gouvernement albertain et les pétrolières de cette province pour qui l'exportation de pétrole vers les États-Unis représente une part importante de marché.

Même si les comparaisons sont toujours boiteuses, le litige entre le Canada et les États-Unis sur la question du bois d'œuvre montre avec acuité l'interrelation, voire l'interdépendance, entre les accords régionaux et les organisations internationales. Le fait que le Canada puisse s'adresser à la fois aux instances de l'ALENA et à celles de l'OMC pour un litige concernant deux pays membres liés par un accord régional révèle qu'une certaine standardisation des normes du commerce est en train de se créer. Toutefois, il aurait pu arriver, et rien ne garantit que cela ne se produira pas dans l'avenir, qu'un tribunal d'une organisation régionale et un tribunal d'une organisation internationale rendent des jugements contraires ce qui, le cas échéant, permettrait difficilement d'en arriver à un règlement du conflit. En somme, les enjeux et les diverses stratégies des parties en cause dans un conflit commercial sont peut-être de plus en plus canalisés dans les organisations supraétatiques, mais en dernière instance, ce sont les États qui demeurent responsables de leurs décisions.

5.3.3 L'ASSOCIATION DES NATIONS DE L'ASIE DU SUD-EST (ANASE)

L'Association des nations de l'Asie du Sud-Est (ANASE) est un organisme intergouvernemental de coopération régionale où les décisions sont fondées sur le consensus (ANASE, 2005). Créée en 1967 par l'Indonésie, la Malaisie, les Philippines, Singapour et la Thaïlande, pays auxquels se sont joints plus tard le Brunei (1984), le Vietnam (1995), la Birmanie et le Laos (1997), puis le Cambodge (1999), l'ANASE est le principal mécanisme régional de dialogue sur des questions politiques, économiques ou sociales, des questions de sécurité et d'autres questions transnationales d'importance. Le mandat de l'ANASE est très large et, même si les résultats de ses activités politiques sont parfois mitigés, elle accomplit un travail très important sur le plan de la coopération économique et technique grâce à ses institutions spécialisées, dont la Banque asiatique de développement.

Outre les rapports avec ses membres, l'ANASE établit depuis 1976 avec certains pays des relations de consultation spéciales appelées « partenariats de dialogue ». C'est le cas notamment avec le Canada, qui est un partenaire important depuis 1977. L'Australie, la République populaire de Chine, l'Union européenne, l'Inde, le Japon, la République de Corée, la Nouvelle-Zélande, la Russie et les États-Unis sont aussi des partenaires du dialogue de l'ANASE. Il existe d'autres organisations supraétatiques régionales dans le monde. Le tableau 5.2 en présente les principales.

Ce tableau comprend des organisations qui regroupent plusieurs pays dans le monde et même s'il n'est pas exhaustif, il est représentatif de la réalité contemporaine en matière d'accords régionaux. Certains détails sont aussi manquants comme, par exemple, la présence de membres invités, notamment au sein du Mercosur, alors que l'Équateur, le Pérou et la Colombie participent à certaines des rencontres de cette organisation. Signalons aussi que même si la Bolivie et le Chili n'apparaissent pas dans le tableau, ces deux pays ont le statut de membres associés au sein du Mercosur.

Les accords régionaux peuvent favoriser un meilleur respect des caractéristiques propres aux diverses régions de la planète et aux nombreux pays qui les composent. Évidemment, certaines composantes étatiques de ces accords sont plus fortes que d'autres ; c'est pourquoi il s'avère presque impossible, dans l'état actuel des choses, d'atteindre une égalité pleine et entière entre les différents acteurs étatiques liés par des accords et des entités supraétatiques de plus en plus puissantes.

TABLEAU 5.2 ▬ Des organisations supranationales à portée régionale

Nom	Date de création et siège social	Pays membres en 2005	Objectifs	Domaines de compétence
Union européenne	1967* Bruxelles	25 pays	Dépasser les antagonismes nationaux. Assurer la sécurité. Développer la solidarité économique et sociale. Promouvoir un modèle de société.	Tous les domaines des sphères politiques, économiques, sociales et culturelles régies par le « principe de subsidiarité ».

▼

TABLEAU 5.2

Des organisations supranationales à portée régionale (*suite*)

Nom	Date de création et siège social	Pays membres en 2005	Objectifs	Domaines de compétence
Accord de libre-échange nord-américain (ALENA)	1994	Canada États-Unis Mexique	Renforcer les liens entre les membres. Contribuer au développement de la coopération internationale. Promouvoir le développement durable. Protéger les droits des travailleurs.	■ Économie ■ Droit du commerce ■ Libre circulation des biens
Marché commun du Cône sud (Mercosur)	1991	Argentine Brésil Paraguay Uruguay	Favoriser le lien entre le développement économique et la justice sociale.	■ Sur le plan politique : favoriser la confiance et l'harmonie entre les membres. ■ Sur le plan économique : rendre les marchés accessibles aux membres, assurer la flexibilité des démarches administratives aux frontières, faciliter l'investissement, la production, l'exportation et la mise en place de tarifs douaniers communs.
Association des nations de l'Asie du Sud-Est (ANASE)	1967 Djakarta	Brunei Cambodge Indonésie Laos Malaisie Myanmar Philippines Singapour Thaïlande Vietnam	Accélérer la croissance économique, le progrès social et le développement culturel.	■ Développement social ■ Environnement ■ Science et technologie ■ Agriculture ■ Culture et information
Marché commun d'Afrique orientale et australe (COMESA)	1994 Lusaka (Zambie)	20 pays africains	Développer la solidarité panafricaine et l'autosuffisance collective.	■ Égalité et interdépendance des États membres ■ Non-agression ■ Droits humains ■ Gouvernance

*   La date de création de l'Union européenne est variable selon le point de vue envisagé. Nous avons choisi l'année 1967, car c'est l'année où le Conseil des ministres de la Communauté économique européenne (CEE) a décidé d'harmoniser les législations en matière de fiscalité indirecte et d'adopter le principe du système de la taxe sur la valeur ajoutée. De plus, le 9 mars de la même année, le premier programme de politique économique à moyen terme a été approuvé (pour plus de détails, voir le site Web de l'Union européenne : www.europa.eu.int).

QUELQUES ENJEUX PRÉSENTS ET FUTURS

Triomphe du capitalisme, de la libre entreprise et de la liberté pour les uns ou domination néolibérale favorisant l'exploitation des travailleurs et l'accroissement des inégalités à l'échelle planétaire pour les autres, le début du XXIe siècle est marqué par la consolidation du processus de globalisation et par une concentration de plus en plus grande des richesses mondiales dans les mains de quelques pays riches et de grandes multinationales. En ce sens, le système actuel montre des signes de faiblesse en dépit du fait que jamais dans l'histoire de l'humanité la richesse n'a été aussi grande. L'importance des moyens de communication, à commencer par Internet, contribue à faire ressortir les inégalités entre les peuples et les régions. C'est pourquoi de nombreux enjeux sont liés au système actuel et à la manière dont il évoluera au cours des prochaines années. Sur ce point, nul doute que les États sont aux prises avec la nécessité d'ouvrir leurs marchés à l'international tout en continuant d'assurer la protection sociale de leurs populations. Ce défi de tous les instants nécessite de l'ingéniosité, de la flexibilité et de la transparence de la part des gouvernements de plus en plus tentés de se laisser convaincre par les grandes multinationales des bienfaits de la mondialisation et des pratiques à courte vue.

Dans ce jeu où les États semblent les grands perdants, les acteurs de plus en plus nombreux et diversifiés doivent relever des défis de taille. Nous examinerons donc les enjeux politiques et économiques, puis les enjeux sociaux et culturels. Nous parlerons aussi des enjeux sous-jacents comme la question des rapports entre les États au sein des organisations économiques supraétatiques ou encore la mouvance altermondialiste pour ne nommer que quelques exemples.

5.4.1 LES ENJEUX ÉCONOMIQUES ET POLITIQUES

L'importance accrue du rôle des organisations supraétatiques à caractère économique au cours des dernières années a eu pour effet de faire ressortir la fragilité des pouvoirs politiques nationaux. En effet, si ces organisations ne sont pas complètement autonomes devant les pouvoirs politiques nationaux, elles n'en acquièrent pas moins une plus grande marge de manœuvre à l'égard des différents gouvernements qui deviennent, par conséquent, moins aptes à défendre leurs propres populations. C'est ainsi qu'au fil des ans les pouvoirs publics de nombreux pays, riches et pauvres, ont perdu certaines de leurs prérogatives au profit d'intérêts privés qui, rappelons-le, visent des objectifs parfois fort différents de ceux des gouvernements nationaux et des populations que ces derniers desservent. *A priori*, plusieurs acteurs nationaux et internationaux semblent d'accord pour dire que les entreprises, surtout les multinationales, sont les grandes gagnantes des mesures prises par les organisations internationales. Comme le souligne le sociologue Ulrich Beck (2003), dans la conjoncture actuelle, les différents acteurs n'ont pas tous les mêmes chances de se constituer en acteurs politiques pour ainsi espérer avoir une certaine influence sur les destinées du système international ce qui laisse le champ libre à ceux qui possèdent les ressources nécessaires pour jouer un rôle déterminant au sein de ce système. En somme, s'il est un phénomène marquant du capitalisme contemporain, c'est celui de la puissance de conglomérats multinationaux qui possèdent, dans bien des cas, une richesse supérieure à celle d'États de taille moyenne (Berstein et Milza, 1987). Cela dit, certaines nuances s'imposent.

Les États doivent composer avec un ensemble de facteurs parfois radicalement opposés, les divers groupes sociaux d'une société donnée par exemple, alors que les entreprises peuvent se mobiliser beaucoup plus rapidement, ce qui en fait des joueurs mieux adaptés pour dicter les règles du jeu. Est-ce à dire que les entreprises et le capital ont nécessairement l'avantage sur les États et les sociétés civiles? Loin de là. Le problème ne réside pas tant dans la capacité d'intervention des États que dans leur volonté d'effectuer les changements nécessaires en vue de protéger les populations des effets négatifs des pratiques néolibérales outrancières. Emprisonnés pour ainsi dire dans une logique organisationnelle qui les oblige à se structurer, voire à fonder des partis politiques, les acteurs de la société civile qui voudraient faire contrepoids au capitalisme et aux pratiques des organisations internationales se heurtent, contrairement aux entreprises, à de multiples obstacles et contraintes; d'où l'importance de privilégier un système de régulation des pratiques économiques à l'échelle nationale et internationale[15]. On considère généralement que les organisations économiques supraétatiques sont «infiltrées» par des intérêts privés qui vont à l'encontre des intérêts nationaux. Sans remettre en question ces points de vue, ici aussi, la nuance est de mise.

S'il ne fait aucun doute que la mondialisation a entraîné la perte de certaines des prérogatives des États au profit des intérêts privés, on ne peut nier cependant que les règles internationales imposées par les organisations économiques supraétatiques ont également pour effet de limiter le pouvoir des entreprises multinationales. De plus, l'ouverture de l'espace public international, grâce notamment aux divers mouvements altermondialistes, a pour effet d'alerter l'opinion publique au sujet des pratiques contestables de la part de certaines entreprises alors susceptibles d'être boycottées par des consommateurs de plus en plus vigilants. En ce sens, tout système de règles est en soi un contre-pouvoir aux lois du marché et au laisser-faire économique. Certes, la raison d'être des organisations dont nous parlons ici n'est pas de remettre en question les fondements mêmes du capitalisme ni d'en freiner l'expansion, bien au contraire. Ces organisations visent à favoriser un environnement stable pour que les bases sur lesquelles repose ce système économique soient des plus solides. Il n'en demeure pas moins que le jeu de pouvoir et de contre-pouvoir qui existe au sein du système international ne sert pas seulement les intérêts des entreprises à la recherche de profits plus grands et de coûts de production plus bas. Autrement dit, et en dépit de la faiblesse de leur système juridique, les organisations économiques supraétatiques, si elles sont organisées en conséquence, peuvent constituer un obstacle de taille à tout abus du système de la part de certaines entreprises pourvu que la volonté politique des

États membres y soit. Sur ce point, on peut considérer qu'une réforme au sein des organisations supraétatiques pourrait s'avérer plus pertinente que l'abolition de ces structures. La question est de savoir comment des États, sur un territoire relativement limité, peuvent avoir du pouvoir dans un contexte où les frontières géographiques perdent de leur importance et où les populations, qui subissent des chocs culturels quasi permanents, semblent de plus en plus soumises aux lois du marché et à l'idéologie consumériste ?

S'il est vrai que les lois nationales élaborées par les gouvernements permettent encore de protéger les citoyens d'éventuels abus du marché et de la concurrence en maintenant, bon gré mal gré, certains services sociaux, les gouvernements sont de plus en plus à la merci des décisions des grandes organisations supraétatiques. L'impact de ces dernières est donc de plus en plus important et il appert que les mesures qu'elles imposent aux États ne favorisent pas les populations locales mais plutôt des intérêts économiques prétendument rationnels et logiques. Les changements qu'entraîne l'accroissement de la présence de ces organisations affectent donc directement la capacité des États souverains à légiférer et à intervenir sur leur propre territoire.

Prenons par exemple la question des tarifs douaniers mis sur pied pour protéger les économies locales des excès du libre marché et de la concurrence. Comme les États ont plus de difficultés à intervenir et à légiférer de façon générale en matière d'échanges économiques, ils entrent, dès lors, en compétition directe avec des entreprises qui jouissent d'une plus grande flexibilité. La compétition existe aussi avec d'autres États, ce qui les oblige à modifier leurs pratiques et surtout à réduire leurs dépenses pour affronter cette nouvelle compétition. En réduisant les tarifs douaniers, on accroît certes le commerce international, mais les pays les plus fragiles économiquement mettent ainsi en danger leur balance commerciale en augmentant considérablement les importations au détriment des exportations[16].

Comme le souligne Moreau Defarge (2002, p. 54-55), pour les États, « les flux de la mondialisation (tourisme, investissements des multinationales, etc.) constituent une condition majeure de leur enrichissement ; il est vital de les attirer. » C'est dire que dans bien des cas la priorité n'est plus, ou n'est pas uniquement, de s'occuper des populations, mais d'administrer les affaires de l'État comme on administre une entreprise, c'est-à-dire en accordant plus d'importance aux dimensions économiques qu'aux aspects sociaux et politiques. Avec la globalisation et l'importance accrue du rôle des organisations économiques supraétatiques, c'est la notion même d'État providence qui est mise à mal. Comment, dès lors, concevoir le lien social dans un contexte où ces grandes organisations, dont les dirigeants ne sont pas élus par les populations, s'immiscent dans des domaines jadis réservés aux États et aux citoyens ? Et que dire du lien présumément intrinsèque entre la démocratie et le libéralisme économique alors que la Chine, un des principaux moteurs de l'économie mondiale actuelle, n'a pas un régime politique pluraliste et ouvert ? Quelle doit être la responsabilité des démocraties libérales à l'égard des pays qui, comme la Chine, bien qu'ils fournissent une main-d'œuvre de plus en plus qualifiée et à des coûts moindres, ne sont pas démocratiques et souvent irrespectueux des droits de la personne? En somme, il faut se demander pourquoi les États se placent dans des situations où ils perdent des prérogatives au profit de ces entités supraétatiques. La réponse à cette question est complexe et nécessiterait des explications qu'il serait trop long d'exposer ici. Toutefois, certains éléments de réponse apparaissent plus fondamentaux.

L'une des raisons qui expliquent pourquoi les États acceptent et, dans certains cas, encouragent la création d'entités supraétatiques est liée à la forte pression exercée par les États les plus puissants. Ces puissances semblent en principe avoir tout à gagner de l'ouverture des marchés locaux étrangers rendue possible grâce à la présence de ces entités indépendantes sur le plan juridique, mais économiquement et stratégiquement liées à ceux qui les financent et les soutiennent. Cela dit, l'explication voulant que les entités supraétatiques soient entièrement contrôlées par les États les plus puissants est pertinente, mais elle est insuffisante pour comprendre les raisons qui poussent l'ensemble des États à ouvrir leurs marchés et à abolir les tarifs douaniers sur un ensemble de produits et de services. La promesse, toute théorique dans certains cas, de pouvoir exporter des produits locaux sur les marchés mondiaux constitue l'une des principales raisons pour lesquelles les États acceptent délibérément de perdre un peu de pouvoir au profit des entreprises privées. Pour certains États, la réalité est plus complexe et il leur est difficile de pénétrer les marchés dominés par des puissances économiques. C'est pourquoi on ne peut s'attarder aux entités supraétatiques et à l'ouverture des marchés sans poser un regard critique sur les possibilités qui s'offrent aux pays les moins nantis en matière d'exportation et d'accès aux marchés mondiaux. C'est dire que cette dynamique mettant à l'avant-scène les rapports entre États et organisations supraétatiques est souvent guidée par une double logique dans plusieurs pays nantis où règne le protectionnisme, alors que les entités supraétatiques, elles-mêmes contrôlées par ces pays riches, incitent, voire obligent, les pays moins nantis à s'ouvrir au marché mondial pour y laisser pénétrer les produits étrangers.

Un autre élément important lié aux enjeux économiques et politiques touche les mécanismes de régulation des échanges entre différents partenaires économiques. Si la majorité des accords régionaux incluent dans leur charte des mécanismes d'arbitrage bien définis, on peut s'interroger sur la portée réelle des décisions qui sont prises par les instances juridiques de ces organisations. Autrement dit, en dépit d'un système qui, en apparence du moins, a été pensé et organisé pour mieux encadrer les échanges de plus en plus nombreux entre les partenaires, plusieurs problèmes sont survenus au cours des dernières années montrant que, dans la pratique, certains de ces mécanismes sont déficients. De plus, la capacité de ces instances de punir les acteurs, publics comme privés, pour leurs écarts de conduite est au cœur des enjeux présents et à venir. Comment, en effet, peut-on pénaliser les fautifs en adoptant des mesures efficientes alors que, dans bien des cas, ceux qui décident des pénalités à imposer sont à la fois juges et parties ? Il arrive même, comme ce fut le cas dans le litige opposant le Canada et les États-Unis sur le bois d'œuvre, que des organisations supraétatiques (dans ce cas, l'OMC et le tribunal de l'ALENA) rendent des jugements contraires. Il apparaît donc que le système actuel, loin d'être uniforme, contribue plutôt à fragmenter les règles qui régissent le commerce international, ce qui va à l'encontre des raisons énoncées pour donner plus de pouvoir à ces organisations supraétatiques.

Bien sûr, on ne peut étudier, sur une base purement comparative, des organisations régionales et internationales sans apporter des nuances. La relation qu'entretiennent entre eux les membres de l'Union européenne, sans vouloir évacuer toute relation de pouvoir entre eux, n'est certes pas la même que les rapports qu'entretient le FMI avec des pays africains, par exemple. Qui plus est, ce sont les pratiques des grandes organisations internationales qui suscitent le plus de critiques de la part des sociétés civiles, ce qui montre bien que ces organisations, le FMI et l'OMC en tête, entretiennent un lien ténu avec les populations, voire avec certains gouvernements, et que d'éventuelles réformes seraient bien accueillies par plusieurs acteurs internationaux, à commencer par certaines personnes ayant elles-mêmes œuvré au sein de ces organisations [17]. La question de la main-d'œuvre et des formes de protection des travailleurs est une autre dimension des enjeux économiques et politiques qui mérite une attention particulière.

La main-d'œuvre et la protection des travailleurs

Quel rôle les organisations économiques supraétatiques peuvent-elles jouer à l'échelle internationale en matière de main-d'œuvre et de protection des travailleurs ? L'évolution et l'accroissement des organisations supraétatiques exercent une influence déterminante sur le plan des relations de travail. Les processus de délocalisation rendus possibles grâce aux accords bipartites ou multipartites ont des impacts souvent inattendus sur l'organisation du travail dans les pays concernés, que ce soit sur le plan des syndicats, des relations de travail au sein des entreprises et des organisations ou encore sur le plan de la structure même du travail dans un pays donné (lois, mesures de protection, création ou perte d'emplois, etc.).

S'il y a un domaine où la mondialisation est décriée de toutes parts, c'est bien celui du travail et des effets de la délocalisation, de l'exploitation des travailleurs et du travail des enfants pour le compte de multinationales. Ce phénomène touche plus gravement les pays en voie de développement, mais il touche aussi les pays qui dominent l'économie mondiale. Selon l'Organisation internationale du travail, en 2005, plus de 211 millions d'enfants âgés de 5 à 14 ans étaient forcés de travailler (OIT, 2005). Bien que la plupart d'entre eux proviennent de pays en voie de développement, notamment des pays d'Asie, des pays industrialisés comme les États-Unis et la Grande-Bretagne comptent environ 2 millions d'enfants qui travaillent dans des usines, dans le domaine de l'agriculture et dans l'industrie du textile (UNICEF, 2005) [18]. À cause du double effet des pertes d'emplois et de la montée du chômage dans des pays développés qui voient leurs entreprises s'installer là où la main-d'œuvre bon marché abonde, cette dimension de la globalisation est de plus en plus remise en question et ce, bien qu'il semble difficile pour les organisations internationales de la contrôler. C'est dans cette logique que la question de la syndicalisation à l'échelle planétaire, c'est-à-dire un syndicalisme mondial, pose avec acuité l'immense problème des syndicats nationaux dans le contexte actuel : ils sont de plus en plus affaiblis par les décisions financières et industrielles prises à l'échelle mondiale (Breitenfellner, 2004).

L'une des causes de cet affaiblissement est la multiplication des accords multilatéraux entre divers partenaires, États et entreprises, car cela diminue considérablement les chances des syndicats de signer des ententes bipartites ou tripartites avec les gouvernements et les entreprises. Les difficultés inhérentes à la création d'un système global de régulation et au maintien de règles obligeant les entreprises à respecter des conventions collectives à l'échelle internationale ont pour effet de placer les syndicats dans une situation de faiblesse. Or, des organisations comme l'ALENA ou l'OMC ne semblent pas vouloir ou pouvoir se préoccuper de cette question. Le manque d'organisation des travailleurs à l'échelle mondiale a des conséquences importantes non seulement sur la main-d'œuvre, mais également sur le système capitaliste.

En effet, on s'entend de plus en plus dans la communauté scientifique pour souligner que de meilleures conditions de travail entraînent une meilleure productivité et une plus grande stabilité au sein du système ce qui, à terme, est profitable pour l'ensemble des acteurs. En outre, de meilleures conditions de travail permettraient d'améliorer les critères d'éthique et de gouvernance des entreprises et entraîneraient une meilleure coordination des actions à entreprendre contre les entreprises prises en situation d'illégalité (Franck, 1994). En matière de relations de travail sur le plan international, il revient à l'Organisation internationale du travail (OIT) d'agir en tant que chien de garde en favorisant la « plénitude de l'emploi et l'élévation des niveaux de vie », « l'extension des mesures de sécurité sociale en vue d'assurer un revenu de base à tous ceux qui ont besoin d'une telle protection » et en garantissant « les chances égales dans le domaine éducatif et professionnel » (Lee, 2004). La raison d'être de l'OIT est en quelque sorte de favoriser le maintien de l'État providence et d'atténuer le « jeu des forces économiques aveugles ». Est-ce à dire que cette organisation ne cadre pas avec les organisations que nous avons vues précédemment ? C'est possible, mais il n'en demeure pas moins que l'enjeu principal est d'assurer une stabilité à l'échelle mondiale, une stabilité avantageuse pour tous, travailleurs comme entreprises, États comme populations, car nul doute qu'un système stable contribue au développement et à l'enrichissement économique et social de tout le monde.

5.4.2 Les enjeux sociaux et culturels

Aborder le thème des entités supranationales sans traiter des enjeux sociaux et culturels serait omettre un volet important de la nature même du système capitaliste contemporain et de sa capacité d'agir dans différentes sphères d'activités. En ce sens, le processus de mondialisation enclenché depuis le début des années 1990 s'inscrit parfaitement dans la dynamique du capitalisme instaurée depuis plus de deux cents ans en favorisant une certaine homogénéisation culturelle[19]. Loin de plaire à tous, la pression exercée par le capitalisme, grâce entre autres aux organisations supraétatiques comme l'OMC, alimente les critiques et est à l'origine de mesures adoptées par d'autres organisations internationales pour pallier le processus d'homogénéisation culturelle et de destruction du tissu social propre à chaque contexte national et régional. C'est dans cette perspective que plusieurs auteurs, dont des historiens, ont montré avec brio que le capitalisme porte en lui les germes de l'expansion territoriale et de l'unification des systèmes politico-juridiques (Braudel, 1985 ; Baechler, 1971). Depuis l'apparition des premières formes d'institutionnalisation du capitalisme et l'émergence d'un marché basé sur l'échange, le capitalisme n'a cessé de s'étendre à de nouveaux espaces géographiques et de conquérir de nouvelles entités socioculturelles comme le processus de colonisation, en Amérique et ailleurs, l'a si bien montré.

La mouvance altermondialiste

Lorsqu'il est question de mondialisation, c'est justement cette capacité du capitalisme à prendre de l'expansion qu'il faut retenir. En ce sens, la mondialisation telle qu'elle se présente de nos jours crée un nombre considérable de laissés-pour-compte qui, s'ils étaient peut-être tout aussi nombreux il y a cinquante ans, sont devenus plus « visibles » aujourd'hui, d'où l'apparition, dans l'espace public international, de voix de plus en plus nombreuses pour dénoncer les excès du néolibéralisme. Les multiples critiques qui fusent de partout à l'égard des organisations économiques supraétatiques ont un objectif commun : remettre en question le discours et les pratiques économiques hégémoniques actuelles. Selon Chossudovsky (1998), la caractéristique première du système actuel est l'intégration du commerce international aux marchés financiers, ce qui a pour conséquence de favoriser l'accumulation de la dette des pays en « étranglant les institutions nationales et en détruisant les économies réelles » (p. 19). Pour cet auteur et pour plusieurs autres, les programmes d'ajustement structurel (PAS) imposés aux pays en développement par le Fonds monétaire international et la Banque mondiale constituent une manipulation des lois du marché pour répondre aux besoins et aux exigences des intérêts économiques financiers dominants, ce qui est un accroc aux principes du libre marché et de la concurrence.

C'est dans ce contexte de contestation et de revendication à l'endroit des organisations supraétatiques que la mouvance altermondialiste connaît une prolifération sans précédent depuis la fin du bloc soviétique. En tant que mouvement arc-en-ciel, la mouvance altermondialiste a passablement évolué au cours des dernières années. Premier signe de changement, la dénomination même de cette mouvance qui, au début des années 1980, était définie plus fréquemment par le terme « antimondialiste » qui exprimait, à l'époque, bien plus un rejet du processus de mondialisation qu'une volonté de le transformer comme c'est le cas aujourd'hui. Un autre aspect de cette transformation de l'altermondialisme est certes l'éclatement des limites idéologiques du mouvement qui regroupe maintenant une pléiade d'appartenances allant des anticapitalistes aux libertariens en passant par des réformistes favorables au marché mais critiques à l'égard de sa position hégémonique dans l'organisation des sociétés et des relations internationales de manière générale. Au sein de la mouvance altermondialiste, on trouve même des partisans du nationalisme et du retour au protectionnisme, position défendue par le groupe de l'activiste français José Bové. C'est pourquoi la constellation altermondialiste comprend aussi bien des défenseurs des tortues des îles Galápagos que des groupes antinucléaires, par exemple.

Mouvance aux horizons disparates, l'altermondialisme s'articule néanmoins autour de quelques axes de pensées et d'actions dont la lutte pour le développement, les droits fondamentaux, la paix et la démocratie (Wikipédia, 2005). Les cibles préférées de l'altermondialisme sont sans contredit le FMI et ses programmes d'ajustement structurel de même que l'OMC et ses efforts de libéralisation des marchés mondiaux. Les altermondialistes considèrent que les pratiques de ces organisations supraétatiques, tout comme celles de la Banque mondiale, du G8 et du groupe des 20, vont à l'encontre des principes de démocratie et de justice sociale. Ils considèrent que l'économie est d'abord et avant tout organisée autour d'intérêts politiques suivant une logique où les gouvernements abandonneraient consciemment leurs prérogatives au profit d'intérêts privés et antidémocratiques. Les critiques formulées à l'endroit des pays riches dans leurs relations avec les pays pauvres sont également au cœur des revendications d'une majorité de groupes altermondialistes. De plus, les altermondialistes font des grandes multinationales (Nike, Wal-Mart, sociétés pétrolières, etc.) l'objet de leurs critiques les plus virulentes.

Alors qu'au début les altermondialistes en Occident se rassemblaient pour manifester là où les grandes organisations se réunissaient (Davos et Seattle pour l'OMC, ville de Québec pour l'éventuelle zone de libre-échange des Amériques, Gênes lors du sommet du G8, etc.), depuis quelques années, ils organisent des sommets parallèles dans des endroits généralement situés dans des pays en voie de développement. Ce fut le cas notamment lors des forums sociaux mondiaux de Porto Alegre au Brésil de 2001 à 2003 ou encore lors du forum de Mumbai en Inde en 2004. Depuis ce jour, des forums sociaux dits « polycentriques » sont organisés dans différents endroits, principalement dans des villes de pays en développement, pour bien marquer la différence entre ces sommets et les rencontres des grandes organisations qui, historiquement, se tiennent dans des villes de pays développés. Bien que ces rencontres expriment une volonté de remettre en question la libéralisation des marchés au détriment des dimensions sociales et humaines de la vie en société, elles expriment aussi le passage d'une position purement critique à celle d'une position participative au processus de mondialisation. Par le fait même, la plupart des mouvements altermondialistes reconnaissent l'inéluctabilité de l'ouverture des frontières, voire les bienfaits de certaines dimensions de cette ouverture comme celle à des cultures plus ou moins méconnues (certains peuples autochtones d'Amérique par exemple), et une solidarité transfrontalière et transnationale.

Souvent blâmés parce qu'ils se contentent de critiquer sans jamais rien proposer, les mouvements altermondialistes ont toutefois certaines grandes idées qui font consensus. Parmi celles-ci, notons l'annulation de la dette publique des pays pauvres, une meilleure redistribution de la richesse par le commerce équitable, une plus grande transparence des organisations supraétatiques, l'instauration d'une taxe sur les transactions financières, communément appelée la taxe Tobin du nom de cet économiste américain qui fut le premier à proposer une telle taxe en 1972, l'abolition des paradis fiscaux, l'opposition à la privatisation de l'eau ou des services de santé et la promotion d'accords internationaux visant à protéger l'environnement (ex. : Kyoto). Bien qu'il soit difficile de mesurer la portée réelle des actions des mouvements altermondialistes, c'est grâce à eux que les populations ont pris conscience de l'importance d'organisations telle l'OMC dans la structuration de l'économie mondiale. Ces mouvements ont su éveiller les consciences et même si certaines de leurs revendications semblent peu réalistes au regard de la dynamique internationale contemporaine, ils ont tout de même réussi à rallier des personnalités influentes comme le chanteur Bono du groupe U2 et l'ex-président sud-africain Nelson Mandela.

La diversité culturelle

Outre les critiques et les actions des mouvements altermondialistes à l'égard des organisations économiques supraétatiques, la question de la protection de la diversité culturelle est au cœur des débats et des enjeux contemporains. Certaines cultures, souvent représentées par un État-nation mais pas exclusivement, se sentent menacées d'extinction par la puissance économique de certaines cultures nationales qui arrivent à s'imposer aux autres[20]. Dans ce contexte, des voix s'élèvent depuis plusieurs années pour favoriser la protection des cultures les plus fragilisées par le processus de mondialisation. Bien que le phénomène ne soit pas aussi récent qu'il semble, le processus actuel de remise en question de cette homogénéisation culturelle entraînée par le développement du capitalisme est caractérisé par la présence de pays jouissant d'un pouvoir et d'une force de représentation importante sur le plan international. C'est ainsi que la France et le Canada, au sein duquel le Québec joue un rôle déterminant, sont des acteurs fort importants dans la promotion et le respect des différences culturelles. C'est dans ce contexte de valorisation de la diversité culturelle que, lors de la 33e session de la Conférence générale de l'Organisation des Nations Unies pour l'éducation et la culture (UNESCO) qui s'est tenue en octobre 2005, les pays participants ont adopté la Convention sur la protection et la promotion de la diversité des expressions culturelles qui entrera en vigueur trois mois après que 30 États l'auront ratifiée[21].

Outre le principe général d'« humaniser la mondialisation », la Convention favorise les « liens qui unissent culture, développement et dialogue et [vise] à créer une plate-forme innovante de coopération culturelle internationale» (UNESCO, 2005). Cet aspect est fort important, car il réaffirme, au nom du principe selon lequel les biens et les services culturels ont une valeur économique et sociale, le droit des États d'élaborer des politiques culturelles pour protéger et promouvoir les expressions culturelles. Cette mesure permet donc aux pays de se protéger dans le cas où, par exemple, une multinationale voudrait poursuivre un gouvernement en justice sous prétexte que ses mesures de protection de la diversité culturelle vont à l'encontre des principes de libre marché tels qu'ils sont défendus par l'OMC. De plus, l'article 2 de la Convention met l'accent sur les droits de la personne en garantissant que toute «mesure destinée à protéger et à promouvoir la diversité des expressions culturelles ne porte atteinte aux libertés fondamentales des personnes notamment en ce qui a trait à la liberté d'expression, d'information et de communication». L'autre élément important de la Convention sur la protection et la promotion de la diversité des expressions culturelles est qu'elle valorise et encourage les pratiques d'ouverture et d'équilibre en favorisant la diversité des expressions culturelles et la promotion de «l'ouverture aux autres cultures du monde» (UNESCO, 2005).

Certains pays, les États-Unis en tête, se sont farouchement opposés à toute mesure de protection de la diversité culturelle en arguant que cela irait à l'encontre du libre marché. Il est intéressant de noter que ce qui est au cœur des revendications des pays, c'est la dénonciation de l'omniprésence et de la prépondérance de certaines cultures, principalement la culture anglo-américaine à travers le cinéma hollywoodien, ce qui laisse peu de place aux productions audiovisuelles locales alors que du même souffle les États-Unis ont été les plus farouches adversaires de toute forme de protection de la diversité culturelle. Pour le Québec, cinq points de la Convention sont déterminants et ont incité le Gouvernement du Québec à ratifier la Convention[22] :

1. Le droit souverain des États et des gouvernements de se doter de politiques culturelles dans une perspective d'ouverture aux autres cultures ;

2. La double nature des biens, des services et des activités culturelles, ce qui implique que les biens et les services culturels ne doivent pas être traités comme les autres biens et services parce qu'ils sont porteurs de «sens et d'identité» ;

3. L'articulation juridique et politique adéquate avec les autres instruments internationaux ;

4. Les mécanismes efficaces de règlement des différends prévus dans la Convention ;

5. La coopération internationale, notamment entre les pays du nord et du sud.

Le Québec espère ainsi protéger sa culture francophone en Amérique et encourager les artistes et les artisans québécois à exprimer leur talent tout en inscrivant les biens et les services culturels québécois dans une perspective d'enrichissement de toutes les cultures qui façonnent la civilisation. Comme on le constate, le capitalisme en tant que système dominant est fortement appuyé par des organisations supraétatiques non moins dominantes, mais il n'en demeure pas moins que de nombreuses actions sont entreprises par divers acteurs sociaux et étatiques pour en limiter les effets pervers. La mouvance altermondialiste et la Convention sur la protection et la promotion de la diversité des expressions culturelles en sont de bons exemples.

CONCLUSION

Dans les pages précédentes, nous avons présenté les trois principales organisations économiques supraétatiques sur le plan international, soit le Fonds monétaire international, la Banque mondiale et l'Organisation mondiale du commerce. Tout en mettant l'accent sur l'importance de ces organisations dans la structuration du capitalisme contemporain, nous avons vu qu'il existe plusieurs autres organisations internationales et régionales qui jouent, elles aussi, un rôle important. La chute du bloc soviétique ayant accéléré l'expansion du capitalisme au cours des années 1990, principalement en Europe de l'Est et en Chine, ces organisations n'en sont devenues que plus puissantes et par le fait même sujettes aux critiques et aux remises en question.

Alors que certains prônent, au nom d'une meilleure répartition de la richesse à l'échelle planétaire, l'abolition de ces grandes organisations supraétatiques nées à la fin de la Deuxième Guerre mondiale, d'autres optent plutôt pour une réforme de ces institutions. Le choix entre ces deux options auxquelles s'ajoute le *statu quo* est certes difficile, mais il ne faut pas oublier que si ces organisations en venaient à disparaître, cela pourrait signifier un retour à l'omnipotence des États ce qui, et l'histoire nous l'enseigne fort bien, n'a jamais réussi à favoriser l'harmonie et la stabilité à l'échelle planétaire que ce soit sur le plan politique ou économique.

Quoi qu'il en soit, les organisations économiques supraétatiques ont joué un rôle fondamental dans l'évolution du système capitaliste tel que nous le connaissons aujourd'hui et il serait fort étonnant que ces entités disparaissent. L'expansion du capitalisme et la faiblesse des autres modèles qui sont proposés devraient finalement encourager encore plus le regroupement d'intérêts nationaux au sein d'organisations supraétatiques et ce, dans une volonté toute capitaliste de concurrencer d'autres entités elles aussi dominées par l'économisme et les intérêts spécifiques de quelques acteurs principaux. C'est dans cette optique que les entités supraétatiques, souvent mises en place par les États eux-mêmes, occupent des espaces juridiques et économiques restés vierges et qui autrement auraient été totalement accaparés par les entreprises multinationales en vue de leur seul profit. C'est dire que loin d'affaiblir complètement l'État-nation, sa présence au sein des organisations supraétatiques pourrait même lui donner un second souffle. En poussant l'argumentaire plus loin, on peut même considérer que la puissance des organisations supraétatiques tient à la volonté des États-nations de ne pas laisser le champ libre à l'entreprise privée dans le domaine de la régulation des échanges économiques mondiaux.

Notes

1. Bien que le projet d'une organisation supraétatique ait été institué sous la pression du président Wilson, il est à noter que les États-Unis ne feront pas partie de la SDN ni l'ex-Union soviétique (URSS).

2. Cette période de prospérité ne touche évidemment pas l'Allemagne de la république de Weimar alors sous le coup des représailles qui ont suivi la Première Guerre mondiale.

3. Avant la crise de 1929, les crises successives au sein du capitalisme étaient perçues comme des moments incontournables permettant de «purger» le système et de se renouveler. Plus tard, l'économiste Joseph Schumpeter (1883-1950) élaborera le concept de «destruction créatrice» pour expliquer ces moments de crise précédant la récession économique. Voir J. Schumpeter, *Capitalisme, socialisme et démocracie* (traduit de l'anglais par G. Fain), Paris, Payot, [1942] 1990.

4. Des gens comme l'économiste anglais J. Maynard Keynes, père du keynésianisme, vont aussi jouer un rôle important dans les transformations à venir en faisant ressortir l'importance de se doter d'organisations supraétatiques pour mieux contrôler les excès du capitalisme.

5. Il en sera peu question ici, mais il ne faudrait pas oublier que sur le plan institutionnel la création de l'Organisation des Nations Unies est un événement fondamental du système international contemporain. Nous n'examinerons pas en détail le cas de l'ONU, mais dans le tableau 5.1, on mentionne que l'Organisation de coopération et de développement économique (OCDE) relève de cette organisation.

6. Voir à ce sujet l'encadré 5.2 sur les crises asiatiques.

7. Pour un autre exemple de l'impact des mesures du FMI sur les politiques nationales, voir le cas de la privatisation de l'eau à Cochabamba en Bolivie. À ce sujet, le lecteur peut consulter *Le Courrier de l'UNESCO* (www.unesco.org).

8. Ces mesures ont été discutées dans le cadre du cycle de négociations de Doha qui s'est terminé en décembre 2005 à Hong Kong.

9. À ce sujet, voir la position de Ziegler, rapporteur spécial, Commission des droits de l'homme sur le droit à la nourriture, «L'aide alimentaire ne peut pas être l'objet de marchandage à l'OMC», *Le Devoir*, 5 décembre 2005, p. A7. Voir aussi l'ouvrage de Ziegler intitulé *Les nouveaux maîtres du monde et ceux qui leur résistent* (Paris, Fayard, 2002).

10. Les tableaux 5.1 et 5.2 donnent une brève description des organisations sélectionnées. Les informations présentées proviennent des sites Web des organisations et n'ont pas fait l'objet d'une révision critique.

11. L'éventuelle accession de la Turquie à l'Union européenne pourrait servir de contre-exemple à l'idée de la nécessaire proximité culturelle dans les organisations régionales. Cela ne se fait toutefois pas sans heurts et le cas de la Turquie est intéressant pour quiconque s'intéresse au lien entre espace culturel et intégration politico-économique au sein d'une structure régionale.

12. On ne peut passer ici sous silence le rôle du plan Marshall. Ce plan américain d'aide économique à l'Europe a permis aux États-Unis de jouer un rôle important dans la réorganisation de l'Europe d'après-guerre et d'affaiblir la position de l'URSS en Europe occidentale. Toutefois, cela n'a pas nui à la création de l'Union européenne.

13. À ce sujet, voir Laderman et autres «Mexico five years after the crisis», dans *Annual Bank Conference on Development Economics 2000*, Washington D.C., World Bank, 2001, p. 263-282.

14. Il ne faut pas oublier que la situation des autochtones au Canada et aux États-Unis est tout aussi difficile mais peut-être moins visible à cause des « réserves indiennes » qui existent dans ces pays.

15. Les cas d'Enron ou de Worldcom aux États-Unis sont des exemples probants de la nécessité d'adopter des mesures strictes relativement aux pratiques des entreprises.

16. Bien que cela frappe plus durement les économies les plus fragiles, les États-Unis se heurtent depuis quelques années à un réel problème concernant leur balance commerciale. Ce problème est attribuable principalement aux nombreuses importations provenant de Chine.

17. Le nom de Joseph E. Stiglitz, Prix Nobel d'économie, est souvent associé à ceux pour qui des réformes s'imposent. Ancien président de la Banque mondiale, Stiglitz prône une meilleure gestion de la mondialisation par la mise en place d'institutions mieux adaptées à la réalité de l'ensemble des pays. Pour plus de détails, voir Stiglitz, *Quand le capitalisme perd la tête,* Paris, Fayard, 2003. Jean Ziegler, rapporteur spécial sur le droit à l'alimentation pour l'Organisation des Nations Unies, est aussi associé à ceux qui, parce qu'ils ont travaillé ou travaillent encore au sein de ces organisations, ont décidé de dénoncer les abus et les incohérences des pratiques de ces grandes organisations. Voir Ziegler, *Les nouveaux maîtres du monde et ceux qui leur résistent,* Paris, Fayard, 2002.

18. Ces données sont tirées d'un article d'André Jacob, « Le travail des enfants : la grande hypocrisie », *Le Devoir,* mercredi 7 décembre, p. A7.

19. On pourrait même parler ici de 1492, année qui marque le début de la conquête du continent américain par Christophe Colomb et l'Armada espagnole. Le génocide des peuples autochtones sur ce continent, au nord comme au sud, constitue l'une des premières formes organisées de génocide tant physique que culturel au nom du progrès et du développement de l'économie capitaliste à venir. À ce sujet et au sujet du lien entre culture et conquête, voir Todorov, *La conquête de l'Amérique : la question de l'autre,* Paris, Seuil, 1982.

20. Selon l'UNESCO, il y a environ 6 000 communautés culturelles dans le monde et presque autant de langues parlées. Par ailleurs, il y a environ 198 pays membres de l'Organisation des Nations Unies (ONU et UNESCO, 2005).

21. Sur les 154 pays membres de l'UNESCO, 148 ont voté en faveur de la Convention, deux pays, dont les États-Unis, ont voté contre et il y a eu quatre abstentions (UNESCO 2005).

22. Bien qu'il ne fasse pas partie du concert des nations, le Québec fut le premier, le 10 novembre 2005, à ratifier la Convention. Le Canada lui emboîta le pas le 23 du même mois consacrant ainsi le Québec et le Canada comme chefs de file du mouvement international pour le respect de la diversité culturelle. La position du Québec présentée ici est inspirée d'un communiqué publié par le ministère des Relations internationales du Québec (MRI).

CHAPITRE 6

Les syndicats
et la mondialisation

Christian Lévesque, Urwana Coiquaud et Lucie Morissette

Annie, comme plusieurs élèves de HEC Montréal, travaille à temps partiel pour
boucler ses fins de mois. Récemment, elle a obtenu un emploi dans la plus grande
entreprise au monde : Wal-Mart[1]. Son salaire est un peu plus élevé que le salaire
minimum : si son rendement le justifie, son salaire augmentera. De plus, si elle
consent à mettre toute son énergie dans son travail, la compagnie pourrait même
lui offrir des actions. Quand elle est entrée en fonction, son « coach » lui a dit que
certains associés étaient devenus millionnaires grâce aux actions de la compagnie.
Il lui a aussi expliqué les trois principes qui sous-tendent le travail de tous les associés : le respect de l'individu, le dépassement des attentes du client, la recherche de
l'excellence. Elle est très enthousiaste à l'idée de travailler chez Wal-Mart : elle ne
sera pas considérée comme une ressource humaine mais comme une associée. Ça
fait toute une différence !

Durant sa pause, elle a eu l'occasion de discuter avec deux collègues, Ginette
et Rita, qui travaillent chez Wal-Mart depuis 7 ans et 10 ans respectivement.
À l'époque, elles avaient eu de la difficulté à réintégrer le marché du travail,
qu'elles avaient quitté pendant 10 ans. Wal-Mart fut la seule entreprise à leur faire
confiance, à leur donner une chance de retrouver leur place sur le marché du travail. Pour elles, Wal-Mart, c'est un peu leur deuxième famille. Elles participent
aux activités sociales, elles s'engagent pleinement dans leur travail et elles n'hésitent pas à accepter une tâche supplémentaire même sans rémunération. Elles ont
le WM « tatoué sur le cœur ». Innocemment, Annie leur demande pourquoi, pendant sa journée d'orientation, son « coach » a tant insisté sur la question syndicale. Il lui a bien expliqué que les syndicats avaient leur utilité auparavant, mais
qu'aujourd'hui, ils n'étaient plus nécessaires. Ils seraient même la cause principale
du piètre rendement des entreprises. Annie sait fort bien que certains employeurs
s'opposent aux syndicats, mais elle sait aussi, pour l'avoir étudié, que le lien entre
la présence syndicale et le rendement des entreprises est très complexe. Au seul
mot « syndicat », Ginette et Rita ont blêmi. « Les syndicats, les syndicats, tu as vu

ce qui est arrivé aux associés de Saguenay? Eh bien, les syndicats ont fait fermer une succursale de Wal-Mart à Saguenay en 2005. Après avoir obtenu son accréditation, on ne sait trop comment, le syndicat a forcé la compagnie à fermer boutique en présentant des demandes exagérées. C'est ça que voulait le syndicat!» Annie leur demande si elles n'exagèrent pas un peu. Après tout, ce n'est pas le syndicat qui a décidé de fermer la succursale. Rita et Ginette foudroient Annie du regard avant de quitter la salle de repos: «Franchement, tu ne viendras pas nous dire comment fonctionnent les syndicats. On le sait. Tu n'as qu'à lire les journaux.» Annie regrette d'avoir abordé cette question avec ses nouvelles collègues. En sirotant son café, elle ne peut s'empêcher de penser que Rita et Ginette devront travailler environ 1 000 ans pour empocher le salaire d'une seule année du grand patron de Wal-Mart, M. Lee Scott fils, qui était de 17,5 millions de dollars en 2004.

Éric aussi est étudiant, mais il n'a pas besoin de travailler à temps partiel. Son père s'est privé toute sa vie pour lui permettre de poursuivre des études universitaires. Il s'est promis que son fils ne serait pas ouvrier comme lui. C'est son rêve le plus cher. Faisant partie de la génération des «baby-boomers», il travaille dans un abattoir de porc et son salaire horaire est d'environ 17 $. Il gagne assez bien sa vie et s'est même permis un petit voyage en Floride il y a trois ans. Il n'y serait probablement pas allé s'il avait su ce que l'avenir lui réservait... La semaine dernière, il a pris connaissance par les journaux que son employeur avait annoncé la fermeture de l'usine dans six mois. Pourtant, la productivité et la qualité ont augmenté ces dernières années. L'employeur avait même mis en place des groupes de résolution de problèmes, où les travailleurs étaient invités à faire des suggestions pour réduire les coûts de production. Le père d'Éric s'en souvient très bien puisqu'un de ses collègues avait alors suggéré une réorganisation du travail comportant la suppression de deux postes, dont le sien. Ces dernières années, de manière à assurer sa position concurrentielle sur les marchés internationaux, l'employeur avait introduit de nouvelles technologies et avait procédé à une rationalisation des opérations, avec pour conséquence la fermeture de plusieurs usines au Québec. Le père d'Éric est abattu, il est en colère contre son employeur, mais aussi contre le syndicat. Il se demande ce que le syndicat a fait dans tout ça. Ça fait vingt ans qu'il paie une cotisation syndicale et, au moment où il en a besoin, le syndicat ne réagit pas. Comment se fait-il que les représentants syndicaux n'aient pas prévu la fermeture de son usine? C'est peut-être même un peu à cause d'eux que l'usine va fermer. Peut-être que les salaires sont trop élevés! Le syndicat a sans doute présenté des demandes exagérées, ou alors il est tout simplement incapable de faire les concessions qui permettraient d'assurer la survie de l'usine. L'année dernière, l'employeur avait annoncé la fermeture d'une autre usine dans la région, mais le syndicat avait accepté une baisse de salaire de 20 % pour en assurer la survie et le maintien des emplois. Si le syndicat était prêt à faire ce genre de concession, l'employeur accepterait peut-être de maintenir l'usine ouverte. Avec une réduction de salaire de 20 %, le père d'Éric devra sans doute se résigner à vendre sa petite maison, mais Éric pourra au moins finir ses études et devenir patron!

Martine travaille dans un centre d'appels de la région de Montréal. L'entreprise embauche actuellement une cinquantaine de salariés, surtout des femmes et des jeunes: la majorité travaille à temps partiel. Lors d'une soirée entre amis, Martine avoue qu'elle songe à se trouver un nouvel emploi. Un peu surpris, Bruno lui demande pourquoi. Elle explique qu'on lui demande souvent de travailler le soir ou la fin de semaine, ce qui l'empêche de passer du temps avec ses enfants. De plus, comme l'horaire de travail est fixé seulement une semaine à l'avance, cela rend presque impossible la planification des activités professionnelles et familiales. Elle ajoute que le salaire au mérite, calculé en fonction des ventes réalisées, représente une proportion importante de la rémunération totale des salariés. Cela ne pose pas problème quand le chiffre de ventes hebdomadaire est suffisant, mais ce n'est pas toujours le cas. Elle aimerait avoir une plus grande stabilité salariale, surtout avec deux enfants. Elle trouve également que le climat de travail est très stressant. La concurrence entre les équipes est très vive. De plus, les objectifs de ventes sont souvent surestimés, ce qui n'empêche pas les superviseurs de mettre beaucoup de pression sur les employés pour les atteindre. «Mais ce n'est pas tout, ajoute-t-elle, on n'a presque pas de liberté au travail: les appels sont distribués automatiquement, et l'on doit utiliser des grilles normalisées de questions et réponses; la numérotation est programmée et nos conversations sont enregistrées.» Elle renchérit en disant: «Je ne m'oppose pas à une certaine rigueur, mais on ne peut rien décider. Sans compter qu'on doit consacrer 85 % de notre temps à répondre à des appels! Je ne sais pas si tu es au courant, mais travailler sans arrêt avec un casque d'écoute devant un écran cathodique, ce n'est pas recommandé en matière de santé et sécurité au travail. Et ce qu'il y a de pire, c'est de voir notre superviseur faire les gros yeux si l'on prend une pause.»

Elle conclut qu'elle aime bien son travail et qu'elle resterait si la qualité de vie s'améliorait. Attentif au récit de Martine, Bruno lui demande si ses collègues vivent les mêmes insatisfactions. Elle répond du tac au tac: «On est toutes du même avis, on trouve que cela n'a plus de sens.» Bruno lui demande si elles en ont parlé à leur employeur. «Mais oui, à plusieurs reprises, mais il ne veut rien changer, c'est comme si on n'existait pas!» Bruno conclut en lui suggérant la syndicalisation. Martine, surprise, trouve cette suggestion un peu étrange. Mais en y réfléchissant bien, elle se demande si le fait de négocier collectivement les conditions de travail ne pourrait pas résoudre les problèmes qu'elle et ses collègues vivent au sein de leur entreprise.

Ces trois récits illustrent à la fois les changements en cours sur le marché du travail et les pressions vécues par les employés pour s'adapter à ces changements. Ils reflètent aussi l'ampleur des défis avec lesquels les syndicats doivent composer. Pour certains analystes, les nouvelles stratégies de gestion des ressources humaines, la rationalisation des emplois et les nouvelles formes d'organisation du travail représentent autant de changements sur lesquels les syndicats ont peu d'emprise. On assisterait à l'apparition d'un nouveau modèle de relations du travail caractérisé par un affaiblissement inéluctable du pouvoir des syndicats.

Sans nier les répercussions de la mondialisation sur les syndicats, notre hypothèse de travail est que les acteurs dans l'entreprise disposent d'une marge de manœuvre relative qui leur permet d'influer sur les changements en cours. Certes, l'internationalisation des échanges commerciaux ainsi que la répartition des cycles de production entre pays, qui représentent des traits majeurs de la mondialisation, entraînent une redéfinition des règles du jeu où l'amélioration de la qualité et de la productivité est de première importance. Cependant, ces règles ne suppriment pas la marge de manœuvre des acteurs sur le plan local. Cette position nous amènera à accorder une grande importance aux dynamiques sociales et aux facteurs qui peuvent intensifier ou atténuer les effets de la mondialisation sur la capacité de régulation des syndicats.

Dans ce chapitre, nous allons explorer cette hypothèse et chercher à mieux comprendre les enjeux et les défis qui se posent pour les syndicats. Plus précisément, nous allons nous interroger sur l'avenir des syndicats dans le cadre de la nouvelle économie et sur le rôle qu'ils sont appelés à y jouer. La première partie de ce chapitre présente les arguments généralement avancés à l'appui de la prétention que les syndicats ne sont plus pertinents dans le contexte de la nouvelle économie. Nous comparerons ces arguments aux données empiriques sur le sujet. Un tel exercice permettra d'aborder des questions qui concernent directement l'action des syndicats dans l'entreprise : existe-t-il un lien entre la présence syndicale et le rendement des entreprises ou leur capacité d'innovation ? Les syndicats sont-ils en mesure de contribuer à l'amélioration des conditions de travail de leurs membres ? Quelle perception les salariés ont-ils du syndicalisme ? La lecture de cette première partie permettra de jeter un éclairage sur la complexité de l'action syndicale et sur la nature des défis à relever dans le contexte de la nouvelle économie.

Dans la deuxième partie, nous examinerons les moyens mis de l'avant par les syndicats pour relever ces défis en insistant plus particulièrement sur trois types d'expérience : les partenariats patronal-syndical, les alliances syndicales internationales et l'intervention syndicale dans la gestion des fonds de retraite. Nous tenterons alors de mieux comprendre les logiques d'action syndicale et de relever les conditions qui favorisent le développement de ces expériences. Nous insisterons notamment sur le fait qu'elles bouleversent les façons de faire et nécessitent la mobilisation de nouvelles compétences et ressources de pouvoir. En conclusion, nous nous interrogerons sur l'avenir des syndicats dans ce nouveau contexte de mondialisation.

6.1 LA MONDIALISATION ET LE SYNDICALISME

Trois arguments complémentaires et parfois contradictoires sont invoqués pour appuyer la thèse voulant que, dans un contexte de mondialisation, les syndicats ne constituent plus un acteur pertinent. On avance l'idée que les syndicats représentent un facteur de rigidité, un frein à l'introduction de pratiques novatrices et à la modernisation des entreprises. Parallèlement, on prétend aussi que les syndicats sont de moins en moins en mesure d'assurer la régulation des conditions de travail. Ils n'auraient pratiquement plus d'emprise sur la détermination des salaires et des conditions de travail de leurs membres. Enfin, les syndicats ne représenteraient plus les aspirations d'une majorité de salariés. Il y aurait une désaffection des salariés envers les syndicats, particulièrement chez les jeunes (Brunelle, 2002). Bref, les personnes salariées s'identifiaient de moins en moins à cette institution qui a vu le jour au Québec en 1827, à l'aube de l'industrialisation. Examinons ces trois arguments.

6.1.1 Les syndicats comme facteur de rigidité

Depuis longtemps, les syndicats sont considérés comme un facteur de rigidité. En fait, les organisations collectives ont longtemps été prohibées et les activistes syndicaux pouvaient être accusés de conspiration criminelle dans le but de nuire au commerce (Marsden, 2001). L'opposition aux syndicats fut telle qu'il a fallu plusieurs années avant que les gouvernements amendent graduellement les lois du travail pour reconnaître pleinement et entièrement les syndicats comme représentants légitimes des travailleurs.

En Angleterre, au début du XIXᵉ siècle, les associations d'employeurs soutenaient que les syndicats étaient des organismes criminels qui brimaient la liberté de commerce. Très rapidement, le gouvernement anglais adopta deux lois sur les corporations — les *Combination Acts* de 1799-1800 — interdisant les associations ouvrières professionnelles (Sagnes, 1994, p. 23). Ces dispositions, conjuguées au délit de coalition issu de la doctrine de la *common law* (infraction au regroupement de travailleurs), ont contribué à entraver l'action collective. Les ouvriers ont résisté à cette entrave en organisant des grèves spontanées, des marches populaires et des affrontements violents. L'ensemble de ces événements a incité le gouvernement à intervenir. L'adoption des lois de 1824 et 1825 et l'abolition de celles de 1799 et 1800 marquèrent les débuts du droit syndical. Cette période se caractérisa par la reconnaissance légale de l'action collective considérée comme le prolongement des droits individuels des travailleurs : les actions menées dans cette perspective n'entraînent plus l'intervention de l'État. Cinquante ans plus tard, en 1871, s'amorce une nouvelle ère pour le syndicalisme britannique. La loi lève les obstacles à l'action collective en la décriminalisant et le syndicat n'est plus perçu comme le prolongement des droits individuels ; son existence propre est reconnue (Deakin et Wilkinson, 2005, p. 204-209 ; Leader, 1986, p. 86). Au Canada, un mouvement semblable s'amorce quelques années après la création de la fédération canadienne en 1867 (Trudeau, 2004, p. 15). En 1872, le syndicat des typographes déclenche une grève pour obtenir une réduction de la journée de travail de 10 à 9 heures. Dans la foulée de cette grève, le gouvernement emprisonne les dirigeants syndicaux mais la mobilisation populaire est telle que le Parlement fédéral amende le Code criminel pour lever l'interdiction des activités syndicales.

Cette mesure législative reste insuffisante. Il faudra attendre 1892 pour que l'activité syndicale soit décriminalisée.

De 1872 à 1944, les syndicats sont tolérés mais l'État ne favorise pas la syndicalisation. À partir de 1907, son action se résume à réglementer la grève afin d'assurer la paix industrielle et à établir des mécanismes de conciliation et d'arbitrage lors des négociations collectives et des conflits ouvriers. Certes, les travailleurs peuvent former des syndicats mais les employeurs peuvent accepter ou refuser de les reconnaître. Par conséquent, cette période est caractérisée par plusieurs conflits dont l'enjeu reste la reconnaissance syndicale (Gérin-Lajoie, 2004). Ce n'est qu'en 1944 que les gouvernements canadien et québécois adopteront un modèle de relations de travail adapté du modèle américain, qui servira d'ossature au système contemporain de relations de travail. Depuis lors, l'État intervient pour renforcer ou atténuer les droits et les obligations des syndicats et des employeurs, sans pour autant agir directement sur les relations patronales-syndicales, du moins dans le secteur privé.

Aujourd'hui, ceux qui contestent la contribution des syndicats à l'amélioration de la qualité de vie dans les milieux de travail sont peu nombreux. Cependant, dans une économie développée, et largement soumise à la concurrence internationale, les syndicats ne sont-ils pas devenus une entrave au bon fonctionnement de l'économie? Les conventions collectives constitueraient-elles un frein à l'innovation et à l'adaptation des entreprises à la concurrence internationale? Si oui, les lois du travail, qui assurent une protection aux salariés et à leurs organisations, sont-elles menacées? Selon certains analystes du monde du travail, ces lois provoquent un ensemble d'effets contre-productifs pour la société. Dans un article récent, Kozhaya (2005) fait la recension de quelques recherches réalisées dans les années 1990 sur le lien entre la présence syndicale et la performance économique d'un pays ou d'une région. Elle conclut de cette recension sélective que les privilèges accordés aux syndicats et les contraintes qui en découlent nuisent à l'emploi et à la prospérité en général (Kozhaya, 2005, p. 4).

D'autres auteurs se sont penchés sur les résultats de ces recherches pour en tirer des conclusions fort différentes. Booth (1995) résume fort bien les principaux constats qui se dégagent de la recherche empirique quant à l'impact des syndicats sur la performance économique: «Malheureusement rien!» Les résultats manquent en effet de constance: d'une part, certaines études montrent que la présence syndicale semble nuire à l'investissement ou à la profitabilité des firmes; d'autres études indiquent au contraire que la présence syndicale influence positivement l'investissement, la qualité des biens ou des services produits, la productivité et l'emploi (pour une recension exhaustive de ces études, voir Gunderson et Hyatt, 2001). Peu importe les conclusions de ces recherches, elles se butent souvent au même problème: la difficulté d'isoler l'effet de la présence syndicale sur la performance économique, compte tenu du grand nombre de variables qui contribuent à la performance économique d'un pays ou d'une région. Il devient donc extrêmement difficile, pour diverses raisons méthodologiques, d'établir des liens de cause à effet : à titre d'exemple, c'est une chose d'établir un lien statistique entre le taux de chômage et la présence syndicale, cela en est une autre d'en conclure que la présence syndicale provoque une augmentation du taux de chômage. Il faut donc faire preuve de beaucoup de prudence et de réserve dans l'interprétation de ce type de données.

D'un autre point de vue, on peut aussi s'interroger sur l'effet de la présence d'un syndicat sur la capacité d'innovation des entreprises. Si les syndicats représentent un facteur de rigidité, comme le laissent entendre certaines thèses, on pourrait s'attendre à ce que les innovations soient plus répandues dans les établissements non syndiqués que dans les établissements syndiqués. L'enquête sur les milieux de travail et les employés (Statistique Canada, 2003) fournit des indications à cet égard : la présence syndicale est associée à l'innovation mais pas nécessairement dans le sens des attentes. En effet, la proportion d'employés syndiqués est plus élevée dans les entreprises innovatrices que dans celles qui sont classées comme étant moins novatrices (Statistique Canada, 2003). Plusieurs études réalisées au Canada et aux États-Unis suggèrent aussi que la présence syndicale ne représente pas nécessairement un frein à l'innovation (Appelbaun, 2002 ; Cappelli et Newark, 2001 ; Cooke, 1992 ; Gittleman, 1998 ; Osterman, 2000 ; Way, 2002). Dans la plupart de ces études, la présence syndicale n'est pas associée à la diffusion des innovations, alors que dans d'autres études elle est liée à la diffusion de certaines innovations. Par exemple, Way (2002) montre que la présence syndicale est liée positivement à la constitution de cercles de qualité et à l'implication des employés dans les décisions, mais négativement à la présence d'un programme d'évaluation par les pairs.

Les données obtenues par questionnaire auprès de gestionnaires du secteur de la métallurgie au Québec vont dans le même sens (Lapointe et autres, 2001 ; Lapointe et autres, 2000)[2]. À partir des données du tableau 6.1 sur l'occurrence des pratiques novatrices dans les établissements de ce secteur, trois grandes observations se dégagent. Premièrement, tant les milieux de travail syndiqués que les milieux non syndiqués sont le site de multiples changements. Dans plus de la moitié des établissements, les changements introduits concernent la réduction des inventaires en cours de fabrication, la réduction du temps d'ajustement des machines, les changements technologiques, les programmes de maintenance préventive et les certifications de qualité. Ce résultat renforce l'idée que les employés œuvrent dans un environnement où les besoins de changement sont omniprésents. Deuxièmement, eu égard à l'ensemble des innovations répertoriées, les différences entre les établissements non syndiqués et syndiqués restent marginales. Par exemple, il n'y a pas de différence significative entre ces deux catégories d'établissements quant à la présence de nouvelles méthodes de travail, de renouvellement d'équipement, de techniques de juste-à-temps ou des équipes de travail. Troisièmement, on observe des différences significatives entre les deux catégories d'établissements dans trois domaines ; la présence de certification qualité, l'existence d'un contrôle statistique des procédés et la présence de groupes

TABLEAU 6.1

La diffusion des pratiques de gestion innovatrices dans le secteur de la métallurgie

Les types d'innovation	Établissements syndiqués (n = 85-133) %	Établissements non syndiqués (115-170) %
Juste-à-temps:		
Réduction des inventaires en cours de fabrication[†]	50,6	57,4
Réduction des temps d'ajustement des machines[†]	56,0	58,8
Kanban[†]	23,5	23,0
Modifications des méthodes de travail:		
Changements dans les tâches des employés de production	39,8	37,4
Changements dans les tâches des employés de métier	25,6	22,3
Entretien préventif[†]	65,9	71,1
Gestion de la qualité:		
Certifications de qualité	56,9	73,3**
Programme intégré de gestion de la qualité[†]	11,4	17,8
Changements dans l'équipement:		
Changements technologiques	53,1	60,1
Production cellulaire[†]	41,5	39,4
Informatisation des processus de travail ou de production:		
Contrôle statistique des procédés	22,9	35,7*
Système intégré de gestion	22,9	26,1
Système informatisé de planification de la production	34,5	32,4
Mécanismes de participation des employés:		
Groupes d'amélioration de la qualité	43,8	54,5*
Équipes de travail	22,9	22,0

* $p < 0,05$ ** $p < 0,005$

d'amélioration de la qualité. Dans chaque cas, ces pratiques de gestion sont plus répandues dans les établissements syndiqués que dans les établissements non syndiqués.

Bref, la présence syndicale ne semble pas constituer un frein à l'adoption de pratiques novatrices. Ces résultats peuvent surprendre puisque les théories classiques en économie nous auraient sans doute laissés prévoir l'inverse. Comment expliquer ces résultats? Première hypothèse: en limitant la capacité des gestionnaires de réduire les coûts de main-d'œuvre, les syndicats les poussent à préconiser d'autres solutions, comme l'introduction de pratiques novatrices. On admet généralement que la présence syndicale diminue la marge de manœuvre des gestionnaires, ce qui réduit d'autant leurs options stratégiques, notamment en ce qui a trait aux coûts de main-d'œuvre. Selon Freeman et Medoff (1984), dans les établissements syndiqués, les gestionnaires seraient ainsi amenés à explorer d'autres avenues pour accroître la compétitivité de l'entreprise, d'où leur propension à investir davantage dans les pratiques novatrices.

Deuxième hypothèse : les syndicats ne s'opposent pas nécessairement aux initiatives des gestionnaires et peuvent même faciliter l'adoption de pratiques novatrices. La position des syndicats à cet égard va de l'abstention à l'opposition, de l'appui à la proactivité (Frost, 2001 ; Kumar, 1995). Certaines études montrent que les syndicats ont plutôt tendance à s'opposer aux innovations comme le travail en équipe et les modifications des méthodes de travail (Lapointe, 2001 ; Lévesque, Gérin-Lajoie et Bouteiller, 1998). Le fait que ces pratiques heurtent les règles et les normes établies, et qu'elles remettent en question la convention collective, voire la légitimité du syndicat, expliquerait cette opposition (Locke et Thelen, 1995). D'autres études suggèrent au contraire que les syndicats ont plutôt tendance à appuyer les innovations en milieu de travail, et même à adopter une approche proactive (Bourque et Rioux, 2001 ; Frost, 2001). Cette attitude plus favorable servirait de monnaie d'échange pour obtenir une meilleure protection contre les mises à pied, des programmes de formation de la main-d'œuvre ou des garanties contre la sous-traitance.

Troisième hypothèse : le rôle assumé par le syndicat lors de l'introduction des innovations peut avoir une influence sur la réussite des changements. Un nombre de plus en plus imposant de recherches montre que ce n'est pas la présence syndicale qui a un effet déterminant sur la performance des entreprises et leur capacité d'innover mais plutôt la nature des relations patronale-syndicale. (Cooke, 1992 ; Osterman et autres, 2001 ; Voss et Mishel, 1992). En conséquence, l'implication du syndicat dans le processus d'introduction des changements contribuerait à la réussite des changements et, en bout de ligne, à l'amélioration du rendement et du climat de travail (Lapointe et autres, 2001).

En somme, contrairement aux croyances habituelles, il n'y a pas de lien systématique entre la présence syndicale et la performance de l'entreprise ou l'adoption de pratiques novatrices. Autrement dit, la présence syndicale ne représente pas un facteur de rigidité, ni un frein à l'innovation. Ce n'est pas tant la présence syndicale que la dynamique sociale qui favorise l'innovation dans un établissement. La possibilité de négocier divers avantages et l'attitude du syndicat dans l'introduction de pratiques novatrices apparaissent comme des ingrédients essentiels à l'établissement d'un climat propice au changement.

6.1.2 L'INCAPACITÉ DES SYNDICATS À ASSURER LA RÉGULATION DES CONDITIONS DE TRAVAIL

Paradoxalement, on prétend aussi que les syndicats sont de moins en moins en mesure d'assurer la régulation des conditions de travail dans le contexte de la nouvelle économie. La croissance phénoménale des multinationales créerait un déséquilibre grandissant entre des employeurs qui étendent de plus en plus leurs activités au-delà des frontières, et des syndicats qui restent locaux. Ces multi-nationales occupent un espace économique important. On dénombre envi-ron 63 000 sociétés qui comptent 690 000 filiales étrangères : celles-ci emploient environ 75 millions de personnes (Sklair, 2001). Certaines ont recours à des stra-tégies d'investissement qui visent à récompenser ou à punir des établissements, affaiblissant par le fait même les syndicats. Ainsi, elles utilisent des pratiques comme les comparaisons coercitives et les menaces de relocalisation pour obtenir des concessions sur le plan des salaires ou de diverses conditions de travail. L'actualité foisonne d'exemples qui illustrent cette tendance. En somme, dans un contexte de comparaisons coercitives, les syndicats semblent condamnés à s'in-cliner devant les exigences concurrentielles de la nouvelle économie.

Plusieurs études semblent appuyer cette perception. Dans une enquête réa-lisée auprès d'un vaste échantillon d'organisations syndicales au Canada, les deux tiers des répondants mentionnent que le pouvoir de négociation des employeurs a augmenté au cours des trois dernières années et près de 60 % jugent que le pou-voir de négociation des syndicats a diminué au cours de la même période. Autre indice : les trois quarts des répondants indiquent que les demandes de conces-sions, sur le plan des salaires ou des conditions de travail, ont augmenté au cours de la même période (Kumar, Murray et Schetagne, 1998).

Dans un tel contexte, les syndicats arrivent difficilement à protéger les em-ployés contre les pressions du marché externe de travail. Le marché interne[3], construit au fil des ans par les syndicats, ne servirait plus de contrepoids au marché externe (Capelli, 1999). Les employés se retrouveraient ainsi dans une position de vulnérabilité entraînant une détérioration de leurs conditions de tra-vail. Les données recueillies par Lévesque et Murray (2001) auprès d'un échan-tillon représentatif de la population du Québec montrent que les conditions de travail des personnes syndiquées se sont effectivement détériorées au cours des dernières années : 37,6 % rapportent une réduction de la sécurité d'emploi, la moitié a connu une diminution de salaire et 60 % notent une augmentation de la charge de travail. Bref, pour une bonne proportion des syndiqués, le fardeau de travail a augmenté alors que les avantages de l'emploi ont diminué (salaire ou sécurité d'emploi). Il en résulte que près du tiers des employés syndiqués sont insatisfaits de leur travail et que 45 % quitteraient leur emploi si on leur proposait un meilleur salaire ailleurs.

Cette insatisfaction à l'égard des conditions de travail n'est sans doute pas étrangère à l'évaluation que font les employés de leur syndicat. Un certain nombre de syndiqués croient que les syndicats sont partiellement responsables de la dé-gradation de leurs conditions de travail. À peu près un quart d'entre eux jugent que la fermeture des entreprises (28,8 %) est en grande partie causée par les syn-dicats et qu'ils s'adaptent mal aux changements dans le monde du travail (26,5 %). Cette insatisfaction se traduit aussi par une dégradation du lien de confiance, pourtant essentiel dans un contexte de changement. En effet, environ 30 % des employés syndiqués rapportent que leur confiance envers le syndicat a diminué au cours des dernières années. La même proportion de syndiqués expriment par ailleurs que leur confiance envers leur employeur a diminué au cours de la même période.

Pour résumer, on constate que, devant les pressions de la nouvelle économie, une proportion importante de syndicats a dû composer avec des demandes de concessions sur le plan des salaires ou d'autres avantages négociés ; en corollaire, les conditions de travail des employés syndiqués se sont dégradées au cours des dernières années. Une partie non négligeable de syndiqués critique les représentants syndicaux, allant même jusqu'à leur attribuer une part de responsabilité dans les fermetures d'entreprises. Doit-on conclure que les syndicats sont incapables d'assurer la régulation des conditions de travail dans la nouvelle économie?

Malgré les réserves exprimées par une partie des personnes syndiquées, la majorité évalue positivement l'action de leur syndicat. Les trois quarts des répondants jugent que leur salaire et leurs conditions de travail seraient moins avantageux en l'absence du syndicat. Une proportion identique de personnes syndiquées indiquent qu'elles font confiance à leurs représentants pour défendre leurs intérêts (Lévesque et Murray, 2001). En somme, si un pourcentage significatif juge sévèrement le syndicat, la majorité des personnes syndiquées font une évaluation plutôt positive de leur syndicat, notamment en ce qui concerne leur capacité à assurer la régulation des conditions de travail. Des études récentes illustrent d'ailleurs l'avantage de la syndicalisation. En 2004, le salaire moyen des travailleurs syndiqués au Canada était de 21,55 $ l'heure, comparativement à 17,07 $ l'heure pour les non syndiqués. C'est chez les femmes que l'écart est le plus visible. Les femmes syndiquées gagnent en moyenne 20,67 $ l'heure contre 14,98 $ pour les non syndiquées (Statistique Canada, 2005). Quant aux travailleurs à temps partiel, ils bénéficient de meilleures conditions matérielles lorsqu'ils sont représentés par un syndicat comme en fait foi le tableau suivant.

TABLEAU 6.2
Salaire moyen et heures de travail chez les travailleurs syndiqués et non syndiqués en 2004 au Canada

	Employés syndiqués	Employés non syndiqués
Salaire horaire moyen		
Temps plein	22,05 $	18,50 $
Temps partiel	18,51 $	11,33 $
Heures hebdomadaires moyennes/emploi principal		
Temps plein	38,7	39,9
Temps partiel	19,3	16,9

Source: Statistique Canada, « Fact Sheet on Unionization », *Perspectives on Labour and Income,* août 2005.

Les travailleurs canadiens syndiqués sont également plus susceptibles d'avoir accès à un régime de retraite que leurs collègues non syndiqués. C'est dans le secteur privé que l'écart est le plus important : 71,7 % des employés syndiqués ont accès à un régime de retraite, par opposition à 24,7 % chez les non syndiqués (Akyeampong, 2002).

En résumé, la nouvelle économie place les syndicats sur la défensive, les obligeant à négocier des conditions de travail réduites. Cela dit, même si les syndicats éprouvent plus de difficultés à assurer la régulation des conditions de travail de leurs membres, ces derniers semblent s'en tirer mieux que leurs homologues dans les établissements non syndiqués, du moins en ce qui touche les salaires.

6.1.3 La désaffection envers les syndicats

Le troisième argument à l'appui de l'hypothèse que les syndicats ne représentent plus un acteur pertinent repose sur le degré d'adhésion des salariés aux syndicats. Suivant cet argument, on assisterait à une poussée de l'individualisme, à un éclatement des formes de solidarité et à une désaffection des employés envers les syndicats. L'ultime manifestation de l'affaiblissement du pouvoir des syndicats serait la baisse du taux de syndicalisation. Les données officielles sur la présence syndicale tendent à accréditer cette thèse. En effet, le tableau 6.3 montre que, dans les pays de l'Organisation de coopération de développement économique (OCDE), le taux de syndicalisation moyen est passé de 34 % à 21 % de 1970 à 2000. Cette diminution a été particulièrement importante en France, au Royaume-Uni, au

---

TABLEAU 6.3

Taux de syndicalisation dans quelques pays industrialisés (en pourcentage)

	1970	1980	1990	2000
Allemagne	32	35	31	25
Belgique	41	54	54	56
Canada	32	35	33	28
États-Unis	27	22	15	13
France	22	18	10	10
Japon	35	31	25	22
Mexique	—	—	43	18
Québec	36	34	40	40
Royaume-Uni	45	51	39	31
Suède	68	80	80	79
Moyenne pondérée dans les pays de l'OCDE	34	32	27	21

Source : OCDE (2004, p. 159), à l'exception du Québec. Dans ce cas, les données proviennent de Statistique Canada. Reproduit avec permission.

Japon et aux États-Unis. Au Canada, le taux a légèrement diminué, alors que dans d'autres pays il a augmenté, en particulier en Belgique et en Suède. En Amérique du Nord, le taux de syndicalisation au Québec reste exceptionnel : il se maintient autour de 40 %.

Il convient d'abord de nuancer ces données puisqu'elles ne reflètent pas nécessairement le poids réel des syndicats dans chacun des pays. Malgré la tendance à la diminution du nombre de personnes syndiquées ces dernières années, le nombre de personnes bénéficiant des avantages d'une convention collective est resté relativement stable (OCDE, 2004). Cette situation résulte du fait que, dans plusieurs pays européens, les négociations collectives se déroulent sur le plan des branches industrielles et qu'elles peuvent s'étendre à des personnes et à des entreprises non syndiquées. C'est le cas notamment en Allemagne, en Autriche, en Belgique et en France. Le cas de la France est particulièrement significatif. Ce pays industrialisé présente le plus faible taux de syndicalisation tout en affichant une extension très élevée du nombre de personnes qui bénéficient de conditions de travail négociées : ces personnes représentent 90 % des salariés. Ce paradoxe apparent s'explique par la singularité du modèle français de relations professionnelles, où les organisations syndicales négocient pour l'ensemble des salariés et non pour leurs seuls adhérents (Amossé, 2004, p. 3). Par exemple, un salarié de Carrefour, une entreprise du secteur de la grande distribution, sera assujetti aux conditions fixées par la Convention nationale du commerce de détail et de gros à prédominance alimentaire.

Il convient aussi de préciser le sens de l'acte d'adhésion à un syndicat selon le cadre institutionnel dans lequel il se fait. Deux exemples devraient permettre de mieux cerner cette réalité : un exemple européen, celui de la France, et un exemple nord-américain, celui du Québec. En France, l'adhésion à un syndicat est un acte individuel. Peu importe le statut d'un employé (cadre, technicien, employé de soutien, etc.), il peut être syndiqué et adhérer à l'organisation syndicale qui correspond le plus à ses aspirations professionnelles ou idéologiques. En théorie, son choix ne dépend pas de la décision prise par ses collègues. Si la majorité de ses collègues ne souhaitent pas être syndiqués, il pourra néanmoins être membre du syndicat de son choix. Inversement, il pourra décider à tout moment de révoquer son adhésion à un syndicat, sans tenir compte de la position de ses collègues de travail.

Au Québec, et plus généralement en Amérique du Nord, la possibilité d'adhérer ou non à un syndicat dépend d'abord du statut : seules les personnes salariées peuvent être membres d'un syndicat ; les représentants de l'employeur sont notamment exclus de cette définition (Gérin-Lajoie, 2004, p. 54). L'acte d'adhésion quant à lui dépend de la volonté collective des salariés de former un syndicat dans un milieu de travail donné. En fait, la majorité des salariés doit décider d'adhérer au même syndicat pour qu'un individu devienne membre de ce syndicat. Même si une personne salariée ne souhaite pas être syndiquée, si à l'opposé, la majorité des personnes salariées a exprimé sa préférence pour un syndicat, cette personne sera représentée d'office par ce syndicat, et l'employeur sera tenu de prélever une cotisation sur son salaire et de la remettre au syndicat. À l'inverse, si dans un milieu de travail, la majorité des employés ne souhaitent pas être syndiqués, une personne salariée ne pourra pas adhérer à un syndicat même si c'est son choix personnel de le faire.

En somme, au Québec, le taux de syndicalisation ne reflète pas nécessairement les préférences des individus à l'égard du syndicalisme. Certains individus seront syndiqués même s'ils ne le souhaitent pas, parce que la majorité en aura décidé ainsi. Au contraire, certaines personnes salariées ne pourront pas adhérer à un syndicat même si elles le souhaitent, parce que la majorité des salariés dans leur milieu de travail ne désireront pas être syndiqués. Pour mesurer le type d'adhésion des personnes salariées au syndicat, il faut aller au-delà de la simple analyse du taux de syndicalisation et examiner de manière plus détaillée les préférences des personnes salariées à l'égard du syndicalisme. Les données présentées dans le tableau suivant sont tirées d'une recherche de Lévesque et Murray (2001) réalisée au Québec auprès des personnes salariées non syndiquées et syndiquées.

On peut dégager trois grandes observations de ce tableau. Premièrement, pour les personnes syndiquées, l'adhésion syndicale représente une valeur importante : 76,2 % d'entre elles préfèrent être syndiquées, 86,6 % jugent les syndicats nécessaires, 85,2 % approuvent leur existence et 72,9 % sont fières d'en être membres. Environ 50 % des personnes s'intéressent aux activités de leur syndicat et considèrent que les services offerts par leur syndicat sont proportionnels à leur cotisation. Deuxièmement, un peu plus du tiers des personnes non syndiquées souhaiteraient être syndiquées. Une proportion significative des personnes non syndiquées n'ont donc pas accès à la syndicalisation. De plus, une proportion importante de personnes non syndiquées ont une opinion favorable des syndicats et jugent que le syndicalisme est encore nécessaire de nos jours. Troisièmement,

---

TABLEAU 6.4

La perception du syndicalisme selon les personnes salariées syndiquées et non syndiquées

Les personnes...	Salariées syndiquées (n = 303)	Salariées non syndiquées (n = 302)
qui souhaiteraient être syndiquées si elles en avaient le choix	76,2	34,4
qui estiment que le syndicalisme est encore nécessaire de nos jours	86,6	58,6
qui sont favorables aux syndicats	85,2	49,5
qui sont fières d'être syndiquées	72,9	—
qui s'intéressent aux activités de leur syndicat	49,4	—
qui considèrent que leur syndicat leur apporte des avantages équivalents aux cotisations qu'elles paient	50,3	—

les syndicats sont perçus plus positivement par les personnes syndiquées que par les non syndiquées. Ces résultats ne doivent pas surprendre et vont dans le même sens que ceux de Freeman et Rodgers (1999) obtenus auprès d'un échantillon de salariés américains. Les auteurs en déduisent que la socialisation syndicale accentue l'adhésion des membres aux valeurs syndicales. En somme, l'idée qu'on assiste à une forme de désaffection envers les syndicats mérite d'être nuancée. Il y a certes une proportion non négligeable des personnes syndiquées qui ne souhaitent pas l'être, mais la majorité des personnes syndiquées le désirent et en sont fières. De plus, une partie importante des salariés n'a pas accès à la syndicalisation, même si elle souhaiterait être syndiquée.

6.1.4 En résumé

Que faut-il retenir de tout cela? Pour l'essentiel, deux choses. Premièrement, la prétention que le syndicat n'a plus sa place dans un contexte de mondialisation peut être répandue, mais elle ne correspond pas à la réalité. D'un côté, le lien entre la présence syndicale, d'une part, et la performance économique et la capacité d'innover des entreprises, d'autre part, reste équivoque. En fait, ce lien est beaucoup plus complexe que ne le laisse entrevoir pareille prétention. D'un autre côté, malgré les difficultés éprouvées par les syndicats dans la régulation des conditions de travail, leurs membres restent fondamentalement d'accord avec le principe du syndicalisme. La majorité d'entre eux préfèrent être syndiqués, ils sont fiers de l'être et ils ont une image positive des syndicats. Une part significative de personnes non syndiquées, en plus d'être favorables aux syndicats, préféreraient être syndiquées si elles en avaient le choix.

Deuxièmement, la nouvelle économie place les syndicats dans une situation nettement plus complexe et difficile à gérer. Les entreprises sont le théâtre de multiples changements qui remettent en question les pratiques établies, ou même qui bouleversent le mode de fonctionnement traditionnel des entreprises et des syndicats tout à la fois. Les syndicats se retrouvent ainsi devant des options difficiles à concilier et doivent faire des choix entre des objectifs de divers ordres. Comment peuvent-ils, par exemple, œuvrer à l'amélioration des conditions de travail et des conditions de vie des salariés tout en assurant la croissance de l'entreprise? Les syndicats sont dès lors appelés à s'investir dans des champs d'action remplis d'incertitudes et d'inconnus. Dans certains cas, le terrain est miné et les résultats pour le moins discutables. Il en ressort qu'une proportion significative (environ 25 %) des personnes syndiquées sont insatisfaites et qu'elles portent un jugement plutôt sévère à l'égard du syndicat.

Bref, les assises syndicales restent fortes mais les syndicats font néanmoins face à un ensemble de défis de plus en plus complexes. Dans un tel contexte, le *statu quo* apparaît difficile à soutenir et les syndicats se trouvent eux aussi condamnés à innover et à développer de nouvelles façons d'agir. Il faut donc reconnaître que le débat sur le sens et la portée de l'action syndicale dans un contexte de mondialisation reste ouvert. Si l'on accepte l'idée que la mondialisation est un processus inachevé et contradictoire, le défi revient à identifier de quelle manière les syndicats atténuent les contraintes et saisissent les occasions suscitées par la nouvelle économie pour renouveler leurs actions. Dans la prochaine section, nous développerons ces concepts.

6.2 QUELQUES PISTES POUR RENOUVELER L'ACTION SYNDICALE

Le terme *syndicat* mérite d'être expliqué car il a plusieurs sens. À la base, il désigne une section locale qui regroupe les salariés d'un même milieu de travail : le syndicat des employés de l'usine de Noranda inc.-CCR dans l'est de Montréal, le syndicat des travailleurs et des travailleuses du Centre Sheraton, etc. Il renvoie aussi aux regroupements sectoriels ou professionnels qui rassemblent des sections locales ou des syndicats locaux d'un même secteur : le syndicat des travailleurs canadiens de l'automobile (TCA), le syndicat canadien de la fonction publique (SCFP), la Fédération des travailleurs de la métallurgie, etc. Enfin, le terme est aussi utilisé pour désigner les centrales syndicales, comme la CSN, la FTQ, la CSQ ou la CSD, auxquelles peuvent s'affilier des syndicats locaux et des syndicats industriels ou professionnels sur un territoire donné. Bref, les syndicats sont des organisations complexes composées de multiples paliers avec une hiérarchie, des règles internes de fonctionnement, diverses formes de division du travail, etc.

Au cours des dernières années, différentes avenues de renouvellement ont été expérimentées à chacun de ces paliers. Par exemple, plusieurs syndicats ont procédé à des restructurations ou à des réorganisations internes. On a assisté à une vague de fusions de syndicats sectoriels ou professionnels particulièrement aux États-Unis mais aussi au Canada (Chaison, 2001). Ces fusions se traduisent généralement par une augmentation des ressources disponibles pour le recrutement de nouveaux membres et une augmentation du pouvoir de négociation. La création de mégasyndicats peut cependant amener des problèmes sur le plan de la démocratie syndicale et de la cohésion interne. Certains syndicats ont aussi cherché à modifier leur structure de représentation de façon à assurer une plus grande participation des jeunes (Brunelle, 2001), des femmes et des communautés culturelles. D'autres syndicats tentent de décentraliser les services aux membres de manière à assurer une plus grande participation au plan local (pour un résumé des initiatives syndicales au Canada, voir Kumar et Schenk, 2005). Enfin, bon nombre de syndicats ont tenté de renouveler leurs pratiques de recrutement. Devant la baisse du taux de syndicalisation dans différents secteurs et les difficultés de recrutement dans le secteur des services, où l'emploi est en croissance, certains syndicats consacrent plus de ressources au recrutement, développent de nouvelles approches et vont même jusqu'à regrouper en associations des personnes qui n'ont pas le statut de salarié. Ainsi, le syndicat des Métallos a créé une association pour les camionneurs indépendants et une autre pour les chauffeurs de taxi en louage même si ces personnes ne peuvent être syndiquées en vertu du Code du travail (Coiquaud, 2006).

L'ensemble de ces actions vise à renforcer l'organisation interne du syndicat. D'autres actions portent plutôt sur la diversification de l'activité syndicale au sein des entreprises. Nous vous proposons de jeter un regard plus précis sur trois actions de ce type: les expériences de partenariat patronal-syndical, celles qui s'exercent sur le plan international et les interventions syndicales dans la gestion des fonds de retraite.

6.2.1 LES EXPÉRIENCES DE PARTENARIAT PATRONAL-SYNDICAL

La création de partenariats patronaux-syndicaux suscite de nombreux débats au sein du mouvement syndical en Amérique du Nord. Selon Kumar et Schenk (2005, p. 32), ces débats opposent deux conceptions de l'action syndicale: l'approche à gains mutuels ou à valeur ajoutée et l'approche de mouvement social. La première repose sur l'hypothèse que la survie des syndicats passe inévitablement par le développement de partenariats entre employeurs et syndicats. Dans ces partenariats, le syndicat est appelé à collaborer avec l'employeur pour assurer la compétitivité de l'entreprise (Rubenstein, 2002). Le syndicat doit démontrer qu'il représente une valeur ajoutée pour l'entreprise. La seconde approche considère que le renforcement du pouvoir du syndicat nécessite un accroissement de sa capacité de mobilisation, le développement d'actions dans les sphères économique, politique et sociale et la promotion d'un projet syndical articulé autour d'enjeux sociaux et communautaires (Turner et Hurd, 2001). Dans le premier cas, on met l'accent sur la capacité de dialogue, dans l'autre, sur la capacité de mobilisation.

Ce débat illustre le dilemme dans lequel se trouvent les syndicats: doivent-ils entrer de plein pied dans la gestion des entreprises ou plutôt développer un rapport de force? Cette question n'est pas nouvelle: l'opposition et l'intégration sont les facettes indissociables mais parfois difficilement conciliables de l'action syndicale. Celle-ci se présente différemment selon la forme de capitalisme dans lequel elle s'exerce. Comme nous l'avons fait ressortir dans le premier chapitre, le capitalisme peut prendre plusieurs formes. À une extrémité du continuum, il y a les économies libérales largement déréglementées et très flexibles, comme aux États-Unis et au Canada; à l'autre extrémité, les économies coordonnées fortement réglementées, comme en Allemagne (capitalisme européen continental) et en Suède (capitalisme social-démocrate).

Le rôle joué par les représentants des employés dans la gestion des entreprises constitue un des facteurs clés de distinction des formes de capitalisme. Dans certains pays, comme en Allemagne, l'organisation du travail favorise une forte implication des représentants des employés dans les différents paliers décisionnels.

À la base, les conditions de travail sont déterminées à l'échelon des branches après des négociations entre les représentants syndicaux et ceux des associations d'employeurs[4]. Ils négocient des conventions collectives qui couvrent aussi bien les établissements syndiqués que non syndiqués dans une branche donnée. À ce système de négociation sectorielle se juxtapose un système de représentation à l'échelon des entreprises et des établissements. Dans les entreprises de plus de 2 000 employés, la moitié des sièges au conseil de surveillance sont réservés aux représentants élus par l'ensemble des employés (Dufour et Hege, 2002, p. 60-61). Dans chaque établissement de plus de 10 employés, la direction doit favoriser la création d'un comité d'établissement dont les représentants sont élus par l'ensemble des employés, syndiqués ou non. Voici les droits reconnus à ce comité : le droit de recevoir l'information financière, le droit d'être consulté sur l'organisation du travail et le droit de veto en ce qui a trait aux diverses pratiques de gestion des ressources humaines (modification aux principes de rémunération, introduction de nouveaux modes de paiement ou de primes, évaluation de la performance des employés, etc.). Ce système repose donc sur deux piliers : les négociations collectives qui sont centralisées dans les branches sectorielles et la participation des représentants des employés qui s'exerce au sein des structures de codétermination établies dans chaque établissement comme dans l'ensemble de l'entreprise. En somme, les représentants des employés peuvent infléchir les décisions de l'employeur sur plusieurs plans. En plus de favoriser la coopération entre les employeurs et les représentants des employés, ce système accentue la coopération entre les employeurs (Adams, 1995 ; Thelen, 2003).

On l'aura compris, ce modèle de capitalisme favorise le partenariat patronal-syndical, et pousse les syndicats davantage vers un rôle de participation que d'opposition. La forme de capitalisme libéral de marché, comme elle existe au Canada et aux États-Unis, repose sur une toute autre logique. Quelles en sont donc les caractéristiques dominantes ? On en trouve cinq. Premièrement, la négociation collective représente le moyen d'action privilégié des syndicats dans l'entreprise. Les lois ne prévoient aucun autre mécanisme universel et général de participation, de consultation ou d'information des salariés ou de leurs représentants, sauf dans des domaines spécifiques, comme la santé et la sécurité du travail. Deuxièmement, dans le secteur privé, la négociation se déroule généralement à l'échelon des établissements et la convention collective qui en résulte couvre uniquement les employés de l'unité d'accréditation[5]. Troisièmement, la négociation d'une convention collective se déroule à intervalles déterminés et chacune des parties peut utiliser des moyens de pression, comme la grève et le lock-out, pour forcer l'autre partie à modifier sa position. Cela dit, plus de 90 % des négociations se déroulent sans que les parties recourent à des moyens de pression. Toutefois, certains conflits de travail peuvent paraître interminables : celui qui a touché les employés de Vidéotron en 2002 s'est échelonné sur une période de 11 mois. Quatrièmement, pendant la durée de la convention collective, les parties ne peuvent utiliser la grève ou le lock-out. Cinquièmement, à l'intérieur des paramètres fixés par la convention collective, l'employeur dispose d'une grande marge de manœuvre dans la gestion de l'entreprise. De fait, il conserve ce qu'on appelle communément ses droits de gérance.

Dans un tel contexte, le syndicat n'intervient pas directement dans le processus décisionnel comme en Allemagne. D'un côté, il cherche à restreindre la marge de manœuvre de l'employeur en négociant des clauses qui encadrent les décisions et, de l'autre, il cherche à s'assurer que l'employeur respecte la convention collective. Ainsi, les économies libérales ne favorisent pas explicitement le partenariat patronal-syndical ni l'implication des syndicats dans la gestion des entreprises. Néanmoins, au cours des 15 dernières années, les initiatives de partenariat se sont accentuées en Amérique du Nord, notamment au Québec. Les données colligées par Lapointe et autres (2001, p. 32) dans le secteur des industries métallurgiques montrent que 40 % des gestionnaires cherchent à impliquer le syndicat dans la gestion de l'établissement, et que la moitié des représentants syndicaux souhaitent avoir voix au chapitre. De plus, les auteurs soulignent que, dans près de 30 % des établissements, les changements sont introduits après entente (2001, p. 12).

Contrairement à ce qu'on pourrait croire, les initiatives de partenariat sont plus répandues dans les établissements fortement intégrés à l'économie mondiale, ce qui laisse voir que la mondialisation n'a pas uniquement pour effet d'éloigner les parties mais qu'elle peut aussi les rapprocher. D'ailleurs, selon Bourque (1999), les conditions économiques et, plus particulièrement, la survie économique d'un établissement représentent un facteur déterminant dans l'implantation d'un partenariat patronal-syndical. Autrement dit, en contexte de forte concurrence, les représentants syndicaux et ceux de l'employeur sont à toutes fins utiles condamnés à travailler ensemble pour assurer la survie de l'entreprise et, en corollaire, pour maintenir les emplois.

Pourtant, plusieurs analystes soulignent la fragilité des expériences de partenariat patronal-syndical (Bourque et Rioux, 2001 ; Lapointe, 2001). On explique par trois facteurs le caractère à la fois éphémère et contradictoire de ces initiatives partenariales. En premier lieu, les acteurs ne s'entendent pas sur la signification et la portée du partenariat. Si, pour les représentants syndicaux, le partenariat est associé à une plus grande participation au processus de prise de décision, du côté des représentants des employeurs, il renvoie plutôt au développement d'attitudes de coopération. Ces deux conceptions correspondent de fait à deux formes différentes de partenariat : la régulation conjointe et ce qu'il est convenu d'appeler le microcorporatisme (Lapointe, 2001 ; Wells, 2001). La régulation conjointe se caractérise par un réel partage du pouvoir entre le syndicat et la direction : le syndicat conserve sa pleine autonomie et son indépendance par rapport à la direction. Le microcorporatisme comprend les situations où les représentants syndicaux sont invités à participer au processus de prise de décision, mais aussi à adhérer complètement à la logique de compétition des entreprises. Selon Wells (2001), dans un tel contexte, il est pratiquement impossible de distinguer les représentants syndicaux de ceux de la direction tellement les premiers ont adopté le discours de la direction sur les exigences de compétitivité de l'usine. Il s'ensuit un affaiblissement de l'image du syndicat.

On pourrait penser que la régulation conjointe est associée à des rapports conflictuels alors que le microcorporatisme caractériserait les relations de collaboration. Or, c'est souvent l'inverse et cela peut sembler paradoxal puisque le microcorporatisme repose sur la promotion de la coopération patronale-syndicale et sur une communauté d'intérêts entre les parties. Pourtant, c'est justement cette approche qui exacerbe le plus les tensions et les conflits dans les relations du travail. Le microcorporatisme, en ne reconnaissant pas la diversité des intérêts en jeu et l'indépendance du syndicat, crée les conditions qui minent toute forme de coopération réelle entre la direction et le syndicat. À l'inverse, la régulation conjointe repose sur une approche qui reconnaît la pluralité des intérêts en jeu et l'autonomie du syndicat. Dans ce contexte, la direction reconnaît que ses intérêts et ceux des travailleurs ne coïncident pas toujours et elle ne cherche pas à intégrer le syndicat ni à réduire de manière systématique la portée de ses actions. Ainsi, plutôt que de nier l'existence des conflits, la régulation conjointe favorise la création de mécanismes permettant l'expression et la résolution des conflits, ce qui crée les conditions d'émergence de relations coopératives.

En deuxième lieu, la légitimité de ces expériences, en particulier l'appui obtenu par les mandants des représentants de l'employeur et du syndicat, est un autre facteur qui peut miner la réussite des partenariats. Du côté de l'employeur, si les pressions économiques peuvent constituer un facteur favorable à l'instauration d'un partenariat, elles peuvent aussi constituer un frein à son développement. En effet, les exigences liées au rendement à court terme créent énormément de pressions sur les gestionnaires et les obligent dans certains cas à mettre de côté ces expériences (Lapointe et autres, 2004; Osterman, 2000). Il est en effet généralement admis que ce type d'expérience ralentit le processus décisionnel, ce qui peut être incompatible avec les attentes à court terme des actionnaires. Du côté syndical, l'apprentissage d'un nouveau rôle pour les représentants ne se fait pas sans heurts. Plusieurs l'ont appris à leurs dépens. Il n'est pas rare en effet que les salariés jugent sévèrement leurs représentants qui s'engagent dans des expériences de partenariat. Ils jugent qu'ils sont trop près de la direction, qu'ils s'éloignent de leur base et qu'ils ne représentent pas les intérêts des salariés (Kumar, 1995; Wells, 2001). Ces critiques s'expriment avec plus de véhémence dans les contextes de rationalisation des effectifs, d'impartition de la production ou d'intensification du travail. Les représentants sont donc appelés à concilier des exigences qui ne sont pas nécessairement compatibles: d'un côté, ils doivent s'engager dans le processus de prise de décision pour faire valoir les intérêts des salariés, au risque de mettre en péril les expériences de partenariat, ou même la bonne entente avec les représentants de la direction; de l'autre, ils doivent faire preuve d'ouverture vis-à-vis des représentants de la direction au risque de voir les salariés s'éloigner de leur syndicat, remettant ainsi en cause leur légitimité.

En troisième lieu, la réussite des expériences de partenariat exige le déploiement de nouvelles compétences et la recherche de nouvelles sources de pouvoir, en particulier du côté syndical. Plusieurs études montrent que dans les milieux de travail où le syndicat est incapable de développer de nouvelles compétences, d'accroître son expertise et de créer de nouveaux réseaux, il est soit exclu du processus de décision, soit engagé dans une forme de microcorporatisme. Dans un cas comme dans l'autre, il exerce peu d'influence sur les décisions de la direction. À l'opposé, dans les milieux où il est capable de faire jaillir ces nouvelles sources de pouvoir, il peut jouer un rôle actif et déterminant dans le processus décisionnel (Frost, 2000; Lévesque et Murray, 2005). Pour occuper les nouveaux espaces d'échange auxquels donnent accès les expériences de partenariat, les syndicats doivent développer et actualiser leurs réseaux de communication, tant à l'interne qu'à l'externe. Ces réseaux alimentent les représentants et favorisent l'émergence d'un projet syndical autonome et crédible pour les employeurs. Le rôle des représentants ne consiste pas uniquement à proposer des alternatives aux propositions de l'employeur, mais aussi à les communiquer aux salariés et à obtenir leur adhésion. En somme, la capacité du syndicat de concevoir et de défendre un projet autonome et l'actualisation des réseaux internes et externes se renforcent mutuellement pour constituer les conditions d'une réelle implication du syndicat dans le processus de prise de décision.

Si le partenariat patronal-syndical est dépeint dans certains milieux comme une voie d'avenir pour les syndicats, force est de reconnaître que c'est un processus exigeant dont les retombées demeurent incertaines et parfois contradictoires. On comprend dès lors un peu mieux les débats que soulèvent ces expériences dans le monde syndical.

6.2.2 LES EXPÉRIENCES SYNDICALES SUR LE PLAN INTERNATIONAL

L'organisation syndicale à portée internationale n'est pas un phénomène nouveau. La première a été créée à Londres en 1864: c'était l'Association internationale des travailleurs, dissoute en 1872, mais fondée à nouveau en 1889 (Sagnes, 1994, p. 182-183). Cette association, appelée aussi Première et Deuxième Internationale, était surtout une plateforme pour les partis politiques et les syndicats qui s'en servaient pour exprimer leur vision de la société à construire. C'est seulement en 1901 qu'on verra la création d'un secrétariat syndical international regroupant les confédérations nationales et axé sur l'action syndicale.

Aujourd'hui, on observe deux types d'instance syndicale internationale: d'abord la Confédération internationale des syndicats libres (CISL), qui rassemble les confédérations ou centrales syndicales d'un pays, comme le Congrès du travail du Canada ou l'«American Federation of Labor» aux États-Unis. Deuxièmement, on trouve les Fédérations professionnelles internationales (FPI) qui regroupent, sur une base volontaire, des syndicats nationaux professionnels ou industriels, comme le syndicat des travailleurs canadiens de l'automobile ou les Métallos. On compte présentement 10 FPI, les plus actives étant concentrées dans la métallurgie, le transport, l'énergie, la chimie, les services, les télécommunications et l'alimentation, partout où les multinationales sont largement présentes. Au total, ces fédérations représentent 100 millions de travailleurs répartis dans une centaine de pays (Windmiller, 2000). Elles poursuivent un double objectif: assurer la coopération internationale entre les syndicats et favoriser la négociation de conventions collectives avec les multinationales.

Selon divers auteurs, plusieurs barrières empêchent la constitution d'alliances syndicales internationales (Gordon et Turner, 2000; Munck, 2002; Waterman, 1998). Pour Munck (2002, p. 193), la mondialisation fait ressortir les différences nationales entre les syndicats, car la concurrence exerce des pressions qui atteignent tous les milieux de travail. Par le développement de réseaux intégrés de production, les multinationales peuvent fermer la production d'une unité (Moreau, 2002), ou encore la transférer dans une autre unité, d'une région à une autre, ou même d'un pays à un autre, plaçant ainsi les syndicats en concurrence les uns avec les autres. De la même manière, les grandes entreprises de vente au détail sont en mesure de segmenter la chaîne de production et d'imposer aux fournisseurs leurs exigences de production, ce qui diminue d'autant le pouvoir de négociation des syndicats. Le mouvement de l'emploi vers l'Europe de l'Est, le Mexique, l'Amérique du Sud, la Chine et l'Inde accentue la compétition entre les syndicats pour obtenir des investissements qui assurent des emplois à leurs membres. En plus de placer les syndicats en concurrence les uns avec les autres, les multinationales s'opposeraient farouchement à la création d'alliances syndicales. Selon Gordon et Turner, cette opposition représenterait la barrière la plus importante à la coopération internationale entre les syndicats (2000, p. 23).

Les particularités nationales représentent un autre facteur de limitation du développement d'alliances internationales. Selon Servais (2002), ces arrangements nationaux, qui définissent le droit de grève, la représentativité syndicale, les modalités de négociation, peuvent être tellement dissemblables d'un pays à l'autre qu'ils amènent les syndicats à développer des pratiques différentes, voire irréconciliables. La coopération internationale serait dès lors beaucoup plus difficile entre des syndicats qui œuvrent dans des formes de capitalisme différents. L'étude de Greven et Russo (2003) a mis en évidence les difficultés connues par les syndicats américains et allemands lors d'une campagne touchant la firme allemande Continentale. D'un côté, les syndicats allemands avaient de la difficulté à comprendre la logique d'action des syndicats américains et à accepter l'utilisation de méthodes coercitives; de l'autre, les syndicats américains comprenaient mal l'hésitation des syndicats allemands et leur ouverture à l'égard de l'employeur. De la même manière, dans une étude sur la création d'un réseau syndical en Asie, Lambert (2002) illustre les difficultés de réconcilier les actions des syndicats avec des orientations idéologiques distinctes. Les syndicats privilégiant un syndicalisme d'affaire cherchent avant tout à tirer leur épingle du jeu, à protéger leurs propres intérêts, alors que ceux qui portent une idéologie de mouvement social sont davantage enclins à promouvoir une définition élargie des intérêts des travailleurs (Lambert, 2002, p. 188). En bout de ligne, ces conceptions différentes ont atténué la capacité d'action du réseau et ont miné les efforts de coopération entre les syndicats.

Même s'il existe plusieurs freins au développement d'alliances syndicales internationales, d'autres facteurs poussent les syndicats à favoriser de telles alliances. Premièrement, malgré l'accroissement de l'influence des multinationales au cours de la dernière décennie, elles n'exercent pas un contrôle absolu sur leur environnement, comme en témoigne le fait que les nouveaux réseaux intégrés de production paraissent particulièrement fragiles. L'interdépendance entre les unités implique qu'un arrêt de production dans une unité peut perturber, sinon interrompre complètement, toute la chaîne de production. Babson (2003) illustre la vulnérabilité de ces réseaux à partir de l'exemple d'une grève, en 1996, dans une usine de pièces à Flint dans la région de Détroit : cette grève a entraîné la fermeture de plusieurs usines d'assemblage au Mexique, aux États-Unis et au Canada. Dans ce contexte, la marge de manœuvre des syndicats augmente puisqu'une action locale peut avoir des répercussions très étendues. L'interdépendance entre les unités de production a une autre conséquence, celle d'amener les syndicats à reconnaître que leur situation se ressemble, qu'ils vivent des problèmes semblables et qu'ils ont avantage à mener des actions concertées. Autrement dit, l'interdépendance des réseaux peut amener les syndicats à mieux voir leurs intérêts communs (Herod, 2002). Ainsi, une forte intégration des activités d'une firme conduit les représentants syndicaux à communiquer davantage et à agir de concert, même si la firme les place en concurrence pour l'obtention de nouveaux investissements (Lecher et autres, 2001 ; Marginson et autres, 2004 ; Martinez Lucio et Weston, 2004).

Deuxièmement, les employeurs ont des opinions partagées quant aux alliances syndicales internationales. Marginson (1992) a souligné les différences entre les multinationales sur le plan des choix stratégiques et des principes d'action. Dans les multinationales où les décisions opérationnelles sont décentralisées, les gestionnaires hésitent à s'engager dans des échanges avec les syndicats sur le plan international, alors que dans les firmes où les décisions sont centralisées, ils ont plutôt tendance à privilégier ce type d'échanges, car les opérations sont fortement intégrées. Les gestionnaires peuvent trouver un avantage considérable à discuter avec les représentants de l'ensemble de leurs employés, notamment lorsqu'ils cherchent à standardiser les processus. En ce sens, Ramsay (2000) plaide pour une analyse beaucoup plus systématique du mode de fonctionnement et des choix stratégiques des multinationales. Utilisant une approche contingente, il montre que la portion de marché occupée par les multinationales, l'importance relative des coûts et la qualité de la main-d'œuvre constituent les fondements de leur position quant à la coopération internationale entre les syndicats. On pourrait ajouter ici que l'origine géographique de la firme semble également avoir une incidence sur la position des gestionnaires à l'égard des alliances syndicales internationales : les gestionnaires des firmes européennes semblent beaucoup plus réceptifs à l'égard de cette idée que ne le sont les firmes nord-américaines. Cette situation n'est sans doute pas étrangère à la présence en Europe d'institutions qui favorisent la participation et la consultation des représentants des employés (Lévesque et Dufour-Poirier, 2005 ; Marginson et autres, 2004).

Troisièmement, la prolifération des nouvelles règles supranationales favorise la coopération internationale entre les syndicats (Teyssier, 2005). À titre d'exemple, l'Union européenne (UE) peut obliger les multinationales à se doter d'une instance ou d'une procédure d'information et de consultation à caractère transnational. Ainsi, une multinationale qui emploie au moins 1 000 salariés sur le territoire européen et au moins 150 salariés dans au moins deux États membres doit mettre en place un comité d'entreprise européen. Composé de représentants des employés de chaque établissement, ce comité est consulté sur les pratiques de l'entreprise. Cette réglementation peut paraître peu contraignante, car l'employeur a l'obligation de réunir le comité seulement une fois par année. Si certaines études semblent montrer que ces comités ne permettent pas aux syndicats d'accroître leur pouvoir d'action, d'autres montrent qu'ils peuvent devenir un lieu d'échange et de réseautage, sinon un milieu fertile au développement d'actions coordonnées à un niveau transnational (Moreau, 2002, p. 72). En Amérique du Nord, l'Accord de coopération dans le domaine du travail, issu de l'ALENA, est encore moins contraignant. Il prévoit un mécanisme de supervision afin d'assurer le respect des législations du travail dans chaque pays. Malgré ses lacunes, cet accord représente une plateforme qui incite les syndicats à coopérer entre eux (Compa, 2001).

En somme, les changements dans l'économie politique mondiale créent des contraintes et, en même temps, ouvrent de nouveaux espaces de coopération internationale entre les syndicats. Cette double réalité a poussé les syndicats à s'engager dans diverses actions sur le plan international. Ramsay (1997, p. 521) classe les activités syndicales internationales dans quatre grandes catégories : les activités touchant l'information, l'éducation et la mise en commun des expériences ; les campagnes de solidarité ou d'organisation syndicale ; les processus de consultation auprès de la direction des entreprises ; la négociation de nouvelles règles. Examinons en quoi elles consistent.

Les actions de la première catégorie reposent sur la mise en commun d'expériences et l'échange d'information. Elles peuvent se réaliser à différents paliers (local, sectoriel ou national) et être plus ou moins formelles. Ces dernières années, les FPI ont tenté de mieux structurer les actions de ce type en créant des conseils mondiaux d'entreprise. Ces initiatives ne sont pas nouvelles et datent en fait des années 1970 (Rehfeldt, 1993), mais depuis quelques années, les FPI ont tenté de les réactualiser. Il y a présentement environ 50 conseils mondiaux d'entreprise. Ces forums permettent aux syndicats d'une même multinationale d'échanger entre eux, en l'absence de l'employeur, des informations sur leurs conditions de travail et, le cas échéant, d'établir des priorités de négociation. Les réunions se déroulent généralement tous les deux ans. Mentionnons, par exemple, les réunions tenues à Montréal en 2003 et 2005 par la Fédération internationale des ouvriers de la métallurgie pour créer des conseils mondiaux d'entreprise chez Alcan et Alcoa. Ces réunions rassemblaient des représentants syndicaux des Amériques, d'Europe et d'Afrique qui ont échangé sur leurs conditions de travail, sur les stratégies d'investissement des firmes, sur les enjeux des négociations et sur les priorités syndicales. Ces réunions servent généralement de levier pour instaurer un réseau d'échange continu entre les syndicats.

Au cours des récentes années, les FPI ont également organisé un certain nombre de campagnes de mobilisation internationale pour mettre fin à des pratiques de gestion douteuses ou antisyndicales. À cet égard, l'exemple de la campagne menée contre Rio Tinto, l'une des plus importantes entreprises minières au monde, qui exploite des sites dans une quarantaine de pays incluant le Canada, est révélateur. Rio Tinto s'est livrée à un ensemble de pratiques visant à réduire l'influence des syndicats, sinon à les éliminer, en particulier en Australie mais aussi dans d'autres pays comme la Norvège (Goodman, 2004). En réponse à ces attaques, les syndicats de ces deux pays et la Fédération internationale des syndicats des travailleurs de la chimie, de l'énergie, des mines, et des industries diverses ont amorcé, en 1996, une campagne qui visait, au départ, à amener l'entreprise à respecter les législations nationales et internationales concernant les droits syndicaux. En cours de route, d'autres syndicats de l'entreprise se sont joints à la campagne (une quinzaine d'entre eux ont participé à une rencontre tenue en 1998 en Afrique du Sud), ainsi que différentes organisations non gouvernementales, notamment des groupes environnementaux. Très rapidement, les enjeux se sont élargis pour inclure des questions d'environnement et de développement durable, et d'autres moyens d'action sont apparus, comme des interventions aux assemblées d'actionnaires. Ces stratégies ont amené l'entreprise à respecter davantage les droits des employés et l'environnement. (Goodman, 2004, p. 124-125).

Cet exemple n'est pas unique. Plusieurs campagnes de ce genre, impliquant des syndicats du Nord et du Sud, ont été organisées au cours des 10 dernières années (Anner, 2002 ; Armbruster, 1998 ; Munck, 2004). Elles constituent un dernier effort pour forcer les multinationales à respecter les droits et les libertés des salariés et pour améliorer leurs conditions de travail. Cependant, elles ne représentent pas le seul moyen utilisé par les syndicats sur le plan international. Devant un employeur qui fait preuve d'ouverture, l'action internationale prend souvent la forme du dialogue social. Certaines actions particulières visent à élargir le processus de consultation entre les représentants des employés et la direction d'une entreprise. L'existence d'un comité européen d'entreprise sert de support à la mise en place d'un comité mondial d'entreprise (da Costa et Rehfeldt, 2006), composé des membres de la direction et des représentants des employés de presque toutes les constituantes, peu importe leur emplacement. Par exemple, le comité mondial de Volkswagen comprend les représentants des employés européens et les représentants des employés des établissements du Brésil, du Mexique, de l'Argentine et d'Afrique du Sud. Généralement, le mode de fonctionnement de ces comités mondiaux s'apparente à celui du comité européen d'entreprise. Ainsi, les réunions ont lieu une fois par année et les coûts (transport, hébergement, etc.) sont entièrement supportés par l'employeur.

De manière tout à fait complémentaire, le dialogue social peut se concrétiser par la négociation de normes ou de règles transnationales. Deux avenues sont alors privilégiées : la négociation de codes de conduite ou d'accords-cadres internationaux. Les codes de conduite définissent un ensemble de règles qu'une multinationale s'engage à respecter. Ils peuvent contenir des dispositions relatives au travail des enfants, à la santé et à la sécurité du travail et, dans une moindre mesure, à la liberté syndicale et à la négociation collective. Leur champ d'application est également variable. Les codes peuvent viser une partie ou l'ensemble des opérations de l'entreprise, et même celles de ses fournisseurs. Les codes de conduite peuvent être établis de manière unilatérale par les employeurs, ils peuvent résulter d'une négociation avec les organismes non gouvernementaux et, à l'occasion, ils sont issus d'une négociation avec les organisations syndicales (Vallée, 2003). Même si cette dernière occurrence est rare et que les codes contiennent rarement des mécanismes pour moduler leur application, ils offrent néanmoins la possibilité aux organisations syndicales de questionner l'entreprise sur ses pratiques de gestion.

Selon Fairbrother et Hammer (2005), les codes de conduite représentent une première génération de règles encadrant les activités d'une multinationale, alors que les accords-cadres relèveraient plutôt d'une seconde génération de règles. L'impact limité des codes, de même que la difficulté d'assurer et de vérifier leur application, a amené les FPI à s'engager dans la négociation d'accords-cadres internationaux avec les multinationales. À ce jour, les FPI ont réussi à négocier une trentaine d'ententes, presque exclusivement avec des firmes d'origine européenne (Bourque, 2005). Hammer (2005) distingue deux types d'accords-cadres : dans un cas, la firme s'engage à respecter les conventions fondamentales de l'Organisation internationale du travail (OIT), notamment celles sur la liberté syndicale et la négociation collective, et à établir des conditions permettant le dialogue social ; dans l'autre, en plus d'appliquer les conventions fondamentales de l'OIT, la firme aborde des thèmes liés à la négociation des conditions de travail (salaire, temps de travail, etc.), elle établit un calendrier de rencontres avec les représentants syndicaux et, dans certains cas, elle prévoit des mécanismes d'arbitrage des plaintes, de vérification et d'application de l'entente.

Même si le contenu de ces nouvelles règles issues des codes de conduite et des accords-cadres est variable, et que les mécanismes de surveillance en vigueur sont peu adéquats, elles peuvent être un outil important pour alerter les directions des multinationales sur les comportements des gestionnaires locaux. Wills (2002) rapporte le cas d'un syndicat canadien qui a utilisé l'accord-cadre signé par la chaîne hôtelière Accord pour exercer des pressions sur les gestionnaires locaux de Toronto. Cette firme s'était engagée à respecter le droit des employés de se syndiquer, alors que les gestionnaires locaux utilisaient différentes tactiques pour les en empêcher. À la suite des pressions de la corporation centrale, les gestionnaires ont dû cesser d'utiliser ces manœuvres et le syndicat a obtenu son accréditation, ce qui lui conférait le droit de négocier une convention collective.

En somme, la constitution d'alliances internationales apparaît comme un phénomène évolutif complexe, dont l'orientation demeure incertaine. Plusieurs barrières peuvent nuire au développement de ces alliances internationales mais, du coup, de nouvelles avenues s'ouvrent aux syndicats qui veulent développer de nouvelles pistes d'action novatrices et mobilisatrices. En ce sens, les alliances internationales peuvent représenter une source de renforcement du pouvoir des syndicats au Sud comme au Nord.

6.2.3 L'INTERVENTION SYNDICALE DANS LA GESTION DES FONDS DE RETRAITE

Les marchés financiers sont désormais considérés comme un troisième acteur qui s'introduit dans les relations entre les employeurs et les salariés. Pour apprivoiser ce nouveau venu et influencer le comportement des entreprises, les syndicats utilisent de plus en plus un levier d'action à leur portée : les fonds de retraite. En 1996, les actifs de ces fonds représentaient 8,7 trillions de dollars américains dans les pays de l'OCDE (Minns, 2003). Les caisses de retraite sont propriétaires d'une partie importante des entreprises et représentent un pouvoir économique notable parce qu'elles comptent parmi les principaux investisseurs institutionnels.

Les syndicats, en particulier ceux d'Amérique du Nord, ont décidé de s'intéresser de plus près à la gestion de leurs fonds de retraite pour atteindre des objectifs de rentabilité, d'éthique et de solidarité. Pour y arriver, ils revendiquent une participation active aux décisions d'investissement de leurs fonds de retraite. C'est ainsi que de plus en plus de syndicats négocient une représentation au moins égale à celle de l'employeur au sein des comités de retraite. La position de la FTQ est limpide à cet égard : « Nous avons un intérêt direct dans la bonne gestion et dans la bonne administration de nos caisses de retraite. Le syndicat doit négocier le droit de nommer sa délégation au comité de retraite. » (Fédération des travailleurs et travailleuses du Québec, 2001, p. 25).

Cette participation des employés peut changer les perspectives d'investissement. Les syndicats souhaitent ainsi étendre leur influence, mais aussi éviter que l'argent des travailleurs soit investi dans des entreprises dont les pratiques sont en opposition avec des objectifs de développement social et syndical. Que dire d'une grande caisse de retraite de salariés syndiqués qui devient un investisseur majeur dans une entreprise qui cherche à briser un syndicat ou encore qui tire profit de l'exploitation d'ateliers de misère? Dans ce cas, la responsabilité d'assurer à l'épargnant un rendement financier acceptable ne doit pas être écartée. Cependant, rien n'empêche d'introduire des critères de sélection qui valorisent l'investissement dans des entreprises socialement responsables ou d'exercer ses pouvoirs d'actionnaire pour influencer les décisions en ce sens[6].

Un des exemples souvent cités est celui de CalPERS (California Public Employees' Retirement System). Il s'agit du régime de retraite des employés de la fonction publique et des salariés du système scolaire de l'État de la Californie. Ce fonds de retraite est l'un des plus importants aux États-Unis et dans le monde (son actif s'élève à environ 170 milliards de dollars américains). Son conseil d'administration est composé de 13 membres dont 6 sont élus par les participants au régime et 7 sont désignés par les autorités gouvernementales. CalPERS se démarque notamment par sa politique de placement qui répond à des critères de justice sociale et de respect de l'environnement.

Différentes stratégies d'investissement s'offrent aux gestionnaires de fonds de retraite qui souhaitent utiliser cette épargne afin de promouvoir des intérêts, certes financiers, mais également sociaux.

La première est le recours à des filtres d'investissement: cela consiste à utiliser des critères supplémentaires à ceux du rendement et du risque dans le choix des titres qui composent un portefeuille. Un fonds pourrait éliminer de son portefeuille les entreprises qui ne répondent pas à certains critères éthiques, ou encore diriger l'investissement vers des entreprises qui se classent parmi les meilleures au regard de critères sociaux ou environnementaux. Il s'agit essentiellement de concilier des objectifs quantitatifs et qualitatifs. Par exemple, on pourrait choisir, en présence de projets d'investissement similaires sur le plan de la valeur et du potentiel, d'accorder la préférence aux compagnies qui n'ont pas recours à des politiques antisyndicales, qui respectent les normes fondamentales de l'OIT, qui favorisent le développement durable, etc.

La deuxième stratégie consiste à exercer son pouvoir d'actionnaire lors des assemblées générales des entreprises, notamment en soumettant au vote des propositions qui reflètent des préoccupations sociales ou environnementales. Parmi les actionnaires les plus actifs, on retrouve certains fonds de retraite. Voici quelques exemples à titre indicatif: mentionnons en premier l'initiative du fonds de retraite des pompiers de LaSalle. Les participants gestionnaires de ce fonds ont présenté, en 2002, une proposition à l'assemblée des actionnaires de la Baie: cette proposition demandait à la compagnie de changer son code de conduite afin que les normes fondamentales de l'OIT soient respectées et que son application fasse l'objet d'une surveillance rigoureuse (Vallée, 2003). Plus récemment, en avril 2006, le fonds de retraite Bâtirente, avec d'autres investisseurs, a déposé deux propositions à caractère social à l'assemblée annuelle des actionnaires d'Alcan. L'une de ces propositions demandait à la compagnie de financer un comité consultatif qui aurait pour mandat de proposer des améliorations aux procédures de consultation des communautés touchées par le projet d'extraction de bauxite et de production d'alumine en Inde (le projet Utkal), afin d'obtenir au préalable leur consentement libre et éclairé. Rappelons que le projet minier de la coentreprise Utkal Alumina International Ltd (UAIL), dont Alcan détient 45 % des parts, suscite beaucoup d'appréhension relativement à ses impacts sociaux et environnementaux[7].

Ces initiatives peuvent également viser de façon plus large la gouvernance des entreprises. En mars 2003, CalPERS déposait une proposition à l'assemblée annuelle de la multinationale TYCO demandant à la firme de rapatrier aux États-Unis son siège social situé aux Bermudes. CalPERS a fait l'une de ses priorités le rapatriement des sièges sociaux américains établis dans des paradis fiscaux. En 2004, le régime de retraite de la section locale 27 de la Fraternité unie des charpentiers et menuisiers d'Amérique (FUCMA) a déposé plus de 15 résolutions d'actionnaires portant sur la rémunération des dirigeants, les options d'achat d'actions et l'autonomie des vérificateurs (Chapman, 2004).

En s'engageant ainsi dans la gestion de leurs fonds de retraite et en se dotant de politiques d'investissement déterminées, des syndicats essaient d'amener les entreprises à adopter des comportements socialement responsables. Cette stratégie ne lève cependant pas toutes les ambiguïtés de l'action syndicale dans le domaine de l'investissement. Elle oblige en quelque sorte les syndicats à adopter une rhétorique, mais aussi une logique d'actionnaire (Sauviat, 2001). Ils portent ainsi le chapeau de l'investisseur et acceptent, par le fait même, les règles et les obligations afférentes. N'oublions pas que le comité de retraite est tenu de rechercher le meilleur rendement possible pour les bénéficiaires (Carmichael et Quarter, 2003). Cette règle peut-elle aller jusqu'à forcer la prise de décisions qui iraient à l'encontre du maintien des emplois et de l'amélioration des conditions de travail? Ne peut-elle pas conduire à une désolidarisation ou encore amener les syndicats à faire des compromis plus ou moins heureux au regard de leur rôle de défenseur des intérêts des salariés? Par exemple, dans quelle position se retrouve une délégation syndicale siégeant à un comité de retraite qui doit, selon les termes de ses obligations légales[8], agir avec prudence, diligence et compétence et, ce faisant, accepter de se départir de certains titres parce que le rendement d'une entreprise et ses perspectives de croissance sont négativement affectés par des grèves ou d'autres actions syndicales? En fait, même si les syndicats arrivent à occuper un espace plus significatif dans ce domaine, ne doivent-ils pas jouer à l'intérieur des règles de la finance et adopter la logique du rendement? Comment peut-on alors qualifier le pouvoir syndical dans cette sphère d'activité? En somme, cette stratégie d'intervention dans la gestion des fonds de retraite, offre certes des opportunités pour l'acteur syndical, mais elle ne le dispense pas pour autant d'une réflexion sur les contradictions que suppose un tel engagement au regard de son rôle traditionnel de défense des travailleurs.

| 6.3 | ### VERS UN DÉCLIN OU UN RENFORCEMENT DU SYNDICALISME? |

Au terme de ce chapitre, il convient de rappeler les questions qui ont initié notre réflexion : quel avenir les syndicats peuvent-ils avoir dans la nouvelle économie ? Dans un contexte d'intensification de la concurrence internationale, peuvent-ils représenter des acteurs pertinents ? Le cas échéant, quels rôles sont-ils appelés à jouer ? Deux scénarios opposés ressortent des analyses de ce chapitre.

Le premier scénario repose sur un déclin lent et graduel du rôle des syndicats dans nos sociétés. Les faits ne vont pas dans le sens de cette hypothèse. Le lien entre la présence syndicale et la performance des entreprises reste équivoque : malgré les pressions qui s'exercent sur eux, les syndicats peuvent encore assurer de bonnes conditions de travail à leurs membres et une forte proportion de salariés adhèrent au syndicalisme. Néanmoins, ces données masquent peut-être une tendance lourde, moins visible et sans doute plus pernicieuse pour les syndicats. Les changements dans les entreprises et sur le marché du travail, tout comme l'insatisfaction d'une partie importante des salariés à l'égard de leurs conditions de travail et, par ricochet, à l'égard de leur syndicat, placent les syndicats dans une position difficile. Devant une contestation de plus en plus forte des pratiques syndicales traditionnelles, la crédibilité ou même la légitimité des syndicats pourrait être sérieusement mise en doute. Une telle situation conduirait à un affaiblissement inévitable des syndicats.

Le second scénario est plus optimiste. Il laisse entrevoir un renforcement du syndicalisme et un accroissement de la capacité d'action des syndicats. Sans nier que la mondialisation place les syndicats devant des défis d'une complexité grandissante, ce scénario permet de relativiser son impact et d'insister sur le caractère incertain de l'action sociale. Il accorde beaucoup d'importance à la dynamique sociale et à la capacité des acteurs de façonner leur environnement. Celui-ci n'est pas défini comme une entité ou une structure abstraite et indépendante des acteurs, mais comme une construction sociale sur laquelle ils ont une prise. Dans cette perspective, on assisterait à une redéfinition ou à un renouvellement de l'action syndicale qui arriverait mieux à composer avec les pressions et les changements provoqués par la nouvelle économie. Bref, souligner l'importance des dynamiques sociales, c'est placer le pouvoir des acteurs au centre de l'analyse.

Dans le chapitre qui s'achève, nous avons insisté sur quelques stratégies de renouvellement du syndicalisme, mais nous sommes conscients qu'il en existe d'autres, tout aussi importantes. On peut penser au défi du recrutement et à celui de représenter les multiples facettes d'une main-d'œuvre aux profils variés : qu'il s'agisse des femmes, des jeunes, des personnes immigrantes, des minorités visibles et ethniques ou des personnes handicapées. Les aspirations et les besoins de ces travailleurs obligent les syndicats à être attentifs à cette diversité et à imaginer des mesures qui s'appuient sur l'équité. De plus, cette diversité s'étend à la configuration même des emplois (le travail à temps partiel ou sur appel, l'introduction d'un intermédiaire comme les agences de placement) qui rend beaucoup plus complexe la mission de représentation des syndicats.

Nous pensons néanmoins que les avenues proposées dans ce chapitre illustrent des tendances lourdes quant au renouvellement de l'action syndicale. Ainsi, le partenariat entre patron et syndicat, la création d'alliances internationales et l'intervention dans la gestion des fonds de retraite ne se traduisent pas nécessairement par un renforcement du pouvoir syndical. En cette matière, il n'y a pas d'automatisme ou de recette magique : la construction du pouvoir des acteurs reste une question ouverte et pleine de zones grises, l'efficacité des avenues de renouvellement étant contingente et variable selon le contexte dans lequel s'inscrit l'action syndicale. Chacune de ces avenues comporte des risques : elles remettent en cause les modes de fonctionnement traditionnels des syndicats qui semblent constamment appelés à faire la part entre deux objectifs à la fois complémentaires et contradictoires : d'un côté, ils doivent protéger les intérêts des travailleurs et contribuer à l'amélioration de leurs conditions de vie et de travail ; de l'autre, ils doivent assurer la pérennité et la croissance des entreprises, en intégrant une logique fondée sur la compétition et le rendement.

L'avenir des syndicats se trouve quelque part entre les deux extrêmes représentés par leur inévitable disparition et leur renforcement assuré. Quoi qu'il en soit, la création de mécanismes de coordination qui assurent à la fois le développement économique et une voix au chapitre pour les individus dans leur milieu de travail continuera de constituer une question fondamentale. Au cours de l'histoire, les syndicats ont constamment tenté de concilier ces deux exigences. Dans l'hypothèse du déclin du syndicalisme, il faudra nécessairement inventer d'autres formes institutionnelles, d'autres mécanismes pour assurer une certaine forme de citoyenneté au travail. Bref, il faudra créer des moyens qui permettent aux acteurs individuels et collectifs d'exprimer leurs attentes, leurs besoins et leurs désirs. Ces moyens pourraient être institués par l'État, les entreprises ou la société civile. Quant au renouvellement du syndicalisme, il passe nécessairement par une redéfinition des modes d'action et des mécanismes de coordination. Si l'on accepte l'idée que le marché, en tant que mécanisme de coordination, ne peut à lui seul assurer la régulation des transactions économiques (Hollingsworth et Boyer, 1997), le défi consistera de toute manière à concevoir des modèles institutionnels qui permettent de concilier la diversité des intérêts en jeu.

Notes

1. Ce récit est une adaptation libre de la description faite par Barbara Ehrenreich (2001) de son expérience comme associée chez Wal-Mart.
2. Il s'agit du secteur de la métallurgie au sens large. Il comprend aussi bien les industries de transformation que l'industrie du transport terrestre (assemblage et fabrication de pièces). Pour la

plupart des pratiques novatrices, les données proviennent de gestionnaires répartis dans 133 établissements syndiqués et 170 établissements non syndiqués de l'ensemble de ces industries. Dans le cas de certaines pratiques (celles suivies du signe [†] dans le tableau 6.1), les données proviennent de gestionnaires de 85 établissements syndiqués et de 115 établissements non syndiqués des industries de transformation.

3. Par marché interne, il faut comprendre les mécanismes internes d'allocation de la main-d'œuvre, qui définissent l'ensemble des postes, des affectations et des modes de rémunération ainsi que les règles qui régissent la mobilité des travailleurs au sein de cet ensemble. Les conventions collectives assurent la régulation de ce marché interne en introduisant des règles telles que l'ancienneté pour encadrer les différents mouvements de main-d'œuvre au sein d'une entreprise.

4 Notez que ce modèle de négociation par branches, bien qu'il soit dominant, subit plusieurs pressions dans le sens d'une décentralisation de la négociation vers l'entreprise (Daniel et autres, 2003, p.17).

5. Il y a bien sûr des exceptions à cette règle puisque les syndicats ont toujours cherché à coordonner les négociations comme dans l'industrie de l'automobile ou des pâtes et papiers (Bourque et Rioux, 2001). Certains encadrements institutionnels, tels que la loi sur les décrets des conventions collectives et la loi régissant le secteur de la construction, ont également favorisé ce genre de négociation.

6. Voir le texte de Carmichael et Quarter (2003) pour un exposé plus complet sur le débat entre les obligations de rentabilité et l'investissement social.

7. Cette information a été recueillie sur le site Internet du Groupe Investissement responsable (www.investissementresponsable.com).

8. *Loi sur les régimes complémentaires de retraite* (Québec).

TROISIÈME PARTIE

Acteurs sociaux et entreprises

CHAPITRE 7

Femmes, marché du travail et gestion : évolution, inégalités et enjeux

Geneviève Dugré

L'arrivée des femmes sur le marché du travail est l'un des changements les plus marquants de la seconde moitié du XXe siècle. En quelques décennies, les femmes se sont intégrées dans les sphères économique, politique et sociale, longtemps réservées aux hommes. Elles sont maintenant de plus en plus actives et de plus en plus scolarisées ; elles poursuivent des études plus longtemps et réussissent avec brio. Le marché du travail apparaît de plus en plus mixte, et les écarts entre les hommes et les femmes en matière d'emploi semblent se réduire peu à peu. Les femmes ont maintenant accès à toutes les formations et à tous les postes : elles sont ingénieures, présidentes d'entreprises, ministres, plombières, avocates, architectes, ébénistes, médecins. Légalement, à travail égal, elles gagnent un salaire égal. Toutefois, malgré les changements et les évolutions, de nombreuses inégalités subsistent toujours entre les hommes et les femmes au travail. Écarts sur le plan salarial, trajectoires professionnelles non équivalentes, différences de possibilités d'emploi, de progression et de temps de travail : les inégalités entre les hommes et les femmes sur le marché du travail sont bien réelles et fort tenaces.

Pour comprendre les écarts qui subsistent entre les hommes et les femmes sur le marché du travail — le nouveau visage des inégalités —, il faut considérer l'évolution des dernières décennies. En effet, la place des femmes sur le marché du travail évolue rapidement et il est intéressant de noter ces changements et d'en comprendre les assises. Il faut aussi mettre au jour les inégalités professionnelles entre les sexes pour faire ressortir les principaux enjeux auxquels font face les femmes, les organisations et les entreprises.

7.1 QUELQUES TRANSFORMATIONS MAJEURES

L'évolution de la place des femmes sur le marché du travail est frappante. Les femmes ont longtemps été considérées comme une main-d'œuvre de réserve, notamment durant les deux guerres mondiales où elles ont pris la relève des hommes partis au combat, mais ce n'est désormais plus le cas. Au Canada, depuis les années 1960, un nombre croissant de femmes occupent un emploi et demeurent sur le marché du travail.

Les femmes sont de plus en plus actives, et ce, partout dans le monde[1]. Qu'est-ce qui explique l'augmentation de la féminisation de la population active? La scolarisation plus grande, la tertiarisation du marché du travail et les changements du rapport à l'emploi sont les principales transformations à la base de l'évolution de l'activité féminine sur le marché du travail.

7.1.1 LA SCOLARISATION ACCRUE

La scolarisation accrue des femmes a largement contribué à égaliser les chances d'accès au travail (Maruani, 2003, p. 27). En fait, le cheminement scolaire des femmes est de plus en plus long. Depuis les années 1980, elles occupent massivement les bancs des universités, au point où elles dépassent proportionnellement leurs collègues masculins. En 2001, dans les universités du Québec, les femmes représentaient 59,5 % de la population étudiante. Les universitaires québécoises sont parmi les femmes les plus scolarisées, avec les Norvégiennes, les Espagnoles, les Canadiennes et les Néo-Zélandaises[2].

Non seulement les femmes sont-elles de plus en plus scolarisées, mais dans certains cas, elles réussissent mieux que les hommes. Ainsi, au Québec, depuis le milieu des années 1980, la proportion de femmes qui obtiennent un baccalauréat dépasse celle des hommes, au point où en 2001-2002, on constatait un écart de 13,3 points. Plus précisément, 20,5 % des hommes ont obtenu un baccalauréat, comparativement à 33,8 % des femmes[3]. Le succès scolaire des femmes ne se remarque pas seulement à l'université. Ainsi, au Québec, en 2001, parmi des échantillons de 100 jeunes filles et de 100 jeunes hommes, 90 filles ont obtenu un diplôme d'études secondaires, comparativement à 77 garçons. De plus, 48 filles ont obtenu un diplôme d'études collégiales comparativement à 29 garçons (voir le tableau 7.1).

Les femmes sont donc de plus en plus scolarisées. Toutefois, leurs choix de formation demeurent concentrés dans certains domaines spécifiques, traditionnellement féminins, tels que l'enseignement, les sciences biologiques et la santé, les emplois de bureau et les arts, des emplois « féminisés » qui offrent des possibilités moins intéressantes en matière de carrière et de rémunération (Daune-Richard, 1998). À l'université, elles sont majoritairement inscrites en sciences de l'éducation, en sciences de la santé, en sciences humaines et en lettres. Les programmes d'études en sciences appliquées dans des domaines traditionnellement masculins tels que l'informatique, le génie ou les sciences physiques restent peu fréquentés par les femmes (voir le tableau 7.2).

TABLEAU 7.1

Obtention de diplômes de 100 jeunes Québécois et de 100 jeunes Québécoises, selon les comportements observés en 2000-2001

Diplômes	100 femmes	100 hommes
Diplôme d'études secondaires	90	77
Diplôme d'études collégiales	48	29
Baccalauréat	31	21
Maîtrise	8	7
Doctorat	1	1

Source : Ministère de l'Éducation du Québec, *Portrait social du Québec,* édition 2003. Données présentées dans le document *L'avenir des Québécoises. La suite des consultations de mars 2003,* Secrétariat à la condition féminine, 2004, p. 41.

TABLEAU 7.2

Nombre de diplômes de baccalauréat délivrés dans les universités du Québec selon le domaine d'études et le sexe, en 1990 et en 2001

Domaines d'études	1990			2001		
	Femmes	Hommes	% de femmes	Femmes	Hommes	% de femmes
Santé	1 640	613	72,8	1 737	505	77,5
Sciences pures	893	999	47,2	1 082	874	55,3
Sciences appliquées	923	3 164	22,6	1 335	3 496	27,6
Sciences humaines	3 164	1 992	61,4	3 975	1 968	66,9
Lettres	881	322	73,2	928	330	73,8
Droit	560	460	54,9	583	425	57,8
Sciences de l'éducation	2 310	677	77,3	2 816	708	79,9
Sciences de l'administration	2 640	2 656	49,8	2 673	2 294	53,8
Arts	656	358	64,7	890	463	65,8
Total	**14 062**	**11 464**	**55,1**	**16 636**	**11 328**	**59,5**

Source : Ministère de l'Éducation, Système de recensement des clientèles universitaires. Base de données GDEU. Données fournies par la Direction de la recherche, des statistiques et des indicateurs (DRSI) pour le Secrétariat à la condition féminine, janvier 2004. Cité dans *L'avenir des Québécoises. La suite des consultations de mars 2003,* p. 61.

Ainsi, la scolarisation croissante des femmes constitue l'une des transformations majeures ayant contribué à l'augmentation de l'activité féminine. Toutefois, malgré ce changement, le marché du travail demeure hautement segmenté, tant dans la formation que dans l'emploi.

7.1.2 LA TERTIARISATION ET LA FLEXIBILITÉ DU MARCHÉ DU TRAVAIL

Une autre transformation majeure expliquant l'évolution de l'activité féminine est la tertiarisation grandissante du marché du travail (Maruani, 2003) ainsi que la flexibilité du temps de travail, notamment la montée du temps partiel (DRHC, 2002). Au cours des dernières décennies, le marché de l'emploi s'est développé dans le secteur des services. Pour certains, la tertiarisation de l'emploi explique l'augmentation du nombre de femmes sur le marché du travail (Maruani, 2003, p. 10), puisque la plupart des emplois traditionnellement occupés par des femmes sont dans le secteur des services. Au Canada, en 2004, 87,4 % des femmes travaillaient dans le secteur des services[4]. Non seulement l'expansion du secteur des services a contribué à l'augmentation de l'activité féminine, mais elle est également en partie responsable de l'écart entre les conditions de travail des hommes et des femmes. En effet, bien que l'industrie des services offre des possibilités d'emploi fort diversifiées, c'est majoritairement dans ce secteur que sont proposés les emplois atypiques, temporaires, offrant une moins grande sécurité d'emploi et une rémunération plus faible (DRHC, 2002, p. 8). L'accroissement des requêtes de flexibilité du marché du travail et la montée du temps partiel et du travail autonome[5] constituent donc des transformations structurelles qui expliquent l'augmentation de l'activité féminine.

7.1.3 LA FÉCONDITÉ ET LA CONTINUITÉ PROFESSIONNELLE

Outre la scolarisation accrue et la tertiarisation du marché de l'emploi, l'évolution des femmes au regard de l'emploi explique également la féminisation croissante de la population active. Cette transformation du rapport à l'emploi est liée à de multiples facteurs culturels et sociaux tels que la baisse du taux de natalité et la continuité professionnelle.

La continuité professionnelle est un changement social qui a un impact considérable sur l'activité professionnelle des femmes. Les périodes où les femmes se retirent du marché du travail pour donner naissance et s'occuper d'un enfant sont de plus en plus courtes. En fait, de plus en plus, les femmes « vivent maternité et emploi sur le mode du cumul et non plus sur celui de l'alternance » (Ferrand, 2004, p. 9). Les mères sont de plus en plus occupées, et elles n'interrompent pas nécessairement leurs activités professionnelles lorsqu'elles ont des enfants (Maruani, 2003, p. 16). Au Canada, en 1976, 39,2 % des femmes ayant des enfants de moins de 16 ans vivant à la maison occupaient un emploi. En 2001, ce taux était de 70,3 % (Chevrier et Tremblay, 2003, p.15).

De plus, il semble y avoir un lien entre le taux d'activité et la fécondité, selon lequel plus les femmes sont actives, moins elles ont d'enfants. Ainsi, parce qu'elles poursuivent leurs études plus longtemps, qu'un seul salaire par ménage ne suffit plus, que les mentalités évoluent à l'égard des rôles sociaux et de l'autonomie financière des femmes, bref, parce que les femmes sont de plus en plus actives, les couples décident de remettre à plus tard la naissance du premier enfant. Autrement dit, le taux de natalité tend à décliner. Toutefois, ce lien causal entre fécondité et activité est moins évident depuis les années 1980 si l'on se fie à certaines analyses (Sofer, 2005). En observant les différents pays de l'OCDE, on remarque que les pays où les femmes sont les plus actives (États-Unis, pays scandinaves, France) ont des taux de fécondité élevés, alors que d'autres pays où les femmes sont moins actives (Espagne, Grèce, Italie) ont des taux de fécondité faibles (*ibid.*). Ces écarts pourraient s'expliquer par des aménagements institutionnels différents entre les pays (OCDE, 2003a ; Adsera, 2004), en ce qui concerne le soutien de l'État aux familles, les services de garderie offerts et subventionnés, les subsides versés aux parents, les lois régissant les congés parentaux, les facilités proposées par les entreprises à l'égard de la conciliation vie privée — vie professionnelle, etc. En effet, l'intervention de l'État relativement aux modalités de soutien familial, et plus précisément en ce qui a trait aux modes de garde (Sofer, 2005) a un impact majeur sur le taux de natalité, sur la conciliation vie privée — vie professionnelle, et au bout du compte, sur l'insertion professionnelle des femmes.

À ce sujet, une étude publiée en 2003 par l'OCDE démontre que pour les Japonaises et les Irlandaises, par exemple, la carrière et la famille semblent très difficiles à mener de front, et l'explication résiderait dans les différences d'aménagements institutionnels de chacun des pays en matière de soutien familial. Au Japon, les politiques gouvernementales et les pratiques des employeurs dissuadent fortement les femmes ayant des enfants de poursuivre leur vie professionnelle (OCDE, 2003b). En fait, le modèle japonais d'investissement professionnel relativement au temps consacré par les employés et les cadres à leur entreprise — par la participation à des réunions de qualité le soir, les week-ends ou par la requête continue d'heures supplémentaires — contribue à faire du nombre d'heures travaillées par les Japonais l'un des plus élevés au monde (Hirata, 1996). Or, ce modèle d'investissement professionnel ne fonctionne que parce que l'entière prise en charge des responsabilités familiales incombe aux femmes. Ainsi, près de 70 % des Japonaises quittent le marché du travail dès qu'elles ont un enfant, et si elles y reviennent, plusieurs années plus tard, c'est bien souvent dans la précarité et soumises à de mauvaises conditions de travail (OCDE, 2003b). Un second exemple se rattache aux modes de garde en Irlande. Le rapport de l'OCDE souligne que dans ce pays, il est d'usage que les enfants dont les mères travaillent soient gardés par la famille ou par le cercle d'amis. Or, le manque de soutien familial offert par l'État ralentit la progression de l'activité féminine, puisque l'augmentation du nombre d'Irlandaises sur le marché du travail entraîne une diminution du réseau de garde familiale. Des études menées aux États-Unis [6] ont également démontré le lien très fort entre l'existence de subsides versés aux parents pour les frais de garde et la participation féminine au marché du travail. Les dispositifs législatifs liés à l'égalité entre les hommes et les femmes, particulièrement sur le plan professionnel, sont donc fort différents d'un pays à l'autre. En fait, les contextes culturel, économique et institutionnel varient significativement entre les pays anglo-saxons et l'Europe, par exemple (Bender, 2004).

Les cas de l'Irlande et du Japon illustrent l'importance du rôle joué par l'organisation institutionnelle d'un pays à l'égard du marché du travail et celui des institutions responsables du soutien familial sur l'accroissement de l'activité féminine, le taux de natalité et la continuité professionnelle.

7.2   TOUTES CHOSES ÉTANT INÉGALES PAR AILLEURS…

Malgré l'évolution impressionnante de l'activité féminine dans les dernières décennies, de sérieux écarts entre les hommes et les femmes sur le marché du travail subsistent, notamment en ce qui a trait à la rémunération, à la division sexuelle du travail, aux conditions de travail et aux types d'emplois occupés. Il est vrai que certaines inégalités s'amenuisent significativement. Toutefois, d'autres se transforment et se reproduisent, façonnant un nouveau visage des inégalités.

7.2.1   À TRAVAIL ÉGAL, SALAIRE ÉGAL ?

Depuis une vingtaine d'années, l'écart de rémunération entre les Québécois et les Québécoises tend à se réduire. En effet, en 1980, les femmes travaillant à temps plein toute l'année gagnaient 66,9 % du salaire des hommes et, en 2002, ce ratio était de 75,4 % (voir le tableau 7.3). Toutefois, un intervalle significatif perdure, et ce dans tous les pays industrialisés[7]. Qu'est-ce qui explique cet écart ? Il peut être en partie attribuable aux choix professionnels, à l'expérience de travail, aux caractéristiques des emplois occupés, à la situation familiale ou aux différences de

TABLEAU 7.3

Revenu d'emploi moyen et ratio entre les revenus des femmes et des hommes chez les travailleurs à temps plein toute l'année au Québec, 1980-2002

	Québec		
	Revenu d'emploi ($ de 2002)		Ratio (%)
Année	Femmes	Hommes	F/H
1980	30 500	45 600	66,9
1985	29 600	43 200	68,6
1990	30 900	45 200	68,4
1995	31 900	42 800	74,6
2000	35 600	44 700	79,7
2002	34 400	45 700	75,4

Source : *Données sociales du Québec*, édition 2005, chapitre 6 : Conditions de travail et rémunération, Institut de la statistique du Québec, p. 151.

qualifications. Cependant, la discrimination systémique et la sous-évaluation historique du travail des femmes ne sont pas à négliger.

Les écarts de rétribution professionnelle s'expliquent en partie par la ségrégation des emplois : les hommes et les femmes n'exercent pas les mêmes métiers, et tous les emplois n'offrent pas les mêmes conditions et les mêmes possibilités (Maruani, 2003). Le fait de travailler principalement dans une industrie plutôt qu'une autre (industrie primaire ou industrie de services), dans les secteurs privé ou public, au sein de grandes ou de petites entreprises, et d'occuper certaines catégories professionnelles plutôt que d'autres (poste à haute responsabilité ou poste d'exécution), a certes un impact sur les caractéristiques des emplois occupés et donc sur la rémunération de ces emplois (Meurs et Ponthieux, 2005). Ce constat nous amène à nous demander ce qui explique que certains emplois sont mieux évalués que d'autres, et surtout ce qui explique que les emplois majoritairement occupés par les femmes sont également ceux qui sont généralement les moins bien rémunérés et qui offrent de moins bonnes conditions de travail. Notons que sur l'ensemble des travailleurs qui recevaient le salaire minimum au Québec en 2001, 71,2 % étaient des femmes.

Une des réponses à ces questions se rattache à la représentation sexuée des compétences requises pour l'exercice d'un métier ou d'une profession. Les compétences requises dans les emplois traditionnellement occupés par des femmes sont vues comme découlant de la « nature » féminine, comme des qualités innées (Daune-Richard, 2003 ; Angeloff, 2005). Ces qualités considérées comme naturelles sont sous-évaluées. Ainsi, les métiers dits *féminins,* auxquels on associe des compétences et des qualités naturellement attribuées aux femmes, sont encore aujourd'hui dévalorisés, notamment sur le plan salarial (Daune-Richard, 2003). La Loi sur l'équité salariale adoptée au Québec en 1996 vise précisément à éliminer les écarts de *valeur* entre les emplois traditionnellement occupés par les femmes et ceux occupés traditionnellement par les hommes, et ce, même si ces emplois sont différents (voir l'encadré 7.1).

ENCADRÉ 7.1
La Loi sur l'équité salariale au Québec[8]

Au Québec, la Loi sur l'équité salariale fut adoptée en 1996, et s'applique aux employeurs des secteurs public, parapublic et privé comptant 10 employés ou plus. Cette loi s'appuie sur le constat qu'il existe des catégories d'emplois et que la rémunération existante au sein des catégories d'emplois dits « féminins » est de loin inférieure aux catégories d'emplois dits « masculins ». L'objectif de cette loi est de dissoudre l'écart de rémunération entre les hommes et les femmes qui occupent des fonctions équivalentes et d'éliminer la sous-valorisation des emplois typiquement féminins. Autrement dit, cette loi vise à éliminer la *discrimination salariale systémique.* La discrimination systémique est définie comme étant une discrimination résultant de l'application de procédures ou de méthodes, neutres en apparence, qui donne lieu à des inégalités pour l'ensemble des individus appartenant à une catégorie particulière, dans ce cas-ci les femmes.

Il importe de distinguer la discrimination directe ou intentionnelle de la discrimination systémique. La première est volontaire et conduite consciemment, alors que la seconde résulte d'un système, d'un ordre établi. Par exemple, si un conseil d'administration refuse d'étudier les candidatures féminines pour l'obtention d'un siège au conseil en présumant que la disponibilité requise pour ce genre de poste ne peut convenir à une femme pour des raisons de charges et responsabilités familiales, il s'agit de discrimination directe. La discrimination systémique, de son côté, découle de systèmes qui semblent neutres, mais qui ne le sont pas (procédures d'embauche, d'évaluation, de promotion, etc). Un exemple désormais classique se rattache aux exigences de grandeur minimale auparavant demandées pour l'embauche de pompiers et de pompières. Bien qu'étant une exigence apparemment neutre — on exigeait des individus souhaitant intégrer le métier de pompier de mesurer une taille minimale —, cette politique était discriminante à l'égard des femmes. En effet, les femmes étant en moyenne plus petites que les hommes, cette exigence contribuait à l'exclusion de nombreuses candidatures féminines.

Légalement, à travail égal, les femmes gagnent un salaire égal. Toutefois, le célèbre adage « travail égal, salaire égal » ne doit toutefois pas être confondu avec *l'équité salariale*. En effet, « travail égal, salaire égal » signifie que, pour un même emploi ou un emploi similaire, les hommes et les femmes doivent gagner la même rémunération. Ainsi, deux individus occupant le même poste, avec la même définition de tâches et les mêmes responsabilités, doivent gagner le même salaire. Tandis que l'équité salariale signifie que pour un emploi *équivalent*, les hommes et les femmes doivent gagner le même salaire. C'est donc « salaire égal pour travail différent mais équivalent ».

Pour atteindre l'équité salariale, il est nécessaire de comparer la valeur des catégories d'emplois. Ainsi, les facteurs tels que les qualités et qualifications nécessaires pour remplir un poste, les responsabilités, l'effort intellectuel et physique ainsi que les conditions dans lesquelles le travail est effectué sont pris en considération et sont comptabilisés afin de pouvoir comparer la « valeur » d'un emploi par rapport à celle d'un autre, et résorber l'écart.

Ainsi, en évaluant des catégories d'emplois à prédominance féminine par rapport à des catégories d'emplois à prédominance masculine, il est possible de mettre en lumière certaines caractéristiques qui ne sont pas prises en compte dans la rémunération. Par exemple, dans les emplois dits « féminins » comme ceux liés aux soins dispensés aux gens, les facteurs tels que le rythme de travail, l'effort psychologique et le niveau de responsabilité peuvent être sous-évalués, de sorte que les aides-soignantes soient moins bien rémunérées que les préposés aux malades[9]. Ou encore dans un emploi de caissière par rapport à un emploi de manutentionnaire, la répétition des tâches, le service à la clientèle, les efforts physiques requis par l'obligation de soulever continuellement des poids légers peuvent être des facteurs sous-évalués et expliquer en partie l'écart salarial entre ces deux emplois (CÉS, 2005).

Source : Commission de l'équité salariale du Québec, 2005.

L'héritage des générations précédentes explique en bonne partie les écarts de salaire entre les sexes. Toutefois, en comparant le ratio de salaire moyen entre les jeunes hommes et les jeunes femmes aujourd'hui, on constate qu'il est plus faible que le ratio de la génération précédente (Chevrier et Tremblay, 2003). C'est donc dire que l'écart salarial se rétrécit. Pourtant, si l'on se penche sur la génération actuelle et que l'on considère les jeunes universitaires récemment entrés sur le marché du travail, on constate avec étonnement qu'il y a loin de la coupe aux lèvres en matière d'égalité salariale. En effet, deux ans après l'obtention de leur diplôme, les jeunes hommes et les jeunes femmes ayant reçu la même formation ne gagnent pas le même salaire (voir le tableau 7.4). L'écart est particulièrement important dans le cas des bachelières en administration des affaires, puisque deux ans après l'obtention de leur diplôme, elles gagnent 3 328 $ de moins annuellement que leurs collègues masculins, et cet écart grimpe à plus de 6 000 $ pour les titulaires d'une maîtrise [10].

Pourquoi, à diplôme égal, persiste-t-il un écart salarial entre les hommes et les femmes ? Parce que, d'une part, dès leur entrée sur le marché du travail, les hommes et les femmes n'occupent pas les mêmes postes et n'ont pas les mêmes responsabilités, et parce que, d'autre part, la carrière des hommes et des femmes progresse à des rythmes différents. L'écart se creuse dès le début de la carrière, et ce, même au sein des catégories professionnelles nécessitant un haut niveau de qualification. Au Québec, l'écart salarial entre les cadres supérieurs selon le sexe est étonnant : en 2001, les femmes ne gagnaient que 61,3 % du salaire des hommes [11]. Ce constat nous amène à nous demander si, à formation égale, les hommes et les femmes ont les mêmes attentes salariales, et s'ils ont la même attitude à l'égard de la négociation individuelle de leur salaire.

En ce qui concerne les attentes salariales, une étude américaine menée en 2004 auprès des finissants et des finissantes au MBA révèle des résultats intéressants. Un an après l'obtention du diplôme, les hommes s'attendent à gagner 89 933 $ US, tandis que les femmes s'attendent à une rémunération de 81 962 $ US, soit 9 % de moins que les hommes. Plus les candidats acquièrent de l'expérience, plus l'écart sur le plan des attentes salariales grandit [12]. Peu d'études sont concluantes en ce qui concerne l'attitude différente des femmes et des hommes à l'égard de la négociation de leurs salaires. Toutefois, on peut constater que leurs attentes salariales sont différentes.

Plusieurs approches présentent les différences de *capital humain* comme argument central pour expliquer les écarts de rémunération entre les sexes (Becker, 1985 ; Anker, 1997). Selon cette théorie économique, les inégalités en matière de rétribution s'expliquent par les différences des caractéristiques « productives » des individus et par le fait que les formations et l'expérience professionnelle ne sont pas équivalentes entre les sexes (Meurs et Ponthieux, 2005). La théorie du capital humain à la base de ces arguments conçoit le marché de l'emploi comme un lieu fonctionnant de façon optimale, où travailleurs et employeurs

TABLEAU 7.4

Situation des titulaires d'un baccalauréat et d'une maîtrise (promotion 2001) par discipline et selon le sexe, pour l'ensemble du Québec, en janvier 2003

Discipline	Sexe	Salaire hebdomadaire brut moyen ($) (baccalauréat)	Ratio du revenu F/H (%)	Salaire hebdomadaire brut moyen ($) (maîtrise)	Ratio du revenu F/H (%)
Droit	F	781	90,2 %	1 180	90,5 %
	H	866		1 304	
Économique	F	674	82,4 %	917	88,9 %
	H	818		1 031	
Administration des affaires	F	737	92,0 %	1 237	91,3 %
	H	801		1 355	

Source: Enquête Relance à l'université — 2003. La situation d'emploi des personnes diplômées ; situation des personnes titulaires d'un baccalauréat et d'une maîtrise (promotion 2001) en janvier 2003, ministère de l'Éducation du Québec.

agissent comme des agents rationnels, cherchant à maximiser leur utilité. Suivant cette approche, les choix professionnels se font en fonction de l'optimisation des revenus, en tenant compte des préférences des individus, de leurs obligations et de leurs capacités. Quant aux employeurs, ils souhaitent maximiser leur utilité, et embauchent de façon à minimiser leurs coûts. Ainsi, les caractéristiques « productives » des femmes expliqueraient leur situation inférieure sur le plan de la rémunération. Or, sur le plan de la formation et de l'expérience, les arguments tirés de la théorie du capital humain faiblissent avec le temps. D'une part, les inégalités en matière de formation se réduisent considérablement : les femmes sont désormais aussi formées et scolarisées que leurs homologues masculins. En effet, les femmes qui fréquentent les universités sont si nombreuses qu'en gestion ou en droit, la population féminine est maintenant supérieure à l'effectif masculin [13]. Quant à l'expérience professionnelle moins grande des femmes, même si elle existe toujours, notamment parce que les femmes risquent plus souvent que les hommes d'interrompre leur carrière durant les périodes de maternité (Meurs et Ponthieux, 2005), elle tend à s'égaliser. Ainsi, en 2002, les femmes travaillant à temps plein toute l'année au Québec comptaient en moyenne 17,1 années d'expérience comparativement à 20,1 années chez les hommes [14]. Cette théorie néoclassique permet certes de comprendre certaines causes des inégalités entre les hommes et les femmes sur le marché du travail, mais elle est réductrice dans la mesure où elle se construit sur des hypothèses de compétences différenciées selon les sexes, et met de côté le poids de la discrimination salariale et de la sous-évaluation des compétences professionnelles des femmes.

En somme, les choix professionnels expliquent en partie l'écart salarial entre les hommes et les femmes, tout comme les caractéristiques des emplois occupés, l'expérience acquise, le niveau de qualification ou l'âge. Toutefois, même en tenant compte des écarts réels d'expérience de travail, de la scolarité, des choix de formation, de la durée d'occupation de l'emploi, du nombre d'enfants, etc., les modèles économiques explicatifs des écarts de salaires n'arrivent à expliquer que 49,3 % de l'écart[15]. Autrement dit, un homme et une femme dans la même situation, *toutes choses étant égales par ailleurs,* ne jouissent pas du même salaire.

7.2.2   LA FLEXIBILITÉ, LA PRÉCARITÉ ET LE TEMPS PARTIEL

Le développement du secteur tertiaire et la demande accrue de flexibilité des entreprises ont contribué à l'explosion du nombre d'emplois atypiques. La flexibilité prend plusieurs formes — notamment les emplois à temps partiel et le travail autonome — et vise surtout à réduire les coûts de main-d'œuvre[16]. La précarité, quant à elle, se rattache à l'incertitude, à l'insuffisance et à l'insécurité liées à l'emploi (Conseil du statut de la femme, 2000). Travail atypique ne signifie pas nécessairement travail précaire, mais bien souvent flexibilité et précarité vont de pair. En fait, les formes d'emplois plus précaires telles que le travail autonome, le travail temporaire, le travail à temps partiel ou encore le télétravail, découlent de la demande grandissante de flexibilité. La précarité liée à l'emploi atypique affecte principalement les jeunes et les femmes. Au Québec, en 2002, les femmes occupaient un emploi à temps partiel dans une proportion de 26,7 %, comparativement à 10,4 % pour les hommes[17]. En fait, parmi tous les travailleurs âgés de 25 à 64 ans occupant un emploi à temps partiel, 75 % sont des femmes[18].

Une question intéressante relativement au travail à temps partiel se rattache aux raisons pour lesquelles les travailleurs occupent ce type d'emploi. En effet, la situation des femmes à l'égard des emplois atypiques et des emplois à temps partiel est souvent présentée comme un choix volontaire, comme une réponse à la volonté de concilier vie privée et vie professionnelle (Maruani et Nicole, 1989 ; Ferrand, 2004). Or, le temps partiel est-il un choix ? Si les femmes sont plus nombreuses à occuper un emploi à temps partiel, est-ce parce qu'elles « préfèrent » ce type de travail ? En fait, au Québec, en 2003, les femmes de 25 à 54 ans occupant un emploi à temps partiel par choix personnel ne représentaient que 32,2 %[19]. Bien qu'il s'agisse de la principale raison invoquée, il est important de noter qu'il en existe plusieurs autres : retour à l'école, soin des enfants, obligations personnelles, maladie ou incapacité, etc. La raison « prendre soin des enfants » pour expliquer l'occupation d'un emploi à temps partiel est invoquée beaucoup plus par les femmes que par les hommes[20]. Néanmoins, il faut s'interroger sur les véritables motifs du choix personnel. En effet, si la charge parentale des enfants en bas âge repose encore largement sur les femmes, le fait qu'elles disent avoir « choisi » un emploi à temps partiel pour prendre soin des enfants ne signifie pas qu'elles « préfèrent » travailler à temps partiel. Il est en effet possible de penser que certaines femmes « choisissent » le travail à temps partiel à cause des contraintes liées au travail domestique (Maruani, 2003, p. 90). De plus, si le choix revient à occuper un poste à temps partiel ou à ne pas occuper de poste du tout, l'occupation à temps partiel s'apparente plus à un choix « sous contrainte » (*ibid.*, p. 90).

Autrement dit, le choix individuel n'est certes pas le seul facteur expliquant le nombre important d'emplois à temps partiel occupés par des femmes et il ne faut pas sous-estimer l'intériorisation de contraintes culturelles et institutionnelles dans l'explication du choix des femmes (Nanteuil-Miribel, 2003, p. 32). En fait, il existe des normes culturelles et des contraintes institutionnelles, notamment celles liées aux politiques publiques de soutien familial (congés parentaux, structures de garde subventionnées), qui incitent les femmes à occuper ou non un emploi (*ibid.*). De plus, certains secteurs importants de l'économie offrent ce type d'emploi. C'est le cas par exemple de l'industrie des services où se concentre la majorité des emplois des femmes.

7.2.3 LA RÉPARTITION DES TÂCHES DOMESTIQUES

Qu'est-ce qui contribue à la création et au maintien des inégalités entre les sexes sur le marché du travail? Pourquoi, malgré l'évolution importante de la place des femmes dans le monde du travail, existe-t-il encore des écarts significatifs? Une partie de la réponse se trouve dans les stéréotypes sexués des compétences des hommes et des femmes et dans la ségrégation sexuelle persistante, et une autre partie, dans le partage inégal des rôles et des responsabilités au sein de l'unité familiale. En effet, en comparant les statistiques liées au temps consacré aux tâches domestiques quotidiennement, on remarque que l'éducation, les soins à donner aux enfants et les travaux ménagers sont encore majoritairement assumés par les femmes. En 1998, au Québec, 62 % de l'ensemble des tâches domestiques étaient assumées par les femmes[21]. Cette évolution se répercute sur la place que prennent les femmes sur le marché du travail et sur celle qui leur est laissée (Villeneuve et Tremblay, 1999; Laufer, 2002; Maruani, 2002).

Depuis vingt-cinq ans, les femmes sont aussi actives que les hommes. Toutefois, il semble que la cadence à laquelle elles intègrent le marché de l'emploi soit plus rapide que celle à laquelle évolue l'implication des hommes dans la sphère privée (Villeneuve et Tremblay, 1999, p. 14). Les femmes semblent encore aux prises avec la nécessité de composer avec la «double journée» (Ferrand, 2004). Ce constat nous amène à nous interroger sur l'évolution générationnelle du point de vue de l'équité entre les sexes dans la sphère privée. Par exemple, on remarque que dans les couples où les deux conjoints occupent un emploi, les tâches domestiques se répartissent plus facilement que dans les couples où un seul des conjoints travaille. Plus les femmes travaillent, plus le contexte change et plus les mentalités évoluent. Ainsi, d'une génération à l'autre, il est possible de penser que les jeunes couples négocient le partage des tâches plus équitablement entre l'homme et la femme que ne le faisaient leurs parents. Par exemple, il n'est plus impensable pour les jeunes hommes de consacrer du temps à leurs enfants et d'en prendre soin [*ibid.*, p. 25]. Toutefois, encore aujourd'hui, la majeure partie des tâches familiales sont sous la responsabilité des femmes, que ces dernières soient actives ou pas.

En somme, des inégalités majeures persistent entre les hommes et les femmes sur le marché du travail. Les écarts de rémunération, les différences relativement aux conditions de travail, aux types d'emplois occupés et au partage des tâches domestiques en sont des illustrations convaincantes. La ségrégation sexuelle du marché du travail explique en partie l'existence et la persistance de ces décalages professionnels entre les sexes. Il importe de bien comprendre cette ségrégation, et surtout d'en saisir les mécanismes de reproduction.

7.3 LA SÉGRÉGATION SEXUELLE DU MARCHÉ DU TRAVAIL

La ségrégation sexuelle du travail s'articule selon deux principes : un principe de hiérarchie et un principe de séparation (Kergoat, 2004, p. 36). Le principe de séparation consiste à dire qu'il existe des métiers *d'hommes* et des métiers *de femmes* tandis que le principe de hiérarchie se rattache à la valeur plus élevée accordée aux métiers d'hommes qu'aux métiers de femmes.

Le principe de séparation se rattache historiquement à des affiliations simples : sphère professionnelle pour les hommes et sphère privée pour les femmes (Badinter, 1986, p. 11). Maintenant que les femmes ont intégré le marché du travail, cette association se transforme peu à peu. Toutefois, on trouve tout de même une *ségrégation horizontale* : hommes et femmes n'exercent pas les mêmes métiers. Quant au principe de hiérarchie, il se traduit notamment par les écarts salariaux entre les hommes et les femmes. Il semble que les métiers majoritairement exercés par des hommes soient généralement mieux rémunérés que les métiers majoritairement exercés par des femmes. Ce principe s'exprime également par l'accession au pouvoir et à la prise de décision. C'est ce que l'on appelle la *ségrégation verticale* ; les femmes désireuses de remplir des postes de haut niveau avec des responsabilités plus importantes se heurtent à des difficultés d'ascension et au « plafond de verre ». Ainsi, les concepts de ségrégation verticale et horizontale exposent deux réalités capitales dans la compréhension de la problématique des femmes au travail.

7.3.1 LA SÉGRÉGATION VERTICALE ET LE « PLAFOND DE VERRE »

Le concept du « plafond de verre » ou *glass ceiling* est défini comme « l'ensemble des obstacles visibles et invisibles auxquels se heurtent les femmes quand il s'agit d'accéder à la sphère du pouvoir aux niveaux supérieurs des hiérarchies organisationnelles » (Laufer, 2003, p. 4). De plus en plus de femmes atteignent des niveaux hiérarchiques élevés, dirigent des équipes et gèrent des mandats importants. En fait, la présence des femmes en gestion, particulièrement dans des postes de cadres, ne cesse d'augmenter, et ce, tant en politique que dans la fonction publique ou dans les entreprises privées. Toutefois, la possibilité pour les femmes d'accéder aux postes de pouvoir et de décision semble toujours poser problème. Arrivées à un certain niveau, elles se heurtent à des barrières, qui contribuent au maintien de la composition masculine des hautes instances décisionnelles.

Femmes au pouvoir, état des lieux

En politique, au Québec, en 2003, les femmes représentaient 30,4 % des députés et 32 % des ministres. Compte tenu du fait que ce n'est que depuis 1976 que l'Assemblée nationale compte plus d'une femme dans ses rangs[22], l'évolution au cours des trente dernières années est impressionnante. Parmi les candidatures aux élections provinciales de 2003, 26,7 % étaient des femmes. Dans les postes de la haute fonction publique, tels que sous-ministres ou sous-ministres adjoints, la proportion de femmes était de 24,7 % en 2003 (voir le tableau 7.5). Cette proportion a augmenté puisqu'elle était de 11,8 % en 1994.

Pour ce qui est du milieu des affaires, les possibilités d'accès à des postes hiérarchiques élevés demeurent fort modestes pour la plupart des femmes. Même si elles représentaient 14,4 % des cadres principaux dans les organisations au Canada en 2004, les femmes n'occupaient que 7,1 % des postes de haute direction (Catalyst, 2004). Au Québec, en 2001, les femmes ne représentaient que 22 % des cadres supérieurs[23] et elles étaient peu présentes dans les conseils d'administration. En fait, sur les 101 entreprises québécoises figurant sur la liste des 500 plus grandes entreprises canadiennes (FP500), seulement 12,8 % des sièges disponibles dans les conseils d'administration étaient occupés par des femmes. De plus, 39 % des conseils d'administration dans les 101 entreprises québécoises étaient exclusivement constitués d'hommes[24]. Il est intéressant de noter que la proportion de femmes aux postes de haute direction varie selon la taille de l'entreprise et le secteur d'activité. En effet, des études ont démontré qu'elles étaient plus nombreuses à la tête des petites et moyennes entreprises (Laufer et Fouquet, 1997) et dans les secteurs d'activité où les femmes sont déjà nombreuses.

TABLEAU 7.5

Représentation féminine en politique et dans la haute fonction publique au Québec, en 2003

Femmes en politique au Québec	Représentation féminine (%)
Députés	30,4 %
Ministres	32,0 %
Candidates aux élections provinciales de 2003	26,7 %
Haute fonction publique (sous-ministres et sous-ministres adjointes)	24,7 %

Source: Données tirées de *Vers un nouveau contrat social pour l'égalité entre les femmes et les hommes*, Conseil du statut de la femme, Gouvernement du Québec, 2004.

Qu'est-ce qui explique l'existence du «plafond de verre»?

Au fil du temps, la proportion de femmes occupant des postes de cadre ne cesse de croître, et ce, partout dans le monde (Davidson et Burke, 2004). Toutefois, une tendance persiste: les chances d'atteindre les postes de pouvoir continuent d'être plus faibles pour les femmes que pour les hommes (Maruani, 2003, p. 43). Plusieurs arguments expliquent l'existence du «plafond de verre» auquel se heurtent les femmes dans les organisations (voir l'encadré 7.2). Ces arguments peuvent être classés dans deux grandes catégories: ceux qui font référence à une spécificité féminine pour expliquer les trajectoires professionnelles différentes entre les sexes, et ceux, plus structurels, qui font référence à l'organisation du travail et à la culture (Laufer, 2003).

Une première explication liée à la spécificité féminine se rattache à l'ambition différenciée selon les sexes. Les femmes n'auraient pas les mêmes motivations que les hommes au travail, et accorderaient moins d'importance au titre et au pouvoir qu'à la fonction (Deghilage, 1997, p. 102), ce qui expliquerait la différence de trajectoires professionnelles. De plus, les femmes seraient moins proactives que leurs collègues masculins relativement au développement de leur carrière (Burke, 1998; Gagnon et Létourneau, 1997; Laufer, 2003). Par exemple, elles seraient moins portées à postuler pour des postes exigeant une grande mobilité géographique pour des raisons familiales (Fortino, 2002); or, cette mobilité est de plus en plus incontournable pour la progression professionnelle.

Les difficultés liées à la conciliation entre la vie professionnelle et la vie privée constituent un second argument relatif à la spécificité féminine pour expliquer le fait qu'elles sont moins nombreuses à gravir les échelons des organisations. Un poste de responsabilité nécessite une grande disponibilité et un investissement de temps important. Or, les aléas liés à la vie familiale seraient plus difficiles voire impossibles à concilier pour les femmes, qui doivent parfois encore choisir entre faire carrière ou fonder une famille (Hewlett, 2002). Une étude américaine réalisée en 2001 auprès de femmes gestionnaires de haut niveau a démontré que plus du tiers d'entre elles n'avaient pas d'enfants, alors que moins d'un homme sur cinq avec les mêmes responsabilités était sans enfant[25]. De plus, ces femmes sont plus souvent célibataires que leurs collègues masculins. En fait, dans l'ensemble de la population, les catégories de femmes et d'hommes célibataires se trouvent aux deux extrêmes. Alors qu'on trouve le plus grand nombre d'hommes célibataires parmi les ouvriers non qualifiés, chez les femmes on trouve plus de célibataires parmi les diplômées ayant des postes de responsabilité (Kaufmann, 1993).

Le poids des modèles sociaux demeure important dans le choix des partenaires de vie. D'ailleurs, une étude américaine sur les finissants au MBA de Stanford établit des constats surprenants. En fait, l'étude vise à comparer les salaires des finissants — hommes et femmes — du MBA, ainsi que le salaire de leurs conjoints ou de leurs conjointes. Au début des années 2000, les maris des femmes qui étaient titulaires d'une maîtrise en administration des affaires

ENCADRÉ 7.2

Qu'est-ce qui explique l'existence du «plafond de verre»?

1. Les politiques de gestion de carrière pour les cadres supérieurs et les gestionnaires de haut niveau sont peu formalisées. En fait, les promotions et les nominations aux conseils d'administration s'appuient sur un réseau de contacts et sur des processus de cooptation plutôt que sur des bases objectives d'évaluation de compétences et d'habiletés professionnelles. Or, les femmes sont peu présentes dans ce genre de réseaux, encore aujourd'hui largement masculins.

2. Les stéréotypes sexués liés aux compétences ont une forte influence sur la confiance et l'intérêt des entreprises relativement à la nomination des femmes à des postes de cadres. Des *a priori* sur les femmes et les qualités *féminines* rendent encore parfois leur présence incohérente dans un poste de cadre supérieure. Par exemple, si elles sont perçues comme étant consensuelles, empathiques et sensibles, alors que le poste nécessite de la fermeté, de l'autorité et de la détermination, leur nomination et leur progression sera d'autant plus ardue. Ce lien entre qualification et sexe explique en partie pourquoi on trouve davantage de cadres de sexe féminin dans les postes périphériques (*staff*) des organisations.

3. Les femmes manifestent un intérêt différent à l'égard de l'exercice du pouvoir, elles sont moins proactives relativement à leur avancement professionnel et ont une moins grande motivation en ce qui concerne la mobilité géographique et internationale, nécessaire à la progression d'une carrière de haut niveau.

4. La conciliation famille-travail, notamment la maternité des cadres supérieures dans les entreprises, rend la progression des femmes plus difficile dans les organisations. Maternité et pouvoir ne vont pas de pair.

5. Les femmes ont des profils de carrière différents, notamment sur le plan de leur investissement dans le travail et de leur présence au sein des conseils d'administration. C'est un cercle vicieux: moins elles sont présentes, moins elles acquièrent d'expérience et moins elles ont de chances d'obtenir le poste convoité.

gagnaient en moyenne 120 124 $, soit à peu près 20 000 $ de plus que leurs épouses, alors que les épouses des hommes qui étaient titulaires de la même maîtrise gagnaient en moyenne 30 323 $, soit plus de 100 000 $ de moins que leurs maris (Heath, 2001, p. 238-239). Autrement dit, en observant la constitution des couples, on remarque qu'encore aujourd'hui, rares sont les femmes qui partagent leur vie avec des hommes dont le statut est inférieur au leur (Ferrand, 2004, p. 93).

Un élément semble faire l'unanimité à propos de l'accès aux postes de haute responsabilité pour les femmes: il est beaucoup plus difficile pour elles d'imposer leurs choix de carrière à leur famille, que ce ne l'est pour leurs collègues masculins (Laufer, 2003, p. 11). En fait, les modèles liés aux rôles sociaux des hommes et des femmes persistent et contribuent à rendre les rôles de «femme de carrière» et de « mère de famille » difficiles à concilier. La conciliation vie privée et vie professionnelle nécessite pour les femmes une solide organisation et des délégations multiples (Ferrand, 2004, p. 17). Contrairement aux hommes, les femmes qui poursuivent une carrière doivent compter sur un réseau dont leur conjoint ne fait pas nécessairement partie.

De plus, le fait d'avoir des enfants a un impact complètement différent sur les hommes et sur les femmes au pouvoir. En réalité, le fait de fonder une famille entraîne un effet contraire sur les uns et sur les autres (Ferrand, 2004, p. 27). La paternité ne freine pas la progression professionnelle dans les organisations, puisqu'il s'agit d'un symbole de stabilité et d'engagement. À l'inverse, pour bon nombre d'employeurs et de dirigeants, la maternité signifie un manque de disponibilité et un plus faible investissement professionnel. Autrement dit, paternité et carrière se renforcent mutuellement, tandis qu'une certaine suspicion subsiste à l'égard de la propension des femmes à privilégier leurs tâches familiales (*ibid.,* p. 16) ou de la possibilité qu'elles deviennent enceintes (Laufer, 2002, p. 37).

Outre l'ambition différenciée selon le sexe et la difficile conciliation entre vie privée et vie professionnelle, un autre argument lié à la spécificité féminine explique pourquoi peu de femmes accèdent aux plus hautes fonctions dans les organisations, soit le goût du pouvoir qui diffère selon le sexe. Certaines études empiriques menées auprès des cadres de sexe féminin ont apporté quelques éléments de réponse. Les femmes interrogées sur la projection de leur carrière mettent l'accent sur l'acquisition de compétences et sur l'intérêt intrinsèque du poste qu'elles occupent ou qu'elles visent, plutôt que sur le désir d'exercer le pouvoir (Laufer, 2003, p. 11). Il est possible que les hommes et les femmes aient des intérêts professionnels différents, et que leur attrait pour le pouvoir ou les postes de responsabilités soit différent. Cela peut s'expliquer de plusieurs façons, notamment par le fait que les hommes et les femmes sont socialisés différemment. Toutefois, ces différences n'expliquent que partiellement la faible présence des femmes dans les postes de pouvoir.

D'autres arguments, plus structurels ou organisationnels, tentent de mettre en lumière les principales causes de l'existence du « plafond de verre » en étudiant plutôt le fonctionnement et les pratiques des organisations, ainsi que les éléments symboliques qui caractérisent l'imaginaire organisationnel. En fait, les études sur les carrières des femmes titulaires d'un diplôme supérieur démontrent que les obstacles auxquels elles se heurtent dans la progression organisationnelle relèvent plutôt de l'organisation du travail, des politiques de promotion, de la gestion de carrière (Laufer, 1996), de la culture organisationnelle *masculine* (Wajcman, 1998) ou des processus de sélection discriminatoires (Dini-Richard, 2004) que du conflit famille-travail, d'une ambition professionnelle différente (Laufer et autres, 2003, p. 15) ou d'un goût différent pour le pouvoir.

Au sein des hautes instances décisionnelles, majoritairement masculines, les compétences requises pour réussir, la structure sexuée des fonctions et des tâches, les attitudes valorisées pour la progression, sont teintées d'une culture masculine (Wajcman, 2003). Cette culture masculine se manifeste notamment dans le modèle d'investissement professionnel pour les cadres de haut niveau en fonction du temps passé au bureau (Laufer, 2003). Un cadre motivé et compétent est un individu qui investit de longues heures dans son travail et qui fait preuve d'une grande disponibilité, comme si l'implication et l'engagement professionnels ne se comptabilisaient qu'à partir des heures travaillées (*ibid.*, p. 61). Or, ce modèle contribue à l'exclusion des femmes, notamment en matière de conciliation famille-travail.

Plusieurs auteurs mentionnent que l'existence de *boys' clubs* contribue à alimenter des discriminations et des stéréotypes à l'égard des femmes, de leurs compétences, et des postes qu'elles peuvent occuper (Wajcman, 1998 ; Belle, 1991 ; Laufer et Fouquet, 1997 ; Laufer, 2002). La culture masculine collabore notamment au maintien d'une division sexuelle du travail, même au sein des postes des hautes instances décisionnelles. Par exemple, plusieurs études révèlent que les femmes cadres sont plus nombreuses dans les postes fonctionnels, périphériques à la décision (Laufer, 2003), alors que les cadres de sexe masculin occupent des postes plus stratégiques, davantage liés à l'exploitation de l'entreprise et à sa gestion financière. En fait, la réticence des entreprises et des conseils d'administration à nommer des femmes à des postes liés à l'exploitation de centres de profit constitue l'une des principales causes de la lenteur de la progression des carrières des femmes (Catalyst, 1998).

Pourquoi trouve-t-on un bon nombre de femmes dans les postes de conseils et très peu dans les rôles stratégiques ? Une partie de la réponse tient au lien qui existe entre les qualifications professionnelles et le sexe. En fait, les qualifications professionnelles sont la plupart du temps sexuées, c'est-à-dire que certaines qualités ou compétences sont associées à un sexe plutôt qu'à l'autre. Le critère « technique » ou encore « l'autorité », par exemple, ont dans une certaine mesure une « nature masculine » (Daune-Richard, 1998, p. 51). Ainsi, les traits stéréotypés masculins tels que la discipline, la franchise, l'ambition, le goût du risque et de la compétition, et les traits stéréotypés féminins tels que l'empathie, l'intuition, le souci du détail et la recherche de consensus, contribuent à la construction des représentations sexuées des compétences et aux phénomènes de ségrégation sexuelle. Si l'on considère les postes de cadres supérieurs où sont valorisés la compétition, l'esprit de stratège et la rationalité, qualités associées au sexe masculin (Laufer, 2003, p. 63), et où les représentations collectives de la féminité en matière de compétences professionnelles reposent sur des stéréotypes d'empathie, de recherche de consensus et d'intuition, on peut aisément comprendre que la progression des femmes soit difficile.

Les pratiques organisationnelles expliquent également les difficultés auxquelles se heurtent les femmes qui veulent dépasser le plafond de verre. En fait, les règles, les procédures, les normes informelles liées notamment à la promotion et aux processus de dotation ou d'évaluation influent sur la progression professionnelle des femmes. Par exemple, pour les postes de haute responsabilité, le rôle de la hiérarchie en matière de promotion est incontestable. La plupart des nominations aux conseils d'administration, ou à des postes de présidence ou de vice-présidence se font de façon informelle, par des décisions politiques, à travers des réseaux (Burke, 1998) et des processus de cooptation (Fortino, 2002). Pour faire partie du groupe de cadres «à potentiel» (Laufer, 2003) et aspirer à une promotion, il faut jouir d'une grande visibilité et faire partie des réseaux informels. Or, les femmes font encore peu partie de ces réseaux.

Ainsi, la gestion de la main-d'œuvre, par certaines de ces pratiques, contribue à la création et au maintien des inégalités entre les hommes et les femmes. Les pratiques organisationnelles ne sont pas toujours neutres; certains fonctionnements et certaines normes sont en fait des modèles masculins (Laufer, 2004).

Existe-t-il un management «féminin»?

Les femmes qui occupent des postes de haute direction transforment-elles la culture et les pratiques organisationnelles? Sont-elles porteuses de changement? Certains soutiennent que leur relation différente avec le pouvoir et leurs valeurs différentes à l'égard du travail influent sur leur style de gestion, et qu'elles sont les initiatrices de modèles de management plus consensuels, plus participatifs. Existe-t-il un management «féminin»? Selon certains, les cadres féminins auraient des caractéristiques qui les distingueraient de leurs collègues masculins (Harel-Giasson, 1990, p. 408). Quant à savoir si leur approche en matière de gestion et de leadership est différente de celle des hommes, les résultats des études sont contradictoires.

Des études révèlent que les femmes au pouvoir ont une approche plus compréhensive, plus sensible, qu'elles sont plus consciencieuses, plus soucieuses des relations humaines, plus intéressées à développer et à entretenir un climat d'échange et de confiance. Certains mythes sont entretenus relativement à l'apport des cadres féminins, notamment celui selon lequel l'arrivée des femmes contribuerait à l'humanisation des milieux de travail (Symons, 1990). Somme toute, certaines études confirment l'existence de spécificités féminines et mettent en lumière l'impact positif de ces spécificités. Toutefois, la confirmation de cette spécificité en gestion conduit à renforcer les stéréotypes traditionnels associés aux rôles joués par les hommes et les femmes au travail (Laufer, 2003), et contribue à confiner les femmes dans des sphères particulières, périphériques à la décision. Ainsi, en reconnaissant aux femmes un style de management différent — plus consensuel, plus humain, plus participatif — on hésite à leur confier certaines responsabilités ou certains postes de pouvoir parce que leurs valeurs ne correspondent pas aux valeurs recherchées pour occuper de tels postes (Wajcman, 1998).

D'autres études révèlent plutôt que pour réussir, pour gravir les échelons des organisations, les femmes dirigeantes doivent se conformer aux normes et aux attentes existantes, largement basées sur le modèle masculin (Belghiti-Mahut, 2004, p. 154). Ainsi, plutôt qu'être porteuses de changement à cause de leurs spécificités, les rares femmes qui atteignent les sommets de la direction suivent le modèle masculin en matière d'investissement professionnel, de conciliation famille-travail, d'attitudes et de comportements, et contribuent dans une certaine mesure à faire du modèle actuel le seul possible. En somme, il n'existe pas de consensus quant à l'existence d'un management féminin.

Bien que peu d'études empiriques confirment l'existence d'un management « au féminin » (Laufer, 2001), plusieurs auteurs s'accordent pour dire que l'arrivée des femmes aux postes de responsabilité dans les entreprises apporte une diversité de points de vue et constitue un enrichissement (Deghilage, 1997, p. 107). Il semble que la présence des femmes engendre des changements en matière de diversité, de créativité, de résolution de problèmes et de prise de décision, en offrant un plus large éventail de perspectives (Lévy, 2002). De plus, l'augmentation de la présence des femmes dans les organisations, et plus particulièrement dans les postes de décision et de haute responsabilité, contribue à améliorer l'efficacité et la réputation des entreprises.

Existe-t-il une volonté de changement? L'augmentation graduelle et constante du nombre de femmes dans des postes de cadres supérieures traduit-elle une réelle volonté de diversifier la composition des instances décisionnelles? Des chercheuses australiennes se sont intéressées aux conseils d'administration et à la volonté de modifier leur composition relativement à la proportion de femmes et d'hommes. Les résultats montrent que les hommes désirent plus que les femmes que les conseils d'administration restent comme ils le sont maintenant, et ils justifient leur opinion en se référant au manque d'expérience des femmes. Ils soutiennent que le bassin potentiel de femmes compétentes ayant une riche expérience est plus petit que celui des hommes, et que c'est pourquoi elles sont peu présentes dans les hautes sphères décisionnelles. Quant aux femmes, elles dénoncent la réticence des entreprises à les voir siéger aux conseils d'administration et imputent leur faible présence aux processus de nomination plutôt qu'à leur manque d'expérience (Sheridon et Milgate, 2003).

En somme, bien que le nombre de femmes cadres augmente significativement dans les organisations et bien qu'elles aient une solide formation, il semble que leur arrivée dans les hautes instances décisionnelles dérange encore. La ségrégation sexuelle du marché du travail perdure de même que les inégalités qui en découlent. Cependant, les réseaux de femmes d'affaires se multiplient et les conseils d'administration et les dirigeants sont de plus en plus sensibilisés à la nécessité d'atteindre l'égalité en matière de représentation féminine, ce qui permet d'entrevoir l'avenir avec optimisme.

7.3.2 La ségrégation horizontale et le « mur de verre »

L'ascension organisationnelle — la ségrégation verticale — est certes un phénomène de discrimination important pour les femmes sur le marché du travail.

Toutefois, le phénomène de ségrégation horizontale contribue également à la ségrégation sexuelle au travail. Malgré l'insertion incontestable des femmes dans un grand nombre de métiers, plusieurs types d'emplois sont, encore aujourd'hui, presque uniquement occupés par des hommes (voir le tableau 7.6). Le fait que les femmes demeurent concentrées professionnellement dans des sphères traditionnelles constitue l'une des principales explications de l'écart stagnant entre les hommes et les femmes en matière d'emploi. En 2003, 75,3 % de la main-d'œuvre des industries productrices de biens au Québec était constituée d'hommes. Dans les sphères dites « non traditionnelles », comme l'informatique, le génie, la métallurgie, les postes de haute direction, les transports ou la construction, la proportion de femmes est très faible. Notons que tout métier où la proportion des femmes est inférieure au tiers est qualifié de non traditionnel[26]. Ainsi, sur plus de 500 groupes professionnels répertoriés selon la classification nationale des professions, plus de la moitié sont considérés comme non traditionnels pour les femmes.

Le nombre considérable de sphères d'activités professionnelles où les femmes sont minoritaires soulève des questions. Pourquoi les femmes se dirigent-elles en si petit nombre vers les métiers non traditionnels ? Une partie de l'explication réside dans les considérations liées à l'accès à la formation et au choix de carrière — à *l'offre de travail* — et une autre partie, sans doute la plus importante, tient à leur intégration à l'emploi — à *la demande de travail* (Anker, 1997).

L'offre et la demande

Les fondements des choix professionnels sont multiples et complexes. Est-ce parce que les femmes et les hommes n'ont pas les mêmes intérêts et les mêmes valeurs qu'ils choisissent des trajectoires professionnelles différentes ? Ou est-ce plutôt la persistance des modèles sociaux qui influe sur les orientations de carrière ? Pour comprendre les choix professionnels, il faut considérer divers facteurs : le manque d'information sur les options offertes aux jeunes filles, les

TABLEAU 7.6

Principales professions féminines et masculines au Québec, en 2001

Hommes	Femmes
Professions liées à l'informatique	Secrétaires
Conducteurs de camions	Vendeuses et commis-vendeuses
Vendeurs et commis-vendeurs	Caissières
Directeurs de la vente au détail	Commis à la comptabilité
Concierges	Infirmières diplômées

Source : « Professions : Convergence entre les sexes ? », *Données sociodémographiques en bref,* Bulletin juin 2003, Institut de la statistique du Québec, vol. 7, n° 3.

préjugés et les stéréotypes sexués à l'égard de la formation et du travail, les aspirations parentales et la pression familiale, les modèles véhiculés par l'environnement et profondément assimilés par l'ensemble de la société. Même si les conditions offertes par les emplois dits non traditionnels sont souvent plus séduisantes que celles proposées par les emplois majoritairement féminins, le nombre de femmes qui s'engagent dans ces avenues professionnelles est encore très faible, la majorité choisissant plutôt les emplois à prédominance féminine. Une étude québécoise sur la délivrance des diplômes en formation professionnelle et en technique collégiale et universitaire démontre la persistance de la ségrégation dans les choix de formation[27]. En effet, bien que la présence des femmes sur le marché du travail augmente constamment, la répartition de l'emploi selon la structure professionnelle et le sexe demeure presque inchangée[28]. Les femmes continuent de se concentrer dans les emplois «impliquant des relations avec les personnes, dans les services, principalement dans les soins de santé et d'assistance sociale, l'hébergement et les services de restauration, les services d'enseignement, les finances et les assurances»[29]. Elles sont concentrées dans l'espace *relationnel,* dans le secteur tertiaire (Daune-Richard, 1998).

Outre l'intérêt que les femmes entretiennent à l'égard de certaines orientations professionnelles, il est intéressant de s'interroger sur la *demande de travail* pour les femmes dans certains domaines. Cette demande s'exprime sur le plan structurel et institutionnel, notamment par les politiques d'embauche et de mobilité dans certains métiers, et sur le plan informel et culturel, c'est-à-dire l'ouverture de certains domaines à l'arrivée d'une main-d'œuvre féminine. Dans certaines industries et certains secteurs d'emploi, la réticence à l'égard de l'intégration des femmes persiste. C'est le cas de l'industrie de la construction. Au Québec en 2004, 1 244 femmes exerçaient divers métiers de la construction (peintres, charpentiers-menuisiers, électriciens, tuyauteurs, etc.). La présence des femmes dans ce milieu est marginale. Toutefois, elles sont nombreuses à choisir une formation menant à de tels métiers. En fait, les femmes sont plus nombreuses à avoir une formation et un diplôme que ne le laisse croire le nombre de celles qui travaillent sur les chantiers. Parmi les facteurs qui expliquent cet écart entre la disponibilité des femmes et leur représentation dans le domaine de la construction, on trouve le refus de la mixité manifesté par les gens de l'industrie (Dugré, 2003). Autrement dit, pour expliquer leur faible présence, on peut certes invoquer des arguments liés aux choix professionnels, mais il faut aussi penser au poids de la *demande* de travail.

L'explication de la ségrégation horizontale s'appuie souvent sur des arguments liés aux orientations scolaires et professionnelles. Toutefois, il ne faut pas oublier que ces choix sont la conséquence de la construction des qualifications (Ferrand, 2004, p. 14). Le travail apparaît comme une construction dans la mesure où il repose sur «des processus de différenciation entre des types de tâches et entre les travailleurs qui les accomplissent» (Daune-Richard, 1998, p. 51). Le principe de division selon lequel il existe des métiers *d'hommes* et des métiers *de femmes* persiste et se perpétue. En d'autres mots, chaque profession est sexuée, et le sexe de chaque personne qui exerce un métier contribue à enrichir la représentation sexuée de ce dernier [*ibid.*, p. 51] à un point tel que même dans les espaces professionnels mixtes, on assiste à la division des tâches selon le sexe (Fortino, 2002, p. 19).

La mixité en question

Qu'entend-on exactement par mixité ? S'agit-il d'une proportion fixe à atteindre, par exemple une profession peut-elle être considérée comme mixte si 35 % de sa main-d'œuvre est composée de femmes ? La mixité peut se définir comme « la mise en coexistence des deux sexes dans un même espace social » (Fortino, 2002, p. 10). Autrement dit, dès l'instant où les hommes et les femmes partagent un milieu de travail, où ils coexistent, on parle de mixité. Malgré cette coexistence, des inégalités perdurent, une nouvelle division des tâches s'effectue, conduisant à la reproduction des rapports sociaux entre les sexes. En d'autres mots, dans des professions mixtes, la mixité n'existe pas toujours.

À titre d'exemple, des études empiriques françaises à propos des magistrates révèlent la reproduction des rapports sociaux entre les sexes au sein d'une même profession. Les magistrates, proportionnellement aussi présentes que les hommes, ne se voient pas confier les mêmes tâches que les hommes, ne jugent pas les mêmes types de causes, n'ont pas accès au même niveau de responsabilités [30]. L'assignation des tâches selon les sexes se retrouve également chez les femmes gestionnaires qui, à diplôme égal et à expérience équivalente, occupent plus souvent que leurs collègues masculins des postes de conseils au sein de départements périphériques (Laufer, 2003 ; Daune-Richard, 2003).

La même redistribution du travail en fonction du sexe existe dans les métiers traditionnellement féminins. Par exemple, dans les emplois de nettoyage, les hommes qui sont pourtant minoritaires se voient confier certaines tâches en priorité, et obtiennent les emplois à temps plein, même si leur ancienneté est parfois moins grande que celle de leurs collègues de sexe féminin qui travaillent à temps partiel et qui demandent depuis longtemps une charge à temps plein (Angeloff et Arborio, 2001, p. 8). Chez les aides-soignantes et les aides-soignants ou encore chez les infirmières et les infirmiers, la division des tâches et des responsabilités s'effectue également selon le sexe. Une étude a démontré que même si les infirmiers sont minoritaires dans un milieu féminin, ils jouissent d'une plus grande crédibilité aux yeux des patients et des médecins (Ott, 1989). En fait, les stéréotypes sexuels seraient à l'avantage des hommes et leur présence contribuerait à mettre en lumière les aspects techniques du métier, à améliorer, dans une certaine mesure, le statut de l'emploi (Fortino, 2002).

Plusieurs sociologues du travail évoquent le risque de réduction de désirabilité et de prestige (Cacouault, 2001) d'un métier lorsqu'il se féminise. Certains avancent même l'idée que « tout métier, quel qu'il soit, se trouve en quelque sorte qualifié par le fait d'être accompli par des hommes » (Bourdieu, 1998, p. 86). C'est le cas des métiers du bâtiment et de la plupart des professions manuelles, où la valeur du travail repose en bonne partie sur la virilité (*ibid.,* p. 132) et donc sur le fait d'être accompli par des hommes. Dans de tels contextes professionnels, l'arrivée des femmes contribue à la dévalorisation de travailleurs qui, depuis toujours, se valorisent à partir de compétences typiquement masculines comme la force physique, l'endurance aux conditions difficiles, etc. (Molinier et Welzer-Lang, 2004).

Cependant, la division des tâches selon le sexe au sein d'une même profession ne se fait pas toujours à l'avantage des hommes. Par exemple, une étude française menée auprès des infirmières et des infirmiers psychiatriques a montré que la gestion de la violence des patients incombait majoritairement aux hommes alors que la responsabilité des *soins* était laissée aux femmes. Ainsi, dans cette profession, le rapport à la violence et à la force physique est la ligne de démarcation entre les tâches féminines et les tâches masculines, comme si le « sale boulot » était réservé aux hommes (Molinier, 1999).

Une plus grande mixité des professions est-elle souhaitable ? Le but à atteindre est-il que chaque profession soit composée d'hommes et de femmes dans une proportion équivalente ? En observant les choix professionnels encore très orientés vers les sphères traditionnelles, ce but semble plutôt utopique. Cependant, si l'on considère l'importance de l'impact de la ségrégation professionnelle sur les conditions de travail des femmes, tant en ce qui a trait aux possibilités d'emplois qu'à la rémunération, une plus grande mixité des professions contribuerait à réduire la discrimination, à diminuer la dévalorisation des métiers dits « féminins », et au bout du compte à dissoudre les inégalités entre les hommes et les femmes, sur le marché du travail. Toutefois, la mixité n'est pas le remède à tous les maux. L'égalité du nombre ne conduit pas nécessairement à « une égalité sociologique » (Fortino, 2002, p. 222). Sans doute est-il permis de croire que la mixité est une condition pour atteindre l'égalité, mais cette condition n'est pas suffisante. Les préjugés, les stéréotypes et les rôles sociaux associés aux hommes et aux femmes sont bien ancrés. Ils influent sur les rapports au travail et contribuent au maintien des inégalités sur le marché du travail.

7.4 LA POURSUITE DE L'ÉGALITÉ SUR LE MARCHÉ DU TRAVAIL

Il y a aujourd'hui consensus autour de la poursuite et de l'atteinte de l'égalité entre les hommes et les femmes dans la société en général, et sur le marché du travail en particulier (Laufer, 2005). Cependant, les mesures prises pour atteindre cette égalité ne font pas l'unanimité. Les actions positives favorisant l'accès des femmes à certains emplois ou à certains niveaux organisationnels sont discutées et remises en question. Les uns y voient l'unique voie pour atteindre l'égalité, alors que les autres dénoncent le recours à une discrimination pour en éliminer une autre. Les débats entourant les objectifs à atteindre sont profonds. Qu'entend-on par égalité ? La poursuite de l'égalité signifie-t-elle que les hommes et les femmes doivent exercer les mêmes professions et se partager les mêmes rôles ? Est-ce à dire que les femmes ne seront jamais *égales* aux hommes si elles ne représentent pas la moitié des élus et des représentants politiques ou la moitié des conseils d'administration ? Il importe d'abord de préciser ces termes, et d'examiner en quoi consistent les programmes d'accès à l'égalité et les mesures positives temporaires d'accès afin de briser certains mythes tenaces. Il sera ensuite intéressant de se pencher sur les enjeux actuels pour les entreprises, l'État et la société au regard des femmes sur le marché du travail, notamment en ce qui concerne la conciliation vie privée — vie professionnelle.

7.4.1 L'ÉGALITÉ ET LES PROGRAMMES D'ACCÈS

Les programmes d'accès à l'égalité (PAÉ) ont pour objet de « rendre la composition du personnel d'une entreprise ou d'une organisation plus représentative des ressources humaines compétentes et disponibles sur le marché du travail »[31] en favorisant temporairement l'intégration des femmes dans certains milieux ou dans certains métiers (voir l'encadré 7.3). Ces actions positives visent à résorber les inégalités historiques dont un groupe a été victime, et qui se perpétuent (Lanquetin, 2005, p. 92). Les modalités législatives d'accès à l'égalité ont des impacts mitigés. Les termes de discrimination positive ou de discrimination à rebours sont souvent utilisés pour illustrer les réticences de certains à l'égard de la mise en place de modalités préférentielles accordées à un groupe particulier. Pour certains, ces actions positives affaiblissent les standards d'embauche pour le groupe visé, ou encore contribuent à la stigmatisation de ce groupe alors que l'effet escompté est plutôt l'inverse (Bender, 2004). Pourquoi faut-il que dans certains milieux, entre un homme et une femme ayant le même diplôme et une expérience équivalente, la femme soit choisie ? Les nominations préférentielles temporaires éliminent-elles la notion de mérite ? Par ces mesures, tente-t-on d'abolir la discrimination à l'égard des femmes en créant une discrimination à l'égard des hommes ? Bien sûr que non. Il importe de noter que ces mesures sont *temporaires* et qu'elles sont mises en place parce qu'une catégorie de personnes — les femmes — accuse un retard significatif par rapport à la moyenne. Lorsque la représentativité est atteinte, c'est-à-dire lorsque la proportion de femmes dans un métier donné équivaut à la disponibilité de la main-d'œuvre féminine pour ce même métier, les mesures préférentielles cessent. Autrement dit, l'objectif est « d'effectuer un rattrapage accéléré pour compenser un désavantage accumulé » (CDPDJ, 1998, p. 4). L'objectif est l'atteinte d'une égalité de fait basée sur les résultats.

La mise en place de programmes d'accès à l'égalité vise à transformer le marché du travail en encourageant la diversification de la composition des

ENCADRÉ 7.3

Les programmes d'accès à l'égalité

Les programmes d'accès à l'égalité (PAÉ) visent à réduire les inégalités dont sont victimes certains groupes d'individus, notamment les femmes, sur le marché du travail et de l'éducation. Ces mesures d'accès sont mises sur pied à partir du constat établi par la Commission des droits de la personne et des droits de la jeunesse (CDPDJ), selon lequel dans certains métiers, à certains postes, dans certaines industries, les femmes sont quasi absentes, ou ne détiennent pas les mêmes possibilités d'avancement dans leur trajectoire professionnelle. À partir d'une analyse des effectifs s'appuyant sur une mesure du bassin potentiel de main-d'œuvre féminine formée et compétente ou disponible et apte à acquérir cette compétence, un objectif quantitatif à atteindre est établi (CDPDJ, 1998). Cet objectif quantitatif est calculé à partir du taux de disponibilité de la main-d'œuvre féminine, et du taux de représentation actuel de ce même groupe. En fait, il s'agit de vérifier s'il y a un écart entre ces deux indicateurs. Si le taux de disponibilité de la main-d'œuvre féminine dépasse le taux de représentation des femmes, alors des mesures préférentielles sont élaborées afin de résorber le décalage (CDPDJ, 2003). Les programmes d'accès à l'égalité incluent des analyses du système d'emploi, des mesures de soutien, des mesures relatives à la consultation et à l'information des parties impliquées (gestionnaires, personnel, représentants, etc.), l'identification de la personne en autorité responsable, ainsi que des mesures de redressement temporaires (CDPDJ, 2003).

Source: Commission des droits de la personne et des droits de la jeunesse.

métiers et des professions. La parité n'est pas nécessairement l'objectif à atteindre. Toutefois, il importe que les femmes désireuses de travailler dans un certain milieu puissent s'intégrer à ce milieu et s'y sentir reconnues. L'atteinte de l'égalité ne passe pas uniquement par l'atteinte d'une représentativité des femmes. Elle doit également s'articuler autour d'une remise en question des procédures de recrutement, de formation, de division des tâches et de promotion (Laufer, 2002).

7.4.2 FAVORISER LA CONCILIATION FAMILLE-TRAVAIL

La féminisation croissante du marché du travail provoque des changements importants. Les rôles se transforment, l'organisation du temps consacré à la vie professionnelle et à la vie privée également. Dans les couples où les deux partenaires travaillent, la conciliation entre la vie professionnelle et la vie familiale prend une importance considérable. En fait, il s'agit d'un enjeu fondamental auquel les organisations et le marché du travail doivent s'ajuster. Que veut-on dire lorsqu'on parle de conflit entre le travail et la vie privée ? Il s'agit des « difficultés qui surviennent lorsque les exigences cumulatives de la vie professionnelle et de la vie personnelle s'avèrent incompatibles sur certains plans, de sorte que la participation à l'un de ces rôles nuit à l'autre » (Duxbury et Higgins, 2001).

Une des questions au cœur de la conciliation famille-travail se rattache à la nécessité d'y voir un enjeu *collectif* et non pas une problématique *individuelle*, qui ne concerne que les femmes ou les familles. En effet, à partir du moment où l'on reconnaît que les hommes et les femmes sont aussi actifs professionnellement les uns que les autres, la question touche l'ensemble de la société. C'est un enjeu global qui concerne à la fois l'État, les entreprises, les syndicats et les familles, et qui nécessite une approche structurelle et collective (Villeneuve et Tremblay, 1999). En fait, la conciliation famille-travail touche les services publics, les politiques des entreprises et le partage des tâches entre les hommes et les femmes. En effet, la situation actuelle amène à soutenir que la prise en charge collective des mesures de conciliation famille-travail passe notamment par la négociation du partage du temps accordé aux tâches domestiques (Villeneuve et Tremblay, 1999). Comme la plupart des tâches domestiques et des soins aux enfants sont encore aujourd'hui sous la responsabilité des femmes, et comme les femmes sont désormais actives professionnellement et vivent leur relation famille-travail davantage sous le mode du cumul que de l'alternance, il est aisé d'y voir un enjeu global. La division sexuelle du travail au sein de la famille est non négligeable pour le statut des femmes sur le marché du travail (Laufer, 2002, p. 69).

Un autre enjeu lié à la conciliation famille-travail se rattache au fait que malgré l'existence de mesures s'adressant à la fois aux hommes et aux femmes, certains hommes ne peuvent se prévaloir de cette flexibilité sans être stigmatisés. Dans certains milieux de travail, les conventions ont un poids considérable et régissent le comportement des individus encore plus que les règles de l'entreprise. Le défi est de taille. L'adoption de mesures pour faciliter la conciliation est un pas vers l'égalité, mais si seules les femmes peuvent recourir à ces mesures, on ne fait que déplacer le problème. Dans certains cas, il est même difficile pour les femmes de se prévaloir des mesures existantes. Par exemple, des études ont démontré que malgré l'existence de politiques facilitant la conciliation au sein des entreprises, les femmes gestionnaires y ont très peu recours pour ne pas nuire à leur image d'implication (Wajcman, 1998). Pour monter dans la hiérarchie et gravir les échelons organisationnels, il faut correspondre à un modèle type d'investissement professionnel, et le fait de se prévaloir des politiques familiales mises en place contribue à stigmatiser les femmes et risque de les ralentir dans leur progression (Laufer, 2003).

Ainsi, dans les entreprises, un ajustement culturel et institutionnel est nécessaire quant à la conciliation famille-travail. Les entreprises doivent comprendre que les hommes aussi manifestent le besoin de concilier leur vie professionnelle avec leur vie personnelle, et que c'est en accordant une *réelle* possibilité aux hommes et aux femmes de recourir à des politiques familiales que les modèles se transformeront.

CONCLUSION

L'arrivée des femmes sur le marché du travail a certainement contribué à réduire les inégalités entre les sexes. Les femmes ont désormais un accès formel à l'égalité : en théorie, elles ont accès à toutes les formations et à tous les postes. Toutefois, il ne faut pas seulement avoir le droit de faire quelque chose, il faut en avoir le pouvoir. À l'heure actuelle, un écart subsiste entre l'égalité *formelle* et l'égalité *réelle.* Les situations d'emplois (précarité, taux de chômage élevé, temps partiel), les inégalités salariales et les phénomènes de *ségrégation verticale* et *horizontale* qui caractérisent encore la place des femmes sur le marché de l'emploi en témoignent. Les difficultés d'accès au pouvoir et d'insertion dans certaines sphères professionnelles contribuent à maintenir une hiérarchie ou une «valence différentielle» des sexes, entre «les territoires masculins et féminins, entre les postes et les carrières masculines et féminines» (Laufer, 2003, p. 44).

Partant du constat selon lequel la majorité des femmes sont cantonnées dans des sphères professionnelles dites *traditionnelles* et que ces professions offrent généralement des conditions de travail *inférieures,* l'équité salariale et la diversification des choix professionnels prennent une importance considérable. Ces deux avenues d'amélioration sont parallèles, et visent toutes deux à réduire les inégalités entre les hommes et les femmes sur le marché du travail. La valorisation des métiers *traditionnels* pour les femmes est nécessaire et passe notamment par l'équité salariale. Quant à la diversification de *l'offre* de travail par une orientation professionnelle plus variée, elle passe par la démythification du lien entre qualification et sexe, par l'information dans les écoles, dans les familles et dans les centres d'orientation professionnelle sur les possibilités offertes aux femmes et les besoins de main-d'œuvre dans les industries et les secteurs où leur présence est marginale. Autrement dit, pour arriver à l'égalité, il faut s'attaquer à la ségrégation sexuelle du travail.

Aujourd'hui, le défi des entreprises, des organisations et des politiques d'accès à l'égalité est de comprendre les mécanismes qui créent des inégalités et qui les perpétuent, afin de pouvoir prendre des mesures concrètes relativement à la division sexuelle du travail. Pour être efficaces, ces mesures doivent tenir compte des rapports sociaux entre les sexes et de leur influence à la fois sur les représentations sexuées de l'emploi — des métiers *d'hommes* et des métiers *de femmes* — et sur le fonctionnement *réel* des organisations, par les procédures de recrutement, d'évaluation, de promotion, de conciliation famille-travail et par la division du travail.

Notes

1. Les données fournies par l'Organisation internationale du travail en 2000 illustrent cet accroissement. En effet, près de 58 % des Africaines, 64 % des femmes en Asie, 69 % des Européennes et 73 % des Nord-Américaines sont désormais actives économiquement (Writh, 2001).

2. Données de 1995-1996 tirées de l'OCDE (2000, p. 210).

3. *Données sociales du Québec,* édition 2005, chapitre 4: Éducation, Institut de la statistique du Québec, p. 99. Dans Internet: www.stat.gouv.qc.ca/publications/conditions/donn_ sociales05_ pdf.htm

4. Statistique Canada, *Emploi selon la branche d'activité et le sexe,* 2004, CANSIM, tableau 282-0008.

5. Entre 1976 et 1997, 31% de la croissance de l'emploi était attribuable au travail autonome (*L'égalité entre les sexes sur le marché du travail,* Étude-Bilan, Rapport final, Développement des ressources humaines Canada, octobre 2002, p. 9. Dans Internet: www11.hrdc-drhc. gc.ca/ edd-pdf/spah14910_f.pdf).

6. À ce sujet, voir Chevalier et Vitanen (2002) à propos du Royaume-Uni et Gelbach (2002) à propos des États-Unis. Études citées dans «Les femmes sur le marché du travail: évidence empirique sur le rôle des politiques économiques et autres déterminants dans les pays de l'OCDE», *Revue économique de l'OCDE,* n° 37, 2003.

7. Par exemple, en 2000, les femmes gagnaient 79% du salaire des hommes en Irlande, 84% en France, 76% en Finlande et 85% en Norvège. (United Nations Economic Commission for Europe, UNECE gender questionnaire, 2002.)

8. En 1972, le Canada a ratifié la Convention sur l'égalité de rémunération qui avait été adoptée en 1951 par l'Organisation internationale du travail, obligeant les gouvernements à «assurer l'application à tous les travailleurs du principe de l'égalité de rémunération entre la main-d'œuvre masculine et la main-d'œuvre féminine pour un travail de valeur égale» (Convention n°100 sur l'égalité de rémunération, 1951). Au Québec, la discrimination salariale basée sur le sexe a été interdite dès 1976 dans la Charte des droits et libertés de la personne du Québec.

9. Groupe de travail sur l'équité salariale, 2002. *L'équité salariale: notions élémentaires,* Gouvernement du Canada, 14 p.

10. Les écarts de revenu brut annuel moyen ont été calculés à partir du salaire hebdomadaire brut moyen, sur 52 semaines.

11. Statistique Canada, recensement de 2001, compilation effectuée par Emploi-Québec, Direction générale à l'intervention sectorielle, octobre 2003. Données présentées dans *Les Femmes et le marché de l'emploi. La situation économique et professionnelle des Québécoises,* Montréal, Comité aviseur Femmes en développement de la main-d'œuvre, mars 2005, p. 23.

12. Universum Study 2004 sur les attentes salariales des finissants au MBA. Cité par Ronald Alsop (www.careerjournaleurope.com), 10 mai 2005.

13. Au Québec, en 2001, les diplômes de premier cycle ont été délivrés à des femmes dans une proportion de 59% en droit et de 55% en sciences de l'administration. Enquête Relance à l'université, promotion 2001, ministère de l'Éducation du Québec.

14. *Données sociales du Québec,* édition 2005, chapitre 6: Conditions de travail et rémunération, Institut de la statistique du Québec, p. 153. Dans Internet: www.stat.gouv.qc.ca/publications/ conditions/donn_sociales05_ pdf.htm

15. Statistique Canada, «Écart salarial entre hommes et femmes», Perspective Hiver 2001, catalogue n° 75-001-XIF. Données tirées de l'Enquête sur la dynamique du travail et du revenu, 1997.

16. Desrochers, Lucie (2000). *Travailler autrement: pour le meilleur ou pour le pire? — Les femmes et le travail atypique — Recherche,* Québec, Conseil du statut de la femme, n° 200-02-R, p. 17.

17. Statistique Canada, Enquête sur la population active, 2002, compilation effectuée par l'Institut de la statistique du Québec, dans *L'avenir des Québécoises. La suite des consultations de mars 2003,* Québec, Secrétariat à la condition féminine, 2004, tableau 2.9.

18. *Données sociales du Québec,* édition 2005, chapitre 6: Conditions de travail et rémunération, Institut de la statistique du Québec, p. 132. Dans Internet: www.stat.gouv.qc.ca/publications/ conditions/donn_sociales05_ pdf.htm

19. Statistique Canada, *Enquête sur la population active,* compilation spéciale effectuée par l'Institut de la statistique du Québec, dans *Données sociales du Québec,* édition 2005, chapitre 6, p. 136.

20. Au Québec, en 2003, 8,2 % des femmes alléguaient qu'elles occupaient un emploi à temps partiel pour pouvoir «prendre soin des enfants», alors que les hommes n'invoquaient jamais cette raison pour expliquer leur travail à temps partiel. Tiré de *Les femmes et le marché de l'emploi. La situation économique et professionnelle des Québécoises,* Montréal, Comité aviseur Femmes en développement de la main-d'œuvre, mars 2005, p. 16.

21. En 1998, les femmes investissaient presque deux fois plus de temps que les hommes dans les tâches ménagères, les soins aux membres du ménage, les achats et les services. (Statistique Canada, Enquête sociale générale 1992 et 1998. *Les hommes et les femmes: Une comparaison de leurs conditions de vie* (1994). Bureau de la statistique du Québec, Québec. Mise à jour en mars 2000.)

22. *L'avenir des Québécoises. Les suites des consultations de mars 2003,* Québec, Secrétariat à la condition féminine, 2004, p. 149.

23. Au Québec, la proportion de femmes occupant un poste de gestion très élevé est passée de 16,5 % en 1991 à 22 % en 2001. (Statistique Canada, recensement 2001, catalogue n° 95F0490XCB2001001. Compilation par l'Institut de la statistique du Québec, *Population active selon le niveau de gestion et de compétence, et selon le sexe, Québec, 1991 et 2001.*)

24. *Catalyst Census of Women Board Directors of Canada* (2004), cité dans Pierre Théroux, «Toujours peu de femmes aux postes de haute direction», *Les Affaires,* 30 avril 2005, p. 22.

25. L'étude a été réalisée en janvier 2001 auprès de 1 168 femmes gestionnaires de haut niveau, c'est-à-dire avec un revenu de 55 000 $ et plus pour les femmes âgées de 28 à 40 ans, et un revenu de 65 000 $ et plus pour celles âgées de 41 à 55 ans. Sylvia Ann Hewlett, «Executive Women and the Myth of Having It All», *Harvard Business Review,* 2002, vol. 80, n° 4.

26. Cette définition est tirée du guide *J'y suis… j'y reste! De ma formation… au marché du travail,* Montréal, Comité aviseur Femmes en développement de la main-d'œuvre, avril 2000.

27. *L'avenir des Québécoises. La suite des consultations de mars 2003,* Québec, Secrétariat à la condition féminine, 2004, p. 38.

28. Des données comparatives de 1988 et de 1998 montrent une répartition similaire de l'emploi selon la structure professionnelle et le sexe. En d'autres mots, aucune évolution significative n'aurait eu lieu en cette matière. Certaines sphères d'activités professionnelles demeurent largement sexuées. (*La situation économique et professionnelle des femmes dans le Québec d'aujourd'hui,* Montréal, Comité aviseur Femmes en développement de la main d'œuvre, mai 2000.)

29. *L'avenir des Québécoises. La suite des consultations de mars 2003,* Québec, Secrétariat à la condition féminine, 2004, p. 43.

30. Voir l'étude d'Anne Boigeol, 1997, «Les magistrates de l'ordre judiciaire: des femmes d'autorité», *Les Cahiers du Mage,* n° 1. Étude citée dans Sabine Fortino, *La mixité au travail,* Paris, La Dispute, 2002, p. 144-145.

31. *Les programmes d'accès à l'égalité,* Commission des droits de la personne et des droits de la jeunesse. Dans Internet: www.cdpdj.qc.ca/fr/programme-acces-egalite.

CHAPITRE 8

Les relations ethnoculturelles au sein des sociétés et des entreprises

Sébastien Arcand et Jean-Pierre Dupuis

L'immigration et les thèmes qui s'y rattachent occupent une place très importante de nos jours, parce qu'ils mettent en scène de nombreux phénomènes ancrés dans les rapports sociaux contemporains. En effet, l'étude des phénomènes migratoires, quels qu'ils soient, permet de faire la lumière sur un ensemble de pratiques qui, à leur tour, ont une influence directe sur la vie en société. Par exemple, il est admis depuis fort longtemps que les flux migratoires internationaux sont une cause directe des relations qu'entretiennent entre eux les États à l'échelle planétaire (Zolberg, 2001). À cet égard, on ne peut évacuer toute relation de domination entre des États économiquement riches et des pays en développement, voire sous-développés, qui voient ainsi leur population respective tenter d'échapper à la misère sociale et économique en émigrant vers les pays riches. Cela entraîne des conséquences sur les pays qui «envoient» les migrants et sur ceux qui les «reçoivent».

Bien que, au cours des années 1960, les phénomènes migratoires des populations des pays pauvres vers les pays riches aient connu une expansion particulièrement forte durant la période des décolonisations, notamment en Afrique et en Asie, cette pratique est encore très répandue de nos jours. En conséquence, l'étude des phénomènes migratoires est une tâche complexe qui nécessite de la prudence et qui doit être nuancée, car il faut considérer plusieurs dimensions. Pensons simplement aux politiques d'insertion des nouveaux arrivants, au processus d'insertion sociale et économique des immigrants dans leur nouvel environnement avec tout ce que cela comporte d'adaptation, de conflit potentiel avec les populations locales et de problèmes d'accès aux ressources matérielles et symboliques. De plus, même si ce sujet n'est pas à l'étude dans ce chapitre, il faut considérer la question de la «fuite des cerveaux», car elle met en péril la capacité des pays qui envoient des migrants à surmonter les nombreux obstacles structurels et conjoncturels auxquels ils se heurtent.

Dans ce chapitre, nous aborderons donc la question de l'immigration et des rapports sociaux ethniques en identifiant certaines spécificités propres au Québec dans un contexte de rencontre des cultures au sein de la sphère économique et, plus particulièrement, au sein des entreprises. Nous nous pencherons d'abord sur certains aspects macrosociaux de l'immigration ; des données sur l'immigration au Québec et au Canada seront présentées. Ce sera l'occasion d'aborder différentes politiques d'insertion des immigrants dans une perspective comparative : nous examinerons les modèles américain, français, canadien et québécois. Ensuite, nous nous attarderons au marché de l'emploi en essayant de montrer que les politiques de sélection des immigrants sont souvent en porte-à-faux avec la réalité du marché du travail. Pour appuyer notre propos, nous utiliserons le cas des immigrants nord-africains récemment arrivés au Québec.

Dans la section suivante, il sera question des dimensions microsociales des relations ethnoculturelles. C'est ainsi que des thèmes tels que la dynamique interne des entreprises multiculturelles, les membres des communautés culturelles en tant que clients, les entreprises multinationales et les PME exportatrices y seront abordés. Toutefois, avant d'aller plus loin dans l'exploration des phénomènes migratoires, une précision s'impose : il faut faire la distinction entre un membre d'une minorité ethnoculturelle et un immigrant.

8.1   LA CONFUSION ENTRE MINORITÉ ETHNIQUE ET IMMIGRANT

Souvent, on confond les termes « immigrant » et « minorité ethnique ». On a tendance à associer les membres des minorités ethniques à des immigrants [1]. Or, un membre d'une minorité ethnoculturelle n'est pas nécessairement un immigrant de première génération. Il se peut très bien qu'une personne d'origine italienne par exemple, qui est née et a grandi à Montréal, soit issue de la troisième génération. Cette personne fait partie d'une minorité ethnoculturelle, mais ce n'est pas une immigrante. À l'opposé, un immigrant en provenance de l'Amérique latine récemment arrivé au Québec est à la fois membre d'une minorité et immigrant. Cela dit, on peut se demander à partir de quel moment un immigrant se sent citoyen à part entière et est considéré comme tel par la société d'accueil [2]. Si l'on fait abstraction des catégories officielles des instances gouvernementales, comme immigrant, réfugié ou résident permanent, force est d'admettre qu'entre ces définitions institutionnelles et la réalité sociologique, c'est-à-dire celle qui se construit à travers des relations sociales, il y a parfois un écart important. Évidemment, la reconnaissance légale obtenue auprès des instances politiques est un pas important vers une reconnaissance pleine et entière des immigrants, mais selon nous, il s'agit là d'une étape nécessaire mais insuffisante vers cette reconnaissance. Il est primordial de s'attarder aux processus sociaux qui mènent à des pratiques d'exclusion ou d'intégration des minorités ethnoculturelles. En somme, tant les dimensions du pouvoir économique, politique et social et l'articulation de ce pouvoir entre les groupes que la distinction entre immigrants et minorités ethniques sont des processus subjectifs qui se situent en amont de l'analyse. Il faut les prendre en considération avant même de chercher à mieux comprendre les diverses formes relationnelles qui peuvent émerger au sein des entreprises lorsque des groupes aux horizons culturels parfois fort distincts entrent en relation.

Tout en gardant en mémoire l'existence de cette confusion conceptuelle, nous aborderons ce problème sous l'angle des relations entre groupes majoritaires et groupes minoritaires. Nous entendons par là des groupes qui, par leur position au sein de la stratification sociale, sont soit en situation de pouvoir économique, politique et social — c'est le cas des groupes majoritaires — ou dans une situation où leur pouvoir est moins grand — c'est le cas des groupes minoritaires — (Juteau, 1999; Guillaumin, 1981). Ici, les concepts de majoritaires et de minoritaires réfèrent aux dimensions sociologiques des relations sociales. Leur grand avantage est de permettre l'étude des relations entre différents groupes ethniques sans se laisser dominer par les seules dimensions quantitatives des groupes. Autrement dit, dans un contexte donné, il est plausible qu'un groupe, bien qu'il soit inférieur en nombre, domine les autres. Cela permet de comprendre, par exemple, la dynamique de domination des Blancs sur les Noirs et les autres minorités en Afrique du Sud du temps de l'apartheid alors que les Blancs, qui constituaient environ 16% de la population totale, monopolisaient l'ensemble des postes de pouvoir dans la société sud-africaine. À l'opposé, les Noirs, qui représentaient environ 75% de la population totale, occupaient les emplois les moins enviables (Marger, 1985). Les notions de majoritaires et de minoritaires s'appliquent bien dans des contextes où un groupe domine largement les autres, mais on peut également faire appel à ces notions dans des contextes où règnent la démocratie et une certaine égalité. Après tout, aucune société, même démocratique, ne peut se vanter d'être complètement ouverte et d'offrir des chances égales pour tous[3]. Les notions de majoritaires et de minoritaires permettent de mieux saisir des phénomènes tels que la discrimination sur le marché de l'emploi et au sein des organisations. Toutefois, elles doivent être utilisées avec prudence et surtout être replacées dans leur contexte[4].

C'est le cas pour le contexte québécois où les Franco-Québécois forment un groupe largement majoritaire par leur position au sein de la stratification ethnique. Cependant, leurs caractéristiques culturelles et ethniques particulières font en sorte que dans le contexte canadien et nord-américain, ils constituent un groupe minoritaire. C'est donc dire que la position d'un groupe est situationnelle; elle est déterminée en fonction de la nature même des rapports qu'un groupe entretient avec tel ou tel autre. Ainsi, les Polonais installés à Montréal depuis plusieurs générations forment un groupe minoritaire, mais parle-t-on ici de la même minorité que celle des Rwandais arrivés depuis peu, par exemple? Comme on le constate, les notions de majoritaires et de minoritaires sont fluctuantes, mais elles sont déterminantes pour quiconque cherche à mieux comprendre les processus qui s'opèrent lorsque des groupes d'appartenance différente entrent en relation, que ce soit dans la société ou dans toute autre forme d'organisation. Comme la distinction entre immigrant et minorité ethnoculturelle a été définie dans ses grandes lignes, nous allons maintenant brosser un portrait de la situation canadienne et québécoise à l'aide de données statistiques sur l'immigration.

8.2 DES STATISTIQUES QUI PARLENT D'ELLES-MÊMES : UNE IMMIGRATION DE PLUS EN PLUS DIVERSIFIÉE

Depuis les débuts de la colonisation, le Canada n'a jamais cessé de recevoir de nombreux immigrants annuellement, mais les flux migratoires ont subi d'importants changements au cours des dernières décennies. À la fin de la Deuxième Guerre mondiale, le nombre d'immigrants en provenance de l'Europe a sensiblement augmenté. Dans les années 1950 et 1960, la décolonisation en Asie et en Afrique a favorisé la venue d'immigrants en provenance de ces régions. Aujourd'hui, le Canada reçoit en moyenne plus de 230 000 immigrants par année, 235 808 en 2004, alors que le Québec en reçoit en moyenne 40 000 annuellement, 44 226 en 2004 (Statistique Canada, MRCI). Les États-Unis ont reçu 1 063 732 immigrants en 2002, ce qui correspondait à environ 4 % de la population totale, alors qu'au Canada la proportion des immigrants a été de 7 % en 2004 (Statistique Canada, 2006 ; US Census Bureau, 2006).

À la fin de la Deuxième Guerre mondiale, la composition des flux migratoires au Canada a subi d'importants changements qui auront une influence non négligeable sur la transformation des rapports entre les différents groupes ethnoculturels. Le tableau 8.1 présente l'évolution au Canada des flux migratoires de 1955 à nos jours [5].

Pour le Québec, les choses sont quelque peu différentes, mais là aussi des transformations sont survenues au cours des dernières décennies. En 2001, le

TABLEAU 8.1
L'évolution du nombre d'immigrants par décennie au Canada : 1955-2004

Année	Immigrants reçus
1955	109 946
1965	146 758
1975	187 881
1985	84 339
1995	212 875
2004	235 847

Source: Statistique Canada, tableau 051-0006, «Immigrants au Canada selon le pays de dernière résidence permanente, données trimestrielles (personnes)», [www.statcan.ca].

Québec comptait 706 965 personnes immigrées, soit près de 10 % de la population totale estimée à un peu plus de sept millions. En comparaison, en 2001, il y avait 3 030 075 personnes immigrées en Ontario, soit 27 % de la population de la province alors qu'en Alberta, les personnes immigrées représentaient 15 % de la population albertaine[6]. Le tableau 8.2 indique le pourcentage des personnes immigrées au Québec, selon les continents.

La ventilation de ces données selon les pays de provenance nous permet d'identifier les dix principaux pays d'où viennent les personnes immigrées au Québec. Ces pays sont présentées dans le tableau 8.3.

TABLEAU 8.2

Le pourcentage de la population immigrée au Québec selon les continents, jusqu'en 2001

Continent	Pourcentage
Amérique	21,1 %
Europe	40,3 %
Afrique	11,5 %
Asie	26,9 %
Océanie	0,2 %

Source : Tableau élaboré à partir de données obtenues dans « Portraits statistiques de la population immigrée recensée en 2001 : Québec, régions métropolitaines de recensement et régions administratives », *Recensement de 2001 : données ethnoculturelles*, ministère des Relations avec les citoyens et de l'Immigration.

TABLEAU 8.3

Les dix principaux pays de provenance des personnes immigrées au Québec et le pourcentage d'immigrants, jusqu'en 2001

Pays	Pourcentage
Italie	9,8 %
France	7,1 %
Haïti	6,8 %
Liban	4,1 %
États-Unis	3,6 %
Chine	3,5 %
Vietnam	3,2 %
Portugal	3,2 %
Grèce	3,2 %
Maroc	2,9 %

Source : Tableau élaboré à partir de données obtenues dans « Portraits statistiques de la population immigrée recensée en 2001 : Québec, régions métropolitaines de recensement et régions administratives », *Recensement de 2001 : données ethnoculturelles*, ministère des Relations avec les citoyens et de l'Immigration.

Les tableaux 8.2 et 8.3 montrent que l'Europe est encore le continent le plus représenté sur le plan de l'immigration avec un total de 23,3 % tous pays européens confondus parmi les dix plus importants pays de provenance. Toutefois, ces données peuvent être trompeuses dans la mesure où elles ne nous renseignent ni sur l'évolution des flux migratoires ni sur les transformations survenues au cours des dernières décennies. Le tableau 8.4 présente quelques données sur les personnes admises au Québec au cours de la période 2000-2004.

En comparant les tableaux 8.2 et 8.4, on s'aperçoit que les pourcentages des immigrants venus d'Amérique et d'Europe ont baissé respectivement de 4,2 % et de 16,5 %. Pendant ce temps, les pourcentages des immigrants venus d'Afrique et d'Asie ont augmenté respectivement de 14,6 % et de 6,2 %. De même, si l'on compare les tableaux 8.3 et 8.5, on voit que les dix pays de provenance des personnes immigrées changent de manière importante. Le tableau 8.5 présente les dix principaux pays de provenance des personnes immigrées au Québec entre 2000 et 2004.

Bien qu'il soit toujours hasardeux de comparer des données statistiques pour deux objectifs différents, l'un pour brosser un portrait historique des pays et des continents de provenance des personnes immigrées au Québec, l'autre pour prendre le pouls des flux migratoires entre 2000 et 2004, on s'aperçoit néanmoins que des transformations sont survenues et que la dynamique ethnique au Québec est en perpétuel changement. L'origine de ces changements est multiple, allant de la conjoncture internationale à la situation économique québécoise, en passant par des changements sur le plan des objectifs fixés par le gouvernement québécois. Nous reviendrons sur les processus de sélection des immigrants et sur les processus d'intégration, mais avant, nous verrons que si le Québec possède des caractéristiques qui lui sont propres et qui agissent directement sur la composition des flux migratoires, il n'échappe pas à la tendance séculaire selon laquelle la majeure partie des immigrants, quel que soit le contexte, se concentre dans les grandes villes. Dans le contexte québécois, c'est Montréal qui accueille l'essentiel des immigrants.

TABLEAU 8.4
Le pourcentage de la population immigrée au Québec selon les continents, de 2000 à 2004

Continent	Pourcentage
Amérique	16,9 %
Europe	23,8 %
Afrique	26,1 %
Asie	33,1 %
Océanie	0,1 %

Source : « Tableau 8a : Immigrants admis au Québec selon le continent et la région de naissance, 2000-2004 », dans *Tableaux sur l'immigration au Québec 2000-2004, direction de la population et de la recherche*, ministère de l'Immigration et des Communautés culturelles, mars 2005, p. 15.

TABLEAU 8.5

Les dix principaux pays de provenance des personnes immigrées au Québec entre 2000 et 2004

Pays	Pourcentage
Chine	9,5 %
Maroc	8,3 %
France	8,3 %
Algérie	7,7 %
Roumanie	6,0 %
Haïti	4,1 %
Colombie	3,5 %
Liban	3,1 %
Inde	2,8 %
Pakistan	2,7 %

Source: « Tableau 9a : Immigrants admis au Québec selon le continent et la région de naissance, 2000-2004 », dans *Tableaux sur l'immigration au Québec 2000-2004, direction de la population et de la recherche,* ministère de l'Immigration et des Communautés culturelles, mars 2005, p. 18.

8.2.1 MONTRÉAL : VILLE MULTICULTURELLE

Les raisons qui poussent les immigrants à s'installer dans les centres urbains sont nombreuses. Citons notamment l'accessibilité et la diversité des services d'intégration offerts, la présence de membres de la même communauté ethnique, les possibilités d'emploi, le réseau associatif communautaire et la panoplie des services offerts à tous les citoyens. Non seulement les immigrants ont-ils tendance à s'installer dans les centres urbains, mais en outre, certaines communautés se rassemblent dans des enclaves, créant des quartiers dits « ethniques » comme une « Petite Italie » ou un « Chinatown » (Germain, 1997). Bien que la concentration des nouveaux arrivants dans les centres urbains soit une pratique fort répandue, les autorités des pays d'accueil mettent souvent en place des mesures pour inciter les immigrants à s'installer en région. Les actions entreprises par le gouvernement québécois pour favoriser la régionalisation de l'immigration reposent sur deux principes : d'une part, contribuer à freiner l'exode des régions en y installant des immigrants qui, espère-t-on, contribueront au développement socioéconomique de ces régions ; d'autre part, favoriser une certaine « décentralisation » de l'immigration pour atténuer la disparité déjà importante entre la région métropolitaine de Montréal (RMM) et les autres régions du Québec sur le plan de la diversité ethnoculturelle[7]. Bien que les résultats de cette régionalisation soient mitigés, certaines réalisations méritent d'être soulignées.

Ainsi, la ville de Québec qui compte 4,2 % d'immigrants, l'Estrie qui en compte 2,6 % et l'Outaouais avec 2,3 % sont les trois régions qui, après Montréal, reçoivent le plus d'immigrants. Même si en janvier 2001, 3 554 immigrants se sont installés ailleurs que dans la RMM alors que 5 681 personnes ont fait de même en 2005, il reste que 82 % des immigrants s'installent dans la région métropolitaine de Montréal (MICC, 2005). En comparant les trois grands centres urbains au Canada, soit Montréal, Toronto et Vancouver, on s'aperçoit qu'à Montréal le nombre et le pourcentage d'immigrants par rapport à la population totale sont inférieurs à ceux des deux autres villes (voir le tableau 8.6).

TABLEAU 8.6
La population immigrante dans trois grandes villes canadiennes en 2001

Ville	Nombre d'immigrants	Pourcentage en fonction de la population totale
Montréal	656 445	19 %
Toronto	2 091 095	45 %
Vancouver	767 715	39 %

Source : « Statut d'immigrant et période d'immigration (10A) et lieu de naissance pour les régions métropolitaines de recensement », n° 97F0009CB2001002 au catalogue. Statistique Canada, [www.statcan.ca].

Même si le nombre d'immigrants est moins élevé à Montréal que dans les deux autres grands centres urbains au Canada, le contexte montréalais possède des caractéristiques qui lui sont propres et qui lui donnent une originalité que l'on retrouve peu dans le monde occidental, sauf peut-être à Bruxelles en Belgique où, là aussi, la présence de deux groupes majoritaires teinte la nature des rapports sociaux ethnoculturels (voir l'encadré 8.1).

ENCADRÉ 8.1
**La situation particulière du Québec et de Montréal :
deux majorités en concurrence**

Au Québec, la question de l'intégration se double d'un problème particulier lié à son histoire, soit l'existence sur son territoire de deux communautés, une francophone et une anglophone. Les deux communautés sont en concurrence pour intégrer les immigrants dans un contexte où la communauté francophone a une forte composante indépendantiste qui souhaite que le Québec devienne souverain. Traditionnellement, c'est la puissante communauté anglophone de Montréal qui intégrait la majorité des immigrants. Au XIXe siècle et au début du XXe, une partie des immigrants, surtout des Irlandais et des Italiens, s'est intégrée à la communauté francophone, mais au cours du XXe siècle, les immigrants se sont surtout intégrés à la communauté anglophone. La communauté francophone a voulu renverser cette situation dans les années 1960 et 1970. L'adoption, en 1974, du projet de loi 22, qui proclame le français langue officielle du Québec, et surtout l'adoption en 1977 de la Charte de la langue française (dite projet de loi 101), qui faisait du français la seule langue d'affichage commercial et qui obligeait les immigrants à inscrire leurs enfants à l'école française, visaient en grande partie à mieux intégrer les immigrants à la communauté francophone. Cependant, la contestation de la Charte devant les tribunaux par des groupes anglophones a abouti à l'invalidation d'importantes dispositions (on a notamment permis l'affichage bilingue), ce qui a réduit la portée de cette action. L'intégration des immigrants au Québec, à Montréal surtout, donne ainsi lieu à des batailles fréquentes entre les deux communautés. Pour les anglophones, l'intégration des immigrants reste souvent le seul moyen de conserver leurs nombreuses institutions à Montréal, puisque la population d'origine britannique, qui représentait moins de 5 % de la population du Québec en 2001, ne suffirait pas. Pour les francophones, l'adoption par les immigrants du français comme langue d'usage dans la vie publique constitue l'un des moyens de préserver le caractère français de la métropole du Québec (Montréal), compte tenu de la forte présence anglophone, de l'exode massif des francophones vers les banlieues et du faible taux de natalité.

Cette concurrence entre les communautés francophone et anglophone ralentit l'intégration des immigrants et leur permet de conserver plus longtemps leur culture d'origine. De plus, elle transforme certaines stratégies d'intégration, comme la constitution de communautés de transition et d'associations ethniques, en stratégies de revendications permanentes. Comme le soulignent Micheline Labelle et Joseph Lévy :

> La lutte entre les deux peuples fondateurs a ouvert un espace pour les minorités et a encouragé le maintien de l'ethnicité qui s'exprime dans les revendications linguistiques, scolaires et culturelles aux dépens d'une culture commune et publique, selon certains, d'une intégration nationale axée sur l'idée de citoyenneté commune, selon d'autres. (Labelle et Lévy, 1995, p. 152.)

Les différents sondages menés auprès de la population allophone révèlent d'ailleurs que les immigrants et leurs descendants s'identifient d'abord et surtout à leur groupe ethnique, dans une moindre mesure au Canada ou à Montréal et plus rarement au Québec (Labelle et Lévy, 1995, p. 272 et suiv.). Il reste que l'adoption des lois linguistiques a donné certains résultats. Ainsi, de plus en plus d'allophones parlent français au Québec, l'obligation faite aux immigrants d'envoyer leurs enfants à l'école française y étant pour beaucoup. En revanche, l'anglais reste très souvent la langue de travail pour la plupart d'entre eux et, à cet égard, les efforts pour promouvoir le français, faits notamment par l'école, sont freinés, voire annihilés, par cette réalité du monde du travail montréalais. Une étude du ministère des Relations avec les citoyens et de l'Immigration sur les besoins relatifs à l'apprentissage du français par les immigrants arrivés au Québec depuis 1992 révèle que « 57 % des répondants utilisent surtout l'anglais dans leurs relations avec des collègues, leurs supérieurs ou pour consulter de la documentation » (Venne, 1997, p. A1). La perception des leaders des communautés culturelles fait écho à cette situation. Ces derniers acceptent de plus en plus l'idée du français comme langue officielle au Québec, tout en soutenant que la connaissance de l'anglais est nécessaire pour s'intégrer au marché du travail et à l'économie nord-américaine (Labelle et Lévy, 1995, p. 194-195). Ils reconnaissent par ailleurs que l'apprentissage de la langue maternelle ralentit l'apprentissage du français et de l'anglais et constitue, à ce titre, une entrave à l'intégration (*ibid.*, p. 195).

Ainsi, au Québec, c'est non seulement la situation économique défavorable qui complique actuellement l'intégration des immigrants, mais aussi la situation politique opposant francophones et anglophones, opposition qui se répercute concrètement sur le marché du travail montréalais, celui-là même où se retrouve la majorité des immigrants.

Après avoir tracé un portrait général de la situation au Québec et au Canada, nous nous attarderons maintenant sur les diverses politiques d'intégration des immigrants en vigueur dans différents contextes.

8.2.2 LES DIFFÉRENTES POLITIQUES D'INTÉGRATION

Peu de pays se sont dotés de politiques officielles d'immigration et d'intégration des immigrants. Outre le Canada et le Québec, sur lesquels nous reviendrons plus loin, retenons les Pays-Bas, l'Australie et la Grande-Bretagne. Certains pays comme la France et les États-Unis hésitent toujours à élaborer de telles politiques et les raisons de cette hésitation paraissent, de nos jours, non fondées compte tenu que ces deux pays reçoivent un grand nombre d'immigrants annuellement et que leur tissu social respectif est fort composite. Il en va de même pour d'autres pays tels que l'Espagne ou l'Italie, qui reçoivent un nombre significatif d'immigrants. Ce qu'il faut retenir, ce n'est pas tant que la majorité des pays développés reçoivent des immigrants, mais bien la manière dont ils ajustent leurs pratiques, tant sur le plan politique qu'économique, en fonction des caractéristiques propres aux types d'immigrants qu'ils reçoivent. Pour les besoins de la cause, nous étudierons plus attentivement quatre modèles d'intégration des immigrants, soit le modèle américain, le modèle canadien, le modèle français et l'approche québécoise.

L'approche états-unienne d'insertion des nouveaux arrivants : du *melting pot* imaginaire au multiculturalisme *de facto*

Sur le plan historique, les États-Unis sont depuis plus d'un siècle le pays qui accueille le plus d'immigrants annuellement. Considéré comme une « Terre promise » depuis les débuts de la colonisation en 1607, cet immense territoire a suscité les plus grandes aspirations chez ceux qui, soit par esprit d'aventure ou parce qu'ils fuyaient une situation difficile en Europe (condamnés voulant échapper à la justice, persécutés religieux, pauvres en quête d'une mobilité sociale, etc.), ont commencé à conquérir le territoire de ce qui deviendra les États-Unis d'Amérique (Kaspi, 1986). Animés par divers courants d'immigration et devenus indépendants de la couronne britannique dès 1776, les États-Unis vont se développer à un rythme accéléré sur le plan économique et les besoins en main-d'œuvre vont se faire de plus en plus pressants. Alimentés par l'idée du rêve américain qui, s'il a quelque peu terni au cours des dernières années, demeure fort présent dans les mentalités, des millions d'immigrants continuent aujourd'hui d'y affluer annuellement[8].

Malgré l'importance séculaire de l'immigration aux États-Unis, ce n'est qu'à partir du XXe siècle que les universitaires ont véritablement commencé à réfléchir à cette question en s'interrogeant sur les possibilités d'intégration des nouveaux arrivants. Plus précisément, c'est avec des chercheurs de l'École de Chicago que la question immigrante deviendra un objet d'analyse scientifique (Persons, 1987). L'urbanisation du pays a favorisé l'émergence de grandes agglomérations urbaines et des villes telles que Chicago sont devenues des laboratoires pour les sociologues et les anthropologues intéressés par la question de l'immigration et des relations ethniques. À cette époque, le mode d'insertion des immigrants privilégié par les autorités et par bon nombre de chercheurs était l'assimilation, d'où cette idée du *melting pot* américain encore en vigueur de nos jours bien qu'elle ne veuille à toutes fins utiles plus rien dire. Sans entrer dans les détails, mentionnons que le *melting pot* est une métaphore employée pour symboliser la fusion et décrire une Amérique où les cultures se rencontrent et se fondent les unes aux autres pour créer «l'homme américain» avec une culture et une identité propres (Kivosto et Ng, 2005). Cette idéologie, parce qu'il s'agit bien d'une idéologie, s'inscrit dans la veine de l'idée selon laquelle les États-Unis sont une terre d'accueil pour tous ceux et celles qui veulent bien laisser tomber leur passé et bâtir une nouvelle vie en cette terre généreuse bénie de Dieu[9]. Cela dit, le *melting pot* est d'abord et avant tout un moyen d'assimiler le plus possible les immigrants au groupe dominant constitué de Blancs d'origine britannique et de religion protestante[10]. Bien que l'idéologie assimilationniste du *melting pot* ait eu la faveur de bon nombre de personnes, y compris celle des universitaires comme nous l'avons vu, certains se sont tout de même élevés contre cette idée en prônant un pluralisme culturel au sein duquel les appartenances ethniques et l'héritage culturel seraient préservés (Bourne, [1916],1977).

Avec la diversification de l'immigration, on se rend compte peu à peu que l'assimilation des immigrants est non seulement difficile à atteindre, mais qu'elle est néfaste dans les cas où les cultures sont trop éloignées les unes des autres. Selon cette logique, certaines cultures seront tout simplement considérées comme inassimilables. C'est le cas des Asiatiques, par exemple[11]. C'est dire que, parallèlement au discours d'ouverture et aux immenses besoins en main-d'œuvre, une brèche s'ouvre dans l'idéologie assimilationniste du *melting pot*. C'est pourquoi ce pays est de plus en plus perçu plutôt comme un «arc-en-ciel culturel» ou encore un kaléidoscope dans la mesure où la composition ethnoculturelle des États-Unis change rapidement (Kivisto et Ng, 2005). Quoi qu'il en soit, aux États-Unis, on considère souvent que la force du système économique avec son taux de chômage historiquement bas est le premier lieu d'intégration des minorités ethnoculturelles, immigrants comme non immigrants. Même en l'absence d'une politique d'intégration claire, les États-Unis peuvent être considérés aujourd'hui comme une société multiculturelle tant sur le plan empirique qu'idéologique dans la mesure où on accorde une place importante à la valorisation des cultures[12]. Comme nous le verrons maintenant, le Canada pratique une politique officielle du multiculturalisme.

L'institutionnalisation de la mosaïque canadienne par la politique du multiculturalisme

Issu d'un processus de colonisation, dit de peuplement, d'abord par la France, puis par la Grande-Bretagne, le Canada se démarque de la majorité des pays occidentaux par sa politique officielle de multiculturalisme en vigueur depuis 1971. Avant l'élaboration de cette politique, le mode de fonctionnement du Canada était sensiblement le même que celui des États-Unis avec toutefois une dimension spécifique ayant trait à la notion des deux peuples fondateurs. Pendant longtemps, les mythes fondateurs canadiens prenaient racine autour de cette notion des deux peuples fondateurs, les Canadiens anglais et les Canadiens français, auxquels venaient se greffer les minorités ethniques qui devaient dès lors s'assimiler[13]. L'idéologie assimilationniste s'est longtemps imposée au Canada, mais les changements qui se sont produits à partir des années 1960 ont donné naissance à la «troisième voie» (Breton et autres, 1980). Cette troisième voie, c'est-à-dire les groupes ethniques autres que les Canadiens français et les Canadiens anglais, fera valoir l'apport substantiel des minorités ethnoculturelles telles que les Grecs, les Ukrainiens, les Juifs et les Italiens, par exemple, au développement du Canada. Ces revendications auront une influence directe sur les mythes fondateurs et sur les représentations collectives, et de fil en aiguille, cela aboutira à la politique de multiculturalisme de 1971. S'appuyant sur l'idée d'ouverture aux cultures autres que française et britannique, cette politique encourage les minorités à valoriser leur culture d'origine soit par les arts, soit par la création d'organisations communautaires. Bien que certaines modifications à la politique du multiculturalisme aient été apportées au cours des ans, notamment en 1988 alors que les autorités considéraient que la valorisation des cultures minoritaires avait peut-être favorisé l'effritement de la cohésion sociale, le multiculturalisme canadien continue de promouvoir cette image de la mosaïque canadienne[14]. Parfois décriée de l'intérieur, mais hautement considérée dans le monde, la politique du multiculturalisme au Canada est axée sur une idée de respect des différences en dépit du fait qu'elle peut mener à un relativisme culturel aux conséquences parfois inattendues (Bissoondath, 1995)[15].

Le modèle français d'intégration : le triomphe de la notion de citoyen

La France n'a pas de politique officielle d'insertion des immigrants. Sur le plan historique, l'intégration a toujours été favorisée par une certaine ouverture à l'égard des minorités mais toujours dans le respect de l'idée de citoyenneté issue des idéaux de la Révolution française qui sont, encore aujourd'hui, fortement ancrés dans les schèmes de représentation français. Autrement dit, l'idée derrière la notion de citoyenneté est de considérer qu'au-delà des appartenances ethno-culturelles des uns et des autres il y a le concept de citoyen qui doit, en principe, favoriser l'intégration de tous dans un ensemble sociétal cohésif. L'une des caractéristiques de la France par rapport au Canada, au Québec et aux États-Unis relève de son passé colonial, notamment en Afrique du Nord (Maroc, Algérie, Tunisie). Bien que le Canada et les États-Unis entretiennent aussi des liens coloniaux avec les peuples autochtones, ce rapport de domination n'entraîne pas directement de mouvements migratoires comme c'est le cas entre la France et les pays qui ont été sous son pouvoir colonial. Cette dynamique particulière, qui est aussi celle d'autres pays comme le Royaume-Uni avec l'Inde par exemple, explique que les flux migratoires en France dépendent souvent des liens historiques qu'entretient l'ancienne métropole avec ses ex-colonies. Cela explique aussi la forte présence de personnes d'origine nord-africaine qui, comme on le sait, vivent de sérieux problèmes d'intégration socioéconomique souvent directement liés au passé historique colonial entre la France et les pays d'Afrique du Nord[16]. En ce sens, les problèmes liés aux relations entre les groupes ethniques en France sont largement attribuables à la place qu'occupent les Nord-Africains dans la stratification sociale et à leur localisation dans des endroits, les banlieues parisiennes notamment, où l'avenir semble bloqué pour des enfants d'immigrés, donc nés en France, mais qui se sentent rejetés par le reste de la société (Mohand, 1991). Toutefois, les difficultés que connaissent une majorité de Français d'origine nord-africaine ne doivent pas faire oublier les problèmes d'autres groupes ni les exemples d'intégration réussie. En somme, le modèle français d'intégration des immigrants est à l'opposé du modèle canadien de multiculturalisme, notamment parce que l'expression de la différence y est peu encouragée, du moins par les instances politiques.

À la recherche d'un compromis : l'interculturalisme québécois

Quant au Québec, il développera peu à peu ses propres modes d'intégration des immigrants malgré une constitution canadienne qui donne au gouvernement fédéral les pleins pouvoirs en matière d'immigration et un gouvernement québécois plus intéressé à bâtir les fondations de l'État moderne québécois à partir des années 1960 qu'à se préoccuper d'un éventuel mode d'intégration des minorités ethnoculturelles et des immigrants. Historiquement, au Canada, c'est le gouvernement fédéral qui réglementait et organisait l'arrivée de millions de personnes en sol canadien. Toutefois, depuis 1978, même si le gouvernement fédéral continue de jouer un rôle déterminant, l'entente Cullen-Couture, du nom des ministres de l'Immigration du Canada et du Québec de l'époque, donne au Québec un droit de regard sur la sélection des immigrants à l'aide d'une grille de sélection qui tient compte de certains critères comme la connaissance de la langue française et le niveau de scolarité des candidats (Gagné et Chamberland, 1999). Désormais, le Québec peut sélectionner des personnes dans la catégorie des indépendants (travailleurs qualifiés et gens d'affaires avec les personnes à leur charge) et dans celle des réfugiés à l'étranger, et déterminer les critères financiers et autres pour le parrainage des immigrants dans la catégorie des parents et des parents aidés (CIC, 2005). L'entente Cullen-Couture ouvre la porte à d'autres négociations et la ratification de l'entente Gagnon-Tremblay/McDougall en 1991, mieux connue sous le nom d'Accord Québec-Canada, consolide les pouvoirs de sélection du Québec et ses prérogatives en matière d'accueil et d'établissement (Gagné et Chamberland, 1999). Les résultats de ces ententes ne se sont pas fait attendre et en 1991, l'*Énoncé de politique en matière d'immigration et d'intégration* a été ratifié. C'est ainsi que le Québec s'est doté d'une politique d'immigration qui rendait effective la politique québécoise d'interculturalisme et faisait du Québec l'unique responsable des services d'accueil et d'intégration linguistique et culturelle (McAndrew, 1992). Aujourd'hui, le Québec sélectionne plus de 60 % de son immigration, 67 % en 2003, dont une majorité est constituée d'immigrants économiques (MICC, 2005).

En ce qui a trait à l'interculturalisme québécois, il se veut d'une certaine manière un modèle entre le multiculturalisme canadien et la vision française d'intégration que nous avons vus précédemment. Tout en valorisant une ouverture et une tolérance à l'égard des nouveaux arrivants et des minorités ethnoculturelles en général, le gouvernement du Québec vise également à intégrer les nouveaux arrivants au « fait français », c'est-à-dire à l'usage du français dans les lieux publics, et à les sensibiliser à l'idée d'un Québec pluriel fier de ses origines françaises dans un contexte, l'Amérique du Nord, où la culture anglosaxonne est fortement ancrée. Bien que la politique d'interculturalisme ne soit en vigueur que depuis le début des années 1990, le processus menant à cette politique prend racine à diverses étapes du développement du Québec moderne avec au premier plan la ratification de la Loi sur la protection de la langue française de 1977, qui comprend la Charte de la langue française. Non seulement cette loi fait-elle du Québec une province unilingue française, mais elle oblige les immigrants à envoyer leurs enfants à l'école française, à moins que l'un des deux parents n'ait fréquenté l'école anglaise au Canada dans sa jeunesse [17]. Cette loi a eu des répercussions importantes sur le processus d'intégration des minorités ethnoculturelles, principalement pour les deuxièmes générations, qui se sont mises à fréquenter massivement les écoles primaires et secondaires francophones. La francisation des immigrants n'est pas seulement l'affaire de l'État. Les entreprises installées au Québec sont également régies par la Charte de la langue française qui stipule que le français doit être la langue de travail. On notera toutefois que si les effets de la Charte se sont faits ressentir au cours des ans dans le milieu de l'éducation, bien des améliorations restent à apporter dans les milieux de travail où l'anglais demeure, dans bien des cas, la langue d'usage. La francisation des nouveaux arrivants et la sélection d'immigrants connaissant déjà le français avant leur arrivée au Québec sont certes au nombre des aspects les plus marquants des dernières années en matière de pratiques gouvernementales. En rejetant les prémisses du relativisme culturel que l'on reproche souvent au multiculturalisme, en faisant preuve d'ouverture et en valorisant les cultures minoritaires, l'interculturalisme québécois se situe à mi-chemin entre le modèle canadien et le modèle d'intégration français pour qui l'espace public doit accorder une place de choix au concept de citoyen et être libéré de tout référent culturel, incluant les symboles religieux.

Bien que les quatre modèles d'intégration des immigrants et des minorités ethnoculturelles présentés dans cette section reflètent une manière distincte de considérer l'apport des immigrants à la société d'accueil, il faut retenir que ces quatre sociétés sont avant tout des endroits où un nombre important d'immigrants et de minorités ethnoculturelles cohabitent, ce qui en fait des sociétés plurielles, voire multiculturelles au sens sociologique du terme. Il est généralement admis que les meilleures intentions du monde en matière de politique d'intégration peuvent prévaloir, mais il n'en demeure pas moins que le marché du travail est le lieu par lequel passe toute autre forme d'intégration. Maintenant que certains des modèles politiques et idéologiques d'intégration des groupes minoritaires ont été présentés, nous allons nous attarder à la question fondamentale de l'intégration au marché du travail[18].

8.3 L'INTÉGRATION AU MARCHÉ DU TRAVAIL

Même si nous en avons déjà parlé, il est bon de rappeler que l'aspect économique de l'immigration est l'une des principales raisons pour lesquelles des personnes décident d'émigrer. C'est aussi l'un des principaux motifs qui amènent des gouvernements à laisser entrer des étrangers sur leur territoire. Sans nier les autres aspects liés à l'immigration tels que les raisons humanitaires, les raisons économiques représentent une importante source de motivation pour quitter son pays. Il n'est donc pas étonnant que les États-Unis aient historiquement reçu plus d'immigrants que tout autre pays puisque l'économie américaine est en mesure d'absorber ces flux migratoires intenses et qu'en plus elle a besoin de cette nouvelle main-d'œuvre et de ces nouveaux investisseurs pour se maintenir, voire pour croître, dans l'économie mondiale. C'est suivant cette logique que nous avançons, à la suite de plusieurs autres, que l'immigration est avant toute chose une forme instrumentalisée de rapports économiques qui s'inscrit dans un jeu de l'offre et de la demande (Bonacich, 1972).

Au début de la colonisation, le Canada avait besoin de gens pour peupler l'immense territoire conquis au fur et à mesure que le chemin de fer se construisait. Au XXᵉ siècle, on avait un urgent besoin de main-d'œuvre surtout pour consolider les réseaux routier et ferroviaire et pour travailler dans les mines. Même s'ils sont différents sous plusieurs aspects, les flux migratoires en Europe occidentale auront également pour objectifs de combler les besoins en main-d'œuvre et c'est ainsi que des milliers d'Européens de l'Est et du Sud, d'Africains et d'Asiatiques vont émigrer en France, en Angleterre, en Allemagne, en Belgique et aux Pays-Bas. Après la Deuxième Guerre mondiale, les besoins changent, mais les questions économiques demeurent l'une des principales raisons pour lesquelles

les immigrants affluent dans les métropoles des pays d'accueil. Ce phénomène se poursuivra jusque dans les années 1960-1970, mais cette fois la diversification de l'immigration changera la donne. C'est dans ce contexte que le marché du travail est un lieu privilégié d'intégration des immigrants, peu importe la nature des politiques d'intégration ou l'absence de telles politiques. Historiquement, le marché du travail dans les sociétés capitalistes a favorisé l'insertion des immigrants et des minorités ethniques dans la société. Bien que les aspects sociaux et politiques de l'intégration aient aussi leur importance, il demeure que la participation économique à une société, le fait de gagner de l'argent, de l'économiser et de pouvoir le dépenser à sa guise, détermine un ensemble d'éléments — réseaux sociaux, mobilité sociale, participation active, etc. — qui, à leur tour, facilitent ou non l'insertion dans la société. À cet égard, de nombreuses statistiques révèlent que le taux de chômage est plus élevé chez les groupes ethniques minoritaires, notamment chez les immigrants de première génération, même si bien souvent leur niveau de scolarité est équivalent, voire supérieur à celui des populations locales, incluant les membres des deux groupes majoritaires. À ce sujet, l'exemple de l'arrondissement de Villeray–Saint-Michel–Parc-Extension à Montréal est probant.

Sur les 27 arrondissements que comptait la ville de Montréal en 2001, Villeray–Saint-Michel–Parc-Extension vient au deuxième rang pour le nombre de minorités visibles, avec 47 030 personnes appartenant à ces communautés et au premier rang pour le nombre de personnes parlant une langue autre que l'une des deux langues officielles du Canada, soit le français ou l'anglais. Le pourcentage de la population de minorités visibles dans l'arrondissement de Villeray–Saint-Michel–Parc-Extension représente 33 % de la population totale de l'arrondissement[19]. Cela dit, c'est aussi l'arrondissement où le salaire moyen annuel est le plus bas, soit 18 140 $ par année, tout en se classant au septième rang pour le nombre de personnes titulaires d'un diplôme d'études supérieures, devançant même des arrondissements riches comme Westmount et Outremont. Sans vouloir faire une mauvaise interprétation de ces données, on constate que les gens qui vivent dans l'arrondissement de Villeray–Saint-Michel–Parc-Extension viennent de plusieurs pays et qu'ils ont un niveau d'éducation élevé. Pourtant, c'est là qu'on retrouve le plus bas salaire moyen annuel (Annuaire statistique des arrondissements de la nouvelle ville de Montréal, 2001)[20].

Bien qu'elle soit parfois difficile à identifier, la discrimination sur le marché de l'emploi à l'égard des minorités est à la source de bien des difficultés d'adaptation et prive bien souvent les entreprises d'une main-d'œuvre qualifiée. Les pratiques discriminatoires sont nombreuses, allant de la mise à l'écart des curriculum vitæ à cause du nom de la personne en passant par des questions pièges dans les entrevues. Les raisons invoquées pour refuser les candidatures des minorités ethnoculturelles reposent toutefois sur des critères prétendument objectifs tels que la méconnaissance de la langue anglaise ou française, l'absence d'expérience en milieu québécois ou canadien ou encore la non-affiliation aux ordres professionnels. En dépit de l'existence de mesures gouvernementales pour contrer la discrimination dans l'embauche, il s'avère fort difficile d'éliminer totalement ce genre de pratiques; la préférence accordée aux membres de son propre groupe ethnoculturel est monnaie courante et ne reflète qu'une des difficultés auxquelles se heurtent les nouveaux arrivants pour intégrer le marché du travail. Cela démontre également les difficultés de la société d'accueil à accorder une place égale à tous les groupes ethniques et aux individus qui en font partie, qu'ils soient nouvellement arrivés ou non. À ce sujet, les statistiques sont éloquentes et montrent que les membres des minorités visibles sont ceux qui subissent le plus de discrimination dans le processus d'embauche[21].

Pour abolir la discrimination en matière d'emploi, les différents paliers de gouvernement ont mis sur pied des «programmes d'accès à l'égalité». Bien que souvent critiqués, parfois même de la part de membres des minorités visibles qui voient dans ces programmes des processus de stigmatisation pouvant nuire à leur intégration à moyen et à long terme, les programmes d'accès à l'égalité ont tout de même permis dans certains secteurs d'activité d'atteindre un nombre de travailleurs issus de groupes minoritaires qui est représentatif de la composition de la société québécoise. En revanche, dans d'autres secteurs, on observe une sous-représentation, par exemple dans la fonction publique québécoise où environ 8% des employés sont issus de groupes minoritaires alors que ces derniers constituent plus de 20% de la population totale du Québec. Dans certains secteurs, souvent les plus précaires et les moins bien rémunérés, on observe l'inverse, par exemple dans le secteur du textile où la main-d'œuvre est largement constituée d'immigrants et, plus particulièrement, de minorités visibles.

À partir de l'exemple des Nord-Africains, nous verrons maintenant en quoi les politiques publiques et les pratiques courantes des entreprises peuvent agir de façon contradictoire et causer chez certaines personnes ou certains groupes des problèmes importants sur le plan de l'intégration au marché du travail.

Dans le but de consolider sa politique de sélection des immigrants, depuis quelques années le Québec vise à favoriser une immigration correspondant aux besoins du marché du travail et aux caractéristiques spécifiques du Québec en Amérique du Nord. Certains critères de sélection préalablement établis peuvent être classés dans deux catégories: les nécessités du marché du travail et les facteurs démographiques. Le Québec cherche à recruter une main-d'œuvre qualifiée possédant un diplôme d'études postsecondaires et si possible une expérience de travail significative dans le pays d'origine. Bien que les besoins en main-d'œuvre soient fluctuants, le gouvernement cible certains domaines comme le génie, l'informatique et diverses techniques (biotechnologie, aéronautique). Quant aux aspects démographiques, ils relèvent à la fois de l'inquiétude à l'égard du faible taux de natalité au Québec, l'un des plus bas au monde, du vieillissement de la population, du poids démographique du Québec au sein du Canada et de la question linguistique, plus précisément de la question de la francisation de la population immigrante et des minorités ethniques dans leur ensemble.

Si l'on considère ces critères de sélection, les gens qui viennent des pays d'Afrique du Nord (Algérie, Tunisie, Maroc) représentent ces immigrants «idéaux» tant recherchés. En effet, les candidats à l'immigration au Québec en provenance de l'un de ces trois pays sont souvent des jeunes dans la vingtaine qui fonderont une famille, si ce n'est déjà fait, qui ont une éducation postsecondaire souvent dans des domaines en demande, et qui, de surcroît, maîtrisent la langue française puisque l'Afrique du Nord a été colonisée par la France. Quant aux futurs immigrants, ils ont la possibilité d'émigrer dans un pays, le Canada, où règne la stabilité politique et économique, et de vivre le «rêve américain» dans une langue qu'ils connaissent bien. C'est pourquoi depuis quelques années, au Québec, on observe un accroissement significatif de l'immigration en provenance de ces pays. Ainsi, entre 2000 et 2004, le Québec a accueilli 33 508 personnes originaires de l'Algérie, du Maroc ou de la Tunisie, soit 21 % du total des immigrants reçus, ce qui fait de l'Afrique du Nord la région d'où provient le plus grand nombre d'immigrants pour la même période (MICC, 2005).

Répondant à la plupart des critères dits objectifs pour s'intégrer aisément dans la société québécoise, plus particulièrement montréalaise, les nouveaux arrivants en provenance de l'Afrique du Nord doivent toutefois affronter une réalité qui trop souvent ne correspond pas à leurs attentes ni au message qu'on leur a envoyé avant leur venue au Québec. En effet, une fois arrivés, leur statut de résident permanent obtenu après des délais pouvant aller jusqu'à quelques années, ces nouveaux immigrants se rendent compte que le marché du travail est très compétitif et que les débouchés ne sont pas aussi importants que ce à quoi ils s'attendaient. C'est ainsi que pour plusieurs personnes d'origine maghrébine, la recherche d'un emploi, qui s'accompagne souvent de la recherche d'un appartement à un coût abordable près d'une école pour les enfants et des commerces où ils pourront trouver des produits de leur région, est une étape qui peut entraîner une grande déception relativement aux attentes qu'ils nourrissaient au départ. C'est ainsi que commencent pour la plupart d'entre eux une série de formations sur l'insertion au marché de l'emploi offertes notamment par les divers centres locaux d'emplois (CLE) situés dans la région montréalaise. Les nouveaux arrivants apprennent notamment à rédiger leur curriculum vitæ en fonction des critères exigés par les employeurs québécois et à mieux connaître le marché du travail. On leur propose aussi des simulations d'entrevue d'emploi.

D'après les personnes que nous avons interrogées, ces formations sont utiles au début parce qu'elles permettent de se familiariser avec le marché du travail québécois, mais à moyen terme, elle deviennent une source de démotivation, car bon nombre de personnes suivront plusieurs formations parce qu'elles n'obtiennent pas d'emploi[22]. La mauvaise préparation au marché du travail sur le plan de l'expérience de travail et la non-reconnaissance par les employeurs et le gouvernement des diplômes obtenus dans le pays d'origine créent des barrières à l'emploi. La question des ordres professionnels par exemple a souvent été soulevée, car plusieurs Nord-Africains titulaires d'un diplôme d'ingénieur ne pourront exercer leur métier qu'à la condition de faire partie de l'Ordre des ingénieurs du Québec, ce qui demande du temps et surtout des sommes d'argent que les nouveaux arrivants n'ont pas toujours. De plus, lorsqu'ils arrivent à obtenir une entrevue pour un emploi, les nouveaux arrivants d'origine nord-africaine se font souvent reprocher de ne pas maîtriser la langue anglaise alors qu'ils croyaient que l'une de leurs forces au Québec était justement de parler le français. La non-reconnaissance par les employeurs des expériences de travail dans le pays d'origine et, dans le cas des Nord-Africains, une certaine réticence à embaucher des personnes de confession musulmane, surtout après les attentats du 11 septembre 2001 aux États-Unis, ajoutent encore aux difficultés d'embauche. L'absence de réseaux sociaux permettant aux nouveaux arrivants de devenir des employeurs potentiels ainsi que la réticence de plusieurs à quitter la région montréalaise même s'il serait peut-être plus facile d'obtenir un emploi parce que la compétition est souvent moins forte en région sont d'autres facteurs qui compliquent la situation.

En somme, et bien que le cas des Maghrébins ne soit pas nécessairement différent de celui de la majorité des nouveaux arrivants, que ce soit au Québec ou ailleurs, l'exemple des immigrants en provenance d'Afrique du Nord illustre bien les difficultés qu'ils doivent surmonter et l'écart entre leurs attentes et la réalité. Il ne s'agit pas ici d'identifier un coupable et de « victimiser » un groupe en particulier, mais force est de reconnaître que la question de l'intégration socio-économique des immigrants est un processus complexe qui nécessite une bonne compréhension des tendances des flux migratoires de même qu'une compréhension des relations qui se tissent entre les différents groupes dans des contextes qui, comme la région montréalaise, abrite une population dont les origines ethniques sont fort diversifiées.

Dans cette première section, nous avons étudié les phénomènes migratoires dans une perspective macrosociale. L'objectif est de mettre en contexte l'immigration et les relations ethniques à l'aide de statistiques et d'éléments historiques et sociologiques. Le contexte montréalais se prête bien à de telles observations parce qu'on y trouve une forte concentration de minorités ethnoculturelles. C'est également à Montréal que les relations entre les deux groupes majoritaires sont le plus cristallisées. C'est pourquoi, encore une fois, le contexte montréalais est un laboratoire fort intéressant pour quiconque cherche à mieux comprendre les dynamiques qui interviennent lorsque des groupes aux appartenances diverses entrent en relation. Maintenant que les dimensions sociétales de ces relations sont établies, voyons en détail comment elles s'arriment dans les entreprises.

8.4   IMMIGRATION, COMMUNAUTÉS CULTURELLES ET ENTREPRISES

Dans cette section, nous examinerons non seulement les conséquences de l'immigration pour l'entreprise, mais aussi celles, plus larges, qui découlent des différences culturelles liées à la coexistence de plusieurs communautés culturelles au sein d'un même pays ou à la présence d'entreprises nationales dans des pays étrangers. Nous nous intéresserons donc plus à la question de la rencontre des cultures dans les entreprises ou entre les entreprises et leur clientèle qu'à la question de l'immigration comme telle. Il faut en fait voir l'immigration comme l'élément déclencheur de cette rencontre par le mélange de populations auquel elle donne lieu.

Dans un premier temps, nous examinerons les répercussions de la présence de personnes d'origines diverses sur la dynamique interne de l'entreprise. Nous verrons que, très souvent, la communauté d'appartenance culturelle sert de fondement au regroupement des travailleurs dans l'entreprise et conditionne les relations que les uns entretiennent avec les autres. Dans un deuxième temps, nous verrons comment les entreprises tiennent compte de l'existence d'une clientèle multiethnique, réalité qui conduit souvent à adapter les pratiques dans le domaine des relations publiques et du marketing. Nous examinerons aussi le cas des entreprises multinationales et des PME dites exportatrices qui sont constamment plongées dans des univers culturels différents. Cette situation permet de poser la question de l'universalité des modes de gestion et du fonctionnement des équipes de direction et de travail.

8.4.1 La dynamique interne des entreprises multiculturelles

Nous abordons ici le cas des entreprises regroupant des employés issus de plus d'une communauté culturelle. Les entreprises sont des réalités sociales complexes reposant sur l'existence de groupes d'individus qui coopèrent, s'ignorent, ou s'affrontent à propos de questions importantes (les salaires) ou accessoires (la grandeur des bureaux). La communauté d'appartenance est le principal pôle autour duquel s'organisent les groupes. Ce pôle est à la fois source de coopération, d'ignorance et de conflit. Il arrive très souvent en effet que les individus se regroupent spontanément entre membres d'une même communauté pour partager leur expérience de travail, s'entraider et affronter ensemble certaines situations. Le regroupement sur la base d'affinités culturelles crée des clivages entre groupes d'appartenance, lesquels peuvent alors faire l'objet de remarques désobligeantes, de manifestations d'hostilité et être victimes de préjugés, de discrimination, voire de racisme. Il faut préciser cependant que le regroupement sur une base culturelle n'est pas la seule source de coopération ou de tensions dans une entreprise. Il y a d'autres sources, comme le métier ou la spécialisation des travailleurs, ou l'attitude des patrons. De plus, certains individus transcendent ces différences culturelles et cherchent à créer des ponts sur d'autres bases (syndicale, par exemple, pour défendre leurs conditions objectives dans l'entreprise : avoir de meilleures conditions de travail, de meilleurs salaires, etc.).

Prenons le cas d'une usine de vêtements, à Montréal, documenté par l'anthropologue Greg Teal (1986), pour illustrer concrètement cette dynamique ethnique dans l'entreprise. L'usine, appelée FORMFIT par l'auteur, produit des sous-vêtements pour femmes et embauche entre 150 et 200 personnes selon la conjoncture économique et l'état du marché. Cette usine est une propriété libanaise et emploie des hommes et des femmes issus de différentes communautés culturelles : Québécois francophones, Italiens, Haïtiens, Vietnamiens, Libanais, Portugais, Jamaïcains. Les postes de directeurs et de cadres sont occupés par des hommes qui ont un personnel de bureau exclusivement féminin pour les soutenir. Le service de la coupe est majoritairement masculin, alors que l'atelier de couture est exclusivement féminin. Précisons tout de suite que le travail de coupe est moins difficile et moins exigeant que le travail de couture, où il s'agit d'assembler les vêtements le plus rapidement possible (les femmes sont payées à la pièce). Ce sont des femmes et un homme qui sont responsables de l'inspection dans l'atelier de couture. Les responsables d'atelier sont surtout italiennes, mais il y a aussi une Jamaïcaine et une Portugaise à ce poste. Aucune Québécoise francophone ni aucune Haïtienne n'occupent les postes clés de responsables d'atelier ou de l'inspection. Les opératrices italiennes sont les plus anciennes de l'atelier et elles font parfois la vie dure aux autres. En fait, elles monopolisent très souvent le bon travail (le plus payant) en s'appuyant sur les responsables de leur communauté qui ferment les yeux sur certaines pratiques qui ne respectent pas toujours la politique de l'entreprise. Voici un exemple de ces pratiques que décrit Teal, qui s'est fait embaucher comme opérateur dans cette entreprise et qui avait pour tâche d'acheminer, par tapis roulant, les piles de tissu aux couturières, de manière que chacune reçoive, à tour de rôle, des pièces faciles et des pièces difficiles à assembler.

> [À un moment donné,] j'ai découvert que chaque fois que j'avais expédié une pile de bas-culottes de grande taille à la troisième opératrice, elle la gardait pendant un certain temps avant de me la renvoyer sans avoir travaillé dessus. Voyant qu'elle avait besoin de travail, et lui ayant déjà envoyé une pile de bas de grande taille, je lui faisais parvenir cette fois-ci du tissu pour petite taille, afin justement d'assurer une distribution égale en termes de tailles entre les trois opératrices. Du moins, c'est ce que je pensais. (Teal, 1986, p. 48.)

Par ce stratagème, cette travailleuse évitait le travail moins payant.

Un autre exemple de stratégie fondée sur l'appartenance ethnique est l'exclusion des travailleurs libanais à l'occasion d'une tentative de syndicalisation faite dans cette entreprise. Parce qu'ils étaient, comme le propriétaire, d'origine libanaise, ces ouvriers n'ont jamais été mis au courant des discussions et des réunions qu'ont tenues des ouvriers désireux de se syndiquer. Ceux-ci craignaient que les premiers n'avertissent le propriétaire de leur tentative d'introduire un syndicat. C'est donc l'appartenance ethnique qui a déterminé leur comportement à l'égard de ce groupe de travailleurs. Un autre exemple, provenant de la même entreprise : pour discréditer une travailleuse haïtienne aux yeux de l'employeur, une responsable d'atelier va l'induire en erreur sur le travail à effectuer. En effet, cette employée haïtienne s'informe auprès de la responsable sur sa façon d'assembler un nouveau style de vêtement. La responsable, qui est italienne, lui dit que son travail est bien fait même si elle le sait fait de façon incorrecte. Le lendemain, l'inspecteur a fait refaire tout le travail à la couturière qui a eu beau protester de toutes ses forces. Plus encore, il l'a humiliée « en disant à haute voix qu'elle était nulle comme opératrice et qu'à l'avenir on ne lui fournirait plus jamais de nouveaux styles à faire » (Teal, 1986, p. 50).

Ces stratégies que sous-tend l'appartenance ethnique ne déterminent pas toute la dynamique de cette entreprise cependant. Par exemple, les employées de bureau, elles-mêmes issues de communautés culturelles ni francophone ni anglophone, cultivent leur différence « au moyen de symboles ou d'indicateurs sociaux, tels de beaux vêtements, et en maintenant une barrière sociale stricte et rigoureuse » (Teal, 1986, p. 45). L'objectif qui motive ce comportement est d'obtenir de leurs patrons des promotions et de meilleures conditions de travail. Il y a donc d'autres stratégies et d'autres intérêts dans l'entreprise, mais les stratégies favorisant son groupe d'appartenance culturelle restent souvent une clé pour comprendre les comportements des uns et des autres dans ce type d'entreprise.

L'identification à son groupe ethnique conditionne certains comportements généralement plus favorables aux membres de son groupe qu'aux autres. Cette attitude fréquente repose sur les liens de solidarité avec son groupe, mais aussi sur des préjugés envers les autres groupes perçus comme paresseux, ou geignards, ou sans ambition, etc. Ces préjugés sont souvent à l'origine de malentendus culturels importants, tant dans la société que dans les entreprises. Pour les neutraliser, il faut établir une communication interculturelle, c'est-à-dire faire prendre conscience aux individus de leurs préjugés, particulièrement en décodant autrement — du point de vue des acteurs victimes de ces préjugés — les comportements des autres, et suggérer des modes de communication différents (voir l'encadré 8.2).

ENCADRÉ 8.2
Les malentendus culturels et la communication interculturelle

Qu'est-ce qu'un malentendu culturel ? Disons simplement qu'il s'agit d'un malentendu qui repose sur l'ignorance de la culture de l'autre, c'est-à-dire qui fait en sorte qu'une personne interprète le comportement d'une autre d'après sa culture à elle et non pas en fonction de celle de l'autre. Le problème avec les malentendus culturels, c'est qu'ils ne sont pas nécessairement perçus comme tels. La personne attribue dans ce cas le problème vécu (malentendu culturel) à des manques de politesse et de savoir-vivre ou à des manifestations de mépris de l'autre. Comme le souligne cependant l'anthropologue française Raymonde Carroll (1987), la majorité des êtres humains reconnaissent de plus en plus qu'il existe des différences importantes entre des peuples culturellement éloignés, par exemple entre les Américains et les Chinois, et que, en conséquence, ces différences se traduisent souvent par de l'incompréhension mutuelle. Ce qui est moins évident, soutient-elle, c'est que ces différences sont aussi importantes entre les cultures proches mais que la plupart des gens ne s'en rendent pas compte d'entrée de jeu, si bien qu'ils sont souvent la source de malentendus culturels plus profonds encore que ceux qu'ils connaissent avec des cultures éloignées dont les membres étaient mieux préparés à les rencontrer. De plus, comme elle le dit, c'est « dans les rapports interpersonnels, là où l'on se sent le plus en sécurité, le moins sur ses gardes, entre amis, entre copains, entre amants, entre collègues, entre proches, etc., que le malentendu culturel a le plus de chances de surgir. Parce que nous supposons à tort que, dans ce domaine, nous sommes, au fond, tous les mêmes […] tous des êtres universels » (Carroll, 1987, p. 28).

De telles situations, qui touchent différents aspects de la vie quotidienne, sont très fréquentes et sont sources de nombreux malentendus. Prenons un exemple qui peut facilement être transposé dans le monde du travail, celui de l'entraide entre amis. Un Français attend qu'un ami lui offre son aide. Il n'est pas question de solliciter directement cette aide, c'est à l'ami de prendre conscience de la situation et d'offrir son aide. Aux États-Unis, au contraire, c'est la personne qui a besoin d'un service qui le demande. L'ami ne doit pas l'offrir, car alors il risque d'embarrasser l'autre (il empiète sur son autonomie). En transposant ce comportement dans le monde du travail, on peut voir aisément le potentiel de malentendus. Un Français et un Américain réunis dans une même équipe de travail et qui se lient progressivement d'amitié attendront l'un de l'autre un comportement qui ne viendra pas (le Français attendra en vain une offre ; l'Américain recevra une offre qu'il ne veut pas). C'est de situations semblables que naissent des commentaires comme « les X ne sont pas serviables, on ne peut pas compter sur eux quand on en a besoin ». Ajoutez à cela que le Français attend d'un ami qu'il lui secoue les puces à l'occasion alors que l'Américain attend de son ami un appui indéfectible, peu importe les circonstances, et vous avez les éléments pour provoquer un gros malentendu culturel.

Pour prévenir et éviter ce genre de malentendus, mais aussi pour les corriger rapidement lorsqu'ils se produisent, les spécialistes proposent la communication interculturelle. Cette communication repose sur la prise de conscience de l'existence de l'autre en tant qu'être culturel. Il s'agit de prendre conscience que l'autre est susceptible de ne pas réagir comme nous aux diverses situations. Comment arriver à cette prise de conscience ? En cherchant constamment à prendre nos distances par rapport à nos schèmes habituels de pensée, en nous décentrant par rapport à nous-même et à notre culture. Ainsi, chaque fois qu'un individu réagira fortement à une situation, il faudra d'abord qu'il se demande s'il y a un élément culturel dans sa réaction. Après avoir fait cette prise de conscience et avoir bien évalué la situation culturellement, il pourra, s'il s'agit d'un malentendu culturel, établir un dialogue avec l'autre et trouver une forme de compromis. Prenons l'exemple de l'entraide entre Français et Américains. Si un Français se sent offusqué de ne pas recevoir de l'aide d'un Américain lorsqu'il en a exprimé le besoin à sa façon, au lieu de dire que les Américains ne sont pas serviables et de se replier sur son groupe, il pourrait prendre du recul, réfléchir à la situation dans une perspective culturelle et exposer son problème à l'Américain. Ensemble, ils trouveront une façon, bien à eux, d'exprimer leur besoin d'aide. Ainsi, une situation de malentendu culturel pourra être résolue positivement, et ses conséquences négatives (dénigrement de l'autre, repli sur son groupe) seront évitées.

8.4.2 LES MEMBRES DES COMMUNAUTÉS CULTURELLES COMME CLIENTS

La diversification ethnique de la société et la croissance de la population d'origine étrangère au Québec ont amené les entreprises de services à adapter leurs pratiques et à tenir compte des risques de malentendus culturels entre leur clientèle et leurs employés. C'est ainsi que plusieurs services publics gouvernementaux (hôpitaux, services de police, etc.), les entreprises privées de services, comme les grandes banques, les caisses populaires, les entreprises de téléphonie et beaucoup d'autres ont adopté des plans de marketing et de relations publiques visant à atteindre cette clientèle et des plans de formation du personnel ayant pour but de sensibiliser leurs employés à cette nouvelle réalité. Plusieurs de ces entreprises ont aussi cherché à diversifier leur main-d'œuvre en embauchant des employés issus des minorités ethniques pour mieux servir cette clientèle.

C'est le cas, par exemple, d'Hydro-Québec, qui a demandé à la maison de sondage CROP de mesurer le degré de satisfaction de sa clientèle multiculturelle en juin 1994. Ce sondage a révélé qu'elle était moins satisfaite à l'endroit de l'entreprise que la clientèle francophone et anglophone (voir le tableau 8.7).

Pour redresser la situation, l'entreprise a adopté un plan d'action spécifique. Son objectif est d'obtenir, « d'ici l'an 2000, un taux de satisfaction de la clientèle des communautés culturelles égal au taux de satisfaction de la clientèle [francophone et anglophone] d'Hydro-Québec sur le territoire de Montréal » (tiré du plan d'action cité dans Fortier et autres, 1995, p. 2). La première étape pour atteindre cet objectif a été de tracer un profil socioéconomique de la clientèle dans la région métropolitaine. En connaissant l'importance numérique et le milieu de vie de cette population, Hydro-Québec pourra fournir un premier instrument de sensibilisation à ses cadres et à ses employés.

TABLEAU 8.7

Degré de satisfaction générale (sur une échelle de 0 à 10) à l'endroit d'Hydro-Québec parmi six minorités culturelles de la région de Montréal

Groupe ethnique	Degré de satisfaction (moyenne)
Arabes	6,8
Italiens	6,2
Latino-Américains	5,6
Portugais	5,5
Grecs	5,4
Haïtiens	4,7
Ensemble des six groupes	6,1
Groupe de comparaison (nationaux francophones et anglophones)	7,2

Source : Adapté de Fortier et autres (1995, p. 3).

Pour brosser un portrait juste de la situation montréalaise, plusieurs profils sous-régionaux ont été produits. De plus, chaque sous-région a été découpée en zones plus petites encore qui permettent de connaître parfaitement la composition ethnique des moindres coins de la région montréalaise (voir un exemple dans l'encadré 8.3). Ainsi, pour chaque sous-région, on a un portrait de l'évolution ethnique de la population, des renseignements sur la langue parlée à la maison, sur les revenus des familles, sur la proportion d'immigrants, sur le taux de chômage, sur le pourcentage de personnes vivant sous le seuil de pauvreté, sur le pourcentage de personnes habitant un logement dont le coût est supérieur à 30 % du revenu. Toutes ces données sont en général présentées pour la population québécoise dans son ensemble, selon la région, le secteur et les communautés culturelles du secteur.

Ces données permettent de mieux comprendre la situation objective des individus issus des communautés culturelles et les difficultés qui, éventuellement, en découlent (retard dans le paiement de leur compte notamment). Par exemple, dans le profil du secteur sud de la région de Montréal, qui correspond *grosso modo* au centre-ville et à sa périphérie est et ouest, on note chez les ménages issus des communautés culturelles un revenu moyen par ménage nettement inférieur à la moyenne québécoise (32 823 $ comparativement à 40 826 $ en 1991) et à la moyenne du secteur (36 801 $), et un pourcentage élevé de personnes vivant sous le seuil de pauvreté (39 % comparativement à une moyenne provinciale de 19 % en 1991) (Fortier et autres, 1995, p.14-15). Dans ce contexte, on comprendra que les relations avec les employés puissent être tendues, surtout si ces derniers stigmatisent cette clientèle en lui attribuant l'intention de ne pas vouloir payer, en soutenant que les immigrants ne respectent pas nos façons de faire et qu'ils profitent de notre générosité. Il faut alors sensibiliser les employés et les amener à des pratiques différentes. Comme le soulignent les auteurs de l'analyse socio-économique réalisée pour le compte d'Hydro-Québec, «plusieurs d'entre eux [les immigrants] ont peu de connaissances des modes de fonctionnement des entreprises de service public comme Hydro-Québec» (*ibid.*, p 16). Il faut donc que les employés les initient à ces modes de fonctionnement, et ne pas simplement attendre qu'ils se comportent comme les citoyens nés au Québec.

Il ne s'agit pas uniquement ici de donner un service jugé plus satisfaisant par la clientèle multiethnique et d'améliorer ainsi son image publique. Il s'agit aussi et surtout pour les entreprises de fournir les services de façon plus efficace et donc, de façon moins coûteuse. Si Hydro-Québec, la police de Montréal ou les hôpitaux ont des relations tendues avec la clientèle multiethnique, il en résulte une multiplication des interventions et une augmentation des ressources pour fournir les services. Au contraire, si les employés et les cadres sont sensibilisés aux réalités des diverses communautés culturelles, ils seront en mesure d'intervenir plus efficacement la première fois, réduisant ainsi les coûts et les ressources occupées à résoudre des situations de crise perpétuelle. Par exemple, si les médecins ne sont pas sensibilisés au fait que les symptômes d'une même maladie

ENCADRÉ 8.3

Un exemple de découpage d'une sous-région de Montréal

St-Louis-du-Parc

Pourcentage d'allophones (langue parlée à la maison) en 1991

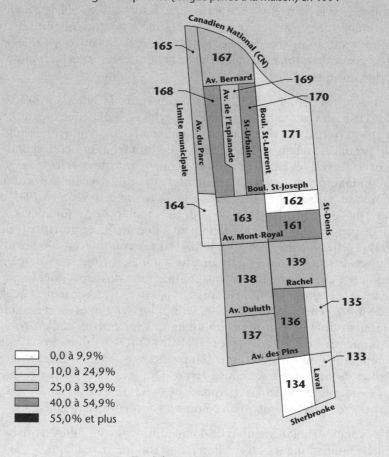

Total du quartier: 30,1%

Statistique Canada, recensement 1991 • Bureau d'études sociographiques inc.

Zone 133	16,4%	**Zone 134**	5,3%
Portugais	6,8%	Arabe	2,0%
Chinois	1,9%	Portugais	1,3%
Polonais	1,9%	Hongrois	1,3%

Zone 135	18,6 %		**Zone 164**	21,3 %
Portugais	12,7 %		Grec	9,0 %
Chinois	1,2 %		Chinois	3,6 %
Espagnol	0,9 %		Portugais	3,2 %
Zone 136	46,2 %		**Zone 165**	37,6 %
Portugais	30,1 %		Grec	9,6 %
Grec	5,1 %		Chinois	4,6 %
Espagnol	3,6 %		Italien	2,3 %
Zone 137	32,6 %		**Zone 167**	35,1 %
Portugais	9,3 %		Grec	9,2 %
Espagnol	8,5 %		Espagnol	4,8 %
Polonais	3,4 %		Vietnamien	4,2 %
Zone 138	27,8 %		**Zone 168**	41,7 %
Portugais	14,8 %		Grec	9,5 %
Chinois	7,5 %		Italien	4,4 %
Grec	1,8 %		Portugais	3,3 %
Zone 139	36,9 %		**Zone 169**	29,6 %
Portugais	24,5 %		Portugais	9,5 %
Chinois	2,5 %		Italien	6,1 %
Espagnol	2,5 %		Grec	5,3 %
Zone 161	40,1 %		**Zone 170**	41,8 %
Portugais	23,4 %		Portugais	13,8 %
Espagnol	10,2 %		Espagnol	8,4 %
Vietnamien	2,9 %		Italien	6,7 %
Zone 162	8,9 %		**Zone 171**	14,4 %
Portugais	4,4 %		Espagnol	5,1 %
Espagnol	2,2 %		Portugais	2,5 %
Chinois	1,5 %		Langues créoles	1,2 %
Zone 163	30,7 %			
Grec	11,3 %			
Portugais	9,4 %			
Chinois	4,0 %			

Source: Fortier et autres (1995, p. 20). Reproduit avec la permission d'Hydro-Québec.

peuvent varier selon les cultures, au point qu'il devient parfois très difficile de poser un diagnostic, les patients risquent d'être constamment renvoyés d'un médecin à l'autre, d'un spécialiste à l'autre, d'un service à l'autre, ce qui peut être extrêmement coûteux pour le système de santé québécois. La question ici n'est pas tant d'établir de bonnes relations publiques ni de s'inscrire dans la rectitude politique, bien que ces éléments jouent certainement un rôle dans les décisions d'adapter culturellement les services, mais plutôt d'être efficace dans une perspective organisationnelle.

Bien sûr, il y a des cas où c'est la logique de l'intérêt de l'entreprise qui prime, particulièrement lorsqu'elle convoite une communauté culturelle mieux nantie financièrement. C'est le cas, par exemple, de la communauté asiatique, en particulier les immigrants en provenance de Hong Kong, qui ont suscité la convoitise des entreprises dans les années 1990. Les banques ont rivalisé d'imagination pour attirer cette riche clientèle (à ce propos, voir l'encadré 8.4).

ENCADRÉ 8.4
Un exemple de stratégie visant à attirer la clientèle multiethnique

Les banques flairent le filon asiatique

Peu de communautés culturelles reçoivent des banques un accueil aussi empressé que les Asiatiques. Six grosses institutions financières canadiennes — la Banque Royale, la Banque Nationale, la CIBC, la Toronto Dominion, la Banque de Montréal et la Fédération des caisses populaires — se disputent maintenant férocement cette lucrative clientèle par l'entremise de « centres bancaires asiatiques » où il est possible, à Montréal comme à Toronto ou à Vancouver, de faire affaire en mandarin ou en cantonais.

La Banque Royale a été la première à flairer le filon. Il y a quatre ans et demi déjà, elle ouvrait le premier centre bancaire asiatique au Québec, dans le centre Portobello, à Brossard, ce paradis pour quantité d'immigrants venus d'Orient. Aujourd'hui, la Banque Royale et la Banque Nationale se disputent le territoire stratégique du quartier chinois depuis le complexe Desjardins. Dans toutes ces succursales, les employés ont les yeux bridés et les clients aussi. La Banque Royale dispose même d'un guichet automatique non plus bilingue, mais trilingue, d'où il est possible de faire toutes ses transactions en chinois.

À son ouverture, le centre bancaire asiatique de la Banque Royale à Brossard comptait un peu plus de 700 clients. Aujourd'hui, selon son directeur Bin Lao, ils sont quelque 2 400 à venir entendre parler de fonds mutuels et de REER dans leur langue. « La clientèle est composée à 70 % de Chinois de Taïwan, de 20 % de Vietnamiens et de 10 % environ de Japonais, de Philippins et d'autres Asiatiques. »

Pourquoi les Orientaux préfèrent-ils se rendre là plutôt qu'ailleurs ? À cause de la langue bien sûr (M. Lao estime que 90 % de ses clients qui sont de nouveaux arrivants sont à peu près incapables de s'exprimer en français ou en anglais), mais aussi pour faciliter « la transition culturelle ». « Les façons de faire en Asie sont différentes. Là-bas, de génération en génération, on fréquente les mêmes banques et la confiance au client est totale. Quand ils arrivent ici et que les gérants vérifient leur crédit, ils y voient une méfiance inutile. »

Bien sûr, le but ultime des banques n'est pas de faire œuvre sociale mais bien de s'approprier une grande part de cette clientèle asiatique fort intéressante parce qu'elle est nombreuse et riche.

Selon des données du ministère des Relations avec les citoyens et de l'Immigration, 47 % de tous les nouveaux arrivants au Québec, entre 1991 et 1995, venaient d'Asie, soit plus de 93 000 personnes. De plus en plus, ces immigrants arrivent au pays en tant que gens d'affaires investisseurs. Ainsi, parmi les gens venus de Chine, de Hong Kong et de Taïwan entre 1991 et 1995, 14 287 ont répondu aux conditions du statut d'investisseur. Pour répondre à ces conditions, il faut disposer d'un capital net d'au moins 500 000 $ CAN (ou d'un avoir net minimum de 700 000 $ CAN) et prouver son intention d'investir ici plus de 350 000 $ CAN.

Vous comprendrez que pour une clientèle aussi intéressante, on ne ménage aucun effort. Au centre bancaire asiatique de la Banque Nationale du complexe Desjardins, chaque employé parle au moins quatre langues.

Le service personnalisé offert dans les banques ordinaires est sans commune mesure avec celui offert dans les centres bancaires asiatiques. « Les clients ne viennent pas seulement ici faire leurs transactions bancaires. Ils viennent nous consulter quand ils cherchent un emploi, quand ils veulent se faire conseiller un notaire ou à leur arrivée, simplement pour savoir quoi faire avec les comptes d'Hydro-Québec qui leur parviennent », précise le directeur Winston Chin. « Les Chinois ne veulent pas d'un banquier qui leur parlerait tout de suite argent. Ils veulent qu'on prenne le temps de comprendre d'où ils viennent, qu'on les interroge sur la santé de leur famille. »

Les employés de ces banques profitent bien sûr d'une clientèle plutôt riche, mais souvent sans grande compréhension du système bancaire nord-américain.

« Vous ne pouvez pas parler dès le départ de fiscalité, de retour sur les REER à des gens qui gardent encore leur argent dans leur chambre, soutient M. Chin. De plus en plus cependant, les clients en viennent à comprendre les différents véhicules financiers et ne se tournent plus vers les seules actions. Les fonds mutuels, par exemple, gagnent en popularité. »

Homme d'affaires bon chic bon genre, titulaire d'une maîtrise en relations publiques, M. Chin se vante de son impressionnant réseau de contacts, de sa filiation à des organisations communautaires et de ses alliés de haut niveau. « Les trois paliers de gouvernement sont au courant de notre travail et s'en réjouissent. Mon but, c'est de convaincre mes clients de s'installer ici à demeure et non pas de fuir à Toronto et Vancouver à la première occasion, comme c'est souvent le cas. »

Né à Montréal de parents chinois, M. Chin jure que le but visé n'est pas du tout de créer un ghetto. « On croit à l'intégration dans la communauté, mais il faut comprendre que tout le monde a besoin d'une attention particulière à son arrivée. Et chez nous, le service se fait, plutôt qu'en file, confortablement assis… »

Justement, pour le Québécois de souche qui déteste les files d'attente, pour qui les affaires bancaires ressemblent à du chinois, et qui souhaite se faire expliquer tout ça en toute convivialité, ne serait-il pas possible…

« Nous ne refusons aucun client. Tous nos employés parlent anglais et français. Mais le plus souvent, quand nous avons affaire à des Québécois de souche, c'est qu'ils veulent se faire référer par nous à nos clients asiatiques, établir un contact avec la communauté par notre entremise », conclut Winston Chin.

Source : L. Leduc, « Les banques flairent le filon asiatique », *Le Devoir*, 7 avril 1997, p. B1. Reproduit avec permission.

8.4.3 Les entreprises multinationales

La présence de longue date des grandes entreprises nationales dans différents pays, qui leur vaut leur nom de « multinationales », n'a pas soulevé de questionnement important au chapitre de la culture avant les années 1960. À l'époque, ces entreprises s'implantaient dans les différentes régions du monde en important leurs modes de gestion sans que cela soulève d'objections majeures, du moins en Occident. Depuis une trentaine d'années, la question culturelle a fait surface. Elle a surgi à peu près au moment où le mode de gestion universaliste à l'américaine commençait à être remis en question. Le succès des entreprises japonaises qui adoptaient un autre mode de gestion a accentué ce questionnement. Aujourd'hui, on ne peut plus négliger la dimension culturelle quand on examine les pratiques de gestion d'une entreprise multinationale. Il est en effet de plus en plus admis que la gestion subit fortement l'influence de la culture du pays où l'entreprise se trouve. En outre, comme les équipes de gestionnaires tendent à se diversifier sur le plan ethnique, les multinationales perdent le caractère homogène et national de leurs équipes de direction. Pour examiner cette question, nous nous référerons aux travaux de Bollinger et Hofstede (1987).

Longtemps, les équipes de direction des entreprises multinationales ont cru que, pour assurer leur réussite, la gestion de leurs filiales aux quatre coins du monde devait être identique à celle du siège social. C'est pourquoi elles déplaçaient leurs meilleurs cadres, question de roder une entreprise nouvellement implantée à l'étranger, de mettre en place son mode de gestion ou de s'assurer du respect des pratiques de gestion du siège social. Pourtant, à l'évidence, tout ne tournait pas rond au sein des entreprises multinationales qui multipliaient les points de production, de distribution ou de vente à l'étranger. Ainsi, dans les années 1960, la multinationale IBM confiait au socio-psychologue hollandais Geertz Hofstede le soin d'étudier des pratiques qui, à première vue, semblaient différentes d'un pays à l'autre et d'une région du monde à l'autre, malgré un mode de gestion qui se voulait identique. Après une première étude exploratoire qui confirma des différences importantes entre un certain nombre de filiales IBM, l'entreprise décida de confier à Hofstede une vaste étude couvrant plus de 50 pays où elle exerçait des activités. Les différences les plus significatives mises au jour par l'étude d'Hofstede touchaient l'exercice de l'autorité, la planification, la division des tâches et la diversité des valeurs individuelles. Ainsi, dans certaines entreprises, l'autorité était centralisée et les décisions prises de façon autocratique, sans consultation ni participation des employés. Dans d'autres, au contraire, la consultation et la participation étaient grandes. De même, dans certaines entreprises, les gestionnaires accordaient une grande importance à la planification alors que dans d'autres, ce n'était pas le cas. Dans des entreprises où les valeurs démocratiques étaient plus grandes, on trouvait des femmes en grand nombre dans les postes de gestion, contrairement aux entreprises plus autocratiques. Ainsi, la division des tâches entre hommes et femmes était moins conventionnelle. Finalement, certaines entreprises privilégiaient les valeurs communautaires plutôt qu'individuelles au travail, ce qui se traduisait concrètement «par un besoin de formation accrue, de bonnes conditions physiques de travail et une utilisation adéquate des capacités professionnelles» (Bollinger et Hofstede, 1987, p. 126).

Selon Hofstede, ces différences entre les filiales tiennent aux différences entre les cultures nationales dans lesquelles elles sont implantées. La gestion de ces filiales est largement influencée par les valeurs propres à chacune des cultures nationales. Ainsi, certaines cultures nationales valorisent le respect de l'autorité et une forte distance hiérarchique entre les individus, comme en France et dans la plupart des pays latins, ce qui expliquerait la gestion plus centralisée et moins démocratique existant dans les filiales IBM établies dans ces pays. De même, dans certaines cultures, on manifeste une grande tolérance devant l'incertitude, comme dans les pays anglo-saxons, alors que dans des pays comme la France, l'Italie ou l'Allemagne, la tolérance est moindre, d'où la plus grande propension des entreprises implantées dans ces pays à planifier davantage pour tenter d'éliminer l'incertitude qui pèse sur elles.

Toutefois, la prise en considération de ces facteurs culturels dans la gestion des entreprises ne suffit pas toujours. En effet, comme le montre J.P. Segal (présenté dans Chevrier, 1995, p. 30-31), les nombreuses précautions prises par les responsables français n'ont pas empêché les frictions entre les ingénieurs français et québécois dans le cas d'un transfert de technologie entre les deux pays. Ces précautions, qui consistaient en «un recrutement très sélectif des ingénieurs impliqués dans le projet, des pressions informelles pour obliger les expatriés français à surveiller leur langage et leurs comportements, la chasse aux exceptions et traitements de faveur fréquents en France et la mise en place d'une structure originale conférant la responsabilité hiérarchique de la main-d'œuvre aux homologues québécois» (*ibid.*, p. 31), n'ont pas empêché non plus le repli sur soi des deux groupes, qui ont géré à leur façon les opérations dont ils avaient la responsabilité. Il n'y a donc pas eu une grande synergie entre les deux groupes de gestionnaires.

8.4.4 LES PME EXPORTATRICES

L'examen de la question des PME exportatrices est d'autant plus pertinent qu'un nombre grandissant de PME, pas seulement de grandes entreprises, se lancent à la conquête des marchés étrangers et sont, du coup, appelées à négocier avec des gouvernements, des partenaires, des fournisseurs, des distributeurs ou des clients étrangers. Ces entreprises doivent donc elles aussi s'adapter à des contextes culturels différents, sources de malentendus culturels, particulièrement aux étapes de la négociation des contrats de vente. En effet, chaque étape de la négociation — prise de contact, échange d'informations, persuasion et, enfin, concessions et entente (Adler, 1994, p. 213) — comporte des risques de malentendus culturels qui peuvent faire échouer la négociation. Examinons cela un peu plus en détail.

La prise de contact est plus ou moins longue selon les cultures. Les Américains, c'est connu, ont tendance à vouloir passer extrêmement rapidement à la deuxième étape pour discuter des divers aspects de l'objet de la négociation (étape de l'échange d'informations). En fait, très souvent, ils veulent en arriver à cette étape dès la première rencontre. Dans certaines cultures, comme celles de l'Asie ou de l'Amérique du Sud, la prise de contact est beaucoup plus longue. Les négociateurs cherchent plutôt à établir de bonnes relations interpersonnelles avec leurs interlocuteurs étrangers avant d'entreprendre des discussions sérieuses sur l'objet de la négociation. Dans certains cas, cette période de prise de contact peut s'étaler sur des semaines ou des mois, au cours de rencontres régulières à saveur plus sociale qu'économique. Soulignons, par exemple, que les Japonais consacrent 1,9 % de leur PIB à des dépenses de divertissement d'affaires à l'intention de leurs interlocuteurs (Adler, 1994, p. 206), dépenses jugées bien inutiles par les Américains. Ainsi, un Américain ou un interlocuteur insensible à cette dimension fondamentale pour les Asiatiques et les Latino-Américains court le risque, s'il insiste trop pour brûler les étapes, de voir les négociations s'arrêter là sans même qu'il y ait de discussions plus sérieuses. C'est que, culturellement, les Américains ont l'habitude de se fixer dès le départ une limite de temps à consacrer aux négociations, contrairement à d'autres cultures qui ne s'en fixent pas. Nous constatons ici une différence fondamentale dans le rapport au temps entre les cultures.

À la deuxième étape, d'autres malentendus culturels menacent les négociateurs, la notion d'information variant aussi d'une culture à l'autre. Encore une fois, les différences entre les Nord-Américains et les Asiatiques sont importantes. Les Nord-Américains veulent avoir le plus de détails possible et le plus d'engagements précis et chiffrés pour se sentir à l'aise dans la négociation, alors que les Asiatiques se contentent de grands objectifs sans fixer nécessairement de délais précis pour la réalisation du contrat ou déterminer des quantités exactes à produire.

La troisième étape, qui consiste pour un dirigeant d'entreprise à convaincre un partenaire ou un acheteur éventuel de faire affaire avec lui, comporte aussi son lot de pièges culturels. Comme l'art de persuader varie selon les cultures, il faut mesurer les risques de malentendus qui pourraient faire échouer la négociation. Les Américains négocient sur la base des faits, ils font appel à la logique. Ils sont directs et très expressifs. Or, dans d'autres cultures, on fait davantage appel aux sentiments et aux émotions; le soin et le temps qu'on met à établir de bonnes relations interpersonnelles dans les étapes précédentes en font foi. De plus, dans certaines cultures, comme au Japon, on est beaucoup moins direct et moins expressif. En fait, on manifeste très souvent son désaccord par des silences plutôt que par des commentaires clairs, comme chez les Américains. Il s'ensuit que les tactiques des uns peuvent profondément ennuyer ou blesser les interlocuteurs avec lesquels ils veulent conclure un accord.

Finalement, la quatrième étape, celle des concessions et de l'accord final, est aussi soumise aux caractéristiques culturelles. Par exemple, les Américains favorisent une négociation faite de compromis réciproques tout au long du processus. Mais, pour les Russes ou les Iraniens, les compromis sont peu valorisés, parce qu'ils sont vus comme des marques de faiblesse. Or, les Américains se sentent vite frustrés et deviennent agressifs lorsqu'ils se rendent compte que leurs interlocuteurs ne font pas de concessions, attitude qui risque de compromettre tout le processus. D'autres cultures préfèrent avoir une vue d'ensemble des données et faire des concessions à la toute fin. Encore une fois, cela peut être totalement déroutant pour un négociateur nord-américain qui aura tenu pour acquis les consentements exprimés jusque-là alors qu'en fait l'acquiescement de l'interlocuteur n'était qu'apparent et témoignait plutôt d'une extrême politesse et d'un grand respect à l'endroit de son vis-à-vis. Tout restait à négocier.

De toute évidence, l'ouverture sur les marchés internationaux fait surgir de nouveaux défis, culturels ceux-là, que doivent relever les dirigeants d'entreprise (voir le cas des PME québécoises du logiciel en France dans l'encadré 8.5). Faut-il alors, comme le dit l'adage, vivre à Rome comme les Romains? Non, répond Nancy Adler (1994, p. 234), «que l'on soit à Rome, à Beijing ou à Osaka, il s'agit de se comporter en "étranger efficace"», c'est-à-dire agir en connaissant bien sa culture et celle de l'autre pour adapter ses façons de faire et ses stratégies. La communication interculturelle reste un outil de premier plan.

ENCADRÉ 8.5

Les PME québécoises du logiciel en France[23]

Les bonnes relations entre les Québécois et les Français sont depuis longtemps reconnues comme étant une base solide à l'établissement de relations d'affaires. C'est d'ailleurs un des échos des expériences internationales des PME québécoises du logiciel en France recueillies dans l'étude de Dupuis et Dugré (2005). Toutefois, le partage de la même langue semble être un des seuls éléments que les dirigeants de PME québécoises rencontrés soutiennent avoir en commun avec les Français. Voici deux des recommandations que ces auteurs adressent, à la suite de leur étude, aux entrepreneurs québécois qui songent à s'établir en France.

1. Une langue commune, un atout?

La langue commune unissant les Français aux Québécois apparaît au départ comme un atout. Il s'agit d'un point de motivation pour les PME québécoises souhaitant couvrir de nouveaux marchés: nous parlons français, allons en France! Mais il ne faut pas s'y méprendre, les Québécois ne sont pas des Français, et les styles de gestion se confrontent. Les possibilités de mésententes, de mauvaises interprétations culturelles existent.

Toutefois, il est clair que les Québécois ont un net avantage parmi d'autres pays, en France. Ils sont accueillis chaleureusement, et bénéficient d'une grande sympathie. En fait, la différence québécoise est perçue comme un avantage pour les PME québécoises en

France. Contrairement aux États-Unis, où pour réussir il est nécessaire d'adopter une image américaine, il n'est pas nécessaire d'avoir une image européenne pour s'installer en France. Le côté « nord-américain » du Québec est très bien reçu.

2. Changer de paradigme : la gestion française est différente de la gestion québécoise

Une des recommandations centrales pouvant être formulées à l'égard des gestionnaires souhaitant percer le marché français est bien de prendre en compte l'ampleur des différences culturelles existant entre le Québec et la France, particulièrement sur le plan de la gestion. Tous s'entendent pour dire que les Québécois, bien que différents culturellement du reste de l'Amérique, sont, comparés aux gestionnaires français, des « Américains francophones ». Pour le dire autrement, les pratiques quotidiennes de gestion sont fondamentalement différentes, tant au plan de la rémunération, de la motivation, du rapport à la décision et à l'efficacité, qu'au plan de la négociation et de l'approche commerciale. Il faut donc faire attention de ne pas approcher le marché français avec des « bottines nord-américaines ».

Ces différences importantes constituent un choc pour plusieurs dirigeants rencontrés. Ils ne s'attendent pas à ce que les approches soient à ce point différentes : un modèle français procédural axé sur la réflexion, sur le processus de décision ; et un modèle québécois plus pratique, axé sur l'action et les résultats. Il s'agit de deux paradigmes différents, parfois difficiles à conjuguer.

En matière de commercialisation, pour vendre à un Français, il faut être un Français. Le rôle du recrutement de « la perle rare » est primordial, comme dans toutes les démarches d'internationalisation. La proximité culturelle avec le marché est nécessaire. Pour les Français, c'est la relation qui compte. La relation entre les travailleurs, mais aussi avec les clients. Ainsi, pour réussir à vendre sur le marché français, il faut s'investir dans le « relationnel ».

D'autres différences culturelles doivent être connues par les entrepreneurs québécois souhaitant percer le marché français. D'abord, le cycle de vente est beaucoup plus long puisque le processus de décision est lent, voire laborieux pour des Nord-Américains. Les Français estiment important de regarder le problème sous tous ses angles, d'en négocier tous les éléments, de discuter, de discuter et de discuter encore. Ainsi, la négociation et la prise de décision se déroulent de façon plus rigoureuse, selon des étapes multiples, qui allongent le processus. Bien connaître les raisons de ces délais et pouvoir les gérer constituent des avantages certains pour les PME québécoises se lançant à l'assaut de la France.

Finalement, il existe des différences importantes sur le plan de la gestion des employés, notamment en ce qui a trait au recrutement, à la rémunération et à la motivation du personnel. En fait, aux yeux des dirigeants québécois, l'organisation du temps de travail en général (temps de travail, procédures administratives, gestion hiérarchique) paralyse l'activité des entreprises françaises. Connaître ces différences, c'est avoir une longueur d'avance !

Source : Dupuis et Dugré, *Le rôle du facteur culturel dans l'internationalisation des PME québécoises : le cas de l'industrie du logiciel*, Montréal, HEC Montréal, 2005. Chaire de développement de la relève de la PME, cahier de recherche n° 05-01, novembre, 69 p.

*
* *

En définitive, malgré le ralentissement actuel de l'immigration dans les pays occidentaux, il y a fort à parier que les questions ethniques et culturelles vont continuer de se poser, étant donné l'internationalisation non seulement de l'économie mais aussi des échanges culturels (par le biais des médias notamment, mais aussi par les échanges d'étudiants, le tourisme international, les contacts virtuels, etc.). Ces questions seront de plus en plus considérées par les gestionnaires dans les entreprises. La conception d'outils interculturels touchant la communication, le marketing, la négociation, etc. devient, dans ce contexte, un volet important du travail des gestionnaires et des spécialistes qui les soutiennent.

Notes

1. Il en sera très peu question ici, mais il est important de souligner que le terme «ethnique» ne s'applique pas seulement aux minorités. Dans le sens où nous l'entendons ici, toute personne est par définition membre d'un groupe ethnique, qu'il soit majoritaire ou minoritaire. À ce sujet, voir le texte de F. Barth, *Ethnic Groups and Boundaries: The Social Organization of Cultural Difference*, Boston, Little Brown and Company, 1969.

2. Le grand sociologue Max Weber a été un des premiers à s'intéresser à la question de l'ethnicité et il a lui-même admis sa frustration à ne pouvoir comprendre dans sa totalité le sentiment d'appartenance qui se développe chez l'être humain et qui crée une solidarité à l'intérieur d'un groupe, mais qui peut également mener à de l'hostilité à l'extérieur du groupe. Voir M. Weber, *Économie et Société/2: L'organisation et les puissances de la société dans leur rapport avec l'économie*, Paris, Plon/Pocket, [1922]1995. Cette position sera reprise par plusieurs dont Dominique Schnapper, *La communauté des citoyens. Sur l'idée moderne de nation*, Paris, Gallimard, coll. «NRF Essais», 1994.

3. Les notions de majoritaire et de minoritaire peuvent aussi être utilisés pour comprendre, par exemple, les relations entre hommes et femmes sur le marché de l'emploi ou encore les relations intergénérationnelles.

4. À cet égard, le cas des Franco-Québécois est instructif et le flou conceptuel entourant la définition de ce que sont les anciens Canadiens français cause bien des problèmes. Devenus des Québécois à partir des années 1960, ils ont été à certains moments des «Québécois pure laine» ou encore des «Québécois de souche». Aujourd'hui, il s'avère fort difficile de les qualifier. En effet, depuis les années 1970, la question linguistique a pris beaucoup d'importance, au détriment de la religion catholique, dans les référents identitaires de ce groupe majoritaire, mais que faire avec les Québécois issus de l'immigration récente dont la langue d'usage est le français? Pour les besoins de ce chapitre, nous utiliserons le terme Franco-Québécois pour les années postérieures à 1960 et le terme Canadien français pour les années antérieures à 1960. Il en va de même pour les termes Canadiens anglais et Anglo-Québécois.

5. Les statistiques du tableau remontent à 1955 et se terminent en 2004. Ce sont les années pour lesquelles des statistiques aussi complètes sont mises à la disposition du public par Statistique Canada.

6. Par personne immigrée, on entend toute personne née à l'étranger à qui le ministère de l'Immigration a accordé le droit de résider en permanence au Canada (voir MRCI, 2004).

7. Le phénomène de la concentration dans les grands centres urbains ne repose pas uniquement sur les vagues migratoires. La problématique de l'exode rural au profit des grandes villes touche plusieurs dimensions.

8. De ces millions de personnes, un nombre considérable est composé de ce qu'il est convenu d'appeler les immigrants illégaux provenant en majeure partie d'Amérique latine, notamment du Mexique. Nous ne nous attarderons pas ici sur la question des immigrants illégaux, mais mentionnons qu'ils constituent une force de travail fort importante aux États-Unis, et qu'en dépit des critiques et des mesures prises pour enrayer les flux d'immigrants illégaux, l'économie américaine profite grandement de ces travailleurs dociles et travaillants, qui représentent une main-d'œuvre bon marché. Pour approfondir cette question, voir notamment R. Alba et V. Nee, *Remaking the American Mainstream: Assimilation and Contemporary Immigration*, Cambridge, M.A., Harvard University Press, 2003.

9. L'image du «self-made man» vient également de l'idée selon laquelle on émigre aux États-Unis pour recommencer sa vie.

10. En dépit d'une connotation péjorative, on utilise en anglais le terme de WASP (White Anglo Saxon Protestant) pour désigner les membres du groupe majoritaire aux États-Unis.

11. Le Canada n'échappe pas à cette tendance et là aussi on considère jusqu'aux années 1950 que les Asiatiques constituent un groupe non assimilable à la culture dominante d'origine européenne. Voir Peter S. Li, *The Chinese in Canada*, 2ᵉ édition, Toronto, Oxford University Press, 1998.

12. Toutefois, les voix s'élèvent aux États-Unis pour demander que l'anglais soit officiellement reconnu comme langue d'usage sous prétexte que dans certains États, l'espagnol est en train de supplanter l'anglais.

13. Historiquement, les minorités ethniques se sont plutôt intégrées à la communauté canadienne anglaise et ce, même au Québec. Ce phénomène tient surtout au fait que le pouvoir économique et politique est détenu par les Canadiens anglais au Canada.

14. Dès 1965, John Porter, dans un livre encore d'actualité, ternit cette idée d'une mosaïque des cultures en faisant ressortir qu'il s'agit plutôt d'une mosaïque verticale au sein de laquelle il existe une stratification ethnique où les Canadiens de descendance britannique occupent le haut de la strate. (Voir J. Porter, *The Vertical Mosaic*, Toronto, University of Toronto Press, 1965.) D'autres soutiennent que la politique canadienne vise à assimiler la minorité québécoise aux autres minorités ethniques canadiennes pour affaiblir politiquement le Québec. À ce sujet, le lecteur peut consulter M. Labelle et J.J. Lévy, *Ethnicité et enjeux sociaux. Le Québec vu par les leaders des groupes ethnoculturels,* Saint-Laurent (Québec), Liber, 1995.

15. Dans l'histoire récente du Canada, plusieurs exemples témoignent des différends que suscite la politique du multiculturalisme, par exemple la question du port du turban des Sikhs dans la Gendarmerie Royale du Canada dans les années 1990 ou encore le débat entourant l'éventuelle mise en place de tribunaux islamiques en Ontario, respectant les fondements de la charia, la loi islamique.

16. De l'avis de plusieurs, les révoltes dans les banlieues parisiennes et d'autres grandes villes de France comme Lyon à l'automne 2005 sont attribuables à l'absence de mécanismes d'intégration et de toute perspective d'avenir pour les jeunes maghrébins souvent nés en France, qui ne se sentent pas inclus dans cette idée de citoyenneté française.

17. À l'origine, la loi stipulait que seuls les enfants dont un parent a fréquenté l'école anglophone au Québec pourraient aller à l'école anglophone. L'article 23 de la Charte des droits et libertés enchâssée dans la Constitution canadienne de 1982 a invalidé le chapitre VIII de la Charte de la langue française pour permettre à un enfant dont un des parents a fréquenté l'école anglaise au Canada de fréquenter à son tour l'école anglophone.

18. D'autres modèles auraient pu être présentés, notamment le modèle néerlandais qui propose lui aussi une approche multiculturelle. Il en va de même des modèles de l'Australie et de la Grande-

Bretagne, mais les modèles présentés dans cette section donnent un bon aperçu de ce qui existe en matière d'intégration des immigrants.

19. Aujourd'hui, Montréal compte 19 arrondissements puisque certains ont décidé de reprendre le statut de ville qu'ils avaient avant la fusion de 2001. Comme ces données statistiques ont été compilées en 2001, elles tiennent compte des 27 arrondissements qui existaient à l'époque, mais au demeurant, cela ne change rien à ces statistiques.

20. Pour nuancer, il faut ajouter que c'est un arrondissement, notamment le secteur de Parc-Extension, où les nouveaux arrivants s'installent le temps de se trouver un emploi pour ensuite quitter cet arrondissement et s'installer dans des secteurs plus privilégiés sur le plan socio-économique. Cette considération atténue quelque peu notre interprétation qui demeure pertinente malgré tout et qui nous amène à réfléchir au lien entre les minorités ethniques et les possibilités d'insertion socioéconomique au sein d'une ville comme Montréal.

21. La notion de minorités visibles pose certains problèmes. Elle a d'abord été créée pour les programmes d'accès à l'égalité en emploi afin de permettre à des personnes qui, pour des raisons de couleur de peau ou d'autres caractéristiques physiques étaient victimes de discrimination sur le marché de l'emploi, d'accéder à des postes qu'ils n'auraient pas eu la chance d'obtenir autrement. La notion de minorités visibles peut toutefois porter à confusion aujourd'hui, notamment lorsque vient le temps de définir qui appartient ou n'appartient pas à cette catégorie. Pour plus de détails, voir R. Pendakur et K. Pendakur, « The Color of Money : Earning Differentials Among Ethnic Groups in Canada », *Canadian Journal of Economics,* vol. 31, mars 1998, p. 518-548.

22. Certains des éléments présentés ici sont tirés d'une recherche menée par A. Lenoir et S. Arcand auprès d'un échantillon d'immigrants d'origine nord-africaine arrivés à Montréal entre 2000 et 2004.

23. L'encadré reprend une grande partie du texte de Dupuis et Dugré (2005) aux pages 6 et 7.

CHAPITRE 9

Les valeurs des jeunes et leur impact sur les stratégies d'insertion professionnelle

Madeleine Gauthier et Mircea Vultur

Qui sont les jeunes qui entrent aujourd'hui dans le monde du travail? Quels rapports entretiennent-ils avec ce monde en changement, voire en mutation depuis quelques décennies déjà? Quelle place occupent-ils dans nos sociétés? La complexité de ces questions pourrait exiger un développement qu'il est impossible d'élaborer en quelques pages. Pour brosser un portrait de la situation, nous nous inspirerons de plusieurs études que nous avons réalisées ou auxquelles nous avons participé à l'Observatoire Jeunes et Société, et dont la référence complète sera donnée dans la bibliographie.

Pour mieux cerner la réalité des jeunes contemporains, nous présenterons, dans un premier temps, quelques-unes de leurs caractéristiques afin de bien comprendre qui sont les jeunes qui entrent sur le marché de l'emploi. Nous ferons ressortir, dans un deuxième temps, les valeurs qui nous semblent dominer la vision du monde de la jeunesse actuelle, c'est-à-dire celles qui semblent «les plus importantes pour eux» et qui guident les orientations qu'ils veulent donner à leur vie. Dans un troisième temps, nous tenterons de voir quel est l'impact des nouvelles valeurs des jeunes sur leurs stratégies d'insertion professionnelle, en faisant référence brièvement aux modes de recrutement des entreprises dans le contexte actuel de flexibilité accrue du marché du travail.

9.1 QUI SONT CES JEUNES?

La nouvelle génération présente des caractéristiques différentes de celles qui la précèdent à bien des points de vue, ne serait-ce que parce qu'elle est la première à être née de parents globalement aussi scolarisés[1]. Les jeunes qui ont aujourd'hui entre 20 et 30 ans ont des parents âgés de 45 à 60 ans, plus ou moins. Ils sont les

ENCADRÉ 9.1

Le taux de diplomation des jeunes québécois à la hausse

Au cours des 30 dernières années, le taux de diplomation et le nombre de diplômés au Québec ont considérablement augmenté, c'est-à-dire que 1) de plus en plus de personnes obtiennent un diplôme ; la proportion de personnes qui n'ont aucun diplôme est relativement faible comparativement aux années antérieures et 2) le niveau de scolarité est de plus en plus élevé ; plus de 25 % sont titulaires d'un baccalauréat. En 2001, par exemple, plus d'un quart des jeunes Québécois pouvaient espérer obtenir un baccalauréat. Le taux de bacheliers est passé de 14,9 % en 1976 à 29 % en 1996. Le taux d'obtention d'un diplôme de maîtrise a augmenté de près de 5 points de pourcentage entre 1976 et 2001, ce qui signifie une multiplication par trois du nombre annuel de diplômes délivrés. Le taux d'obtention d'un doctorat est également en hausse ; il est passé de 0,4 % à 1,0 % pour cette même période, ce qui est supérieur à celui de l'ensemble du Canada. Pour une analyse détaillée de la diplomation et de la répartition des diplômés dans les catégories professionnelles au Québec, voir Vultur (2006).

enfants des baby-boomers et de la cohorte qui a immédiatement suivi, les premiers à être aussi nombreux à suivre un parcours scolaire qui a permis au Québec de se hisser dans le peloton de tête des pays industrialisés sur le plan de la formation (voir l'encadré 9.1).

Une majorité de ces enfants ont eux-mêmes poursuivi des études supérieures, ce qui a contribué à allonger le temps de leur jeunesse, un temps qui n'est pas fait que d'insouciance comme on est parfois tenté de le croire, mais qui reporte ce qui était autrefois considéré comme des marques du passage à la vie adulte : insertion professionnelle, décohabitation, formation du couple, et ainsi de suite. Ainsi, une étude effectuée en 2005 par le Groupe de recherche sur la migration des jeunes (GRMG) auprès de 6000 Québécois[2] de 20 à 34 ans indique que 37 % des 30-34 ans et 50 % des 25-29 ans considéraient leur lieu de résidence au moment de l'enquête comme temporaire. De 1981 à 2001, la proportion des 20-24 ans vivant chez leurs parents au Québec est passée de 57 à 63 % chez les hommes et de 37 à 48 % chez les femmes (Molgat, 2002, p. 138). En 1981, 18,4 % des jeunes de 20 à 24 ans étaient encore aux études. Vingt ans plus tard, ce pourcentage passe à 41,4 % (ISQ, 2003). L'âge moyen à la naissance du premier enfant se situe autour de 28,5 ans (Duchesne, 2001, p. 80). La famille avec enfant se fonde donc de plus en plus tardivement. Ce phénomène d'«allongement de la jeunesse» n'est pas propre au Québec ; il s'observe partout en Occident (Gaviria, 2005 ; Cavalli et Galland, dir., 1993).

Ces jeunes ont aussi été exposés à la transformation des rôles hommes/ femmes. Ils font partie de cette première génération à avoir connu une mère à plein temps sur le marché du travail et un père qui partage les tâches ménagères. Les jeunes femmes sont plus nombreuses que les jeunes hommes à obtenir un diplôme d'études supérieures (Trottier et Turcotte, 2003, p. 46). Depuis 1990, le nombre de femmes qui obtiennent un diplôme de baccalauréat et de maîtrise est plus élevé que celui des hommes, mais plus d'hommes que de femmes obtiennent un doctorat. Les femmes entrent sur le marché du travail sans que leur diplôme se traduise nécessairement en gains dans leur emploi (*ibid.*, p. 47). La plupart continuent à travailler après la naissance d'un enfant (Gauthier et Charbonneau, 2002, p. 20-21).

Ces jeunes arrivent sur le marché du travail à une époque où le taux de chômage est relativement bas (voir la figure 9.1) et le taux d'emploi, plutôt élevé (voir la figure 9.2)[3]. De plus, le poids démographique des cohortes qui suivent ne viendra probablement pas les bousculer[4].

Le taux de chômage chez les jeunes constitue un bon indicateur de la situation de l'emploi, cette catégorie sociale étant particulièrement sensible à la conjoncture. Comme on le voit sur la figure 9.1, il y a eu beaucoup de fluctuations depuis le début des années 1990 et il y en aurait encore plus si les années 1980 étaient incluses. L'année 2003 a été la meilleure pour les jeunes depuis plusieurs décennies. Le taux d'emploi (voir la figure 9.2) affiche une progression constante depuis la

FIGURE 9.1

Taux de chômage des jeunes de 15 à 29 ans au Québec, selon le statut de la personne, 1990-2003

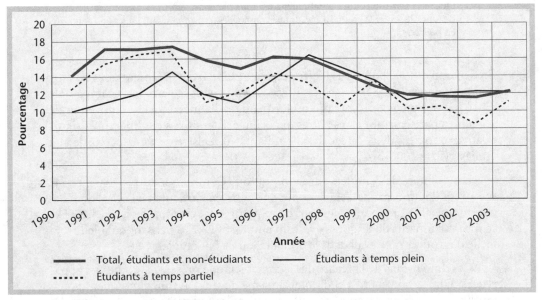

Source : Statistique Canada, tableau 282-0095 : Enquête sur la population active (EPA), province de Québec, estimations pour les étudiants à temps plein et à temps partiel durant les mois d'études, le sexe et le groupe d'âge, données annuelles (personnes, sauf indication contraire, en pourcentage).

FIGURE 9.2

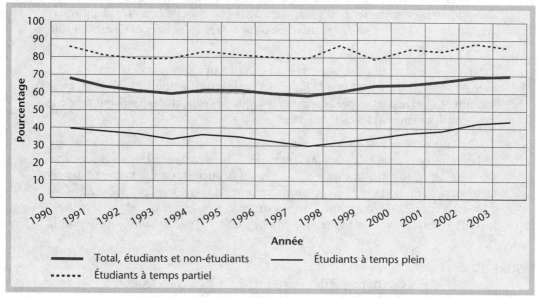

Taux d'emploi des jeunes de 15 à 29 ans au Québec, selon le statut de la personne, 1990-2003

Source: Statistique Canada, tableau 282-0095: Enquête sur la population active (EPA), province de Québec, estimations pour les étudiants à temps plein et à temps partiel durant les mois d'études, le sexe et le groupe d'âge, données annuelles (personnes, sauf indication contraire, en pourcentage).

fin des années 1990 pour tous les jeunes, mais plus particulièrement pour les étudiants à temps plein. Selon Jacques Roy, «le rendement scolaire [est] comparable entre les cégépiens qui ont un emploi pendant l'année scolaire (moyenne de 15 heures par semaine) et les autres, mais il n'existerait pas de différences significatives entre ces deux catégories d'étudiants au registre du temps accordé aux études» (Roy, 2006, p. 43).

Les données de l'enquête sur la migration (Gauthier et autres, 2006, p. 54) montrent l'optimisme des jeunes contemporains, en particulier à l'égard du marché du travail. À propos de questions concernant leur avenir professionnel, 81,1 % se disent confiants de toujours avoir un emploi et 78,2 % pensent qu'il leur sera facile de trouver du travail dans le domaine où ils ont étudié.

Ces dimensions de la réalité des jeunes, bien que présentant toutes les apparences d'un certain confort et d'un optimisme devant l'avenir, n'indiquent pourtant pas ce qui, dans leur vie, compte le plus pour eux ni dans quelle mesure ils sont satisfaits de leur insertion professionnelle.

9.2   LES VALEURS DOMINANTES OU « CE QUI COMPTE POUR EUX »

Ces jeunes sont les héritiers des institutions qui ont été mises en place par les générations précédentes, en particulier le système d'éducation, mais aussi une manière de voir le monde qui, sans être en rupture aussi prononcée que l'a été celle de leurs parents vis-à-vis des générations précédentes, en diffère à certains points de vue. Bien que les études sur les valeurs soient rarissimes au Québec, un ouvrage dirigé par Pronovost et Royer (2004) permet de faire le point en puisant dans diverses études des éléments du rapport que les jeunes entretiennent avec plusieurs dimensions de leur vie. Les paragraphes qui suivent présentent un résumé d'études sur les valeurs qui permettront de mieux comprendre les diverses stratégies d'insertion professionnelle présentées plus loin. Les valeurs sont difficiles à repérer et, plus encore, à mesurer. Elles représentent des tendances. Cela signifie donc qu'elles ne sont pas partagées au même degré par tous. Mais elles sont au cœur de la culture, des idéaux collectifs « source à la fois d'intégration pour les membres de la collectivité et de tensions entre les générations » (Pronovost et Royer, 2004, p. 3).

9.2.1   Le respect, « ça se gagne »

Ces enfants de petites familles héritières des idées de liberté issues de la Révolution tranquille ont eu et continuent d'avoir un rapport particulier avec leurs aînés et avec leurs pairs. Étant seuls (une bonne proportion d'entre eux n'ont ni frère ni sœur) ou peu nombreux dans la famille, leur relation avec leurs parents ne s'inscrit pas dans le cadre d'un rapport traditionnel d'autorité que ces derniers ont vécu dans une famille plus nombreuse où la hiérarchisation des rôles était plus affirmée. Parler aujourd'hui d'autorité paternelle résonne comme un archaïsme tant les rapports parents-enfants se déclinent sous le mode de l'échange, des longues discussions, du nécessaire consensus avant de passer aux actes. Ces rapports peuvent parfois même se décliner sous le mode de la tyrannie, le rapport de domination étant inversé dans une relation où le parent n'a pas su s'imposer par ses propres valeurs et sa ligne de conduite. S'il existe une valeur en déclin, c'est bien l'autorité (Caldwell, 1990, p. 281-283). Et ce processus s'accompagne d'une tendance à la méfiance envers les institutions qui fonctionnent selon une logique de prise en charge (Parazelli, 2004).

Pour les jeunes contemporains, le respect ne s'impose donc pas, il se gagne. Par conséquent, leur rapport aux institutions s'en trouve bouleversé : plus question d'accepter sans comprendre, de se soumettre aveuglément au contrôle social des croyances et des conduites. Les jeunes passent ainsi plus rapidement que les adultes des normes prescrites aux normes construites et ces normes n'ont pas, dans l'esprit de tous les jeunes, un pouvoir prescriptif (Bajoit, 2003)[5]. Ces enfants uniques ou appartenant à des petites familles ont grandi dans un contexte de grande permissivité, tant dans la vie privée que dans les rapports avec les autres, et ont appris très tôt les règles de la négociation avec l'adulte. Devenus adultes, ils continuent à aimer la discussion et n'acceptent pas facilement les rapports d'autorité qui s'imposent sans négociation. Toutefois, ils sont des plus coopérants après un consensus. Rainer Zoll qualifie cette situation de «processus de communication approfondie avant d'agir» (Zoll, 1992, p. 12-13).

9.2.2   DES JEUNES QUI VEULENT RÉUSSIR

En dépit d'un certain appel au laisser-aller et au laisser-faire, nos recherches nous amènent à découvrir que la cohorte actuelle des jeunes sait aussi qu'il faut parfois un peu d'effort pour réussir dans la vie et qu'il ne suffit pas de consulter son horoscope ou le dernier gourou à la mode pour y parvenir. L'enquête de Jacques Roy (2006) menée auprès des cégépiens est instructive à cet égard : les jeunes partagent les valeurs de réussite et, en premier lieu, celles de la réussite scolaire que propose le milieu d'éducation. Ils organisent leur temps de manière à favoriser cette réussite même s'ils sont bien souvent sur le marché du travail[6]. Bien entendu, il ne s'agit pas de tous les jeunes. Certains rêvent d'en finir au plus vite avec l'établissement scolaire qu'ils quittent pour diverses raisons : difficultés d'apprentissage, problème d'orientation, attrait du marché du travail, conduite marginale (Gauthier et autres, 2004, p. 153-195). Cette situation ne signifie pas nécessairement l'abandon définitif des études, mais elle annonce souvent l'entrée dans un processus de formation continue.

Il y a de fortes chances que les jeunes qui ont assimilé les valeurs de réussite scolaire sachent déjà que, pour obtenir la place qu'ils convoitent dans la vie, ils doivent se mettre au travail, accepter la concurrence et se donner les moyens de réussir le plus rapidement possible. Prendre sa vie en mains comme l'expriment haut et fort les jeunes qui ont participé à l'étude sur la migration (Gauthier et autres, 2006), c'est possible même dans un contexte où l'on ne contrôle pas les règles du jeu. Toutefois, cela peut créer de l'embarras chez des dirigeants qui s'attendent, de la part de leurs employés, à une attitude qu'ils n'ont pas nécessairement développée : la docilité sans discussion.

9.2.3   LA SOCIABILITÉ : UNE VALEUR RATTACHÉE À LA QUALITÉ DE LA VIE

Si les jeunes se sont approprié l'idée de réussite que leur impose la société par des objectifs de formation poussée, les irritants de cette période de dépendance sont fortement compensés par le partage de leur condition avec des pairs. La vie de camaraderie qui caractérisait autrefois l'adolescence s'est aussi prolongée jusque dans ces longues années de fréquentation des établissements d'enseignement. Ce lien fort avec des personnes du même âge s'est développé très tôt, dès la garderie ou la garde en milieu familial pour ceux de cette cohorte qui l'ont fréquentée, jusqu'à leur vie adulte, alors que toutes les étapes ont été définies par le regroupement selon l'âge : peu de fratrie, donc peu de différences d'âge entre enfants d'une même famille ; classement par âge dans tout le parcours scolaire. Cela explique qu'on trouve des liens de sociabilité très forts entre pairs. Certains observateurs parlent même du maintien d'une sociabilité juvénile jusque dans la trentaine parfois, en particulier chez les jeunes hommes.

La quête d'autonomie, tout en maintenant la cohabitation avec la famille d'origine dont il a été question précédemment, se réaliserait dans des activités de sociabilité avec les pairs. Les jeunes femmes seraient davantage pressées par leur calendrier biologique à former un couple stable et à avoir un enfant, ce qui aura aussi des conséquences sur l'insertion professionnelle, à tout le moins pendant les premières années. Des études à propos de la poursuite de la carrière après l'arrivée d'un enfant montrent que le questionnement ne porte pas tant sur les conséquences sur l'enfant que sur l'organisation du travail et le stress qu'elle entraîne (Gauthier et Charbonneau, 2002, p. 27).

9.2.4 LE TRAVAIL EN PREMIER ?

Dans toutes les études consultées, peu importe l'origine de ces travaux dans la société occidentale, le travail occupe une place importante dans la vie des jeunes, mais moins importante qu'elle ne l'a été au moment des grandes mutations du travail à la fin des années 1970 et dans les années 1980 (Galland et Roudet, 2001 et 2005). Il n'y a rien d'étonnant à cela dans un contexte où l'emploi se fait moins rare et où les femmes ont moins besoin de se poser en battantes pour avoir leur part. Par ailleurs, à la différence de la cohorte précédente qui a été surprise par les mutations du marché du travail, notamment par l'introduction de la flexibilité dans le contrat de travail, les jeunes d'aujourd'hui sont conscients que la place convoitée ne leur sera pas donnée, et qu'ils devront frayer leur chemin progressivement à travers une variété de stratégies d'insertion sur le marché du travail comme il en sera question plus loin.

Quelques études menées à la fin des années 1990 montraient que le travail chez les jeunes Québécois a une fonction *expressive*. En d'autres termes, travailler pour eux constitue moins un devoir ou une obligation de gagner sa vie, ce qui correspondrait à la fonction *instrumentale* ou *normative* du travail, qu'un moyen de plus de contribuer à leur épanouissement (Vultur et autres, 2002, p. 89). Les jeunes exigent un travail intéressant ; ils valorisent et revendiquent plus que les générations précédentes la possibilité de mettre à profit leurs habiletés, celles de participer aux décisions et d'assumer des responsabilités.

Jusqu'où les jeunes diplômés sont-ils prêts à aller pour trouver satisfaction et épanouissement dans le travail ? Le sentiment d'appartenance à l'organisation pourrait-il compenser certaines déceptions suscitées par le travail ? Les études que nous avons consultées comme celles que nous avons faites (Gauthier et autres, 2004) révèlent qu'un certain nombre de jeunes parmi les moins scolarisés ont développé un sentiment d'appartenance à l'entreprise. La taille et la réputation internationale de l'entreprise ont pu jouer sur le statut et l'identité : «Je travaille chez… » ou alors l'équipe de travail est «l'fun »[7]. La flexibilité d'emploi entraîne le nomadisme. Comment, en effet, s'intéresser à une tâche qu'on sait de courte durée, temporaire et, souvent, hors de son champ de compétences? À la suite d'une étude menée auprès de jeunes recrues dans cinq entreprises de la région de Sherbrooke, Pierre Paillé (1994, p. 234) s'interrogeait à la fois sur les conséquences, pour l'entreprise, d'une organisation du travail qui ne tiendrait pas compte des capacités d'investissement professionnel de ces jeunes et sur leur sentiment d'appartenance à l'entreprise dans un tel contexte.

La perspective d'un gain, pas nécessairement monétaire, mais à titre d'expérience en fonction de son avenir professionnel, pourrait susciter un intérêt pour l'emploi. La loyauté envers l'organisation pourrait se développer lorsque l'employé y voit des possibilités d'atteindre la régularité. À cet égard, selon une enquête CROP effectuée pour le Conseil du patronat du Québec, les plus scolarisés sont les plus exigeants et les moins loyaux (Taillon, 2001, p. 4). Dès qu'une meilleure occasion se présente, ils n'hésitent pas à quitter leur emploi. On est bien loin de la culture ouvrière où l'employé était attaché à vie à son employeur.

La valeur rattachée au travail prend chez les jeunes une connotation qui étonne parfois leurs aînés. Ainsi, en 2001, dans la première enquête menée sur la migration des jeunes, la question suivante a été posée à 5000 jeunes adultes de 20 à 34 ans : «Quelle est la caractéristique de l'emploi que vous trouvez la plus importante : l'emploi stable, l'emploi bien payé, l'emploi intéressant? » (Voir le tableau 9.1).

Près des deux tiers des répondants ont choisi la troisième option, peu importe l'âge. En d'autres mots, la variable âge ne joue pas. À tous les âges, l'emploi doit être intéressant. Cependant, en y regardant de plus près, on s'aperçoit que ce sont les diplômés universitaires qui font monter la moyenne puisque 76,8 % d'entre eux ont choisi cette option. Ceux qui ont choisi la première option sont les moins scolarisés. Il n'y a rien d'étonnant à cela puisque ce sont aussi ceux qui n'ont pas la garantie d'un diplôme d'études supérieures pour s'orienter dans la vie. On ne s'étonnera pas non plus que ce soit les moins scolarisés, notamment les hommes, qui choisissent la deuxième option, ce qui, dans le contexte des dernières décennies, va habituellement de pair. Les femmes sont plus nombreuses que les hommes à insister sur l'emploi intéressant. Cela s'explique par la rentabilité qu'elles attendent de leur persévérance aux études.

Mais qu'est-ce donc qui rend l'emploi intéressant si ce n'est ni la stabilité ni la rémunération? L'analyse d'une enquête de suivi menée auprès des diplômés de 1995 (Marquardt, 1998, p. 90) permet d'arriver aux mêmes conclusions : les éléments les plus satisfaisants du travail sont liés aux aspects intrinsèques du travail, c'est-à-dire le nombre d'heures de travail, le temps partiel volontaire s'il y a

TABLEAU 9.1

Caractéristique de l'emploi que les jeunes considèrent comme la plus importante

	Emploi stable	Emploi bien payé	Emploi intéressant
Sexe			
Hommes	28,3 %	10,7 %	61,1 %
Femmes	28,4 %	5,8 %	65,8 %
Scolarité			
Pas de diplôme secondaire	40,5 %	12,5 %	47,0 %
Diplôme d'études secondaires	36,6 %	10,2 %	53,2 %
Diplôme d'études collégiales	24,4 %	7,2 %	68,4 %
Diplôme universitaire	17,7 %	5,5 %	76,8 %
Groupe d'âge			
20-24 ans	27,9 %	7,6 %	64,5 %
25-29 ans	28,3 %	8,4 %	63,3 %
30-34 ans	28,7 %	8,8 %	62,5 %
TOTAL	**28,3 %**	**8,3 %**	**63,4 %**

Source : Groupe de recherche sur la migration des jeunes (GRMJ), données tirées de l'enquête *La migration des jeunes au Québec*, Observatoire Jeunes et Société, 1998-1999.

lieu et la relation formation/emploi. Cette dernière dimension est particulièrement importante chez les jeunes qui viennent de quitter les milieux de formation et qui commencent leur vie professionnelle. Avec le temps, ils découvriront que cette correspondance n'est pas toujours celle à laquelle ils s'attendaient. Certains le regretteront, d'autres s'en accommoderont.

Même si le taux de satisfaction à l'égard de l'emploi était très élevé pour tous les niveaux de scolarité en 1995, Marquardt souligne que c'est chez les diplômés universitaires qu'il l'était le moins (1998, p. 7). C'est sans doute dans ce groupe que les exigences quant à l'emploi sont aussi les plus grandes. Dans une enquête antérieure menée auprès de jeunes chômeurs, nous avons constaté que les plus scolarisés sont toujours les plus déçus de leur situation (Gauthier, 1994, p. 304). L'insatisfaction se mesure à l'aulne de l'investissement et les moins scolarisés peuvent attribuer leur malheur à leur manque de formation, ce qui n'est pas le cas des plus scolarisés.

La quête d'un emploi « intéressant » ne signifie pas pour autant que les avantages matériels de l'emploi ne sont pas recherchés. Ainsi, une certaine insatisfaction relativement à la rémunération aurait des bases objectives. Depuis les années 1980, toutes les études de Statistique Canada montrent une détérioration relative des revenus des jeunes travailleurs par comparaison avec ceux qui dépassent la trentaine. Cette détérioration est en effet bien « relative » parce qu'il ne s'agit pas de différences attribuables à l'ancienneté, mais de la progression en dollar constant pour les différents groupes d'âge. Comme le souligne encore Marquardt, «cette tendance apparaît à tous les niveaux d'éducation, dans tous les groupes industriels importants et dans tous les groupes professionnels importants» (Marquardt, 1995, p. 9).

Pourquoi donc la satisfaction en emploi ne se trouve-t-elle pas aussi dans la qualité des relations humaines et le milieu de travail? Comme on l'a vu en décrivant les jeunes adultes d'aujourd'hui, la sociabilité revêt un caractère important. Si le plaisir ne se trouve pas «dans» le travail, il peut bien se trouver «au» travail comme le suggère le sociologue Zoll (1994, p. 95). Peu importe le type d'enquête que l'on mène auprès des jeunes, l'importance du milieu de travail constitue une valeur importante. Ainsi, dans l'enquête rétrospective déjà mentionnée (Gauthier et autres, 2004), les jeunes qui n'ont pas de diplôme d'études secondaires parlent de leur emploi dans les termes suivants: «une belle équipe», alors que ceux qui n'ont pas de diplôme d'études collégiales parlent plutôt «d'une bonne ambiance». Un jeune qui n'avait pas de diplôme d'études collégiales a même raconté avoir refusé un emploi parce qu'au moment de l'entrevue, il avait perçu que l'ambiance dans laquelle il allait se retrouver ne lui plaisait pas (Gendron et Hamel, 2004, p. 141). Mis à part le fait que le chômage pose un problème d'identité, c'est la perte de son gang qui fait le plus souffrir le jeune chômeur. Dans l'étude que nous avons faite sur les migrants, la première forme d'intégration consiste à fréquenter des lieux où il est possible de reconstituer un groupe familial. Les milieux d'étude et de travail remplissent le plus souvent cette fonction (Gauthier et autres, 2006, p. 26).

En résumé, l'importance accordée au travail est toujours très grande parce que la place qu'il occupe dans l'organisation du temps est telle qu'il est impossible de le reléguer au second rang des valeurs importantes pour soi. Cependant, on constate qu'une nouvelle culture du travail apparaît sur le marché de l'emploi, une culture facile à comprendre si l'on retourne à toutes les expériences de socialisation antérieures. Parce qu'ils ont déjà connu une expérience de travail pendant leurs études, les jeunes ont appris très tôt à hiérarchiser leur emploi du temps en fonction de ce qui leur semble le plus important. Dans ce contexte, il ne faut pas s'étonner de l'attention qu'ils portent au climat de travail et à la recherche d'une meilleure qualité de vie, même au travail. Dans l'enquête sur la migration, cette variable constitue de loin le premier motif de retour au lieu d'origine ou à un autre milieu de vie, encore plus pour les femmes que pour les hommes (Gauthier et autres, 2006, p. 45).

9.2.5 LA PLACE DE LA FAMILLE

La valeur qui dépasse toutes les autres parmi l'ensemble des valeurs proposées dans une enquête, tant au Québec qu'ailleurs dans le monde, c'est la famille (Galland et Roudet, 2001, p. 16). Dans l'enquête sur la migration, quand on a demandé aux 6 000 répondants ce qu'ils réussiraient le mieux dans la vie, les 20-34 ans ont répondu « leur vie amoureuse » (données inédites). Les cégépiens interrogés par Jacques Roy ont placé en tête de leurs objectifs de vie : « une famille réussie » (Roy, 2004, p. 103-104). Une enquête CROP réalisée en 2002 (citée par Roy, 2004, p. 103) allait dans le même sens : la famille était de loin l'élément qui avait le plus d'importance pour les 15-21 ans. La vie amoureuse n'est-elle pas l'une des rares dimensions de la vie qui relève de soi, qui n'est pas imposée du dehors et qui ne souffre pas des intrusions de tiers ? La naissance d'un enfant n'est-elle pas devenue un choix personnel ? Si la famille a pris autant d'importance, c'est peut-être parce que les jeunes qui approchent de la trentaine et qui ont comme projet de former un couple stable et de fonder une famille sont souvent placés devant le dilemme « travail/famille ou famille/travail » à l'intérieur de leur propre système de valeurs.

Ce contexte contribue à un renversement des préoccupations. C'est ainsi qu'un certain nombre d'études montrent un changement de perspective dans les rapports entre la famille et le travail, changement attribuable, sans doute en partie, à la présence des femmes sur le marché du travail (Gauthier et Charbonneau, 2002). On se demande moins comment organiser sa vie familiale en fonction du travail que comment organiser le travail en fonction de la famille. Les normes minimales du travail en fonction de la famille — l'assurance emploi pour les mères, les congés de paternité et de parentalité — et les clauses familiales dans les conventions de travail constituent des gains encore récents. Les jeunes parents voudraient davantage : l'horaire flexible, la semaine de quatre jours et ainsi de suite.

Certaines jeunes femmes sont prêtes à sacrifier une carrière pour s'occuper exclusivement de la famille pendant un certain temps comme le montrent les données de l'activité, mais c'est loin d'être le cas de toutes. Les jeunes femmes avec des enfants de moins de six ans n'ont jamais été aussi nombreuses à occuper un emploi (Gauthier et Charbonneau, 2002, p. 21). Les couples ont appris à vivre avec deux revenus. Les jeunes femmes qui ont été incitées depuis leur plus tendre enfance à poursuivre leurs études ne sont pas prêtes à renoncer aux gains qu'elles peuvent en retirer. Plus encore, devant l'instabilité des couples, plusieurs jeunes femmes ont l'impression de jouer avec le sort et de perdre la maîtrise de leur avenir en quittant leur emploi.

La recherche d'une certaine qualité de vie accompagne les revendications des jeunes d'aujourd'hui : « Le travail, s'il est important, n'est pas toute la vie », nous répètent souvent les jeunes adultes rencontrés dans le cadre des diverses recherches menées à l'Observatoire Jeunes et Société. À cet égard, les revendications concernant la conciliation travail-famille des dernières années est assez révélatrice. Ces revendications deviendront d'autant plus importantes pour les employeurs que les nouveaux venus sur le marché du travail deviendront une denrée plus rare.

LES STRATÉGIES D'INSERTION PROFESSIONNELLE DES JEUNES : UNE « MISE EN CONFORMITÉ » AVEC LES VALEURS ET L'ENVIRONNEMENT SOCIAL [8]

Comment les valeurs de la génération actuelle des jeunes orientent-elles leurs stratégies d'insertion professionnelle ? Parce que l'univers des valeurs est diffus et modifiable au fur et à mesure des expériences et du temps, il est difficile de répondre directement à cette question. C'est par l'observation des comportements qu'il est possible de déduire une influence possible de la hiérarchisation qu'impose ce système à l'individu et de la reconstruction qu'il peut en faire. L'analyse prendra ici en compte une enquête qualitative menée auprès de 32 diplômés (promotion de l'an 2000) du secteur secondaire professionnel et du secteur collégial technique de la région de Québec. Elle porte sur l'itinéraire professionnel de ces jeunes au cours des quatre années qui ont suivi leur sortie du système d'enseignement, sur les situations qu'ils ont connues et sur leur comportement relativement à ces situations.

Les stratégies d'insertion seront définies ici comme des choix entre plusieurs possibilités (travail durant les études, abandon des études, poursuite d'une formation complémentaire, recherche d'un emploi, etc.) et renverront à des *modèles* de décisions caractérisés par des objectifs qui se forment graduellement en fonction des circonstances et des contraintes sur le marché du travail (Trottier, 2000). Le concept de stratégie y est interprété au sens large, car les propos des jeunes diplômés interviewés dans le cadre de cette recherche ne relèvent pas toujours d'un plan d'action bien établi, mais plutôt de réflexions générales qui permettent de donner un sens à leurs choix professionnels[9].

Précisons tout d'abord que les jeunes sont de plus en plus nombreux à identifier, à l'occasion d'une activité professionnelle rémunérée ou à la suite d'un stage durant les études, un certain clivage entre les compétences pratiques dont ils ont besoin sur le marché du travail et les qualifications acquises dans les filières de formation du système éducatif : « Je me suis rendu compte pendant que je faisais mes stages au DEC qu'on n'apprend pas grand-chose à l'école. Vraiment pas grand-chose, en tout cas, pas d'après ce que j'ai pu voir depuis cinq ou six ans », témoigne un des jeunes interviewés. À la suite d'un premier contact avec le marché du travail, ces jeunes sont amenés à accorder une grande importance à l'apprentissage dans l'action. Ils comprennent que, peu importe le domaine d'études, l'expérience est un atout important pour accéder à un emploi et un critère de recrutement fréquemment mis de l'avant par les employeurs. Ces jeunes déclarent que le manque d'expérience constitue leur principal handicap pour accéder à l'emploi désiré dans les premières années suivant la fin de leurs études ; le déficit de formation est considéré dans une faible mesure comme un obstacle majeur dans l'obtention d'un emploi. À leurs yeux, l'expérience acquise en entreprise apparaît plus importante et plus facilement transférable et mise à contribution sur le marché du travail qu'un diplôme obtenu dans le système d'éducation : « C'est plus payant d'avoir de l'expérience parce que tu seras embauché plus vite et parce que tu coûteras moins à l'entreprise qui n'aura pas à t'apprendre les choses pratiques, témoigne un des jeunes interviewés. Pour moi, avoir de l'expérience, c'est pouvoir m'adapter plus rapidement et être polyvalent. »

Les entretiens font ressortir plusieurs stratégies que les jeunes mettent en place afin d'acquérir de l'expérience et, conséquemment, de renforcer leurs aptitudes individuelles. En voici quelques unes :

9.3.1 LES STRATÉGIES D'ACQUISITION D'UNE EXPÉRIENCE PROFESSIONNELLE PAR LE TRAVAIL DURANT LES ÉTUDES

En interrogeant les jeunes sur les raisons qui les poussent à travailler durant leurs études (subvenir à leurs besoins, avoir une certaine indépendance financière, s'intégrer plus facilement dans le monde du travail), on a appris que, pour certains jeunes, en plus de constituer le moyen d'accéder à une autonomie financière (Roberge, 1997), les expériences de travail durant les études leur procurent un avantage pour l'insertion professionnelle : « Je travaillais pour payer mes études et être autonome financièrement, mais je travaillais dans le domaine où j'étudiais. J'apprenais donc des choses qui m'étaient utiles et que je pouvais mettre en application pour m'intégrer plus facilement au marché du travail. » Pour certains jeunes, le travail durant les études est une stratégie qui permet de développer des compétences pratiques, d'accéder à des réseaux et surtout d'acquérir une expérience qui peut être mentionnée dans leur curriculum vitae.

Ces expériences constituent pour eux un moyen privilégié de développer les habitudes nécessaires au comportement en milieu de travail (ponctualité, travail en équipe, discipline, etc.) et une occasion d'acquérir des apprentissages organisationnels et relationnels (adaptation à des règles formelles et informelles, conformité aux normes d'une entreprise et intégration dans une équipe de travail). L'expérience professionnelle acquise durant les études est perçue comme un facteur qui émet sur le marché du travail des signaux valorisés par l'employeur et elle va jusqu'à conditionner l'accès à l'emploi ultérieur. « Ceux qui ne travaillent pas durant leurs études perdent leur temps. Ils ne voient pas ce qui est utile. Quand tu travailles, tu vois ce qui est important, et les employeurs apprécient ça. On peut faire valoir notre expérience pour avoir notre premier emploi. » Généralement, les activités professionnelles qui ont un rapport avec la formation sont celles qui sont les plus valorisées par les diplômés interrogés, de même que par les employeurs.

9.3.2 LES STRATÉGIES D'ABANDON DES ÉTUDES

Comme, aux yeux des jeunes, l'efficacité de l'insertion sur le marché du travail apparaît directement liée à leur capacité d'acquérir de l'expérience, plusieurs

interrompent leurs études collégiales ou les abandonnent carrément pour intégrer le marché du travail et se diriger ensuite vers une formation professionnelle
au secondaire. Pour certains jeunes, « mieux vaut aller une année sur le marché du
travail, gagner de l'argent et acquérir de l'expérience, que de perdre une année à
l'école. » Cette perception instrumentale du rapport école/emploi suggère que,
pour ces jeunes, le taux de rendement d'une année d'études supplémentaire en
vue d'obtenir le diplôme est souvent inférieur à celui obtenu en travaillant et
en acquérant de l'expérience. Pour d'autres, l'investissement dans les études ne
se traduit pas forcément par des revenus : « On peut gagner 100 000 $ par année
sans avoir un diplôme d'études supérieures et on peut travailler à contrat avec
un diplôme universitaire en poche. Parfois, on perd notre temps à étudier. »
L'éducation n'est donc pas un eldorado pour tous les jeunes qui jugent souvent
cette activité à travers le prisme de la rentabilité de l'investissement : étudier à
l'école prend du temps et ce temps passé dans le système d'enseignement est un
manque à gagner (voir l'encadré 9.2). Par ailleurs, l'enquête menée auprès des
jeunes ayant abandonné leurs études secondaires avant l'obtention du diplôme
montrait un taux assez important de retour aux études ou de recherche de formation en emploi ou par des stages (Gauthier et autres, 2004, p. 173 et 189).
L'expérience du travail et le fait d'avoir à assumer davantage de responsabilités
peuvent montrer les limites de l'absence de diplôme ou d'une formation plus
poussée.

9.3.3   Dans la « file d'attente »

Soucieux de vivre des expériences professionnelles qui les placeront ultérieure-
ment dans une position plus favorable sur le marché du travail, certains jeunes
occupent des « emplois d'attente ». Ces emplois précaires et peu valorisants sont,

---

ENCADRÉ 9.2

La question des abandons scolaires

Il faut noter dans ce contexte que si la proportion de diplômés s'est accrue au Québec, il
reste cependant qu'un nombre important de jeunes quitte le système d'enseignement secondaire et collégial avant l'obtention du diplôme (Vultur, Trottier et Gauthier, 2004).
L'augmentation du taux de fréquentation scolaire s'accompagne d'un taux élevé de sortie sans diplôme de l'enseignement secondaire et collégial qui a enregistré, depuis 1998,
une légère tendance à la hausse. Ainsi, en 2001-2002, 43,1 % des élèves de l'enseignement professionnel au secondaire ont abandonné leurs études et ne se sont pas réinscrits
au cours des deux années suivant l'année de leur dernière inscription. Au collégial, au
cours de la même année, 31,4 % des élèves de la formation préuniversitaire et 42,7 % des
élèves de la formation technique ont quitté le système d'enseignement collégial sans
diplôme (ministère de l'Éducation, des Loisirs et du Sport [MELS], 2003).

dans la plupart des cas, obtenus dans des petites entreprises qui servent ainsi d'intermédiaires dans le processus d'insertion stable des jeunes dans de plus grandes entreprises. À cet égard, plusieurs jeunes ont souligné que leurs expériences dans les PME, même accompagnées d'un certain déclassement, sont très valorisées par les recruteurs des grandes entreprises dans leur décision d'embauche. Ces stratégies d'attente s'inscrivent majoritairement dans des logiques sectorielles, la mobilité se faisant des petites entreprises vers les grandes du même secteur, et sont fortement orientées vers des objectifs précis de transition vers un meilleur emploi, ce qui permet aux jeunes d'atténuer l'insatisfaction qui peut résulter du travail. C'est le cas par exemple d'un jeune interviewé qui a occupé un emploi de serveur, puis de chef cuisinier et de gérant adjoint dans de grandes chaînes de restauration. La même situation se retrouve chez certains diplômés formés en secrétariat ou en comptabilité.

Les stratégies développées dans la « file d'attente » passent également par des organismes communautaires qui remplissent la fonction de « tremplin » vers des emplois dans la fonction publique, mieux rémunérés, plus stables et plus liés à la formation. Les stratégies des jeunes dans cette situation s'inscrivent toujours dans une logique sectorielle orientée, cette fois, par un contexte de fermeture temporaire d'espaces professionnels (Bourdon, 1996). Il est à noter que les exigences des jeunes relativement à ces emplois d'attente sont plutôt faibles lorsqu'ils sortent du système d'enseignement, mais elles augmentent avec le temps. La stratégie de la file d'attente, en plus de maintenir le niveau d'employabilité nécessaire pour un recrutement visé, permet au jeune de bénéficier de réseaux professionnels et donc, d'être mieux informé sur les occasions d'emplois. Elle lui donne également la possibilité de « se construire une identité d'actif avant de pouvoir accéder à un poste plus conforme à ses aspirations » (Papinot, 2005, p. 165).

9.3.4 Les stratégies d'autonomisation professionnelle

La valorisation de l'expérience par les entreprises, conjuguée avec l'adhésion de certains jeunes à la valeur de l'autonomie les incite à se lancer dans le travail autonome et à devenir des *portfolio workers,* c'est-à-dire des « entrepreneurs de leur propre carrière ». Elle n'est pas liée à la pénurie d'emplois comme c'était le cas des jeunes des années 1980 et 1990 (Gauthier, 1990) mais à de nouvelles formes d'insertion sur le marché du travail qui correspondent à la flexibilité et à l'individualisation des relations professionnelles qui caractérisent le monde du travail actuel[10]. On peut ainsi constater que ces nouvelles formes d'entrée sur le marché du travail offrent aux jeunes la possibilité d'une « confirmation » des compétences que leur diplôme est censé leur avoir conférées : « Pour moi, le temps passé comme travailleur autonome après les études a été un temps pour me découvrir. J'ai été en probation devant moi-même. » Le travail autonome peut ainsi « confirmer » qu'un jeune possède les compétences personnelles nécessaires à son métier, qui sont susceptibles d'être reconnues par de futurs employeurs. D'ailleurs, les jeunes de cette catégorie comptent travailler plus tard dans une entreprise œuvrant dans leur domaine de formation. Les habiletés acquises ainsi que les réseaux créés en tant que travailleurs autonomes constituent des atouts importants pour atteindre cet objectif.

9.3.5 LES STRATÉGIES DE RECLASSEMENT ET DE RECONVERSION

Certains jeunes se réorientent vers d'autres secteurs d'études et cherchent d'autres emplois que ceux pour lesquels ils ont reçu une formation. On trouve dans cette catégorie les jeunes qui, après avoir obtenu un diplôme d'études collégiales, entreprennent une formation complémentaire au secondaire professionnel ou dans une école privée dans un domaine où ils perçoivent une pénurie de main-d'œuvre. Cette stratégie est liée au désir des jeunes d'ouvrir leur horizon professionnel vers des secteurs d'activité plus intéressants et mieux payés et à la perception qu'ont certains d'entre eux de la formation en entreprise dans des secteurs caractérisés par une pénurie de main-d'œuvre: «Après mes études collégiales, j'ai suivi une formation dans une école privée. Une fois embauché, l'entreprise m'a permis de me perfectionner et je suis devenu contremaître. J'ai pu ainsi mieux me former sur place, même sans avoir mon diplôme en poche[11].» Dans ce cas, la phase indispensable du processus d'insertion, à savoir celle de la transformation des acquis de la formation en compétences pratiques est internalisée au sein de l'entreprise qui en assure la charge. Elle est révélatrice du rôle de l'anticipation du futur dans la construction du parcours professionnel (Doray, Bélanger et Masson, 2005). Il est à noter que certaines réorientations se font à la suite d'un entretien d'embauche qui peut être déterminant pour la trajectoire individuelle en révélant au jeune ses forces et ses faiblesses dans la construction d'une carrière souhaitée ou en lui faisant découvrir des éléments d'information. L'entretien d'embauche et la mise en situation de recrutement deviennent ainsi des éléments importants dans le rapport du jeune à un emploi ultérieur et, conséquemment, dans l'amélioration de sa situation sur le marché du travail.

Si l'on se penche sur la signification sociologique de ces stratégies, on peut dire qu'elles révèlent l'existence chez les jeunes d'une extrême sensibilité au marché du travail qui reflète les valeurs de leur génération. Cette sensibilité indique qu'ils ont assimilé les mécanismes de fonctionnement du marché du travail et qu'ils sont prêts à faire les efforts nécessaires pour s'intégrer professionnellement et pour se socialiser dans les cadres établis par l'entreprise. Toutefois, elle montre en même temps la part de stratégie que l'individu met en œuvre pour convertir à son avantage les conditions actuelles d'entrée sur le marché du travail.

Ces stratégies peuvent appeler une dynamique de réciprocité de la part des employeurs et de l'entreprise qui contribuent par leurs modes de recrutement à la dynamique des changements des valeurs des jeunes contemporains. Ainsi, l'opération de sélection de la main-d'œuvre jeune par les entreprises peut être interprétée non pas comme un choix à des fins opérationnelles pour le travail, mais comme un «pouvoir de modelage» sur les jeunes afin que leurs aptitudes individuelles correspondent à des valeurs que l'employeur priorise (Castra, 1995;

Dubernet, 1996). Les recruteurs contribuent ainsi à « formater la demande » sur le plan de la personnalité et, par conséquent, la sélection sur la base de certaines aptitudes mises de l'avant par les entreprises (autonomie, polyvalence, dynamisme, motivation, capacité de travailler en équipe, aptitude à communiquer, etc.), impose une hiérarchie de valeurs individuelles dans l'activité productive.

Les recruteurs cherchent chez les jeunes un potentiel général souple qui facilitera leur intégration dans l'entreprise, comme en témoigne l'extrait d'entrevue suivant : « Quand nous faisons la sélection d'un jeune, nous préférons la discussion ouverte avec lui. Ce qui nous intéresse, c'est d'identifier ses qualités personnelles qui favorisent son intégration dans l'entreprise. » L'expression « nous préférons la discussion » est assez révélatrice de la connaissance de ce trait caractéristique de la jeunesse actuelle où les rapports interpersonnels passent par la communication et non par l'autorité. Pour cette raison, plusieurs employeurs prennent en considération, lors du recrutement, l'histoire professionnelle des candidats qui, selon eux, donne de l'information sur certaines qualités individuelles qui peuvent ou non être mises à profit dans l'entreprise. Par exemple, parmi des jeunes qui présentent des caractéristiques identiques, les recruteurs ont tendance à choisir ceux qui ont eu un emploi de façon continue ou qui ont connu une courte période de chômage parce que, selon les dires d'un directeur des ressources humaines, « les longues périodes de chômage sont synonymes de dépréciation professionnelle mais elles indiquent aussi le manque de dynamisme de l'individu dans le processus de recherche d'emploi et, conséquemment, dans l'exercice de son travail. »

Les structures du marché du travail informent et définissent donc conjointement avec les valeurs propres à la génération actuelle des jeunes l'éventail des stratégies utilisées par ces jeunes qui ne s'adaptent pas au marché du travail selon une démarche de type mécaniste ou rationaliste mais en fonction de valeurs sociales, culturelles et économiques qui les aident à percevoir les tendances du marché et en fonction de leurs dispositions, de leurs goûts et de leurs aptitudes qui les aident à se construire un avenir (Lazuech, 2000).

CONCLUSION

Les transformations des sociétés actuelles s'inscrivent dans une logique de changement plus large, dans un processus d'émergence d'un nouveau modèle culturel, qu'on peut appeler identitaire ou individuel (Bajoit, 2003). Le changement qui s'opère depuis une quarantaine d'années repose sur des principes différents de ceux du modèle précédent qui caractérisait la société industrielle. Dans ce modèle identitaire en émergence, les liens sociaux, qui rattachent les jeunes entre eux dans les divers champs relationnels (la famille, l'école, le travail, notamment) sont en train de se transformer radicalement. De même, les attentes des jeunes dans chacun des grands champs relationnels qui façonnent la vie collective sont en pleine redéfinition.

Le champ des valeurs, en tant qu'idéaux collectifs qui contribuent à l'orientation du projet de vie des jeunes, a permis d'aborder ces changements sous l'angle des préférences et de leur impact au moment de l'insertion professionnelle. La relation entre valeurs et comportements n'est cependant pas une relation de cause à effet. Au moment de prendre une décision ou d'agir, l'univers des valeurs est mis à l'épreuve par les exigences particulières des institutions. Selon les stratégies que développeront les jeunes, les valeurs pourront être transformées, mais elles pourront aussi contribuer à la transformation des valeurs de la société, telle la culture du travail comme il en a été question dans ce chapitre.

Les jeunes imposent une «nouvelle culture du travail» et s'y habituent en même temps. Ils préconisent plus de «flexibilité», donc des attentes moins grandes quant à la sécurité d'emploi et des changements d'employeur plus fréquents, au risque de vivre des périodes de chômage. La peur du chômage diminue chez les jeunes et de 70% à 80% de ceux qui ont fait l'objet de l'une de nos recherches approuvent le lien entre la rémunération et le mérite[12]. Ils ont donc compris la nature même du fonctionnement du marché du travail qui nécessite aujourd'hui une très grande mobilité dans les emplois.

Beaucoup ont compris que la sécurité d'emploi repose sur leur capacité à maîtriser la mobilité de façon positive. L'enjeu n'est plus le lien à l'employeur mais le niveau de qualification qui se transforme constamment (Mercure, 2001). C'est ainsi que s'explique la prolongation des études, les diverses stratégies d'insertion que nous avons mises en relief dans ce chapitre dont la recherche d'expériences spécifiques.

Il importe de revenir sur la dernière stratégie d'insertion professionnelle: l'expérience de travail. L'expérience acquise pendant les études ou lors de stages permet aux jeunes contemporains de répondre aux attentes des entreprises qui, en plus de les accueillir après leur formation, s'attendent à ce qu'ils aient de l'expérience. Cette exigence peut avoir une double conséquence. Certains jeunes choisiront l'expérience au détriment de la formation. Les motifs de décrochage ou d'abandon des études avant l'obtention du diplôme d'études secondaires et du diplôme d'études collégiales sont assez éloquents à cet égard. Sans l'exprimer ouvertement, les employeurs profitent d'une aubaine dans l'immédiat. Toutefois, à plus long terme, ne risquent-ils pas de se priver et de priver la société de travailleurs qui, pour avoir négligé leur formation générale et professionnelle, n'auront pas la polyvalence requise pour faire face aux changements rapides du monde du travail? Là encore, les faits sont éloquents: il suffit de constater l'effet du déclin de certains secteurs d'emploi sur les travailleurs âgés peu scolarisés.

Il faut cependant retenir que les priorités des jeunes en matière d'insertion professionnelle se définissent en ces termes: obtenir de l'entreprise, par exemple, que l'organisation du travail soit gratifiante, qu'elle soit capable de leur offrir des tâches, des situations de travail et un environnement professionnel potentiellement riches en apprentissages de toutes natures; réclamer le droit à la formation tout au long de la vie, ainsi que la reconnaissance et le transfert des qualifications acquises, et surtout la reconnaissance du travail accompli. Ils exigeront aussi un climat de travail qui leur procurera du plaisir et des conditions qui assureront une bonne qualité de vie dans le respect de la vie familiale entre autres. Les jeunes deviennent ainsi les axes centraux des transformations actuelles de la culture du travail et sont, au Québec et dans l'ensemble du monde occidental, les vecteurs de l'introduction de nouvelles formes du lien social.

Notes

1. Voir à ce sujet l'ouvrage collectif sur la jeunesse au Québec (Gauthier, dir., 2003).

2. Ce projet, réalisé dans le cadre du programme des Alliances de recherche universités/communautés, a été subventionné par le Conseil de recherche en sciences humaines du Canada.

3. La fin des années 1990 et le début des années 2000 représentent une période de forte croissance dans l'histoire du marché du travail au Québec comme le révèle l'augmentation du taux d'emploi. Depuis 1997, il s'est créé plus de 440 000 emplois, dont 118 000 emplois au cours de la seule année 2002, ce qui constitue un record annuel absolu pour la période 1976-2002 (CETECH, 2004).

4. Le vieillissement prononcé de la population est un processus qui affecte l'ensemble des pays développés dont le Québec qui présente un indice synthétique de fécondité (1,5 enfant par femme) inférieur au seuil de remplacement des générations (établi à 2,1 enfants par femme). Le nombre de personnes âgées est en forte augmentation et dépassera le nombre des jeunes dans un avenir prévisible (Gauthier et autres, 2005).

5. Plusieurs jeunes qui ont abandonné leurs études avant d'obtenir leur diplôme, soit au secondaire, soit au collégial, et qui ont été interviewés lors d'une enquête rétrospective cinq ans après un premier abandon des études, jettent parfois un regard critique sur le système d'éducation et montrent des difficultés d'adaptation aux approches curriculaires et pédagogiques au regard de leur situation personnelle (Gauthier et autres, 2004). En revanche, ceux qui décident de poursuivre des études supérieures, comme le montre Roy dans son enquête menée auprès des cégépiens, ont généralement le goût des études et se sentent bien dans l'établissement d'enseignement (2006).

6. En 1977, deux étudiants sur dix occupaient un emploi pendant l'année scolaire alors que les plus récentes données (Roy, 2006, p. 42) révèlent que sept étudiants sur dix, filles comme garçons, sont engagés dans la réalité travail-études.

7. Sur le rapport au travail des jeunes qui n'ont pas de diplôme d'études secondaires ou collégiales, voir Gendron et Hamel (2004).

8. Les analyses qui suivent ont été réalisées dans le cadre d'un projet de recherche intitulé «Le rôle du diplôme et des filières de formation dans l'insertion professionnelle des jeunes. Critères d'évaluation des compétences et nouvelles formes de qualification», financé par le Conseil de recherche en sciences humaines du Canada, de même que dans le cadre du projet «Le diplôme, les jeunes et les entreprises» financé par le Fonds québécois de recherche sur la société et la culture.

9. Conséquemment, les jeunes seront considérés comme des acteurs de leur insertion professionnelle. Ils ne se fondent pas complètement sur leur passé familial ou sur leur genre, par exemple, et ne sont pas soumis de façon inéluctable aux contraintes inhérentes au marché du travail. Cela ne signifie pas que les contraintes sociales ne déterminent pas leur action individuelle mais que ces contraintes délimitent le champ du possible et non le champ du réel. Les jeunes peuvent se libérer de leurs conditionnements et tirer profit des occasions et des ressources mises à leur disposition lorsqu'ils entrent sur le marché du travail même s'ils ne sont pas assurés de pouvoir

réaliser leurs projets professionnels. Cette position se rattache à une explication individualiste (au sens méthodologique) des phénomènes sociaux.

10. Cette stratégie s'inscrit dans le cadre d'un processus de forte expansion du travail atypique. Ainsi, selon Statistique Canada (Enquête sur la population active), le phénomène du travail atypique touche plus du tiers de la population active, et encore plus les femmes que les hommes quels que soient la période ou le groupe d'âge considérés (Bernier et autres, 2003). S'il rejoint toutes les catégories d'âges, il demeure que les jeunes travailleurs sont plus affectés. En effet, la proportion des jeunes travailleurs (de 15 à 29 ans) qui occupent des emplois dits atypiques atteint 43 % chez les garçons et plus de 50 % chez les jeunes femmes (CPJ, 2001).

11. Ce jeune avait abandonné l'école privée avant la fin de la formation.

12. Projet de recherche en cours sur le rôle du diplôme dans l'insertion professionnelle des jeunes.

QUATRIÈME PARTIE

Entreprises et sociétés

CHAPITRE 10

La logique de l'entreprise et la logique de la société : deux logiques inconciliables ?

Jean-François Chanlat

L'entreprise est devenue un acteur clé des sociétés contemporaines. En effet, il ne se passe pas une journée sans que la presse, ici ou à l'étranger, fasse état des activités économiques en général ou de celles d'une entreprise en particulier, les médias rivalisant entre eux pour couvrir l'actualité économique. Dans un univers social qui met l'accent sur la croissance, le marché, les échanges, le profit, la productivité et le rendement, l'entreprise est bel et bien devenue, comme le soulignait le titre d'un ouvrage publié il y a une quinzaine d'années sous la direction de Sainsaulieu (1990), une affaire de société.

De nos jours, des entreprises comme General Motors, Sony, Microsoft, Hydro-Québec, Renault, British Airways, Bombardier, Siemens, Boeing, Airbus Industries, Daewoo, Petrobras, Alcan, Wal-Mart et de nombreuses autres font partie, chacune à leur manière, du nouveau paysage de la société actuelle auxquelles il faut ajouter au cours des dernières années la présence de plus en plus notable d'entreprises chinoises et indiennes. La moindre de leurs actions (investissement, licenciement, assemblée générale des actionnaires, publication des résultats financiers, lancement de nouveaux produits, litiges juridiques, grèves) est rapidement signalée et occupe le devant de la scène. Pourquoi un tel intérêt envers l'entreprise ?

Tout simplement parce que les entreprises, qu'elles soient petites, moyennes ou grandes, participent à la construction de nos sociétés et que leurs activités, leur logique de fonctionnement, leurs pratiques de gestion, leurs stratégies et leurs valeurs sont au cœur de la dynamique sociale d'aujourd'hui (Segrestin, 1992 ; Bernoux, 1995 ; Francfort et autres, 1995 ; Alter, 1996 ; Thuderoz, 1997 ; Chanlat, 1998 ; Sainsaulieu, 2001).

Cette présence de l'entreprise dans la vie sociale n'est pas un phénomène récent. En Occident, on la trouve, sous sa forme moderne, au Moyen Âge. Mais ce n'est qu'au XIXᵉ siècle que l'entreprise prend de l'importance, et elle devient prédominante au XXe siècle. Un président américain n'a-t-il pas été jusqu'à déclarer, dans les années 1950, que ce qui était bon pour la General Motors était bon pour les États-Unis?

À chaque époque, les effets de l'activité économique des entreprises se font sentir. Pensons aux banques de la Renaissance italienne, aux grandes compagnies commerciales du XVIIe siècle, aux premières manufactures du Siècle des lumières, aux entreprises minières et ferroviaires du siècle dernier, à la compagnie Ford du début du XXe siècle, à McDonald's ou à Wal-Mart aujourd'hui. Chacune de ces entreprises a eu une influence sensible sur son environnement. Les historiens, les philosophes, les économistes, les sociologues, les psychologues et les écrivains ont tous commenté ce phénomène à des degrés divers. Aujourd'hui, cette préoccupation n'a pas disparu. Bien au contraire, l'importance accrue des entreprises dans la vie sociale nous force à nous interroger sur les conséquences qu'elles ont sur nos sociétés.

Il existe une abondante littérature dans ce domaine qui couvre des aspects fort variés. Dans ce chapitre, nous rendrons compte de cette influence d'une double manière, en présentant, d'une part, les effets positifs des activités de l'entreprise et, d'autre part, leurs conséquences négatives. Dans les deux cas, nous examinerons les effets à la fois internes et externes des pratiques de gestion en nous appuyant sur la documentation disponible et sur nos propres recherches. Pour terminer, nous chercherons à dégager les principales conditions d'un meilleur équilibre entre l'entreprise et la société qui l'environne.

10.1   LES DEUX VISAGES DE L'ENTREPRISE

L'entreprise est à l'image du dieu Janus ou de ces statuettes africaines à deux visages qu'on observe parfois dans les musées. Elle comporte sa part d'ombre et de lumière, de bon et de mauvais. Pour bien comprendre la place qu'occupe l'entreprise dans la société et l'influence qu'elle y exerce, il importe de cerner ces divers aspects, tant positifs que négatifs.

10.1.1 LES VERTUS DE L'ENTREPRISE

L'entreprise en tant qu'organisation existe depuis longtemps. Comme nous l'avons dit plus haut, les historiens la font remonter, dans sa version moderne, au Moyen Âge et l'associent étroitement à la montée du capitalisme (Jones, 1981; Braudel, 1985; Kennedy, 1989). Max Weber, le célèbre sociologue allemand du tournant du XXe siècle, situe justement le capitalisme là où l'entreprise est la forme économique dominante:

> Il y a capitalisme là où les besoins d'un groupe humain qui sont couverts économiquement par des activités professionnelles le sont par la voie de

l'entreprise, quelle que soit la nature du besoin ; plus spécialement, une exploitation capitaliste rationnelle est une exploitation dotée d'un compte de capital, c'est-à-dire une entreprise lucrative qui contrôle sa rentabilité de manière chiffrée au moyen de la comptabilité moderne et de l'établissement d'un bilan. (Weber, 1991, p. 296-297.)

Comme on le voit, c'est ce type d'organisation associée étroitement au capitalisme qui s'impose peu à peu à partir du début du XX⁰ siècle. Dans un monde qui place l'économique au centre des préoccupations (Polanyi, 1974), l'entreprise capitaliste devient le lieu par excellence de la production de biens et, pour la pensée libérale, l'instrument privilégié du développement (Aron, 1962). Toutefois, il faut souligner que la forme capitaliste n'est pas la seule et unique forme d'entreprise. Comme nous l'avons vu dans les premiers chapitres, il existe également des entreprises publiques, coopératives ou mixtes qui, selon les pays et les périodes historiques, occupent une place plus ou moins importante dans le tissu social. L'expérience des pays anciennement socialistes ou, plus près de nous, le rôle qu'ont joué les entreprises publiques après la Deuxième Guerre mondiale sont là pour en témoigner.

Pour les défenseurs de l'entreprise privée, forme de propriété réunissant toutes les caractéristiques du modèle idéal typique, toute entreprise possède plusieurs vertus ou plusieurs fonctions positives au sein du système capitaliste qui est le nôtre. Ces qualités sont au nombre de six. En premier lieu, l'entreprise assume une fonction économique importante. Elle produit des biens et des services et, ce faisant, elle crée de la valeur, c'est-à-dire de la richesse qu'elle permet de redistribuer. En deuxième lieu, elle a une fonction sociale. Elle est en effet un lieu d'intégration, d'appartenance et de développement personnel. En troisième lieu, elle a une fonction innovatrice, car elle est à la base de nombreuses innovations sociales et techniques. En quatrième lieu, elle participe par son existence même à l'avènement d'une société libre. C'est en quelque sorte sa fonction politique. En cinquième lieu, elle contribue, par ses productions, ses activités et ses innovations, à la culture de la société à laquelle elle appartient. C'est sa fonction culturelle. Enfin, par son soutien aux domaines artistique et scientifique et ses dons aux associations caritatives, elle joue un rôle civique. C'est sa fonction de mécène.

L'entreprise comme lieu de création de richesses

Depuis plus de deux siècles maintenant, la richesse des nations, comme l'a soutenu l'Écossais Adam Smith (1776, 1976) dans un livre devenu célèbre, est avant tout considérée comme le fruit du travail, de la division du travail et de l'échange. Cette conception moderne de l'enrichissement met fin à l'ancienne vision, héritée du monde féodal, qui était essentiellement statique et où la richesse était synonyme d'accaparement. Selon la conception smithienne, la richesse ne provient plus de ce qu'on possède ou de ce qu'on prend à l'autre par la conquête ou le pillage, mais du travail et de l'échange. Le doux commerce, si cher à Montesquieu, philosophe du XVIIIᵉ siècle, devient par le jeu des intérêts bien compris un instrument de pacification (Hirschman, 1984). Et les producteurs, comme dans la célèbre parabole de Saint-Simon au début du XIXᵉ siècle, prennent enfin la place qui doit leur revenir, c'est-à-dire la première.

Cette idée, largement partagée dans les cercles libéraux, a fait son chemin depuis puisqu'elle a été à la base de ce qu'on appelait hier l'économie politique, première science sociale digne de ce nom, et de ce qu'on appelle aujourd'hui l'économique. En mettant l'accent sur le caractère dynamique de la création de richesses, on pouvait désormais penser au progrès et à l'amélioration générale des conditions de vie. Dans cette nouvelle conception, l'entreprise et l'entrepreneur occupent désormais une place centrale (Schumpeter, 1951). Il est donc dans l'intérêt de tous de favoriser leur existence si on veut améliorer la situation du plus grand nombre (Baechler, 1995) même si ce dernier n'apparaît pas toujours sous cette forme idéale-typique (Villette, 2005).

Dans *Le grand espoir du XXᵉ siècle*, Jean Fourastié (1958) rappelait déjà combien les sociétés occidentales avaient en effet amélioré leur sort, au cours du dernier siècle, en multipliant les investissements, en améliorant la productivité et en innovant. Ce mouvement a été très largement associé au dynamisme des entreprises. Qu'en est-il de nos jours ? Il ne fait aucun doute que les entreprises sont plus que jamais au cœur de la croissance qui caractérise notre époque. Quand une entreprise décide d'investir dans une région, tous (les communautés, les gouvernements, les syndicats, les commerces environnants, etc.) ne peuvent que s'en réjouir, la plupart du temps. Cette occasion est synonyme d'activité économique, d'emplois, de revenus, de rentrées fiscales, autrement dit une occasion de création de valeur sans laquelle toute communauté aurait des difficultés à améliorer son existence matérielle. La décision récente d'Ubisoft, l'un des chefs de file de la production d'images de synthèse en Europe, de s'installer à Montréal en constitue un exemple probant. En choisissant la métropole québécoise pour établir son centre de production nord-américain, l'entreprise française a non seulement créé des centaines d'emplois dans le secteur de l'imagerie informatique, mais aussi renforcé l'industrie québécoise du logiciel, déjà fort dynamique. Par la même occasion, elle vient consolider le pôle économique montréalais que constitue l'industrie de la haute technologie.

Chaque entreprise contribue ainsi plus ou moins à l'activité de la région où elle est établie. C'est la raison pour laquelle tous les ordres de gouvernement (fédéral, provincial, régional, municipal) ont mis en place des structures de développement économique dont la principale tâche consiste à attirer les investissements dans leur région, notamment dans les secteurs les plus prometteurs (l'aéronautique, l'informatique, le génie biomédical, les télécommunications, l'intelligence artificielle, etc.). Au Québec, on a également assisté à la création de fonds d'investissement syndicaux, tel le Fonds de solidarité de la FTQ, qui contribue en outre au lancement de nouvelles entreprises ou au soutien d'entreprises déjà établies, provoquant ainsi un changement de mentalité au sein du mouvement syndical, longtemps cantonné dans l'opposition systématique, et suscitant l'intérêt d'autres syndicats ailleurs dans le monde.

Si, pour de nombreux acteurs institutionnels, l'entreprise privée est, aujourd'hui, bel et bien au cœur du développement économique, il reste que les autres formes d'entreprises jouent également un rôle important dans ce domaine. Dans les chapitres précédents, nous avons vu combien les secteurs public et coopératif remplissent des fonctions essentielles dans l'économie québécoise et ont contribué à l'affirmation des francophones au cours des 40 dernières années dans des secteurs qui étaient largement dominés jusque-là par des intérêts étrangers ou anglophones (Dupuis, 1995).

Dans le processus de production de biens et de services, les entreprises publiques, coopératives ou à vocation sociale comblent souvent des besoins qui sont mal ou pas du tout satisfaits par les entreprises privées, ces dernières s'intéressant seulement à la demande solvable. Quand on parle de contribution économique, on ne peut donc les ignorer. Cette situation peut s'observer dans de nombreux pays. Leur degré de participation à la vie économique nationale contribue par ailleurs à la spécificité des modèles de capitalisme dont fait état le premier chapitre (Albert, 1991 ; Hutton, 2002 ; Stiglitz, 2003 ; Rifkin, 2004).

L'entreprise comme lieu d'intégration et d'appartenance sociale

L'entreprise n'est pas uniquement une structure de production de biens et de services, donc de richesses, elle constitue également un lieu d'intégration et d'appartenance sociale. Nombreux sont les travaux sociologiques qui le rappellent (Sainsaulieu, 1990 ; Dubar, 1991 ; Bernoux, 1995 ; Castel, 1995 ; Bélanger et Lévesque, 1996 ; Sainsaulieu, 1997 ; Weber, 2005). En créant de l'emploi dans une communauté, l'entreprise, quelle que soit la nature de ses activités, permet à un certain nombre de gens d'exercer un métier et de s'enraciner dans un lieu (Osty, 2003 ; Fischer, 1992). Par là même, elle leur confère une identité sociale et professionnelle sans laquelle, dans le monde actuel, l'individu se sent sans valeur (Dubar, 2000). Elle leur permet également de s'insérer dans un ensemble et d'y créer des liens sociaux, et donc de satisfaire les besoins d'appartenance et de reconnaissance qui sont si essentiels à l'existence humaine et à l'équilibre personnel (Dejours, 1993, 2000).

Si l'individu trouve sa raison d'être dans les autres, l'entreprise, à sa manière, participe à l'établissement et au renforcement du moi social. En effet, combien de fois au cours d'une journée se fait-on demander : « Que faites-vous ? » « Où travaillez-vous ? » Plusieurs sont fiers de pouvoir répondre qu'ils travaillent pour telle ou telle entreprise d'envergure ou qu'ils sont informaticiens, électrotechniciens, comptables, financiers, assureurs, etc. L'entreprise offre donc plus qu'un salaire. Elle permet à l'individu de s'inscrire dans un champ social où il peut jouer un rôle et bénéficier d'un statut en rapport avec celui-ci. Pour être cadre, technicien, employé, ouvrier ou secrétaire, il faut en effet trouver un lieu qui nous permettra de l'être (De Bandt, Dejours et Dubar, 1995 ; Dubar, 2000 ; Osty, 2003).

Ce sentiment d'intégration et d'appartenance sera par ailleurs plus ou moins fort selon la culture de l'entreprise. Mais pour qu'il existe, il faut qu'il y ait au départ ce lien fondamental qu'est l'emploi. C'est une condition *sine qua non*. À cet égard, les pratiques de gestion jouent un rôle particulièrement important. Au paternalisme qui associait — et associe encore parfois — l'entreprise à une famille se sont substituées d'autres conceptions de l'entreprise : l'équipe sportive, la communauté d'intérêts, le contrat, le dogme ou la règle bureaucratique. Si chacune renvoie à un type de gestion particulier, elles créent toutes un lien social (Enriquez, 1992, 1997) et participent ainsi à la constitution de la société et à sa singularité.

L'entreprise participe aussi à la création d'un lien social sur un plan plus large, c'est-à-dire à l'extérieur de l'établissement. Par ses multiples rapports avec ses fournisseurs, ses actionnaires, ses clients, ses syndicats, ses concurrents — ne parle-t-on pas parfois de coopération conflictuelle ? —, les différents ordres de gouvernement et la communauté qui l'environne, l'entreprise participe à l'élaboration de réseaux sociaux qui sont autant de points d'ancrage pour chacun des maillons du système social. Elle contribue par là même à renforcer l'identité et le rôle de chacun. C'est en effet dans l'échange et la confrontation que s'affirme un individu ou un groupe. Par sa présence, toute entreprise, quelle que soit sa nature (privée, publique ou coopérative), permet aux autres organisations de se définir elles aussi, tout comme ces dernières contribuent à sa définition. Prenons par exemple l'entreprise de restauration rapide McDonald's. Elle a ses fournisseurs, ses partenaires, ses clients, ses concurrents, etc. Chacun d'entre eux se situera par rapport à elle. Certains y verront le comble du mauvais goût alimentaire (les restaurants de qualité), d'autres, une organisation particulièrement performante (les spécialistes en marketing), d'autres encore, un commanditaire prestigieux (les équipes de sport amateur), d'autres, enfin, une manifestation de la culture américaine (les anthropologues) ou bien un pollueur et un destructeur de la nature (les écologistes) ou encore un des responsables de l'obésité dans le monde, notamment en Amérique du Nord (les diététiciens) (voir l'encadré 10.1). Autrement dit, du simple fait de son existence, McDonald's tisse des liens et permet à d'autres de se situer par rapport à elle-même. Toutes ces interrelations contribuent à édifier l'ordre socioéconomique, donc à créer une relation sociale et à définir des identités. On trouvera ce processus à l'œuvre autour de chaque entreprise, quelle que soit sa forme. Mais la diversité des formes d'entreprises contribue elle aussi largement à la construction identitaire, comme en attestent les figures du secteur privé (l'entrepreneur, l'investisseur, le commerçant), celles du secteur public (le fonctionnaire, le bureaucrate) ou encore celles du secteur de l'économie sociale (le membre, le sociétaire).

L'entreprise comme lieu d'innovation

Au sein d'une société soumise à la croissance continue et à la concurrence, l'innovation devient une variable stratégique. Elle permet d'obtenir des avantages par rapport aux autres, elle entraîne de nouvelles façons de faire et elle contribue à la transformation de notre réalité.

Les innovations revêtent plusieurs formes (Alter, 2000). Elles peuvent toucher les produits, les processus de fabrication, les circuits de distribution, les techniques financières, les pratiques sociales, etc. Elles peuvent avoir des retombées plus ou moins importantes. Pensons, par exemple, au taylorisme, au fordisme, aux produits financiers dérivés, au juste-à-temps, au télémarketing, aux techniques de recrutement, à la qualité totale, aux nouvelles formes de distribution ou encore à la réingénierie des processus. Chacun résulte d'innovations qui ont provoqué des changements dans les modes de fonctionnement des entreprises, voire, dans certains cas, dans la société dans son ensemble. L'entreprise Ford, par exemple, n'a pas seulement inventé la chaîne de montage, elle a également contribué à l'avènement de la société de consommation de masse (Boyer et Durand, 1993). En haussant les salaires de ses ouvriers, Henry Ford leur a permis d'acheter les automobiles qu'ils fabriquaient. En produisant en grandes quantités, il a créé l'usine moderne, qui regroupait des milliers d'employés. C'est de cette concentration ouvrière qu'a pu surgir la syndicalisation de masse. Enfin, en rendant possible au plus grand nombre l'accès à une voiture, il a permis de modifier profondément le paysage urbain et le rapport à l'espace. Si toutes les innovations ne provoquent pas de tels changements, chacune, à sa façon, participe au remodelage des entreprises, voire de la société dont elles font partie. L'invention et la commercialisation du micro-ordinateur ou encore le développement de Wal-Mart en constituent d'autres exemples tout à fait éloquents.

Aujourd'hui, le monde économique est en grande mutation. Une partie de cette mutation vient directement du fait que les entreprises, poussées par la perspective du gain et la concurrence, innovent constamment. On n'a qu'à penser à l'industrie informatique, dont le rythme dans ce domaine est tout simplement effréné, ou encore au secteur biomédical pour s'en convaincre. Si l'innovation et plus particulièrement le progrès technique sont au centre de la dynamique du capitalisme contemporain, fondé sur le savoir et les connaissances, l'entreprise est certainement l'une des organisations qui en produit et en utilise le plus.

L'entreprise comme expression d'une société libre

L'entreprise et l'esprit d'entreprise ont, depuis deux siècles, été associés à l'ouverture sur le monde et au rejet des privilèges liés à la naissance. L'émergence du capitalisme en Occident, un véritable miracle européen, selon plusieurs historiens contemporains (Jones, 1981 ; Kennedy, 1989), serait en partie redevable à l'apparition de l'entreprise et au contexte favorable qui a permis son développement, notamment à certains facteurs politiques et culturels (Todd, 1984 ; Baechler, 1995).

En permettant à cette forme sociale de production de biens et de services de prospérer, on a donné la possibilité aux idées, aux hommes et aux marchandises de circuler. Grâce à l'échange, on a contribué à désenclaver des régions et à créer de véritables économies-mondes (Braudel, 1985). On a permis à de nombreuses sociétés de connaître des produits nouveaux et des techniques nouvelles. Les pays, les régions et les villes qui n'ont pas encouragé l'activité entrepreneuriale ont connu une tout autre existence, comme ce fut le cas en Chine, dont l'empereur interdit à partir du XVe siècle la navigation hauturière et le commerce au loin, et au Japon, qui, au début du XVIIe siècle, chassa tous les étrangers installés sur son sol et se referma sur lui-même pendant deux siècles (Kennedy, 1989).

En Occident, tous les États qui ont freiné à des degrés divers le développement des entreprises ont connu des périodes creuses comparativement aux États qui accordaient plus d'intérêt aux ambitions commerciales (Kennedy, 1989 ; Baechler, 1995). Dans l'histoire du monde, l'ouverture des barrières, la réduction des privilèges des corporations, le déclin des valeurs aristocratiques et l'abolition du servage ont permis peu à peu la victoire des producteurs sur les rentiers, des bourgeois sur les aristocrates. Avec l'entreprise capitaliste, les ouvriers étaient désormais libres de vendre leur force de travail à qui ils voulaient. Ils n'étaient plus liés pour la vie à un maître comme l'étaient naguère les paysans. C'est la raison pour laquelle Karl Marx (1867, 1967) lui-même, qu'on ne peut soupçonner de complaisance envers l'entreprise capitaliste, reconnaissait les vertus libératrices de cette forme de production sans laquelle il ne pouvait y avoir de changement social profond. Cette idée sera à la base de toute la pensée modernisatrice, qu'elle soit de gauche, à savoir inspirée plus ou moins par la pensée marxiste, ou de droite, c'est-à-dire libérale. La gauche la considérant comme une étape incontournable de la marche vers l'émancipation, la droite comme une donnée fondamentale d'une société libre et démocratique.

À l'heure actuelle, cette question a repris de la vigueur avec l'effondrement du bloc de l'Est et le déclin des expériences socialistes dans les pays en développement, comme c'est le cas en Chine aujourd'hui. L'entreprise apparaît comme le meilleur instrument de développement et d'ouverture sur le monde et même, pour certains, comme un rempart nécessaire contre toute renaissance du totalitarisme. L'entreprise joue alors le rôle de contre-pouvoir à un État toujours potentiellement envahissant et tutélaire. On est ici en présence de la vieille thèse de l'équilibre des pouvoirs de Montesquieu appliquée à la société contemporaine. Dans les pays en développement, l'entreprise peut délier les attaches sociales de toutes sortes qui empêchent les gens d'être plus libres (clientélisme, clanisme, tribalisme, etc.).

L'entreprise en tant que productrice de culture

L'entreprise ne produit pas seulement des biens matériels ou des bénéfices. Elle contribue également à la culture de la société dont elle fait partie, voire à la culture des sociétés étrangères où elle investit. Toute entreprise émerge dans un lieu précis, qui possède des caractéristiques qui lui sont propres. Si la culture ambiante influe sur la dynamique de l'entreprise, comme l'ont démontré certaines études sociologiques (Iribarne, 1989, 1998, 2003 ; Whitley, 1992a, 1992b, 2000 ; Joly, 2004), les entreprises participent en retour à la transformation des cultures qu'elles rencontrent par leurs innovations, leurs productions et leurs valeurs. Elles constituent même dans certains cas de véritables symboles d'une société particulière, voire d'une civilisation (Ritzer, 1993, 2002).

Nous avons déjà brièvement évoqué l'effet du fordisme sur nos sociétés. Mais on peut penser également aux découvertes pharmaceutiques, au développement du prêt-à-porter, à la prolifération de la restauration rapide ou aux productions de séries télévisées, par exemple, qui, chacun à leur façon, ont modifié le rapport que les membres de certaines populations entretenaient avec la vie, leur corps, leur apparence, leur façon de se nourrir et leur imaginaire. En d'autres termes, Coca-Cola, McDonald's, Wal-Mart, Chanel, Gervais-Danone, l'Oréal, Ciba-Geigy, Hydro-Québec, Pemex, Honda, CNN, Microsoft, etc. ne sont pas seulement des fabricants ordinaires de biens particuliers, ils sont aussi des agents de transformation culturelle servant de vecteurs à leur culture nationale. À cet égard, certaines entreprises deviennent de véritables institutions. Les Québécois les plus âgés se rappellent l'époque pas très lointaine où l'on ne faisait pas son marché mais son « Steinberg ». Mais, comme toutes les productions humaines, les entreprises sont périssables. Et Steinberg, comme bien d'autres institutions semblables, est aujourd'hui disparu.

L'entreprise en tant que mécène et donatrice

Depuis les années 1980, l'entreprise est de plus en plus active dans les domaines artistique et scientifique ainsi que dans les œuvres à caractère social. Là encore, cet engagement n'est pas tout à fait nouveau. On pouvait déjà l'observer au tournant du XXe siècle, notamment aux États-Unis. Combien d'universités et d'institutions américaines ont en effet bénéficié de contributions importantes des entreprises pour se développer ? Presque toutes, à tel point que leur nom même dans certains cas emprunte celui du généreux donateur. Les fondations Rockefeller, Ford ou Carnegie sont célèbres dans le monde entier. Nombreuses sont également les écoles de médecine, de gestion et de génie qui portent des noms d'entrepreneurs ou encore les chaires universitaires qui n'hésitent pas à se désigner sous le nom de l'entreprise qui a versé les fonds. Au Canada, même si les universités sont avant tout publiques, se dessine la même tendance. Les restrictions budgétaires successives effectuées par les gouvernements fédéral et provinciaux, la baisse du nombre d'étudiants et le gel des frais de scolarité ont amené les universités canadiennes et québécoises à solliciter cette forme d'aide. C'est ainsi qu'on a pu voir, très récemment, l'une des écoles de gestion les plus renommées du Canada anglais vendre son nom pour près de 20 millions de dollars, et la plus importante école de gestion du Québec faire commanditer les salles de cours et les espaces publics de son nouvel immeuble. Aux prises avec les mêmes problèmes, les hôpitaux imitent aussi les institutions américaines. Ce phénomène est par ailleurs observable dans d'autres pays à des degrés divers.

Toutefois, l'entreprise ne soutient pas uniquement les universités et les hôpitaux, elle subventionne également les compagnies de théâtre et d'opéra, les concerts classiques et populaires, les événements sportifs et toute autre activité qui lui donnera une bonne visibilité. C'est ainsi qu'on peut assister à Montréal aux concerts Air Canada, au festival GM, au Grand Prix Molson, à des représentations du théâtre Alcan, aux expositions L'Oréal, etc. Enfin, les entreprises contribuent aussi aux campagnes de financement de nature sociale. Au Québec, la campagne annuelle de Centraide est l'occasion de montrer sa générosité et sa solidarité envers ceux et celles qui sont dans le besoin. De même, les soirées télévisées consacrées à certaines maladies graves constituent autant d'occasions de manifester son esprit civique. Dans des sociétés où les gouvernements diminuent substantiellement leurs contributions, les entreprises sont de plus en plus appelées à prendre le relais de l'État.

Cette image de l'entreprise mécène et donatrice constitue de nos jours un élément de communication moderne, en suppléant, d'une certaine façon, aux campagnes publicitaires. Certaines entreprises se montrent plus généreuses que d'autres, mais toutes tentent de donner une bonne image d'elles-mêmes. Si elles sont souvent motivées par des considérations fiscales, il reste, en revanche, que plusieurs estiment qu'il est normal de redonner à la communauté ce qu'elles en ont reçu.

10.1.2 LES VICES DE L'ENTREPRISE

Malheureusement, l'entreprise n'a pas que des bons côtés. Depuis son apparition et surtout depuis son développement au XIXᵉ siècle, les critiques à son endroit se sont multipliées, et recouvrent plusieurs aspects.

L'entreprise comme lieu d'exploitation

La première critique systématique à l'endroit de l'entreprise a été formulée par Karl Marx dans la première moitié du XIXᵉ siècle. Elle a constitué le point de départ de toutes les critiques ultérieures. Pour l'auteur du *Capital* (1867, 1967), la manufacture était le lieu par excellence de l'accumulation capitaliste résultant de l'exploitation de la force de travail. Par exploitation, Marx entendait le fait que l'ouvrier n'était pas payé à sa juste valeur par rapport au travail effectué. S'appuyant sur les postulats de l'économie politique classique, Marx voyait dans le travail la principale source de création de richesse. Or, si le travail était la variable clé, c'était avant tout la misère des classes laborieuses qu'il observait, comme on les appelait à l'époque. Partant de là, il expliquait le formidable développement économique par l'accumulation qui était rendue possible grâce à l'exploitation de millions d'hommes, de femmes et d'enfants de par le monde et en particulier en Angleterre, où il vivait en exil et où la révolution industrielle avait débuté.

Cette notion d'exploitation a depuis été reprise par de nombreuses personnes. Elle renvoie à l'idée que le travail accompli n'est pas rémunéré à son juste prix. Une entreprise sera accusée d'exploitation lorsqu'elle offrira de bas salaires pour de longues heures de travail et pas ou peu d'avantages sociaux. De telles situations sont régulièrement dénoncées par les syndicats, les groupes de pression, la presse nationale et internationale ou encore par des rapports d'organismes internationaux comme le Bureau international du travail (BIT) ou la Banque mondiale. Ces rapports révèlent que des dizaines de millions d'enfants et d'adultes travaillent dans les pays en voie de développement pour des salaires de misère, que de véritables filières internationales alimentent certaines industries des pays industrialisés (textile, confection, restauration, hôtellerie, agriculture, bâtiment et travaux publics, etc.) en main-d'œuvre bon marché, sans parler bien sûr de toutes les activités illicites (drogue, prostitution, jeux, etc.) qui entretiennent l'économie parallèle, et dont les pratiques s'apparentent plus à l'esclavagisme qu'à toute autre forme de système économique.

Les entreprises connues ne sont pas à l'abri de ce genre de critiques. Le procès que McDonald's a intenté devant les tribunaux contre deux écologistes britanniques pour propos diffamatoires touchait justement cet aspect. Si l'entreprise a gagné son procès, la cour n'a toutefois pas rejeté totalement cette accusation (voir l'encadré 10.1).

Le but de toute entreprise privée étant de réaliser des bénéfices, il n'est donc pas étonnant que certains puissent profiter de la situation pour exiger plus de leurs employés sans aucune contrepartie. Dans le contexte de chômage élevé, de précarité d'emploi, d'exclusion et de grande turbulence que nous connaissons actuellement, il n'est pas rare de voir des gens travailler dans des conditions particulièrement inférieures à ce qu'ils auraient eu antérieurement. De tels cas s'observent aujourd'hui dans de nombreux pays industrialisés, notamment en Grande-Bretagne et aux États-Unis, où l'on trouve de nombreux *working poors*, comme on les appelle dans ces pays, c'est-à-dire des gens qui travaillent à des salaires inférieurs au seuil de pauvreté (Thurow, 1996 ; Wolman et Colamosca, 1997 ; Ehrenreich, 2001 ; Hutton, 2002).

L'exploitation dont on accuse les entreprises ne concerne pas uniquement les individus, mais aussi certaines richesses naturelles dans les pays en voie de développement. Cette question, qui a fait naître des débats passionnés au cours des années 60 et 70, amenant de nombreux pays à nationaliser plusieurs industries, a perdu de l'intensité avec le récent discours sur la mondialisation et l'ouverture des marchés. Toutefois, le juste prix à payer pour les matières premières des pays du Sud demeure une question régulièrement soulevée par certaines instances nationales et internationales.

ENCADRÉ 10.1
McDonald's devant les tribunaux en Grande-Bretagne

Le géant de la restauration rapide McDonald's a dû affronter un long procès en Grande-Bretagne. Accusée par deux écologistes britanniques d'empoisonnement au hamburger, d'exploitation du Tiers-Monde et d'esclavage industriel, l'entreprise a remporté le procès en diffamation qui l'opposait à Dave Morris et Helen Steel le 19 juin 1997. Après un procès de 313 jours décrit en 800 pages, McDonald's a eu raison de ses deux opposants. Ce procès, qui lui aura coûté 16 millions de dollars en frais de justice, lui aura permis de se défendre contre les différentes accusations portées: publicité mensongère, utilisation de produits avariés, cruauté envers les animaux, pollution urbaine, participation active à la déforestation au Brésil, au Guatemala et au Costa Rica. Si le président de la cour a reconnu que la majorité des accusations étaient diffamatoires, il a convenu par ailleurs que certaines d'entre elles étaient fondées, notamment celles qui touchaient les bas salaires, la cruauté dans l'abattage des animaux et l'exploitation des enfants dans des campagnes publicitaires. Les deux pourfendeurs de McDonald's ont assuré leur propre défense, tout en bénéficiant d'un comité de soutien qui utilisait un site Internet. Ils ont été condamnés à payer 100 000 dollars de dommages et intérêts à McDonald's. Cette dernière a fait savoir qu'elle ne les exigerait pas, ses deux détracteurs étant sans argent. Ceux-ci ont toutefois confirmé qu'ils continueraient leur lutte. Depuis ce procès, McDonald's et la restauration rapide en général ont été la cible de nombreuses autres critiques, notamment concernant l'obésité galopante que l'on observe en Amérique du Nord et ailleurs dans le monde.

Source: Inspiré de Schlosser (2001).

La notion d'exploitation continue, souvent avec raison, de marquer le débat social. Elle rappelle qu'une entreprise est aussi jugée par sa contribution sur le plan économique à l'intérieur autant qu'à l'extérieur de ses murs. Lorsque cette contribution n'est pas à la hauteur du travail fourni par son personnel et des services rendus par sa communauté, elle court le risque d'être accusée d'exploitation par ceux qui se sentent lésés.

L'entreprise comme instrument de domination

L'exploitation n'est pas le seul reproche qu'on peut adresser aux entreprises. Selon Marx et bien d'autres penseurs, l'entreprise est souvent perçue, d'une part, comme un lieu où s'exerce une domination sociale et, d'autre part, comme une organisation qui exerce une certaine emprise sur son environnement (Galbraith, 1967, 1996; Aktouf, 1989, 2002). C'est donc d'un double pouvoir dont il s'agit ici, l'un exprimant une relation interne et l'autre, une relation externe. Le pouvoir que donnent l'argent et, par extension, la possibilité de faire ce qu'on veut avec cet argent s'exerce ainsi à l'intérieur de l'entreprise par le propriétaire majoritaire ou principal. Ce droit de propriété lui confère souvent une très grande latitude et laisse à ses représentants salariés la liberté de gestion voulue. On assiste alors à une séparation entre les membres fondée sur le lien de propriété et la hiérarchie qui en découle. La légitimité du gouvernement d'une entreprise privée, comme on qualifie ce pouvoir de nos jours, se fonde essentiellement sur l'apport de capital. Ce sont donc les actionnaires majoritaires ou principaux (les *shareholders*) qui mènent, réduisant les autres ayants droit (les *stakeholders*), le personnel, les clients, les fournisseurs, la communauté et les syndicats à la portion congrue (voir l'encadré 10.2).

Par conséquent, l'entreprise privée n'est pas un espace démocratique où les différents acteurs se consultent sur le meilleur mode de fonctionnement à adopter et sur ses finalités. Le pouvoir d'un petit nombre ne s'exerce pas seulement à l'intérieur de l'organisation, mais aussi à l'extérieur. Les commentaires concernant la réunion annuelle de Davos en Suisse, qui rassemble les plus importants décideurs du monde, ne manquent pas de le souligner chaque année. La concentration économique et financière à laquelle on assiste aujourd'hui,

---

ENCADRÉ 10.2

Restructuration d'entreprise et mondialisation : le cas Electrolux

Au cours du mois de juin 1997, la compagnie suédoise Electrolux, un chef de file mondial dans le domaine de l'électroménager, annonçait par la voix de son président, Michael Treschow, qu'elle allait fermer 25 usines et 50 entrepôts dans le monde. Cette décision, qui a entraîné la perte de 12 000 emplois, principalement en Europe où se trouve 60 % de son personnel, a été prise pour faire face à la mondialisation et atteindre les objectifs de rendement fixés par la direction et le principal actionnaire de l'entreprise, la famille Wallenberg. Depuis de nombreuses années déjà, la compagnie Electrolux et le groupe américain Whirlpool se livrent une lutte acharnée pour atteindre une taille critique à l'échelle mondiale, chacun rachetant des fabricants d'Europe et d'Amérique. C'est ainsi qu'Electrolux a pris le contrôle de marques américaines célèbres comme White, Frigidaire ou Kelvinator et que Whirlpool reprenait l'électroménager du néerlandais Philips. Ces acquisitions successives n'ont pas été sans problèmes et, conjuguées à un tassement de la demande de produits électroménagers en Europe, elles ont empêché l'entreprise suédoise d'atteindre le rendement sur capital investi établi par l'actionnaire principal (8,3 % au lieu de 15 %). Parallèlement, des concurrents asiatiques, comme le coréen Daewoo, prennent des parts de marché, tout en alimentant la surcapacité de production de l'industrie. Pour le patron de l'entreprise, cette décision de supprimer une partie du groupe, malgré sa rentabilité, est nécessaire : « Personne, a-t-il déclaré, ne pourra nous battre sur le plan des coûts, de la qualité, de l'innovation et de la rentabilité. » La bourse de Stockholm a d'ailleurs fort bien réagi à cette annonce puisque l'action Electrolux a gagné 14 % en une journée ! En revanche, le personnel qui sera mis à pied n'a pas pavoisé, sachant, comme le déclarait un employé, qu'« on nous demande toujours plus de productivité. Et cela ne suffit jamais ».

tendance inhérente au phénomène capitaliste et remarquée par tous les analystes depuis le XVIIIe siècle, témoigne de l'influence particulière qu'ont, de nos jours, les grandes entreprises privées sur les décisions qui concernent le monde entier. Quelques centaines de firmes ont en effet plus de poids sur le plan économique que la majorité des nations de la Terre (Andreff, 1996, 2003). Il devient alors bien difficile pour ces nations de sentir qu'elles ont quelque pouvoir sur le cours des événements qui les touchent. Cette domination est particulièrement ressentie dans les pays où de grandes entreprises multinationales ont la main haute sur de nombreux secteurs industriels et en particulier sur les richesses naturelles.

Les pays les plus industrialisés ne sont pas non plus à l'abri de telles influences. On n'a qu'à penser au débat qui, au Canada et en Europe, touche les industries culturelles, notamment la production cinématographique, où les producteurs européens et canadiens livrent une lutte acharnée aux producteurs américains. Ce qui est en jeu ici, ce n'est pas simplement une part de marché, mais la mainmise sur l'esprit et sur l'imaginaire social. Ce qui n'est pas rien ! Car derrière le visage bienveillant de la production Disney, par exemple, s'impose une vision du monde qui laisse peu de place, si on n'y prend garde, à d'autres productions venant de différents horizons culturels dont l'héritage sociohistorique est pourtant d'une grande richesse.

L'entreprise comme lieu de souffrance et d'aliénation

La troisième grande critique formulée contre l'entreprise concerne les conséquences que ses pratiques de gestion peuvent avoir sur l'équilibre physique et mental de son personnel. Les médias dénoncent régulièrement les problèmes de stress, d'épuisement professionnel et de harcèlement moral que connaissent les travailleurs dans toutes les sociétés développées. À l'instar de l'employé japonais qui est mort d'une surcharge de travail en 1991 (voir l'encadré 10.3), de plus en plus de gens éprouvent des problèmes de santé physique et mentale liés à leur travail.

Trois rapports publiés récemment par trois organismes différents abondent dans ce sens. Aux États-Unis, selon l'institut fédéral de la santé au travail (NIOSH), le stress constitue aujourd'hui l'un des 10 problèmes les plus graves de santé au travail. Le Bureau international du travail (BIT) (1993, 2002) prévoit quant à lui que le stress sera, dans les pays industrialisés, la première cause de procès ayant trait aux maladies professionnelles dans un proche avenir. Enfin, la dernière enquête de la Communauté économique européenne (CEE) (2004) sur ce sujet révèle que le stress est la première source de plaintes des travailleurs européens interrogés. Le Canada et le Québec ne font pas exception : on observe ici aussi de plus en plus de problèmes de stress lié au travail (Vézina et autres, 1992, 2002).

L'entreprise, au XIXe siècle, a fréquemment été associée à un lieu où l'on malmenait les corps et les esprits. On se souvient des descriptions de Villermé en France, d'Engels en Angleterre, de Virchow en Allemagne ou de l'écrivain

---

ENCADRÉ 10.3

Perdre sa vie à la gagner

La presse internationale a fait état au début des années 90 d'un fait divers qui s'est passé au Japon et qui est devenu emblématique d'une certaine course à la compétitivité. Ichiro Oshima, un Japonais de 24 ans, mettait fin à ses jours. Après 17 mois de présence ininterrompue au travail, sept jours sur sept, souvent jusqu'aux petites heures du matin, cet employé du groupe publicitaire Dentsu qui ne dormait que de deux à quatre heures par nuit et qui n'avait bénéficié que d'une demi-journée de repos, s'est suicidé en août 1991. Sa famille a porté plainte et un tribunal de Tokyo a reconnu l'entreprise coupable d'avoir poussé le jeune homme à bout. C'est une première au Japon, où 63 cas de *karoshi*, terme désignant la mort par excès de travail et que le ministère du travail japonais a étendu au décès consécutif à la fatigue et au stress, ont été recensés de février à novembre 1995. C'est deux fois plus qu'en 1994. L'entreprise a nié les faits et a refusé de payer les dommages de un million de dollars qu'on lui réclamait. Elle a fait appel de cette décision de justice. Depuis, les cas de *karoshi* se sont multipliés au Japon.

Upton Sinclair aux États-Unis concernant les abattoirs de Chicago au début du XXe siècle. Dévoreuse d'hommes, de femmes et d'enfants, l'usine du XIXe siècle était le plus souvent un mouroir pour ceux qui y travaillaient. La mine faisait alors figure de métaphore, comme le souligne l'écrivain français Zola dans son célèbre roman *Germinal*.

Dans la première moitié du XXe siècle, la grande usine de fabrication à la chaîne constitue l'un des lieux de travail où s'expriment le plus l'usure des corps et l'aliénation des esprits, comme en fait foi le film de Charles Chaplin *Les temps modernes*. Après la Deuxième Guerre mondiale, l'usine fordienne va demeurer l'image même du lieu de la souffrance physique et de l'aliénation, c'est-à-dire du non-sens et de l'«étrangeté du faire» (Friedmann et Naville, 1962). Les systèmes taylorien et fordien sont encore aujourd'hui tenus largement responsables de cette usure physique et mentale ressentie par de nombreux travailleurs (Karasek et Theorell, 1990). Ces difficultés ne sont toutefois pas le seul fait de modes de gestion qui se sont développés dans le milieu des usines. Le personnel appartenant à des univers bureaucratisés connaît lui aussi certains problèmes de ce genre (Carpentier-Roy, 1995; Soares, 2002). (Tout récemment, les nouveaux modèles de gestion fondés sur l'excellence et la compétitivité ont également montré leurs effets pathogènes (Aubert et Gaulejac, 1991; Chanlat, 1999; Dejours, 2004; Aubert, 2003; Gaulejac, 2005).

Quels aspects le mode de gestion doit-il considérer? Plusieurs éléments entrent en ligne de compte. Tout d'abord, le fait que tout être humain a besoin pour se développer et pour conserver son équilibre d'un minimum de reconnaissance de ce qu'il est, de ce qu'il fait et de ce qu'il sait faire (Dejours, 2000). Ensuite, tout travail ayant ses exigences physiques, mentales, psychiques et sociales, il est nécessaire de disposer d'autonomie pour y faire face (Karasek et Theorell, 1990; Chanlat, 1999; Marmot et Wilkinson, 2000). Enfin, tout mode de gestion conçu par une direction ou des experts doit toujours être revu et corrigé en fonction des contraintes observées quotidiennement (Daniellou, 1996; Carpentier-Roy et autres, 1997; Carpentier-Roy et Vézina, 2001, 2003). Ainsi, un mode de gestion sera d'autant plus problématique qu'il ne s'appuiera pas sur la reconnaissance, qu'il ne donnera pas une autonomie suffisante au personnel pour accomplir sa tâche efficacement et qu'il privilégiera une conception abstraite de la gestion, très éloignée de l'expérience vécue sur le terrain (Chanlat, 1999; Carpentier-Roy et Vézina, 2001, 2003).

Toutes les données de recherche dont on dispose, à l'heure actuelle, vont clairement dans ce sens, qu'elles concernent l'aspect ergonomique, physiologique, psychodynamique, médical ou organisationnel, chaque mode de gestion entraînant des problèmes particuliers (Chanlat, 1999; Dejours, 2004). Par exemple, si les pratiques tayloriennes sont une source de stress particulière parce qu'elles conjuguent absence de reconnaissance, forte charge de travail et très faible autonomie (Karasek et Theorell, 1990; Marmot et Wilkinson, 2000), les pratiques bureaucratiques, quant à elles, mettent souvent l'employé devant une double contrainte en l'obligeant à suivre une règle qui n'est pas appropriée. L'univers technobureaucratique est un lieu fertile pour ce genre de situation, car il associe l'emprise de la règle prescrite, abstraite et universelle avec des situations réelles, concrètes et singulières qui se présentent dans le travail quotidien (Carpentier-Roy, 1995; Carpentier-Roy et Vézina, 2001, 2003).

Les nouveaux modes de gestion fondés sur l'excellence et la compétitivité suscitent d'autres sources de stress et de difficultés. Contrairement aux deux modes de gestion précédents, qui privilégiaient une certaine stabilité et sécurité d'emploi, ces nouvelles pratiques mettent l'accent sur l'instabilité d'emploi, la flexibilité et l'adaptation permanente (Aubert et Gaulejac, 1991; Chanlat, 1999; Aubert, 2003) et la tyrannie du client (Soares, 2002; Dupuy, 2005). Ce phénomène a entraîné l'apparition des emplois atypiques (travail à temps partiel, contrat à durée déterminée, sous-traitance, travail intérimaire, travail épisodique, etc.), comme le montrent de nombreuses statistiques récentes, surtout au Royaume-Uni et aux États-Unis, où l'on a le plus encouragé ce type d'emploi (Wolman et Colamosca, 1997; Chanlat, 2002; Hutton, 2002). L'emploi permanent devient un objectif de moins en moins possible pour la majorité de la population en âge de travailler. En outre, ces modes de gestion privilégient les restructurations et les réductions de personnel, suscitant ainsi une vive anxiété chez les employés (Wolman et Colamosca, 1997; Sennett, 1998; Palmade, 2003; Rifkin, 2004). On voit même apparaître le syndrome du survivant, longtemps associé à des désastres, des catastrophes ou des expériences particulièrement traumatisantes (Ouimet, 1997). Quant à la tyrannie du client, elle provoque une tension affective accrue chez les prestataires de services en contact direct avec la clientèle. Comment en effet garder son sourire face à des consommateurs de plus en plus exigeants et pressés ? Telle est l'équation que doivent résoudre tous les jours des caissières de supermarché, des guichetiers dans les gares et ou des téléopérateurs (Soares, 2002).

L'incertitude quant à l'avenir professionnel ou la pression du client ne sont cependant pas les seules sources de stress dans ce mode de gestion ; le rythme et l'intensité du travail qu'il engendre sont la cause de nombreux cas d'épuisement professionnel (Aubert, 2003). *L'âge de la performance,* pour reprendre le titre d'un récent reportage québécois, est exigeant. Cette intensité du rythme est par ailleurs amplifiée par le développement des nouvelles technologies de l'information, qui rendent possibles l'accélération et la virtualisation des actions. Dans certains cas, elles peuvent se conjuguer à des pratiques tayloriennes et provoquer une hausse sensible des maladies de la productivité, c'est-à-dire des maladies musculo-squelettiques (Carpentier-Roy et Vézina, 2001, 2003 ; Harrisson et Legendre, 2002 ; Baudelot et Gollac, 2003). On observe ce phénomène aujourd'hui dans de nombreux pays industrialisés. Le cas de l'usine Mazda au Michigan en est un bon exemple. Le mode de gestion mis en place par l'entreprise à la fin des années 1980 faisait en sorte que l'ouvrier soit occupé 57 secondes par minute, alors que dans une usine similaire le temps de travail était de 45 secondes. Cette frénésie de production a engendré en l'espace de quelques mois, parmi une main-d'œuvre très jeune, une augmentation de 50 % des blessures, un doublement du nombre de tendinites et une désillusion par rapport au modèle japonais (Fucini et Fucini, 1990). Cette augmentation de la charge de travail est rendue possible grâce à l'extension des pratiques tayloriennes à des industries jusque-là peu touchées, comme l'industrie agroalimentaire, et à l'utilisation massive de l'informatique dans un contexte de très grande compétitivité. Les résultats, sur le plan des maladies professionnelles, sont très clairs : une augmentation considérable du nombre de travailleurs soumis à de tels rythmes et du nombre de maladies périarticulaires qui en découlent, notamment chez ceux qui ont un statut d'emploi précaire, les femmes et les immigrants étant largement représentés dans cette catégorie (Karasek et Theorell, 1990 ; Alternatives sociales, 1994 ; Baudelot et Gollac, 2003).

Comme on le voit, l'entreprise, par ses pratiques, peut affecter de façon durable la santé des individus (Harrisson et Legendre, 2002 ; Askenazy, 2004). Elle peut également avoir des conséquences sur l'environnement naturel. Le débat qui entoure de nombreux dossiers, comme celui qui oppose les fabricants de cigarettes américains aux instances gouvernementales (voir l'encadré 10.4), nous montre combien, aujourd'hui, nos sociétés sont devenues sensibles aux questions environnementales.

Les répercussions de l'entreprise sur l'environnement sont de plusieurs ordres, selon son secteur d'activité. Elle peut utiliser des produits toxiques et potentiellement dangereux pour fabriquer certains biens de consommation ou assurer certains services. C'est le cas de l'industrie nucléaire. Elle peut rejeter dans la nature et l'atmosphère des émanations de produits dangereux qui influeront

ENCADRÉ 10.4
Les fabricants de tabac américains dans la tourmente

Depuis de nombreuses années, les fabricants de tabac sont aux prises avec une contestation grandissante. Cette industrie importante et florissante — elle assure en effet un bénéfice de 34 % sur le chiffre d'affaires en moyenne aux entreprises, Philip Morris, par exemple, a enregistré l'an dernier un bénéfice net de 4,2 milliards sur des ventes nationales de 12,5 milliards — subit les assauts de différents groupes de pression et de certaines instances gouvernementales, en particulier du ministère fédéral de la santé. Le conflit qui oppose les fabricants aux différents ordres de gouvernement vient de prendre un tournant au cours de l'année 1997. En effet, à la suite d'un accord conclu avec le ministère de la justice des États-Unis, les compagnies de tabac vont devoir payer près de 370 milliards de dollars au cours des 25 prochaines années. En échange, elles obtiennent l'arrêt des poursuites en justice intentées par les différents États américains. Mais, en revanche, elles pourront toujours être poursuivies par des individus ou des groupes privés. Toutefois, dans ce cas-là, les condamnations ne pourront pas dépasser cinq milliards par année. Le principal négociateur pour le ministère américain a déclaré que c'était l'un des accords les plus importants jamais conclu dans le domaine de la santé publique. «Nous devions punir cette industrie de façon exemplaire, a-t-il ajouté, parce que franchement les groupes de tabac ont fait plus de mal qu'aucune entreprise n'en a jamais fait dans l'histoire. »

L'argent versé ira principalement aux États afin de couvrir les dépenses du programme Medicaid. Il ira aussi à des fonds de dédommagement et à des associations d'aide à des fumeurs repentis. Enfin, 500 millions seront utilisés chaque année pour financer des campagnes publicitaires antitabac. En outre, les fabricants de tabac ont convenu de limiter leurs propres campagnes publicitaires, de ne plus apposer d'affiches à l'extérieur, de ne pas faire de réclame dans les cinémas, à la télévision ou sur Internet. On a également interdit les personnages pouvant attirer les jeunes, par exemple le cow-boy Marlboro ou encore le dromadaire de Camel. Les distributeurs automatiques sont supprimés. Enfin, l'industrie sera responsable d'un plan visant à réduire le nombre de fumeurs de moins de 18 ans de 42 % en 5 ans et de 67 % en 10 ans. Dans le cas où ces objectifs ne seraient pas atteints, l'industrie devra verser des indemnités pouvant aller jusqu'à deux milliards. Cette négociation a été engagée peu après que le plus petit producteur, Ligget, eut reconnu le caractère nocif du tabac. Il rompait ainsi le pacte implicite conclu par tous les producteurs sur la nocivité du tabac. Cet accord ne concerne toutefois que le marché américain. Les fabricants peuvent toujours exporter leur production. Or, sur les 750 milliards de cigarettes fabriquées, 32,5 % sont exportées. Et certains marchés étrangers sont en pleine croissance. Les exportations vers le Mexique ont décuplé au cours des 10 dernières années et le Japon est devenu le deuxième client des producteurs américains. Sur ces marchés, les ventes de cigarettes américaines croissent de 3 % à 5 % par année et des entreprises comme RJR y gagnent déjà la moitié de leurs revenus. Par exemple, Philip Morris avec la cigarette Marlboro est passé de 2 % du marché de Hong-Kong en 1976 à 36,7 % en 1989. Et la Chine constitue à elle seule un marché fabuleux de 300 millions de fumeurs, marché qui a connu une hausse de 5 % par an, au cours des années 80, et où 35 % des enfants de 12 à 15 ans fument. L'association américaine des maladies pulmonaires a dénoncé cet accord qu'elle juge favorable à l'industrie. Elle est très sceptique quant aux engagements concernant la publicité destinée aux adolescents. « La capacité de l'industrie du tabac à se réinventer et surmonter les restrictions, est, selon le directeur général de l'association, remarquable. » D'autres opposants trouvent que l'industrie devrait verser encore plus d'argent. Depuis lors, le bras de fer continue pour réduire, dans la plupart des pays développés, le nombre de fumeurs et les problèmes de santé publique causés par le tabac.

Source : Inspiré de *Time* (1997).

sur l'équilibre naturel et les êtres vivants. C'est le cas des industries papetières ou chimiques (l'exemple de la catastrophe de Bhopal en Inde est encore frais dans les mémoires). Elle peut fabriquer des produits dont l'usage est potentiellement néfaste comme l'amiante, le tabac ou encore des aliments qui contiennent des concentrations trop élevées de graisse ou de sucre. C'est ainsi que les producteurs de tabac ou d'amiante, ou les chaînes de restauration rapide subissent fréquemment des critiques très virulentes, comme en font foi les cas illustrés dans les encadrés 10.1 et 10.4.

L'entreprise produit aussi des biens qui peuvent se révéler néfastes à long terme pour l'équilibre naturel, comme l'automobile munie d'un moteur à essence. Au dernier Sommet de la Terre à Rio, on imputait à l'automobile l'essentiel de l'effet de serre. Depuis ce temps, les recherches ne font que confirmer l'hypothèse du réchauffement de la planète et poussent les différents gouvernements du monde à ratifier le protocole de Kyoto. Enfin, la nature même de l'activité de l'entreprise, l'exploitation d'une richesse naturelle par exemple, peut venir modifier certains équilibres écologiques, comme c'est le cas des entreprises forestières, des industries de la pêche ou encore des entreprises minières. Au Québec, le cas du projet de Grande-Baleine a bien montré que le détournement de certaines rivières ne faisait pas l'unanimité dans la communauté autochtone et que la construction de barrages n'était pas sans risques pour l'environnement.

La question environnementale connaît une popularité grandissante depuis une trentaine d'années. Elle touche particulièrement les activités des entreprises, tant dans les pays industrialisés que dans les pays en voie de développement, la situation dans ce dernier cas étant souvent plus problématique en raison de la faiblesse des règlements en matière de protection de la nature. Dans les pays postcommunistes, comme la Russie, la situation peut être encore plus dramatique. L'accident de Tchernobyl a révélé les graves lacunes des entreprises socialistes dans ce domaine. Devant la demande croissante qu'on observe dans tous les domaines, devant l'explosion démographique sans précédent qui caractérise notre époque et le mode de consommation particulièrement « énergivore » de nos sociétés, on peut se demander si nous n'avons pas atteint un point de non-retour. Selon des géographes, il faudrait en effet l'équivalent de six planètes pour satisfaire une consommation à l'américaine à l'échelle du monde actuel et trois planètes dans le cas d'une consommation à l'européenne ! Les difficultés que nous avons à tenir compte des éléments du rapport Brundtland, à ratifier le protocole de Kyoto et à mettre en place les bases d'un développement durable témoignent de la complexité des intérêts en jeu et des limites de l'économie de marché dans ces questions, les entreprises ayant une tendance naturelle à externaliser les coûts associés à la défense de la nature (Burgenmeier, 1994).

L'entreprise est au cœur de la problématique de l'environnement. Si elle peut dans certains cas être sans reproche sur ce chapitre, il reste que l'appât du gain à court terme l'emporte la plupart du temps sur le respect, notamment quand aucune pénalité n'est rattachée au délit. En Grande-Bretagne, le cas récent de la vache folle illustre bien ce qui se produit lorsque les normes de production sont sans cesse repoussées aux limites du souhaitable. L'industrie peut alors véritablement en mourir. Comme on l'a vu dans le cas du sang contaminé, notamment en France et au Canada, les organismes à but non lucratif ne sont pas à l'abri de tels dérapages. Les intérêts économiques l'emportent, là encore, sur les considérations sanitaires et morales. On sait que les organismes concernés ont en effet préféré écouler des stocks de sang contaminé par le virus du sida plutôt que de les retirer.

L'entreprise comme source d'exclusion et d'inégalités

Au cours des dernières années, la montée du chômage, l'augmentation des emplois précaires et l'accroissement du nombre d'exclus dans de nombreux pays occidentaux ont amené un certain nombre d'observateurs et d'analystes à s'interroger sur la responsabilité des entreprises dans ces phénomènes. Contrairement à la période des Trente Glorieuses, ces 30 années qui ont suivi la Deuxième Guerre mondiale où la croissance était synonyme d'emploi pour tout le monde, la période qui commence à la fin des années 70 voit naître des difficultés en matière d'emploi. Ce phénomène s'est renforcé au cours des 10 dernières années, tant en Europe qu'en Amérique du Nord (Castel, 1995, 2002 ; Hutton, 2002 ; Rifkin, 2004).

L'économie, tout en produisant plus que jamais, a besoin de moins de personnes. La conjugaison de plusieurs éléments explique ce paradoxe : tout d'abord, la saturation des besoins dans un certain nombre de domaines (l'équipement électroménager, l'automobile) ; ensuite, l'utilisation croissante de l'informatique dans de nombreux secteurs et la concurrence de plus en plus forte dans certaines industries des pays nouvellement industrialisés, notamment la montée en puissance de la Chine et de l'Inde qui deviennent, surtout pour celle-là, l'atelier du monde ; enfin — et surtout —, les pratiques de gestion des entreprises elles-mêmes.

En raison de la nouvelle situation économique qui privilégie l'information, la connaissance, l'ouverture des marchés, la déréglementation, le retrait de l'État, la compétitivité, la productivité et le rendement financier, les modes de gestion des entreprises ont en effet beaucoup changé. La flexibilité est devenue le mot d'ordre en gestion (flexibilité des stocks, du personnel cadre et non cadre, du capital et de la production) et la condition de survie dans un monde de plus en plus compétitif. Le résultat de cet engouement pour la compétitivité est bien connu : une main-d'œuvre de plus en plus temporaire et contractuelle, une baisse ou une stagnation des salaires pour le plus grand nombre, une domination des logiques financières, une utilisation massive des technologies de l'information dans les services (guichets automatiques, répondeurs, micro-ordinateurs, interactivité, etc.), une augmentation considérable des rémunérations des principaux dirigeants et des experts financiers, une diminution des avantages sociaux, un recul du syndicalisme, une montée du chômage et de l'exclusion (Perret et Roustang, 1993 ; Rifkin, 1995, 2004 ; Castel, 1995, 2002 ; Thurow, 1996 ; Wolman et Colamosca, 1997 ; Hutton, 2002).

Tous les milieux sont touchés par l'accroissement du travail temporaire. Selon de nombreuses études, on estime qu'environ 25 % de la main-d'œuvre travaille sur une base temporaire. Si on ajoute à ce nombre ceux qui ne travaillent pas (les chômeurs, les exclus, etc.), qui représentent environ 25 % de la population en âge de travailler, on arrive à près de la moitié de la main-d'œuvre disponible ! Autrement dit, si on en croit ces statistiques, seulement une personne sur deux disposerait d'un emploi relativement stable. De nombreux pays présentent les mêmes résultats, y compris ceux qui se targuent d'un bas taux de chômage, comme les États-Unis et la Grande-Bretagne (Chanlat, 1992a ; Rifkin, 1995 ; Freeman, 1996 ; Wolman et Colamosca, 1997 ; Hutton, 2002 ; Stiglitz, 2003 ; Rifkin, 2004). On peut dès lors comprendre un peu mieux pourquoi on parle plus d'employabilité que d'emploi aujourd'hui dans les entreprises. Mais lorsqu'on sait qu'employabilité est souvent synonyme de précarité, on comprend pourquoi certains demeurent sceptiques devant ce nouveau discours sur les ressources humaines et que les cadres eux-mêmes, en France par exemple, prennent de plus en plus leurs distances à l'égard de leurs entreprises (Dupuy, 2005).

Dans le monde actuel, les considérations financières sont devenues plus importantes que toutes les autres. Quand l'annonce de licenciements massifs chez ATT ou chez Electrolux (voir l'encadré 10.2) provoque une augmentation immédiate du titre, on est en droit de se poser des questions, d'autant que les dirigeants qui détiennent des milliers d'actions voient leur capital augmenter par la même occasion. On ne peut alors plus s'étonner si les inégalités ont crû de façon considérable dans nos pays, plus particulièrement aux États-Unis et en Grande-Bretagne, au cours des 15 dernières années (Thurow, 1996 ; Wolman et Colamosca, 1997 ; Hutton, 2002 ; Atkinson et autres, 2001). En effet, dans les années 1960, un président-directeur général gagnait 40 fois plus qu'un salarié moyen alors qu'il gagne aujourd'hui 450 fois plus ! De façon générale, les inégalités de revenu et de richesse sont, aux États-Unis, plus importantes aujourd'hui que dans les années 1930 (Thurow, 1996 ; Wolman et Colamosca, 1997 ; Atkinson et autres, 2001). La dynamique socioéconomique de l'entreprise contemporaine n'est pas étrangère à ce fossé qui se creuse entre les nantis et les autres. L'obsession des résultats financiers et de ce qui en découle provoque une véritable rupture du lien social traditionnel, jetant de plus en plus de gens dans l'incertitude. Le recours croissant à la sous-traitance, aux agences de travail intérimaire, aux contrats à durée déterminée amène de plus en plus de personnes à s'inquiéter de leur avenir. L'incertitude devient une norme (Sennett, 1998 ; Palmade, 2003). L'économie marche alors contre la société (Perret et Roustang, 1993 ; Thurow, 1996 ; Wolman et Colamosca, 1997 ; Hutton, 2002 ; Stiglitz, 2003). Nous retrouvons ici le discours de Polanyi (1974), qui rappelle combien la nature de l'économie marchande est de chercher à se rendre autonome par rapport à la société, ce qui dans les faits est impossible, car aucune société ne peut accepter les conséquences d'une telle autonomie. Elles sont toujours trop lourdes. L'histoire est là pour en témoigner, notamment la période des années 30. L'éclatement de la bulle Internet au début des années 2000 nous en a donné encore une illustration exemplaire.

Les transformations que nous connaissons actuellement ne sont pas le fait de la nature ou du destin, elles sont le produit des actions humaines qui, par le jeu des logiques des uns et des autres, construisent le monde dans lequel nous vivons. À l'intérieur de ce système d'interactions entre acteurs sociaux, l'entreprise joue un rôle important, voire primordial. Comme on vient de le voir, les conséquences de ses activités ne sont pas toujours positives, loin de là. Chaque époque a vu surgir un certain type d'entreprise et a dû subir, inévitablement, ses multiples effets, et la nôtre ne fait pas exception. Les problèmes suscités par la croissance dans une société de consommation de masse ont fait ressortir la question de l'aliénation dans l'usine fordienne et le système bureaucratique. Aujourd'hui, dans un monde aux prises avec une diminution de la demande et la domination des objectifs financiers, la question centrale devient l'emploi, tant du point de vue de sa rareté que de ses effets néfastes (l'épuisement, l'anxiété). L'entreprise, qui est au cœur de ces processus, ne peut pas les ignorer, à moins de condamner la majorité des individus à la précarité, au chômage et à l'exclusion. L'avertissement du financier Georges Soros (1997) ou de l'ancien économiste en chef de la Banque mondiale, Joseph Stiglitz (2003), montre que les inquiétudes des sociologues et de certains économistes sont parfois partagées à l'intérieur même du monde financier, voire par les jeunes dirigeants d'entreprise (Centre des jeunes dirigeants, 1996). La dictature des marchés et de la logique financière ne doit pas être considérée comme inéluctable. Car elle est aussi une création sociale (Wolman et Colamosca, 1997 ; Passet, 1996 ; Stiglitz, 2003).

10.2

L'ENTREPRISE ET LA SOCIÉTÉ : DEUX UNIVERS CONCILIABLES ?

À la lumière de ce que nous venons de présenter, il apparaît très clairement que la logique de l'entreprise capitaliste n'est pas toujours compatible avec la société. En effet, la logique de l'entreprise et la logique de la société se distinguent sur plusieurs plans : finalités, organisation, horizon temporel, cadre géographique et culture. Ces oppositions ne sont toutefois pas complètement insurmontables.

10.2.1 Des finalités différentes

L'entreprise privée a pour objectif de réaliser des profits sur un marché donné. La production de biens et de services est subordonnée à cette finalité essentiellement économique. Cet objectif est ouvertement déclaré dans tous les discours économiques. Milton Friedman (1970) a bien souligné, dans un article provocateur, que la responsabilité sociale de l'entreprise était de faire encore plus de bénéfices. L'entreprise n'est donc pas un organisme charitable ou à vocation sociale. Nombreux sont les gens d'affaires qui le rappellent régulièrement. Toutefois, la rentabilité d'une entreprise est quelque chose de relatif. Elle varie selon l'entreprise, l'industrie, voire le pays où elle est établie. Alors que certaines entreprises cherchent des rendements élevés, d'autres se contentent de résultats moyens. Alors que des industries affichent une très forte rentabilité, par exemple dans les secteurs de pointe (la pharmacie, l'informatique), le secteur financier ou encore les secteurs fortement monopolisés, d'autres exercent leurs activités dans des secteurs au bénéfice réduit (la distribution alimentaire, la confection, la chaussure, etc.). Alors que certaines sociétés, comme le Japon ou l'Allemagne, ont valorisé jusqu'à présent d'autres aspects que le simple rendement de l'action, d'autres, comme les États-Unis, en font le critère même de la réussite.

Si l'intérêt par rapport aux seules performances financières varie selon le lieu et l'époque, il reste que, au cours des 15 dernières années, on a assisté à une valorisation marquée des objectifs financiers dans la plupart des pays industrialisés. L'explosion des titres en bourse, la multiplication des produits financiers, les nombreuses fusions et acquisitions, la déréglementation des marchés ont encouragé les gestionnaires à valoriser particulièrement le rendement sur capital investi au détriment des autres objectifs. Le cas Electrolux que nous avons présenté dans l'encadré 10.2 en constitue un bon exemple. Mais ce n'est pas un cas isolé. On trouve des comportements analogues dans de nombreuses autres entreprises nationales et internationales. Cette obsession du rendement a des effets pervers sur de nombreuses entreprises. C'est ainsi que, au début des années 2000, l'explosion de la bulle Internet a fait apparaître des cas exemplaires à cet égard ; celui d'Enron est resté dans toutes les mémoires (Cruver, 2003).

En insistant trop sur les résultats financiers, on tend à raisonner en fonction du coût et à oublier les autres éléments constitutifs du succès. C'est ainsi que des entreprises n'ont pas hésité à réduire leur personnel ou à recourir à des formes flexibles de main-d'œuvre pour augmenter leurs bénéfices à court terme au détriment de leurs résultats à moyen et à long terme, voire à manipuler carrément les comptes comme l'ont montré les cas récents d'Enron, de Parmalat, d'Ahold, de WorldCom ou de Vivendi Universal (Cruver, 2003 ; Capron et Quairel-Lanoizelée, 2004).

Une étude réalisée il y a quelques années par deux comptables anglo-saxons auprès de deux géants du commerce américain, Sears Roebuck et Wal-Mart, montre que ce n'est pas forcément la bonne stratégie (Hope et Hope, 1996). Quand les profits et les ventes ont en effet commencé à décliner chez Sears dans les années 1980, la direction de l'entreprise a réagi en établissant des programmes de réduction de coûts, notamment en supprimant 33 000 emplois administratifs. Cette suppression d'emplois devait épargner de 600 à 700 millions de dollars par année à l'entreprise. Une autre politique a également été mise en place dans le secteur des ventes. On a inversé le ratio de 70 % de personnel à plein temps et de 30 % à temps partiel afin d'économiser sur les salaires. Cette politique s'est révélée en définitive une fausse économie. Car elle a conduit à un taux élevé de roulement du personnel, à une formation insuffisante et à une démotivation des employés. En 1989 seulement, 119 000 emplois ont dû être pourvus ! Quant aux clients, ils étaient très insatisfaits des services reçus, notamment dans les rayons où le taux de roulement de personnel était élevé. Wal-Mart, au contraire, ne s'est pas seulement développé en raison de sa gestion intelligente des stocks, mais aussi grâce à sa politique de personnel, qui privilégiait la stabilité et la continuité dans l'emploi. Les économies ne se trouvent donc pas toujours là où on le croit. C'est pourquoi les questions de rentabilité sont toujours bien plus complexes que de simples opérations comptables.

Une société n'est pas une entreprise. Elle ne peut donc avoir un tel objectif. Circonscrite dans un espace géographique particulier, composée de gens aux origines souvent diverses, elle cherche bien sûr à assurer son bien-être matériel, mais aussi à préserver sa cohésion sociale et sa vitalité culturelle. La question de la solidarité est ici essentielle. Sans elle, aucune société ne peut se maintenir. C'est la raison pour laquelle, dans de nombreuses sociétés, ce rôle est historiquement revenu à l'État, seule institution pouvant à la fois incarner le bien public, réguler les tensions sociales et assurer le rayonnement culturel. Ce phénomène a été d'autant plus fort dans certains pays que l'État-nation se confondait dans le discours officiel avec la société. Tel fut le cas, par exemple, en France. Aux États-Unis, l'expérience a été tout autre, l'individu et la communauté constituant les références de base (Wagner, 1995).

C'est pourtant la société qui absorbe une grande partie des coûts (médicaments, hospitalisation) liés aux dommages sociaux et environnementaux (alcoolisme, violence, suicide, chômage, pollution, etc.) provoqués par certaines décisions d'entreprises (licenciements massifs, précarisation de la main-d'œuvre, etc.). La rentabilité des uns est donc souvent obtenue par l'extériorisation des coûts, ce que les économistes qualifient d'externalisation (Burgenmeier, 1994). Ce phénomène est observable aussi dans le domaine de l'environnement. Combien d'entreprises paient vraiment les coûts réels de destruction de la nature qu'entraînent leurs activités ? Si les entreprises peuvent croiser les bras, la société, elle, ne le peut pas, car la sauvegarde de son environnement fait aussi partie de ses finalités. C'est la raison pour laquelle de nombreuses personnes et associations militent pour que certains biens comme l'eau, la santé, l'éducation restent ou redeviennent des biens publics (Bakan, 2004; Petrella, 2004).

10.2.2 Des organisations différentes

L'entreprise ayant des objectifs essentiellement économiques, elle se préoccupe avant tout de la santé financière de ses unités de production. Ses dirigeants adoptent donc la plupart du temps une vision microscopique. La société, par la voix de ses différents corps politiques, adopte presque toujours une vision macroscopique. C'est ce constat qui a amené de nombreux analystes à présenter à l'entreprise les notions de responsabilité sociale, de réceptivité sociale, d'éthique des affaires ou d'entreprise citoyenne (Pasquero, 1995; Pesqueux et Biefnot, 2002; Capron et Quairel-Lanoizelée, 2004). C'était une façon de rappeler à l'entreprise que ses actions ne se construisent pas en vase clos et qu'elles sont dépendantes pour leur bonne marche de nombreux facteurs institutionnels externes (règles de droit, morale, système d'éducation, infrastructure publique, gouvernement, syndicats, etc.) (Thuderoz, 1997; Bakan, 2004; Hutton, 2002). C'était aussi une manière de souligner que face aux nombreux défis auxquels nous sommes confrontés, l'entreprise sera de plus en plus évaluée par rapport à son implication civique et sociale.

10.2.3 Des horizons temporels distincts

Le temps de l'entreprise n'est pas celui de la société. Rythmée par les cycles de production, de ventes, des budgets et des bilans, l'entreprise privilégie une vision à court terme plutôt qu'à long terme. Le taux de «mortalité» élevé des entreprises l'explique en partie. Cependant, comme on l'a vu dans le cas d'Electrolux et de Sears Roebuck, ou encore plus récemment dans ceux d'Enron (Cruver, 2003) ou de WorldCom, la domination des logiques financières ne fait que renforcer l'horizon immédiat au détriment du futur. En général, ce comportement est toutefois historiquement plus typique des entreprises américaines que japonaises ou européennes bien que certaines de ces dernières semblent, depuis quelques années, s'aligner sur le modèle anglo-saxon (Albert, 1991; Whitley, 1992; Hutton, 2002; Rifkin, 2004). Le temps dans l'entreprise ne se mesure pas de la même façon que dans la société, où les rythmes sont plus lents et plus enracinés dans l'histoire — même s'il existe des entreprises centenaires — et où les variations à l'échelle de la planète sont encore très diverses. Si la mondialisation, comme on l'appelle aujourd'hui, semble mettre en place certains éléments d'un «temps mondial» (virtualisation, communication, activités boursières, etc.), il reste que ce temps n'a pas encore atteint tout le monde au même degré (Martin, Metzger et Pierre, 2003). Pensons aux Indiens d'Amazonie, aux cultivateurs des hauts plateaux boliviens ou aux Masai du Kenya.

10.2.4   DES CADRES GÉOGRAPHIQUES DIFFÉRENTS

L'espace de l'entreprise n'est pas non plus le même que celui de la société. Alors que l'entreprise, en théorie, peut se rendre partout où existe un marché solvable, la société est toujours contrainte par des frontières, visibles ou invisibles. De nos jours, l'activité des entreprises, notamment des plus grandes, se déploie souvent sur plusieurs continents. Dans de nombreux cas, on voit des entreprises fermer des unités dans leur pays d'origine pour en ouvrir d'autres ailleurs, et déplacer leurs usines dans les pays en développement au gré des coûts observés, la Chine étant, depuis quelques années, un des lieux privilégiés des investissements occidentaux. Ces délocalisations, comme on les appelle aujourd'hui, montrent bien que l'espace de l'entreprise est un espace mobile. En revanche, la société est assujettie à une géographie singulière dont elle ne peut s'extraire. C'est à la fois une ressource mais aussi une contrainte à laquelle elle ne peut échapper. Toute entreprise, quant à elle, peut par la volonté de ses dirigeants déménager dans certains cas presque sur-le-champ. Les flux commerciaux et financiers conditionneront dans une large mesure son enracinement dans un lieu donné. Ce qui ne veut pas dire que toutes les entreprises soient des apatrides. Là encore, contrairement à certaines idées reçues, il existe peu d'entreprises globales. La plupart, même parmi les plus grandes, dépendent en effet largement de leur pays d'origine, tant pour leur marché que pour le soutien qu'elles reçoivent de leurs gouvernements (Cohen, 1996). Tous les gouvernements mettent sur pied des missions commerciales pour défendre leurs entreprises. Par exemple, le gouvernement canadien a organisé récemment des voyages d'affaires en Asie et en Amérique latine auxquels étaient conviées certaines entreprises canadiennes dans le but d'augmenter les exportations et les projets canadiens dans chacune de ces zones. Les entreprises participantes étaient donc bel et bien canadiennes. La référence à un espace commun fondait leur participation. Une forme de patriotisme économique s'exprime plus ou moins dans tous les pays, les États-Unis ne faisant pas exception à la règle. N'ont-ils pas empêché récemment une entreprise chinoise de prendre le contrôle d'une compagnie pétrolière américaine? (Lemaître, 2005.)

10.2.5   UNE CULTURE À LA FOIS DIFFÉRENTE ET COMMUNE

Comme on vient de le voir, l'entreprise possède une certaine autonomie par rapport à son environnement immédiat en raison de ses finalités économiques. D'un autre côté, elle en est dépendante de multiples manières. Dans le domaine de la culture, il en est de même. Si toute entreprise constitue un univers culturel en soi, cet univers est largement influencé par les façons de penser et de faire propres à la société dont elle fait partie (Hofstede, 1997; Iribarne, 1989, 1998, 2003; Joly, 2004; Chanlat et Barmeyer, 2004). De ce point de vue, il n'y a pas de culture totalement autonome. En revanche, la culture d'une entreprise peut être plus ou moins en opposition avec celle de la société. C'est le cas par exemple lorsqu'une entreprise investit dans un pays étranger. Elle subit alors un choc culturel. Ce phénomène peut toutefois se produire dans sa propre culture quand l'entreprise agit selon un modèle contraire à l'usage courant ou qu'elle reprend les activités d'une entreprise très différente. Chaque fois, l'entreprise découvre que son lien avec son environnement est aussi de nature culturelle et que son autonomie, sur ce plan, dépend du rapport qui s'établit entre les différents acteurs concernés et les structures avec lesquelles ils doivent composer. En d'autres termes, l'entreprise doit toujours assurer et entretenir sa légitimité.

CONCLUSION

L'entreprise et la société entretiennent une relation complexe. La société a besoin du dynamisme économique de l'entreprise et, en retour, l'entreprise a besoin du système social dont elle est issue. Ni tout à fait dépendante, ni tout à fait autonome, l'entreprise entretient un rapport à la fois conflictuel et harmonieux avec la société. Un rapport conflictuel résultant de sa logique avant tout économique et financière, mais aussi dans certains cas de ses valeurs, de ses productions, de ses méthodes de gestion qui heurtent la société. Un rapport de coopération en raison de son rôle socioéconomique et des nombreux liens qu'elle tisse avec son milieu, sans lesquels elle ne pourrait exister ou survivre.

Aujourd'hui, l'entreprise est appelée à remettre en question ses pratiques de gestion, et ce, sur de nombreux plans (écologique, social, etc.). En raison de la place qu'elle occupe dans la société et des problèmes de plus en plus nombreux qui secouent notre époque, auxquels elle n'est d'ailleurs pas étrangère, l'entreprise doit donc revoir certaines de ses pratiques. Elle doit devenir plus active, c'est-à-dire, comme l'a fort bien résumé Thuderoz (1997), agir comme un acteur, viser à l'efficacité dans tous les domaines, mobiliser son personnel, définir et établir son propre système d'action, adopter une approche globale des problèmes et gérer avec doigté ses systèmes internes de relations sociales. Cela sera d'autant plus possible sous la gouverne d'un État régulateur et avec l'aide de syndicats et de groupes de pression puissants, tant à l'échelle nationale qu'internationale. Ce n'est qu'à ces conditions qu'une certaine conciliation sera possible entre la logique de l'entreprise et celle de la société. Cet objectif, auquel tous les acteurs doivent collaborer, est à l'heure actuelle essentiel pour assurer l'équilibre de nos sociétés et le bien-être du plus grand nombre tout en sauvegardant le futur écologique de la planète.

CHAPITRE 11

L'entreprise est-elle nécessaire?

Yves-Marie Abraham

L'ENTREPRISE COMME INSTITUTION

Le modèle sociologique présenté dans le deuxième chapitre de ce manuel consiste à envisager l'entreprise comme une *organisation,* c'est-à-dire essentiellement comme un ensemble de relations entre humains. L'objet d'analyse que se donne ainsi le sociologue, ce sont des relations; relations «au sein» de l'organisation, mais aussi entre l'organisation et son «environnement», constitué lui-même dans une très large mesure d'autres organisations. Dans cette perspective, l'entreprise, sa forme, sa structure, sa dynamique, son efficacité, ses échecs sont toujours pour une part le produit ou l'effet de ces relations «internes» et «externes» entre humains.

Nous avons pu apprécier dans ce qui précède toute la richesse et la pertinence de cette manière de concevoir les choses. Nous voudrions à présent adopter un autre point de vue, tout à fait classique également en sociologie, puisqu'il est inspiré des travaux d'Émile Durkheim, l'un des principaux fondateurs de cette discipline. Il s'agit de considérer l'entreprise non plus comme une organisation, mais comme une *institution.* Ici, l'objet d'analyse du sociologue devient des «manières d'agir et de penser, consacrées par la tradition et que la société impose aux individus» (Fauconnet et Mauss, 1901, p. 9). Ce sont, en d'autres termes, des «habitudes collectives» que «l'individu trouve préétablies et dont la transmission se fait le plus généralement par la voie de l'éducation» (*ibid.*, 1901, p. 11). Envisagée dans cette perspective, l'entreprise peut donc être définie non plus d'abord comme un ensemble de relations, mais comme un ensemble de «manières d'agir et de penser», propres à une société humaine donnée.

Le plus simple est sans doute de donner ici un exemple. Rares sont les adultes vivant dans des pays occidentaux aujourd'hui qui ne possèdent pas une carte de crédit. En partie grâce à la facilité d'utilisation de cette carte, une très grande part de ces humains modernes sont endettés, manière de dire qu'ils doivent de l'argent à un créancier qui, tout à fait légitimement, s'attend à ce qu'on lui rende à une date convenue, non seulement le montant du prêt qu'il a consenti, mais également des intérêts sur ce prêt. Il ne viendrait à l'idée de personne de contester cette exigence. Inversement, aucun de ces humains modernes, lorsqu'il dispose d'un surplus d'argent n'accepterait de confier ce surplus à un banquier ou à un quelconque emprunteur, sans recevoir la promesse de toucher un intérêt sur la somme prêtée. Nos banques ne peuvent collecter des capitaux qu'à la condition de formuler et d'honorer ce genre de promesses. Tout cela est de l'ordre de l'évidence et du gros bon sens.

Pourtant, c'est oublier qu'il y a encore cinq siècles, dans l'Europe médiévale, de telles pratiques étaient rigoureusement prohibées. Entre autres parce que l'on considérait alors, à la suite du philosophe Aristote, qu'il n'était pas dans la nature de l'argent de «faire des petits», l'Église catholique avait interdit à ses membres de pratiquer le prêt à intérêt. Quiconque transgressait cet interdit commettait un péché susceptible de le condamner à l'enfer. Dans les sermons des prêtres du Moyen Âge, l'usurier était systématiquement présenté comme l'un des pensionnaires favoris du diable (Jacques Le Goff, 1981, 1986)[1]. Cette prohibition faisait certes l'objet de diverses stratégies de contournement, parmi lesquelles le recours aux services de juifs occupait une bonne place. Néanmoins, un tel interdit religieux empêchait la mise en place d'une activité économique semblable à celle que nous connaissons. Et il n'est pas difficile de voir que si cet interdit était prononcé à nouveau aujourd'hui, c'est toute notre économie qui s'en trouverait menacée. Les marchés financiers notamment, dont le fonctionnement repose pour l'essentiel sur le principe du prêt à intérêt, s'effondreraient immédiatement[2].

Le prêt à intérêt est l'une de ces «habitudes collectives» qui, selon nous, fondent et rendent possible l'entreprise. En tant que telle, et pour parler comme Émile Durkheim dont nous nous inspirons ici directement, cette «manière d'agir et de penser» particulière est douée d'une certaine «puissance coercitive» (Durkheim, 1983). Lorsque nous pratiquons le prêt à intérêt, non seulement nous ne sommes pas les auteurs ou les inventeurs de cette pratique, mais il nous est aussi très difficile de la refuser, que l'on soit d'ailleurs emprunteur ou prêteur. Cette difficulté est d'abord la conséquence du fait que le prêt à intérêt est pour nous tous une évidence, un «allant de soi». Pour commencer à interroger cette pratique, pour ne plus la percevoir comme «naturelle», il faut en quelque sorte réussir à sortir de nous-mêmes et, par la pensée, nous déplacer dans le temps (le Moyen Âge chrétien) ou dans l'espace (les États islamiques qui interdisent le prêt à intérêt). C'est à cette condition seulement que cette «manière d'agir et de penser» qu'est le prêt à intérêt peut commencer à perdre de son évidence.

Cela dit, même dans ces conditions, le pouvoir coercitif de cette «habitude collective» n'en reste pas moins vigoureux. S'il prenait l'envie à quelques-uns d'entre nous de remettre en cause cette pratique, au nom par exemple de l'interdit biblique, une telle démarche apparaîtrait ridicule et dénuée de tout fondement à la plupart de nos contemporains. Et si, par extraordinaire, cette démarche prenait un peu d'ampleur, au point de bénéficier d'une certaine visibilité sur la place publique, il y a fort à parier qu'elle susciterait alors de vives inquiétudes et des réactions de défense passionnées. Bref, la remise en question de cette « manière d'agir et de penser » serait rapidement étouffée.[3]

Parmi les arguments utilisés pour défendre le prêt à intérêt, il est plus que probable que certains feraient valoir le caractère « naturel », au sens fort du qualificatif, de cette pratique. C'est là le propre des *institutions,* nous dit aujourd'hui Mary Douglas revisitant les thèses de Durkheim, que d'être justifiées, légitimées par référence à un ordre des choses éternel et universel. À la question de savoir pourquoi l'on se plie à l'une de ces « habitudes collectives », l'anthropologue d'origine anglaise remarque qu'« il est possible de répondre *in fine* en se référant au mouvement des planètes dans le ciel ou au comportement naturel des plantes, des animaux ou des hommes » (Douglas, 1999, p. 67). En l'occurrence, on peut supposer que l'un des arguments exprimés en faveur du prêt à intérêt consisterait à dire qu'il est dans la nature de l'argent de valoir plus aujourd'hui que demain, l'intérêt exigé par le prêteur n'étant alors qu'une manière de compenser cet écart. En termes plus techniques, on dirait que la valeur présente de l'argent est supérieure à sa valeur future. Le problème en affirmant cela est que l'on considère implicitement l'argent comme une marchandise, dotée par conséquent d'une valeur d'échange. C'est précisément ce qu'Aristote se refusait à admettre. C'est également ce que conteste, parmi d'autres, l'anthropologue Karl Polanyi, dans son ouvrage majeur *La Grande Transformation* (1942). La « nature » n'a donc rien à voir dans cette histoire. Ce qui est en jeu ici, ce sont des « manières d'agir et de penser » propres à des sociétés ou des époques différentes.

L'objectif de ce chapitre est d'explorer quelques-unes de ces « habitudes collectives » ou, pour parler comme les anciens folkloristes, de ces *coutumes* qui, à l'instar du prêt à intérêt, *font* selon nous l'entreprise. L'une des difficultés de l'exercice, on l'aura compris, est de repérer ces « manières d'agir et de penser ». Transmises dans une large mesure lors de la prime éducation, ces habitudes collectives ne sont généralement pas perçues comme telles. « Les vues qui nous sont le plus familières sont susceptibles, pour cette raison même, de nous échapper », disait le philosophe David Hume (cité par Dumont, 1977, p. 28). Et lorsqu'il nous arrive de prendre conscience de ces « vues familières », elles nous paraissent exprimer la nature des choses, l'ordre immuable du monde. Bref, nous ne les envisageons pas comme des coutumes. Pour mettre en évidence ces « manières d'agir et de penser » particulières qui fondent l'entreprise et faire voir leur caractère social, une méthode possible, fondamentale en sociologie, consiste à se transporter, par la pensée, dans d'autres sociétés humaines. Comme dans le cas du prêt à intérêt, c'est le contraste entre nos sociétés dites « modernes », dans lesquelles l'entreprise occupe aujourd'hui une place centrale, et ces sociétés autres, dans lesquelles un tel phénomène est souvent inexistant ou très marginal, qui va alors favoriser la mise en lumière des « manières d'agir et de penser » qui nous sont propres et, parmi elles, de celles qui rendent possible, voire nécessaire, l'entreprise. Telle sera ici notre démarche de travail.

11.2   L'INVENTION DE LA RÉALITÉ ÉCONOMIQUE

Pour nous tous, humains « modernes[4] », les entreprises font partie de ce que nous appelons la « sphère économique », le « système économique » ou, plus simplement encore, la « réalité économique ». Pour nous tous également, il est évident que cette « sphère économique » constitue le socle, le fondement de nos sociétés. Notre bien-être, pensons-nous, qu'il soit envisagé d'un point de vue individuel ou collectif, dépend étroitement de la manière dont les choses se passent dans cette « sphère ». Certains le déplorent, d'autres s'en félicitent, la plupart s'efforcent simplement de « faire avec », comme on dit. Mais, pour tous, le caractère déterminant de la « réalité économique » est une évidence incontestable.

De même, il nous semble à tous parfaitement normal, et en fait nécessaire, lorsque nous pénétrons cette « sphère économique » (par exemple en exerçant une activité salariée ou en effectuant un achat chez un commerçant) de mettre entre parenthèses nos préoccupations familiales, politiques, religieuses ou encore esthétiques, ainsi que les liens privilégiés que nous pouvons entretenir par ailleurs avec des humains (famille, amis, compatriotes, voisins…). Tout cela ne doit pas interférer dans « l'activité économique » : « en affaires, on ne fait pas de sentiment », « les affaires sont les affaires », dit-on, comme pour réaffirmer cette nécessaire distinction entre la « sphère économique » et les autres « sphères » au sein desquelles nous évoluons. D'ailleurs, le plus souvent, nous entretenons une ségrégation entre les lieux de « l'activité économique » (le bureau, l'usine, les commerces) et les lieux où l'on peut donner libre cours à d'autres mobiles d'action (le domicile, la salle de sport, le cinéma, l'université, l'église). Même ceux qui exercent une « activité économique » à domicile s'efforcent en général de poser des frontières spatio-temporelles entre ce qui relève du « travail » et le reste de leur existence quotidienne. Cette ségrégation s'effectue également sur le plan juridique et comptable. Tout débordement d'une sphère d'activité sur une autre est considéré comme problématique et potentiellement dangereux. Le maintien de cette séparation constitue d'ailleurs l'un des enjeux majeurs des débats actuels sur le thème de la conciliation travail-famille.

11.2.1   L'ÉCONOMIE EST UNE RÉALITÉ MODERNE

Or, dans la plupart des sociétés explorées par les historiens ou les anthropologues, par ceux du moins qui ne cherchent pas à tout prix à retrouver dans les autres sociétés humaines les prémices de notre monde, on constate généralement qu'il est très difficile et même souvent impossible d'y repérer quelque chose comme une « sphère économique » ou une « réalité économique ». Le même problème se pose d'ailleurs à propos de ce que nous appelons le « politique », le « religieux » ou encore l'« esthétique ». Ce découpage de l'expérience ordinaire en plusieurs « sphères » d'activités plus ou moins autonomes nous est propre. En particulier, la constitution d'un domaine d'activité séparé, distinct, obéissant à des règles spécifiques, que nous appelons « domaine de l'économie », ne s'observe en fait vraiment que dans les sociétés occidentales modernes. Concrètement, il n'y a que les « modernes » pour distinguer dans le cours de leur existence des temps et des lieux dans lesquels il est non seulement légitime, mais nécessaire, de privilégier des mobiles « économiques », c'est-à-dire de travailler principalement à « la satisfaction de ses besoins individuels, dans des situations de rareté » (Granovetter, 2000, p. 207), selon la définition classique de l'action économique.

François Simiand, l'un des rares chercheurs du milieu du XXe siècle à avoir tenté d'étudier cette « sphère économique » d'un point de vue sociologique, remarque ainsi à la fin de son principal ouvrage : « Ce nous paraît être un grand fait très manifeste et très peu contestable que le fait économique proprement dit, pourvu d'une existence bien distincte et de caractères bien différenciés, est, comme tel, un fait relativement récent dans les sociétés humaines, à la différence d'autres catégories de phénomènes sociaux qui, au contraire, se présentent dans toute leur plénitude dès les sociétés primitives ou même surtout chez elles. » (Simiand, 1932, p. 582). Marcel Mauss, membre comme Simiand de l'école française de sociologie et l'un des « pères » de l'ethnologie en France, met en garde, dans son *Manuel d'ethnographie* (1947, p. 125), ceux qui entreprennent d'aller étudier les sociétés « primitives » : « La catégorie économique est une catégorie moderne ». Dans les années 1950, Karl Polanyi, intellectuel d'origine hongroise, fondateur de l'anthropologie économique, remarque également à ce sujet : « Les communautés primitives sont souvent des cas frappants de cet état de choses si déroutant pour l'esprit moderne. La plupart du temps, il est presque impossible à l'observateur de saisir les éléments du processus économique et de les coordonner. Les émotions de l'individu ne lui transmettent aucune expérience qu'il puisse identifier comme "économique". » (Polanyi, 1975, p. 98.) Même sensation, à la limite du malaise, chez l'anthropologue américain Marshall Sahlins, lorsqu'il s'intéresse aux chasseurs-cueilleurs du Kalahari ou du bush australien : « [...] parler de l'"économie" d'une société primitive, cela même est un exercice d'irréalité. Structurellement, l'"économie" n'existe pas. » (Sahlins, 1976, p. 118.) L'anthropologue français Louis Dumont, après plusieurs années passées à étudier la société de castes en Inde, note au début des années 1970, à propos de l'observation de sociétés non modernes : « S'il y a un point sur lequel tout le monde est d'accord, c'est que pour isoler les "phénomènes économiques", l'anthropologue doit les détacher du tissu où ils sont pris. Or, il est permis de penser que c'est là une tâche hasardeuse, voire destructrice [...] Il devrait être évident qu'il n'y a rien qui ressemble à une économie dans la réalité extérieure, jusqu'au moment où nous construisons un tel objet.» (Dumont, 1985, p. 33.) Sur la base de ce constat de départ, Dumont a tenté de montrer, dans un livre intitulé *Homo aequalis,* comment cet «objet» a été peu à peu élaboré aux XVIIᵉ et XVIIIᵉ siècles en Europe, par des penseurs tels que Locke, Quesnay, Mandeville ou Smith.

Reprenant et discutant récemment plusieurs de ces travaux anthropologiques célèbres, le sociologue Andreu Solé en vient à suggérer que la «réalité économique» est une invention du monde occidental moderne. «L'économie n'est pas un problème universel, une réalité inhérente à la condition humaine. C'est une invention de l'homme moderne, une composante de la vision moderne du monde. […] Ce que l'homme moderne appelle économie (même lorsque, comme Polanyi, il donne à ce mot le sens le plus large) est un impossible constitutif de certains mondes. De la même manière qu'il n'y a pas d'art dans le monde navajo, il n'y a pas d'économie dans le monde des Guayaki, des Bochiman, des aborigènes australiens.» (Solé, 2000, p. 138 et 140.)

Une telle idée est évidemment très difficile à admettre. À l'exception de l'ethnologue Pierre Clastres, qui soutient que «les sociétés primitives sont des sociétés sans économie par refus de l'économie» (Clastres, 1974, p. 170), aucun des auteurs précédemment cités, remarque Solé, ne parvient à se passer tout à fait de la catégorie «économique» pour décrire ces sociétés que l'on qualifie parfois de traditionnelles. On peut voir tout simplement dans cette incapacité une preuve de la pertinence et de la nécessité de cette «catégorie économique». Mais, on peut y voir aussi la marque de ce que nous avons appelé une *institution,* c'est-à-dire une «manière d'agir et de penser» propre à une société donnée (la nôtre, en l'occurrence); «manière d'agir et de penser» consacrée par la tradition du «modernisme» occidental et inculquée dès le plus jeune âge à nos enfants; «manière d'agir et de penser» si fondamentale pour les «modernes» qu'il leur semble tout à fait ridicule et impossible de la considérer comme une «coutume» d'origine occidentale; «manière d'agir et de penser» à ce point constitutive de notre rapport au monde, que même les penseurs les plus critiques de nos sociétés la partagent avec ceux qu'ils dénoncent. C'est le cas en particulier de Karl Marx.

Comme le note Louis Dumont déjà cité, «la tendance générale parmi nous est d'accepter, ne serait-ce que comme un schéma familier et utile, quelque chose comme la construction marxiste infrastructure/superstructure: à un pôle la vie matérielle et les relations de subsistance, à l'autre, tout le reste, soit les relations sociales, y compris les relations politiques, la religion, l'art et l'idéologie en général — le premier pôle étant doué au moins de façon hypothétique d'une efficience causale prééminente. Cette vue est partie intégrante d'une forte tendance idéologique contemporaine: c'est ainsi que la plupart de nos contemporains aiment en première approximation à se représenter les choses.» (Dumont, 1985, p. 36-37). À cela il conviendrait d'ajouter, pour exprimer précisément ce que nous voulons dire ici, que non seulement nos contemporains aiment à se représenter ainsi les choses, mais qu'ils agissent et organisent leur existence en fonction de ce schéma de pensée.

11.2.2 TRAITER SES PROCHES COMME DES ÉTRANGERS

On ne réalise sans doute jamais mieux que cette distinction entre l'économique et les autres « domaines d'action » constitue bel et bien une *institution* propre aux humains modernes, et non pas une réalité universelle et éternelle, qu'en observant certaines des difficultés récurrentes auxquelles se heurtent les « modernes » dans leurs efforts pour contribuer au « développement économique » de pays non occidentaux. Les habitants de ces pays, en effet, ne cessent de mêler, en pensée comme en actes, ce qui, pour nous, relève de sphères ou de logiques totalement distinctes. Résultat : le développement économique ne se fait pas ou se fait très mal. Le sociologue américain Mark Granovetter remarque à ce propos : « On trouve fréquemment, dans la littérature consacrée aux problèmes de développement, des exemples de situations où les entreprises, bien qu'économiquement souhaitables, sont très difficiles à construire. Quels sont les obstacles ? Cette littérature mentionne souvent l'encastrement de l'action économique dans des relations de parenté et d'amitié, suscitant une série d'obligations diffuses qui interdisent le développement de ce qui ressemblerait à des relations d'affaires. […] les entreprises "se transforment en organisations d'assistance, plus qu'elles ne font des affaires". Il est facile de les créer, car il n'y a pas de problème de confiance ; mais, en revanche, leur développement est tel qu'elles cessent d'être efficientes, car toutes sortes d'amis et de parents font appel à ses ressources et qu'il est difficile de les leur refuser. Le bien-être de la communauté passe avant celui de l'entreprise elle-même. On retrouve des situations analogues dans les entreprises philippines, malaisiennes et thaïes. » (Granovetter, 2000, p. 215).

En somme, pour ces peuples que l'on qualifiait naguère de « sous-développés », les affaires sont toujours et d'abord une affaire de famille, ou de voisinage. L'« infrastructure » de telles sociétés, pour parler comme Marx, n'est pas constituée des rapports de production entre les hommes mais, dans une large mesure, par les liens de parenté ou les rapports de voisinage. Ces relations, et l'ensemble des règles qui les entourent, organisent à peu près totalement l'existence de ces humains non modernes. L'idée de « ne pas faire de sentiments » ou, si l'on préfère, de mettre entre parenthèses ces relations et les obligations afférentes, pour s'engager dans des rapports de production ou d'échange orientés par le seul souci de satisfaire des besoins égoïstes est impensable, inacceptable, insensée. Cela interdit pratiquement la constitution d'une « sphère économique » autonome, et rend par conséquent le projet d'un « développement économique » tout à fait problématique. Comme l'affirmait l'économiste Friedrich Hayek, un tel développement suppose en fait pour l'homme de se défaire des liens communautaires traditionnels et d'être capable finalement de traiter ses proches comme des étrangers, au moins en certaines circonstances. « L'obéissance continuelle au commandement de traiter tous les hommes comme des voisins aurait gêné la croissance d'un ordre étendu. Et il est clair que ceux qui vivent maintenant dans l'ordre étendu gagnent à ne pas traiter les autres comme des voisins et à appliquer dans leur interaction les règles de l'ordre étendu — comme celles de la propriété plurielle et du contrat — plutôt que des règles de solidarité et d'altruisme. Un ordre dans lequel chacun traiterait son voisin comme lui-même serait un ordre où comparativement peu d'hommes pourraient être féconds et se multiplier. » (Hayek, 1993, p. 21.) Contrairement à la plupart de ses collègues économistes, Hayek considère que « les règles de l'ordre étendu », comme celle qui commande par exemple de ne pas faire de sentiment en affaires, n'ont rien de naturel à l'homme. Elles nécessitent un apprentissage, un dressage, une éducation, bref, ce sont des institutions au sens où nous avons défini ce mot.

Ce que nous appelons la « sphère économique » ne constitue donc pas une réalité indépendante, s'imposant à nous de l'extérieur, comme un orage de grêle en plein été s'abattant sur un promeneur sans défense. Elle est le produit d'une certaine « manière d'agir et de penser » propre aux humains modernes. Cette « sphère économique », en dehors de laquelle la constitution, la croissance et la multiplication d'entreprises est impensable, est notre invention. Cependant, nous ne nous sommes pas contentés de l'inventer. Nous l'avons placée au centre de nos vies, nous en avons fait le socle, l'infrastructure de nos sociétés, comme nous l'avons déjà évoqué plus haut. Nous avons fait de « l'action économique », c'est-à-dire de la quête de « satisfaction de besoins individuels, en situation de rareté », la grande affaire de nos vies.

11.2.3 Une société fondée sur l'échange égoïste

Comment cette quête s'organise-t-elle ? De quelle manière procédons-nous pour satisfaire nos besoins ? La réponse la plus célèbre et la plus éclairante qui ait été donnée à cette question est sans doute celle d'Adam Smith, dans les premières pages de son *Enquête sur les causes et la nature de la richesse des nations*. Le philosophe écossais, considéré comme le père fondateur de la science économique, y explique que « ce n'est pas de la bienveillance du boucher, du marchand de bière et du boulanger, que nous attendons notre dîner, mais bien du soin qu'ils apportent à leurs intérêts. Nous ne nous adressons pas à leur humanité, mais à leur égoïsme ; et ce n'est jamais de nos besoins que nous leur parlons, c'est toujours de leur avantage. » (Smith, 1991, I, p. 82.) Mais, comment convaincre autrui qu'il aurait avantage à nous donner ce dont nous avons besoin ? En lui proposant de lui donner en échange quelque chose qui lui manque. « C'est ce que fait celui qui propose à un autre un marché quelconque ; le sens de sa proposition est ceci : Donnez-moi ce dont j'ai besoin, et vous aurez de moi ce dont vous avez besoin vous-mêmes ; et la plus grande partie de ces bons offices qui nous sont nécessaires *s'obtiennent* de cette façon. » (*ibid.*, p. 82.) Telle est la forme que prend pour nous « l'action économique » : elle consiste d'abord à susciter le désir, exciter l'intérêt, flatter l'égoïsme de ceux qui sont en possession des « choses » que nous convoitons. Ce n'est qu'en satisfaisant les besoins d'autrui que l'on peut espérer satisfaire ses propres besoins. On ne peut se servir qu'en servant.

Cette manière de « satisfaire nos besoins individuels » nous semble aller de soi. Il y a pourtant bien d'autres façons de procéder pour atteindre pareille fin.

Nous pourrions tout simplement voler son pain au boulanger, tenter d'en faire notre esclave ou encore notre serf. Considérées sur une longue période, on peut dire que ce sont là des méthodes qui ont fait leurs preuves. En tout cas, elles ont sans doute été davantage pratiquées dans l'histoire de l'humanité que le genre d'échange pacifique par lequel nous obtenons notre pain quotidien. Mais, sans même avoir à recourir à la violence, il y a d'autres moyens de subvenir à nos besoins que celui que nous privilégions.

L'anthropologue Karl Polanyi, déjà cité, soutient que trois grandes options ont généralement été pratiquées par les sociétés humaines avant la nôtre : l'*autarcie,* la *réciprocité* et la *redistribution* (1975, 1983). Dans le premier cas, chaque famille, chaque clan produit son propre pain et le partage entre ses membres. Dans le cas de la *réciprocité,* le pain est donné gratuitement (sans contrepartie immédiate) par le boulanger, qui recevra plus tard quelque chose en échange, offert directement par ceux qui avaient accepté son pain ou par d'autres. « Tous les échanges s'effectuent comme des dons gratuits dont on attend qu'ils soient payés de retour, quoique pas nécessairement par le même individu », dit à ce propos Polanyi (1983, p. 76). « Ce qui est donné aujourd'hui sera compensé par ce qui sera reçu demain. » (*ibid.,* p. 80.) C'est le principe du « don-contre-don », analysé en détail par Marcel Mauss dans son fameux *Essai sur le don* (1950) ; principe qui suppose, pour fonctionner, que les humains concernés se reconnaissent une triple obligation les uns à l'égard des autres : celle de donner, de recevoir et de rendre ce que l'on doit. Dans le cas enfin de la *redistribution,* le pain que produit le boulanger est remis à une autorité centrale, un chef par exemple, qui va collecter et emmagasiner les biens produits par les membres du groupe, pour ensuite en assurer la distribution selon des principes divers. Polanyi évoque comme exemples historiques de la mise en œuvre à grande échelle de ce principe « la Chine ancienne, l'empire des Incas, les royaumes de l'Inde, et aussi la Babylonie », sans oublier la société féodale en Occident. Mais, plus proche de nous encore, le modèle de l'État-providence, d'ailleurs attaqué de toutes parts aujourd'hui, fonctionne en partie selon ce principe de la *redistribution.*

La méthode spécifiquement moderne de subvenir à ses besoins, que l'on pourrait nommer l'*échange égoïste* ne va donc pas de soi. Connue de bien des sociétés avant la nôtre, il semble que sa pratique soit généralement restée très marginale, au sens figuré comme au sens propre, pour les humains non modernes. Son originalité par rapport aux trois principes identifiés par Polanyi repose notamment sur le fait que ces échanges égoïstes n'impliquent en principe aucun lien préalable entre les parties prenantes, ni aucun lien ultérieur. Je peux obtenir rapidement mon pain quotidien d'une boulangère dont je ne connais pas le nom et à qui, une fois son pain reçu en échange d'une fraction du produit de mon travail, je ne dois plus rien. Cette possibilité d'être quitte vis-à-vis de ceux avec qui nous échangeons quotidiennement des biens ou des services est véritablement extraordinaire dans l'histoire des sociétés humaines.

Cela dit, cet *échange égoïste* suppose la reconnaissance implicite par les « échangistes » d'autres institutions importantes, telles que la propriété privée, dont nous

parlerons plus loin, et qui elle-même suppose l'institution étatique, avec sa police, son armée, son système judiciaire. De même, cette forme d'échange entre
humains repose sur le respect de la liberté individuelle, institution que les «modernes» sont les seuls à avoir réellement adoptée. Enfin et surtout, elle implique
la mise au premier plan, la valorisation de «l'intérêt individuel», contre l'intérêt
du groupe, de la communauté, du collectif, qui sous-tend au contraire les principes de *réciprocité* et de *redistribution*. Notre différence sur ce plan n'est jamais
plus évidente que par rapport aux sociétés «tribales», dit Polanyi. Selon lui, dans
de telles sociétés, «l'intérêt économique de l'individu l'emporte rarement, car la
communauté évite à tous ses membres de mourir de faim, sauf si la catastrophe
l'accable elle-même, auquel cas c'est encore collectivement, et non pas individuellement que les intérêts sont menacés. […] Le prix conféré à la générosité est
si grand, quand on le mesure à l'aune du prestige social, que tout comportement
autre que le plus total oubli de soi n'est tout simplement pas payant. […] Cette
situation doit exercer une pression continuelle sur l'individu, de façon à éliminer
de sa conscience l'intérêt économique personnel, au point de le rendre incapable,
dans de nombreux cas (mais nullement dans tous), de seulement saisir les implications de ses propres actes en fonction de cet intérêt.» (Polanyi, 1983, p. 75.)
Autrement dit, «l'intérêt individuel», que l'on trouve au principe de l'*échange
égoïste*, doit aussi être envisagé comme une «manière d'agir et de penser» propre
aux membres de nos sociétés. Il n'est pas forcément dans la nature de l'homme.

Nous reviendrons sur ce dernier point dans la deuxième partie de ce chapitre. L'important ici est de souligner l'originalité historique de notre manière de
«satisfaire à nos besoins» et ce faisant, d'en faire voir le caractère éminemment
social. Comme le dit Émile Durkheim, «tout n'est pas contractuel dans le contrat»
(Durkheim, 1986, p. 189). De multiples institutions sont nécessaires pour que
deux personnes puissent passer un contrat ou un marché l'une avec l'autre.

11.2.4 DIVISION DU TRAVAIL ET SOLIDARITÉ ORGANIQUE

Comment en sommes-nous arrivés à privilégier l'*échange égoïste* pour subvenir à
nos besoins? Cette pratique tend à s'imposer avec le développement de la division
du travail, c'est-à-dire avec la spécialisation productive des membres d'une même
société. Comme le dit Adam Smith: «La division du travail une fois généralement
établie, chaque homme ne produit plus par son travail que de quoi satisfaire une
très petite partie de ses besoins. La plus grande partie ne peut être satisfaite que
par l'échange du surplus de ce produit qui excède sa consommation, contre un
pareil surplus du travail des autres.» (Smith, 1991, I, p. 91.) Mais, comment cette
tendance à la spécialisation productive s'est-elle imposée? La question est difficile
et reste ouverte encore aujourd'hui. Pour Adam Smith, la division du travail est
l'effet, non intentionnel, d'un penchant pour l'échange propre aux humains et de
leur désir continuel d'améliorer leur sort. Pour Durkheim, qui veut privilégier
une explication d'ordre sociologique, cette différenciation se produit dans les
sociétés humaines à mesure que leur «volume» (nombre de membres) et leur

« densité » (intensité des relations et densité de population) augmentent. Plus une société contient de membres en contact étroit les uns avec les autres, plus « la lutte pour la vie » se fait intense en son sein, selon Durkheim. La spécialisation productive est la solution spontanée que trouvent les sociétés humaines pour pouvoir continuer de grandir sans courir le risque de l'autodestruction violente.

Quelle que soit l'origine de la division du travail, force est de constater qu'elle est particulièrement développée dans nos sociétés. Cela implique, nous dit encore Adam Smith, que « chaque homme subsiste d'échanges et devient une espèce de marchand, et la société elle-même est proprement une société commerçante. » (Smith, 1991, p. 91.) Ainsi donc, nous passons la majeure partie de notre temps à tenter de produire des « biens » et des « services » que d'autres accepteront de recevoir en échange de ce dont nous estimons avoir besoin. Cette activité, à laquelle nous avons donnée le nom de « travail », occupe désormais la place centrale dans nos vies et elle constitue la base de l'organisation de nos sociétés.

Dans celles-ci, dit très clairement Durkheim, « les individus sont groupés, non plus d'après leurs rapports de descendance, mais d'après la nature particulière de l'activité sociale à laquelle ils se consacrent. Leur milieu naturel et nécessaire n'est plus le milieu natal, mais le milieu professionnel. Ce n'est plus la consanguinité, réelle ou fictive, qui marque la place de chacun, mais la fonction qu'il remplit. » (Durkheim, 1986, p. 158.) Concrètement, lorsque nous rencontrons quelqu'un pour la première fois dans nos sociétés occidentales, nous lui demandons généralement ce qu'il *fait*, et non pas à quelle famille, à quel clan ou même à quelle église il appartient. Notre identité est fonction du genre d'activité que nous pratiquons en vue d'avoir quelque chose à offrir en échange de ce dont nous avons besoin. Et si nous n'avons rien à offrir en échange à quiconque, ou bien si ce que nous offrons n'intéresse personne, nous nous retrouvons en marge de la « sphère économique » et, par conséquent, en marge de la société. Notre identité devient négative (le chômeur) ou inexistante (la femme au foyer). Celui qui, pour une raison ou pour une autre, ne travaille pas à satisfaire les besoins d'autrui n'a pas sa place dans ce monde, il n'existe pas.

C'est là l'une des difficultés particulières de la vie dans nos sociétés, par rapport aux sociétés non modernes. Notre place n'y est jamais acquise. Il faut, en quelque sorte, la gagner. Dans la plupart des sociétés humaines qui ont précédé la nôtre, la place de chacun est largement prédéterminée. Le pendant de cette difficulté, c'est qu'il nous est possible en principe de changer de place au sein de nos sociétés, si celle que nous occupons ne nous convient pas. Dans les faits, bien des travaux sociologiques (ceux de Pierre Bourdieu en particulier) montrent qu'un tel changement s'avère difficile et finalement plutôt rare. On observe en effet, dans nos sociétés, des phénomènes de reproduction sociale, qui font, par exemple, qu'un enfant de cadre a bien plus de chances de devenir cadre lui-même qu'un enfant d'ouvrier. Il reste que la destinée de chacun, sa trajectoire sociale, n'est pas écrite d'avance.

Avec le développement de la division du travail et de l'échange égoïste, émerge une forme nouvelle de solidarité entre les hommes. Une solidarité que personne n'a voulue et dont personne ne veut, mais qui s'impose à tous, de manière implacable. Une solidarité que Ferdinand Tönnies a qualifié de «mécanique» et que Durkheim a préféré définir comme «organique», mais pour désigner le même phénomène. Une solidarité qui naît, non pas de nos similitudes, mais de nos différences et de la sorte d'incomplétude à laquelle nous condamne la spécialisation productive. Une solidarité qui ne repose plus sur les liens de sang, de voisinage ou d'amitié, comme c'était le cas dans les sociétés antérieures, mais sur des liens de dépendance réciproque sur le plan matériel, des liens purement fonctionnels et utilitaires. Je suis lié à autrui non parce que je l'aime ou que nous partageons un même sang, un même territoire ou les mêmes croyances, mais d'abord parce que j'ai besoin de lui, parce son travail m'est utile, parce qu'il possède ce qui manque à mon bien-être : voilà le lien constitutif, le «lien social» élémentaire dirait-on aujourd'hui, de la forme d'association qui naît du processus de division du travail.

L'une des caractéristiques importantes de ces liens d'un nouveau genre est qu'ils sont impersonnels. La dépendance dans laquelle chacun se trouve placé est une dépendance à l'égard des «choses», et non pas directement à l'égard de ceux qui les font ou qui les possèdent. Dans une telle société, je suis lié aux autres par l'intermédiaire des «choses». La relation aux choses l'emporte en fait sur la relation aux autres. Chacune de ces «choses», en outre, tend à être produite par un nombre toujours plus élevé de spécialistes différents. Cet «autrui» dont je dépends indirectement est donc constitué d'une multitude d'hommes, que je ne pourrais jamais connaître tous. Même pour s'assurer un train de vie simple et sobre, chacun doit pouvoir compter sur le travail d'un très grand nombre de personnes. «Observez dans un pays civilisé et florissant, ce qu'est le mobilier d'un simple journalier ou du dernier des manœuvres, et vous verrez que le nombre des gens dont l'industrie a concouru pour une part quelconque à lui fournir ce mobilier, est au-delà de tout calcul possible. » (Smith, 1991, I, p. 78.) Ces liens de dépendance réciproque, d'interdépendance, sont donc potentiellement très étendus et innombrables, et il n'y a pas de limites, *a priori,* à leur prolifération. C'est la garantie pour chacun d'une réelle indépendance individuelle. «Chaque marchand ou ouvrier tire sa subsistance de l'occupation que lui donnent, non pas une seule, mais cent ou mille pratiques différentes. Ainsi, quoiqu'à un certain point il leur ait à toutes ensemble obligation de sa subsistance, il n'est néanmoins dans la dépendance absolue d'aucune d'elles. » (*ibid.*, p. 507-508.)

11.2.5 PATHOLOGIES SOCIALES DE L'*HOMO ŒCONOMICUS*

La solidarité organique a toutefois ses limites. Celles-ci ont été soulignées notamment par Émile Durkheim dans *Le suicide* (1985). L'élévation du taux de morts volontaires dans les sociétés les plus «modernes», par rapport aux sociétés «traditionnelles», est attribuable à deux causes principales, selon le sociologue français.

D'une part, l'indépendance individuelle que garantit le progrès de la division du travail a pour corollaire d'imposer à l'homme moderne une forme d'isolement, de solitude. La « communauté », avec sa solidarité mécanique, peut avoir quelque chose d'étouffant pour l'être humain. La « société », avec sa solidarité organique, peine en revanche à intégrer ses membres. D'où la recrudescence d'un type de suicides que Durkheim qualifie d'« égoïste », en ce sens qu'il touche des personnes sans appartenance sociale et n'éprouvant donc plus la moindre obligation vis-à-vis d'autrui. D'autre part, la « sphère économique » est structurellement *anomique :* les désirs humains, au lieu d'y être régulés, canalisés, encadrés, y sont perpétuellement excités et flattés, sans qu'aucune limite ne leur soit jamais imposée. L'« espèce de marchand » que chaque homme est censé devenir dans nos sociétés, d'après Adam Smith, vit en fait sous la menace du « mal de l'infini », dont le suicide « anomique » constitue l'un des symptômes les plus tragiques, selon Durkheim. Défaut d'intégration et défaut de régulation : telles sont donc, d'après le fondateur de l'école française de sociologie, les deux principales pathologies sociales associées au développement de la division du travail. Plus de cent ans après sa première formulation, ce diagnostic semble toujours applicable à nos sociétés.

11.3 LA RARETÉ : UN MYTHE FONDATEUR

Il est probable que bien des économistes accepteraient l'idée que le « désencastrement » de l'économie (Polanyi, 1983), autrement dit la formation d'une sphère économique autonome, est un phénomène typique des sociétés occidentales modernes. Tous ajouteraient cependant que les sociétés non modernes ne se heurtent pas moins au « problème économique », leur relative faiblesse sur le plan de la création de richesses étant précisément la conséquence de l'incapacité des humains concernés à distinguer, séparer, les « intérêts économiques » de préoccupations affectives, morales, politiques, esthétiques ou religieuses.

11.3.1 DES RESSOURCES LIMITÉES POUR SATISFAIRE DES BESOINS ILLIMITÉS

Qu'est-ce que le « problème économique » pour les économistes ? Au-delà de leurs divergences, tous s'accordent pour considérer que c'est la *rareté* qui constitue le problème économique fondamental. La totalité des manuels de science économique commencent par une affirmation de ce type. On peut citer, à cet égard, la seizième édition de l'un des plus célèbres de ces manuels, co-signé par Paul Samuelson, Prix Nobel d'économie : « L'économie est l'étude de la façon dont les sociétés utilisent des ressources rares pour produire des biens ayant une valeur et les répartir entre les individus. Derrière cette définition se cachent deux idées clés de l'économie : les biens sont rares ; la société doit utiliser ses ressources de manière efficace. De fait, l'économie est une matière importante à cause de la réalité de la rareté et du désir d'efficacité. Commençons par la rareté. Si on pouvait produire chaque bien en quantité infinie ou si les désirs des êtres humains étaient totalement satisfaits, quelles en seraient les conséquences? [...] Dans l'abondance d'un tel paradis, il n'y aurait pas de biens économiques, c'est-à-dire de biens rares ou dont l'offre est limitée. Tous les biens seraient gratuits, comme le sable dans le désert ou l'eau de mer à la plage. Les prix et les marchés n'auraient aucune signification. De fait, l'économie ne serait plus une matière utile. Mais aucune société n'a atteint cet état utopique aux possibilités illimitées. Les biens sont limités, alors que les désirs semblent insatiables. Même après deux siècles de croissance économique rapide, la production des États-Unis n'est tout simplement pas suffisante pour satisfaire les besoins de tous.» (Nordhaus et Samuelson, 1998, p. 4-5.)

Pour quiconque vit dans une société «moderne», les propos de Samuelson constituent une évidence indiscutable. Nos besoins sont très loin d'être tous satisfaits, et cela malgré le fait que nos sociétés, grâce notamment aux entreprises, produisent des biens et des services dans des quantités infiniment supérieures à celles qu'ont pu produire les autres sociétés dans l'histoire de l'humanité. Si, malgré nos richesses, le problème de la rareté subsiste, force est de supposer que ce problème s'impose ou s'est imposé de manière plus dramatique encore aux membres des sociétés «non modernes». Bref, il paraît bien difficile de ne pas donner raison à Samuelson et de ne pas considérer avec lui que la rareté est une réalité universelle, s'imposant à tous les hommes depuis la nuit des temps et jusqu'à la disparition ultime de l'espèce.

Il est certain que, même lorsque nos capacités productives sont décuplées grâce aux entreprises, les moyens de satisfaire nos besoins restent limités. Comme le rappelle un autre Prix Nobel d'économie, dans son manuel d'introduction aux *Principes d'économie moderne*, «le temps est également une ressource et même l'enfant d'un milliardaire possédant tous les jouets du monde, y compris les plus chers, doit choisir chaque jour ceux avec lesquels il va jouer. Dès que l'on fait intervenir le temps, on se rend compte que la rareté est une réalité à laquelle tout le monde est soumis.» (Stiglitz, 2004, p. 10.) Ce qu'oublie de dire Joseph Stiglitz, comme la plupart de ses collègues économistes, c'est qu'il n'y a rareté que dans la mesure où les besoins sont sans limites, sont infinis. Le problème économique ne se pose que dans le cas où les humains sont animés de désirs insatiables, selon les mots de Samuelson.

Le caractère illimité des besoins humains constitue un postulat anthropologique essentiel, que formulait déjà Adam Smith dans son *Enquête sur la nature et les causes de la richesse des nations,* parue en 1776. Pour celui que l'on considère encore aujourd'hui comme le fondateur de l'économie politique, le principal ressort de l'action humaine, c'est le «désir d'améliorer son sort». «Désir, disait-il, qui est en général, à la vérité, calme et sans passion, mais qui naît avec nous et ne nous quitte qu'au tombeau. Dans tout l'intervalle qui sépare ces deux termes de la vie, il n'y a peut-être pas un seul instant où un homme se trouve assez pleinement satisfait de son sort, pour n'y désirer aucun changement ni amélioration quelconque. » (Smith, 1991, I., p. 429.) L'homme serait donc un être perpétuellement insatisfait de sa condition, un frustré de nature, condamné dès la naissance et jusqu'à son dernier souffle à poursuivre un horizon à jamais inatteignable.

Plus de deux siècles après cette affirmation, Paul Samuelson se montre un peu plus prudent en écrivant que les désirs humains « semblent insatiables ». Mais, sur le fond, le propos n'a guère changé par rapport à celui de Smith. L'homme est condamné aux travaux forcés à perpétuité, prisonnier du vain espoir de réussir enfin à réduire l'écart entre ses besoins et les moyens de les satisfaire. Telle est la tragédie de la condition humaine ; une tragédie qui fonde la réalité économique et qui justifie la science du même nom. Or, est-on si sûr qu'il est dans la nature de l'homme de désirer sans limites ? C'est la question que pose l'anthropologue américain Marshall Sahlins, dans un texte célèbre déjà cité et intitulé *Âge de pierre, âge d'abondance. L'économie des sociétés primitives* (1976).

11.3.2 De bien étranges « sauvages »

Après avoir réexaminé divers écrits ethnographiques, des récits de voyage et des comptes rendus de missionnaires portant sur des sociétés de chasseurs-cueilleurs, Sahlins constate avec les auteurs de ces textes que ces chasseurs vivent dans un grand dénuement sur le plan matériel. En particulier, leur habitat, leurs vêtements, leurs outils sont misérables comparés aux nôtres. De même, ils semblent incapables de constituer de quelconques surplus économiques. Au total, ces hommes dont on a dit souvent qu'ils étaient tout droit sortis du paléolithique, paraissent ne réussir que très péniblement à survivre. C'est pourquoi les économistes ont pris l'habitude de parler d'une « économie de subsistance » pour caractériser la manière dont ils subviennent à leurs besoins.

Le problème est que ces « sauvages » adoptent une attitude pour le moins déconcertante à l'égard de cette situation matérielle *a priori* peu enviable. Si, comme le supposent les héritiers intellectuels d'Adam Smith, ces malheureux chasseurs étaient animés du continuel et pressant désir d'améliorer leur sort, on devrait en effet les voir s'activer tout le jour, et sans doute une partie de la nuit, pour accumuler des biens, prendre grand soin du produit de leurs efforts, perfectionner leurs outils, apprendre pas à pas les principes de la division du travail, principale cause de la richesse des nations. Or, il n'en est rien et c'est bien ce qui a désespéré ou exaspéré nombre d'observateurs occidentaux au contact de ces sociétés. Loin de lutter sans relâche pour échapper à leur misérable condition, ils semblent s'y complaire, adoptant une attitude qui s'apparente à de la paresse et à de la nonchalance.

Reprenant des données ethnographiques collectées par d'autres que lui auprès de chasseurs-cueilleurs, tels que l'on pouvait encore en rencontrer au début du XXe siècle, Sahlins montre ainsi que les membres adultes de ces sociétés ne consacrent pas plus de trois à cinq heures par jour en moyenne aux activités nécessaires à leur subsistance. Ce temps de « travail » (le mot n'a pas d'équivalent le plus souvent dans les langues de ces sociétés) comprend ce que nous appelons les activités « domestiques ». Comparée aux huit heures quotidiennes de travail des salariés occidentaux, heures auxquelles il convient d'ajouter le temps passé à faire les courses, la cuisine, le ménage ou encore la lessive, cette durée moyenne des activités de subsistance est dérisoire. Que font-ils du reste de leur temps ? Ils font la sieste, se reposent, discutent, chantent, dansent, s'occupent de leurs enfants, etc.

Non contents de dilapider leur temps de manière improductive, ils se montrent par ailleurs très peu économes à l'égard des « biens de consommation » dont ils disposent. Michel Gusinde, un ethnographe européen ayant étudié les indiens Yahgan en Patagonie, note par exemple, au sujet de ce très vieux peuple de chasseurs-collecteurs aujourd'hui à peu près disparu : « Ils ne savent pas prendre soin de leurs biens. Personne ne pense jamais à les ranger, les plier, les sécher ou les laver, ou bien à les rassembler de façon ordonnée. [...] À vrai dire, personne ne tient aux quelques biens et effets qu'il possède : on les perd souvent et facilement et on les remplace tout aussi facilement... même lorsque cela lui est facile, l'Indien ne fait rien pour préserver ses objets. Un Européen serait ahuri de l'incroyable indifférence de ces gens qui traînent dans une boue épaisse des objets flambants neufs, des habits précieux, des provisions fraîches et des articles de valeur, ou qui les abandonnent aux enfants et aux chiens... Ils affectionnent pendant quelques heures, par curiosité, les choses précieuses qui leur sont offertes, après quoi ils les laissent étourdiment se détériorer dans la boue et l'humidité sans plus s'en soucier. » (Cité par Sahlins, 1976, p. 51.)

Plus déconcertant et préoccupant encore aux yeux de l'occidental moderne : la même insouciance semble caractériser le rapport aux biens alimentaires de bon nombre de ces chasseurs-cueilleurs. Cette insouciance, remarque Sahlins, s'exprime de deux manières complémentaires. D'une part, ces chasseurs ont tendance à faire preuve de prodigalité, c'est-à-dire à consommer sans délai et sans compter ce qu'ils trouvent, abandonnant éventuellement les restes encore comestibles à la pourriture ou aux charognards. D'autre part, ils se refusent systématiquement à constituer des stocks de nourriture, même lorsque la possibilité technique d'un tel stockage existe. D'où l'incompréhension de ce jésuite français qui, au début du XVIIe siècle, a partagé la vie d'indiens Montagnais : « Le mal est qu'ils font trop souvent des festins dans la famine que nous avons endurée : si mon hoste prenoist deux, trois, et quatre castors, tout aussi tost fut-il jour, fut-il nuict on en faisoit festin à tous les Sauvages voisins ; et si eux avoient pris quelque chose, ils en faisoient de mesme en mesme temps : si que sortant d'un festin vous allez à un autre, et parfois encore à un troisième, et un quatrième. Je leur disois qu'ils ne faisoient pas bien, et qu'il valoit mieux réserver ces festins aux jours suivants, et que ce faisant nous ne serions pas tant pressés de la faim ; ils se moquoient de moy ; demain (disoient-ils) nous ferons encore festin de ce que nous prendrons ; ouy mais le plus souvent ils ne prenoient que du froid et du vent. » (Cité par Sahlins, 1976, p. 71.)

11.3.3 LA SOLUTION ZEN

Comment comprendre ce gaspillage et cette imprévoyance concernant les très maigres ressources dont disposent ces humains ? À l'évidence, ils sont tout à fait en mesure techniquement d'améliorer leur sort sur le plan matériel sans déployer de très gros efforts. Pourquoi alors ne s'engagent-ils pas dans cette voie, qui semble être celle de la raison ? Pourquoi tout ce « temps libre » dont ils disposent n'est-il pas mis à profit pour produire davantage dans le but d'améliorer leurs misérables conditions matérielles ? Pourquoi ne cherchent-ils pas à accumuler et à stocker leurs biens ? Pire encore, pourquoi en prennent-ils si peu soin ? Et puis, comment expliquer aussi que certains de ces peuples, bien que côtoyant des sociétés agricoles plus riches sur le plan matériel, aient refusé obstinément le passage à la sédentarisation et à l'agriculture, malgré la sécurité matérielle plus grande qu'offre en principe ce mode de vie ?

Sahlins ne propose pas véritablement d'explication. Il constate simplement que tout se passe comme si ces humains avaient choisi de désirer peu, de limiter leurs besoins. C'est la voie zen, dit-il avec humour. Mais, ajoute-t-il, « il semble faux de dire que les besoins sont "réduits", les désirs "refoulés", ou même que la notion de richesse est "limitée". Car de telles formulations impliquent *a priori* un Homme économique, et la lutte du chasseur contre sa nature profonde, ses tendances mauvaises, lutte dont il ne serait sorti vainqueur qu'en faisant vœu (culturellement parlant) de pauvreté. [...] Les chasseurs-collecteurs n'ont pas bridé leurs instincts matérialistes ; ils n'en ont simplement pas fait *une institution.* » (Sahlins, 1976, p. 52.) Le mot est lancé : ces besoins infinis, ces désirs insatiables que les économistes et la plupart des humains modernes à leur suite, considèrent comme un fait de nature, constituent en fait une *institution* propre à notre monde, selon l'anthropologue. Il n'est pas dans la nature de l'homme, mais dans la culture de l'homme occidental moderne, de désirer sans limites et de chercher sans cesse à réduire l'écart entre ces besoins illimités et les moyens de les satisfaire. Il s'agit là d'une « manière d'agir et de penser », d'une « habitude collective » que nous, les modernes, aurions appris à cultiver et que nous continuons d'imposer à nos enfants. Telle est la thèse forte que l'exemple des chasseurs-cueilleurs permet à Sahlins de soutenir.

Dans cette perspective, le problème économique ne peut plus être envisagé comme un problème universel, auquel toute société humaine doit faire face. Seules nos sociétés modernes se heurtent vraiment au problème de la rareté. Et ce problème est la conséquence de l'institution, dans ces sociétés, des *besoins infinis.* En somme, nous avons inventé la rareté, en posant que les humains sont animés de désirs insatiables et en considérant qu'il est essentiel à leur bonheur de tenter, par tous les moyens, de chercher à satisfaire ces désirs. « Bien que richement dotées, les sociétés capitalistes modernes se vouent elles-mêmes à la rareté. L'insuffisance des moyens économiques est le principe premier des peuples les plus riches du monde ! [...] C'est nous, et nous seuls, qui avons été condamnés aux travaux forcés à perpétuité. La rareté est la sentence portée par notre économie, et c'est aussi l'axiome de notre économie politique [...]. » (Sahlins, 1976, p. 40-41.) Cette situation paradoxale est reconnue par Samuelson, qui concède que « la société d'abondance est une société anxieuse » (Nordhaus et Samuelson, 1998, p. 3). Le sociologue français Jean Baudrillard a, quant à lui, cette belle formule pour dire ce cercle infernal dans lequel nous nous sommes enfermés, selon lui : « C'est notre logique sociale qui nous condamne à une pénurie luxueuse et spectaculaire. » (1970, p. 92.)

À l'inverse, en choisissant de désirer peu, de ne satisfaire qu'à des besoins limités et stables dans le temps, les chasseurs-cueilleurs connaissent une forme d'abondance sobre et discrète, pourrait-on dire à la manière de Baudrillard. Bien qu'ayant un niveau de vie matérielle plus que modeste, ils sont à l'abri de cette anxiété permanente à laquelle se condamnent ceux qui désirent sans limites. Ces « sauvages », en d'autres termes, ignorent ce qu'est la rareté, car celle-ci « n'est pas une propriété intrinsèque des moyens techniques. Elle naît du rapport entre moyens et fins. » (Sahlins, 1976, p. 41.) Dans le cas présent, il y a, pour l'essentiel, ajustement entre les « besoins » (le terme même pose problème ici) et les moyens de les satisfaire. Contrairement au postulat de départ des manuels d'économie diffusés dans nos universités, on peut donc affirmer que ces sociétés primitives ne sont pas aux prises avec le « problème économique ». Elles ont résolu une fois pour toute ce « problème ». Ce sont, dit Sahlins, les premières sociétés d'abondance. En réalité, ce sont même les seules vraies sociétés d'abondance de l'histoire de l'humanité, selon l'anthropologue.

11.3.4 Comment nous sommes-nous condamnés à la rareté ?

Toute la question est de savoir pourquoi nous nous sommes engagés sur une autre voie, pourquoi n'avons-nous pas, nous aussi, préféré une stratégie de type zen. Comme à propos des origines de la division du travail, auxquelles le phénomène qui nous intéresse ici se rattache certainement, les sociologues et les anthropologues n'ont pas fini de se poser ces questions.

Plusieurs réponses, généralement partielles, ont été proposées. La plus connue sans doute est celle qu'avançait Max Weber, l'un des fondateurs de la sociologie, dans *L'Éthique protestante et l'esprit du capitalisme* (1964). Pour le sociologue allemand, l'un des fondements de ce qu'il appelle le capitalisme est l'appât du gain, le désir de gagner toujours plus d'argent. Or, affirme-t-il, sur la foi de ses connaissances historiques, « l'homme ne désire pas "par nature" gagner de plus en plus d'argent, mais il désire tout simplement vivre selon son habitude et gagner autant d'argent qu'il lui en faut pour cela » (Weber, 1964, p. 61). En outre, lorsqu'il s'est manifesté, l'appât du gain a toujours été réprimé et condamné dans la plupart des sociétés humaines, et le « monde chrétien » (l'Europe médiévale), dominé par l'Église catholique, n'a pas fait exception sur ce plan. Comment alors a-t-on pu en arriver à accepter et même à valoriser la quête de profit ? Par quelle voie l'expression de ce désir est-elle devenue légitime dans nos sociétés ? Max Weber suggère que, contre toute attente, ce comportement a pu être encouragé indirectement par des préoccupations d'ordre religieux éprouvées par les chrétiens réformés, et en particulier par les disciples de Calvin. En un mot, certains puritains calvinistes ont fini, selon Weber, par considérer la réussite en affaires comme un signe de leur élection par Dieu et comme la preuve de leur rectitude sur le plan moral. Dès lors, la quête de profit venait de perdre son caractère absolument immoral et l'homme moderne mettait ainsi « le doigt dans un engrenage » dont il est aujourd'hui plus que jamais prisonnier. « Selon les vues de Baxter, le souci des biens extérieurs ne devait peser sur les épaules de ces saints qu'à la façon d' "un léger manteau qu'à chaque instant l'on peut rejeter". Mais la fatalité a transformé ce manteau en une cage d'acier. […] Aujourd'hui, l'esprit de l'ascétisme religieux s'est échappé de la cage — définitivement ? qui saurait le dire… Quoi qu'il en soit, le capitalisme vainqueur n'a plus besoin de ce soutien depuis qu'il repose sur une base mécanique. » (Weber, 1964, p. 250.) « Le puritain **voulait** être un homme besogneux — et nous sommes **forcés** de l'être. » (*ibid.*, p. 249.)

Cette thèse célèbre, l'une des plus illustres sans doute de l'histoire de la sociologie, a depuis été fréquemment et énergiquement contestée. Parmi bien d'autres, il faut au moins évoquer ici la position, également célèbre, d'Albert Hirschman, économiste hétérodoxe, pour qui la légitimation de cette quête de profit est venue non pas de la religion, mais de réflexions d'ordre politique, propres aux XVIIe et XVIIIe siècles en Europe. Dans ce monde, au sein duquel le pouvoir temporel et spirituel de l'Église romaine était remis en cause, il s'agissait de se doter de fondations politiques toutes nouvelles. Le souci notamment de ceux qui se préoccupaient de ces choses était de trouver un moyen de réguler et de réfréner l'expression de « passions » humaines considérées comme potentiellement destructrices de l'ordre social (cupidité, convoitise, orgueil, envie…), surtout lorsqu'elles étaient le fait du prince. Une première série de solutions préconisait la mise en place d'un système politique autoritaire et répressif, un carcan interdisant tout débordement (le *Léviathan* de Hobbes, par exemple). Une autre option consistait à « combattre le feu par le feu — c'est-à-dire se servir d'un groupe de passions relativement inoffensives pour en contrebalancer d'autres, plus dangereuses et plus destructrices […]. » (Hirschman, 1997, p. 24.) Tel est le principe de la passion compensatrice. Dans cette perspective, c'est la cupidité, l'appât du gain, qui sera envisagé comme le meilleur des contre-feux. Cette passion, considérée finalement comme douce et paisible, recevra d'ailleurs le nom d'« intérêt » et les promoteurs de cette solution politique, parmi lesquels on compte Montesquieu, tenteront de convaincre les gouvernants ainsi que leurs sujets de s'y adonner sans retenue. C'est ainsi, selon Hirschman, que l'appât du gain s'est trouvé initialement légitimé dans nos sociétés.

Qui faut-il croire : Weber ou Hirschman ? Ce dernier suggère que les deux explications sont complémentaires : « Weber affirme que le comportement et l'activité capitalistes sont la conséquence indirecte (et initialement non voulue) de la recherche acharnée d'un moyen d'assurer son salut personnel. Je soutiens que la diffusion des structures capitalistes résulte en grande partie de la recherche non moins acharnée d'un moyen d'éviter l'effondrement de la société, à une époque où celle-ci se trouvait constamment menacée dans ses fondements mêmes par la précarité des conditions dans lesquelles se maintenait l'ordre intérieur et extérieur. Il est clair que les deux propositions ne s'excluent nullement l'une l'autre : la première porte sur les mobiles des nouvelles élites qui se pressaient aux portes, la seconde sur ceux de divers gardiens de la Cité. » (Hirschman, 1997, p. 117.) Une chose est certaine : les deux auteurs sont d'accord sur le fait que la quête de profit, fondement de l'entreprise dite capitaliste, a pratiquement toujours été considérée dans l'histoire de l'humanité comme un mal. La diffusion d'un tel comportement, son acceptation et sa valorisation au sein des sociétés occidentales modernes, ont supposé une vraie révolution dans les esprits. C'est cette révolution que l'un et l'autre tentent de comprendre. Ce faisant, ils mettent en évidence la dimension institutionnelle de ce comportement dans le monde moderne.

Les thèses de ces deux auteurs présupposent une conception de l'Homme défini comme un « être de besoins ». Pour comprendre comment nous nous sommes engagés sur la voie des « travaux forcés à perpétuité », comme dit Sahlins, c'est l'invention de cette conception de l'être humain qu'il faut retracer. Avec Louis Dumont, déjà cité, nous pouvons considérer que cette manière d'envisager l'homme comme un « être de besoins » participe de l'*idéologie individualiste*. « La plupart des sociétés, avance l'anthropologue, valorisent en premier lieu l'ordre, donc la conformité de chaque élément à son rôle dans l'ensemble, en un mot la société comme un tout ; j'appelle cette orientation générale des valeurs "holisme", d'un mot peu répandu en français, mais très courant en anglais. D'autres sociétés, en tout cas la nôtre, valorisent en premier lieu l'être humain individuel ; à nos yeux chaque homme est une incarnation de l'humanité tout entière, et comme tel il est égal à tout autre homme, et libre. C'est ce que j'appelle "individualisme". Dans la conception holiste, les besoins de l'homme comme tel sont ignorés ou subordonnés, alors que la conception individualiste ignore ou subordonne au contraire les besoins de la société. » (Dumont, 1985, p. 12.) On le voit, le problème de la rareté ne peut se poser que dans le cadre d'une société *individualiste*, qui valorise la satisfaction des besoins individuels. Reste à savoir comment on est passé du *holisme* à l'*individualisme*. L'espace manque ici pour exposer la thèse de Dumont dans toute sa rigueur et sa subtilité. Disons simplement que, pour ce chercheur également, le christianisme a joué dans cette histoire un rôle décisif. C'est cette religion qui, selon lui, aurait favorisé l'émergence de l'Individu, c'est-à-dire de cet « être moral, indépendant, autonome et ainsi (essentiellement) non social, tel qu'on le rencontre avant tout dans notre idéologie moderne de l'homme et de la société. » (*ibid.*, p. 17.) Concrètement, le premier Individu aurait été le renonçant du christianisme primitif, quittant le monde pour aller se consacrer à la contemplation dans le désert. À cet « Individu-hors-du-monde », aurait fini par succéder, au terme de plusieurs siècles d'histoire, l'« Individu-dans-lemonde » que nous connaissons (Dumont, 1983). Celui-là même qui, aujourd'hui, désire sans limites et travaille éperdument dans le vain espoir de connaître enfin un jour l'abondance…

11.3.5 Les besoins illimités, clé de voûte de nos sociétés

« Que se passerait-il, demande avec fausse naïveté le sociologue Andreu Solé, si nous étions satisfaits de nos conditions matérielles de vie ; si nous ne ressentions aucun besoin, aucun manque, aucune frustration en matière de logement, de moyens de transport, d'alimentation, d'habillement, de loisirs ? » (Solé, 2000, p. 143.) Il ne fait guère de doute, comme le suggère Solé, que notre monde, sous sa forme actuelle, s'écroulerait tel un château de cartes. Et avec lui, bien sûr, disparaîtrait cette institution centrale de nos sociétés : l'entreprise. Nos responsables politiques et économiques le savent fort bien. Parmi les indicateurs que tous suivent avec attention chaque mois, il y a en premier lieu la consommation des ménages et en particulier aujourd'hui, la consommation des ménages américains. Tant que ces humains consomment, c'est-à-dire tant qu'ils manifestent leur désir d'améliorer leur sort, tant qu'ils s'efforcent de satisfaire toujours plus de besoins, tout va bien. S'ils s'arrêtent, pour une raison ou pour une autre, c'est l'économie américaine et avec elle une large partie de l'économie mondiale qui risquent de connaître une crise dévastatrice.

Des humains satisfaits de leur sort, voilà assurément la plus grave menace qui soit pour les entreprises. Des humains satisfaits, ce serait en effet des consommateurs et des clients en moins, qui cesseraient d'acheter les marchandises produites par ces entreprises ou qui achèteraient moins. Mais ce serait aussi des salariés et des actionnaires qui risqueraient de ne plus contribuer aussi activement à la croissance de ces entreprises, puisque la perspective de s'enrichir pour améliorer leur condition serait pour eux sans intérêt. Un dirigeant d'entreprise n'aurait-il pas de sérieuses raisons de s'inquiéter si ses cadres ne manifestaient plus le désir d'obtenir des promotions, des augmentations de salaire et des primes ? L'insatisfaction matérielle, les besoins infinis constituent le moteur et la raison d'être des entreprises. L'entreprise est le principal outil, au demeurant très puissant, que nous ayons inventé, nous les modernes, pour tenter de réduire l'écart entre nos désirs insatiables et les moyens de les satisfaire.

Mais, nous l'avons vu, l'exemple des chasseurs-collecteurs permet de penser que cette insatisfaction qui fonde l'entreprise n'est pas un fait de nature. Il n'est donc pas certain que les humains modernes continueront ainsi à désirer sans fin. D'où la nécessité pour les responsables d'entreprise, s'ils ne veulent pas tout simplement disparaître, de travailler sans relâche à entretenir, susciter, exciter, relancer, voire provoquer cette insatisfaction. Charles Kettering, ancien dirigeant de General Motors, en avait parfaitement conscience semble-t-il lorsqu'il disait au début du XXe siècle : « La clef de la prospérité économique, c'est la création d'une insatisfaction organisée. » (Cité par Rifkin, 1996, p. 42.) L'économiste de « gauche »

John Kenneth Galbraith faisait écho à ces propos en affirmant, au début des années 1960, que «la nouvelle mission de l'entreprise est de créer les besoins qu'elle cherche à satisfaire» (Galbraith, 1961, p. 137). Les spécialistes du marketing sont généralement en désaccord avec cette manière de présenter leur rôle dans l'entreprise. Selon eux, leur travail se limite à ajuster au mieux des produits et des services à des besoins préexistants chez des consommateurs potentiels. Pourtant, comment ne pas voir qu'une grande partie des techniques qu'ils mettent en œuvre, au premier rang desquelles on trouve la publicité télévisuelle, constituent autant de manières d'entretenir ou de créer de l'insatisfaction chez ces consommateurs potentiels? Sur le plan du fonctionnement interne des entreprises, ce sont sans doute les techniques de motivation, élaborées généralement avec le soutien actif de la psychologie, science du désir et des émotions, qui forment le pendant du marketing. Là encore, comme avec le consommateur, il s'agit de s'assurer que les employés voient dans leur participation à l'entreprise un moyen, une occasion d'améliorer leur sort; il faut entretenir chez eux le désir, le manque, la frustration, l'envie, en agitant sous leurs yeux toutes sortes de «carottes» plus ou moins appétissantes. L'existence même de ces diverses techniques enseignées dans les écoles de gestion, le fait qu'elles soient apparemment nécessaires au bon fonctionnement des entreprises, laisse penser qu'il n'est peut-être pas dans la nature de l'homme de désirer sans limites.

Toutefois, en ce début de XXIe siècle, il se pourrait que cette *institution* moderne, cette coutume — la quête de satisfaction de *besoins infinis* — commence à être remise en cause et interrogée au sein même des sociétés «modernes». Les efforts monumentaux que les Occidentaux ont déployé depuis quelques siècles, au moyen notamment de l'entreprise, pour tenter de satisfaire des désirs qu'ils se représentent comme insatiables, produisent des effets pervers qu'il est de plus en difficile d'ignorer. À force de vouloir toujours produire plus de biens et de services, dans le vain espoir de résoudre le «problème économique», d'en finir avec la «rareté», nous en arrivons à un point où les conditions élémentaires de la survie de l'espèce humaine apparaissent menacées. Cette course effrénée à la production et à la «croissance économique» que les modernes ont inaugurée, peut être tenue pour responsable, plus ou moins directement, de bon nombre des grands maux auxquels nous devons faire face aujourd'hui: destruction progressive du système immunitaire de l'homme, augmentation continue des cancers, épidémie d'obésité entraînant une réduction de l'espérance de vie moyenne, dérèglements climatiques planétaires, épuisement ou dégradation irréversible de certaines ressources naturelles… Parce que, depuis Adam Smith au moins, nous avons pensé que l'abondance matérielle était la condition de notre bien-être et de notre félicité, nous avons produit une quantité faramineuse de biens au risque de rendre effectivement rares ces éléments indispensables à notre survie: de l'eau buvable, de la terre cultivable ou habitable, de l'air respirable.

Le thème désormais très à la mode du «développement durable» participe d'une prise de conscience de ce risque. Cependant, outre le fait que le monde des affaires s'est bien souvent empressé de vider le concept d'une bonne partie de sa charge critique, on notera que cette idée ne remet pas en cause l'évidence moderne selon laquelle le bonheur de l'humanité passe par la satisfaction d'un nombre de besoins toujours plus grand. C'est cette évidence que l'on préserve avec l'usage du mot « développement ». Dans cette perspective, la « croissance économique » a toujours valeur d'impératif catégorique. Il n'est pas question de la freiner et encore moins d'y mettre un terme. Il s'agit simplement de trouver le moyen de continuer à produire toujours plus, mais plus longtemps. Ce qui suppose d'éliminer ou d'atténuer un certain nombre des effets pervers évoqués plus haut. La thématique du « développement durable » ne vient donc pas menacer le mythe fondateur de la rareté et l'obsession de la croissance que ce mythe justifie. En revanche, des mouvements tels que celui de la « simplicité volontaire », qui se développe aujourd'hui au Québec, ou les réflexions et les actions entreprises autour du thème de la « décroissance volontaire » relèvent d'une démarche qui nous semble cette fois profondément contradictoire avec la quête de satisfaction de besoins infinis qui fonde l'entreprise et la sphère économique. Ces mouvements sont-ils appelés à prendre de l'ampleur ? Ne sont-ils pas condamnés à ne concerner qu'une fraction très minoritaire de la population des pays les plus riches ? La simplicité peut-elle être autre chose qu'un désir de riche ? Il est trop tôt pour le dire. Une chose est certaine, il y a là une forme de contestation radicale de ce qui fait l'essence même de l'entreprise.

11.4   RATIONALISME ET BUREAUCRATIE

L'entreprise telle que nous la connaissons doit également sa forme, dans une large mesure, au fait que son fonctionnement est en principe tout entier soumis aux exigences de ce que Max Weber appelle l'*action rationnelle en finalité*.

11.4.1   LES DÉTERMINANTS DE L'ACTION

Dans son principal ouvrage, *Économie et société,* Weber avance que les humains agissent en société selon des mobiles que l'on peut classer en quatre grandes catégories distinctes. Il y a d'abord ce qu'il appelle l'*action émotionnelle* ou *affective.* Dans cette catégorie, on trouve tous ces gestes qui nous sont inspirés par nos sentiments, aussi bien positifs que négatifs, et qui vont du baiser passionné à la gifle inspirée par la colère ou le désir de vengeance. Un deuxième type d'action est qualifié par Weber de *traditionnel.* Se classent dans cette catégorie tous ces comportements qui semblent dictés par la simple habitude, la routine, la coutume ou encore la répétition machinale d'actions passées. « La masse de toutes les activités quotidiennes familières se rapproche de ce type » (Weber, 1971, p. 22), précise l'auteur. L'*action rationnelle en valeur* constitue le troisième type proposé par Weber. Cette appellation désigne le comportement de celui qui s'efforce d'agir de manière cohérente et conséquente par rapport à une conviction d'ordre moral, esthétique, religieuse, politique ou autre. Le fait, par exemple, de se conformer rigoureusement dans sa vie quotidienne aux dix commandements bibliques relève de cette troisième catégorie d'action. Ce type d'action se rapproche de l'action traditionnelle, quand cette conformité devient machinale et routinière. Il partage par ailleurs avec l'action émotionnelle une même indifférence aux conséquences ultimes de l'action présente. Il s'en différencie dans la mesure où il y a recherche consciente et réfléchie d'une cohérence du comportement à l'égard d'une «valeur» clairement identifiée.

On pourrait dire de ces trois premiers types qu'ils font référence à des actions qui ne sont pas vécues par ceux qui les accomplissent comme l'expression d'un choix véritable ou le produit d'une décision prise librement. L'acteur ici se perçoit lui-même comme sous influence. Il agit sous l'emprise de l'émotion — *action affectuelle* — subit le poids du passé — *action traditionnelle* — ou obéit à des principes qui s'imposent à lui et le dépassent — *action rationnelle en valeur*. Il n'est pas totalement maître de lui-même en somme, il n'exerce pas son libre arbitre. À tout le moins, il ne se représente pas la situation ainsi, même dans le cas de l'action rationnelle en valeur qui, souligne Weber, «consiste toujours en une activité conforme à des «impératifs» ou à des «exigences» dont l'agent croit qu'ils lui sont imposés» (Weber, 1971, p. 23).

C'est tout le contraire dans le quatrième type d'action proposé par Weber : l'*action rationnelle en finalité*. Selon lui, «agit de façon rationnelle en finalité celui qui oriente son activité d'après les fins, moyens et conséquences subsidiaires et qui confronte en même temps rationnellement les moyens et la fin, la fin et les conséquences subsidiaires et enfin les diverses fins possibles entre elles» (*ibid.*, p. 23). Ici, tout est choix, tout est décision. En principe, l'agent est cette fois souverain. Il choisit librement le but de son action, puis les moyens d'atteindre ce but, en ne mobilisant pour ce faire d'autre critère que celui de l'efficacité. Pour classer dans cette quatrième catégorie une action humaine quelconque, point n'est besoin que l'acteur ait choisi effectivement les moyens les plus efficaces pour parvenir aux fins qu'il s'est données. Il suffit qu'il ait consciemment tenté d'agir selon ce principe.

11.4.2 LE RATIONALISME MODERNE ET SES PRINCIPAUX EFFETS

Max Weber prend soin de préciser qu'il est très rare dans nos vies que nos actions s'orientent uniquement selon l'un ou l'autre de ces déterminants. Le plus souvent, une même action mêle ces différents mobiles. Cela étant, on peut avancer que l'une des particularités historiques des sociétés occidentales modernes est la tendance de leurs membres à survaloriser l'action rationnelle en finalité. Bien plus que la plupart des autres humains dans l'histoire, les modernes aiment à se représenter leur action et à tenter d'agir selon le schéma formalisé par Weber : choix réfléchi des fins, puis des moyens les plus appropriés pour les atteindre, le tout en fonction des conséquences prévisibles de l'action. Nous croyons à la supériorité de ce type d'action sur les trois autres types identifiés par Weber. Du coup, nous nous défions des émotions et des sentiments, que nous cherchons à expliquer rationnellement, nous critiquons les comportements routiniers et les vieilles habitudes, nous nous méfions des «jugements de valeur» et des «opinions» auxquels nous préférons de loin les «faits indiscutables». Nous nous voulons, autant que faire se peut, «rationnels»: c'est là une autre «habitude collective», une autre «coutume» fondamentale de notre monde[5].

Ce rationalisme est le principe fondamental d'un processus continu et croissant de «rationalisation et d'intellectualisation» à l'œuvre sur tous les plans dans nos sociétés, soutient Max Weber. Cela ne signifie pas que les «modernes» en savent forcément plus que les autres humains sur leurs conditions de vie, précise le sociologue. Pour prendre un exemple actuel, rares sont les utilisateurs d'ordinateurs qui sont capables d'en comprendre véritablement le fonctionnement. Ce n'est pas le cas du «sauvage» qui peut se prévaloir d'une bien meilleure connaissance de ses outils, outils qu'il sait généralement lui-même réparer et fabriquer. L'intellectualisation et la rationalisation croissante à l'œuvre dans nos sociétés signifient seulement que «nous savons ou que nous croyons qu'à chaque instant nous pourrions, pourvu seulement que nous le voulions, nous prouver qu'il n'existe en principe aucune puissance mystérieuse et imprévisible qui interfère dans le cours de la vie ; bref que nous pouvons maîtriser toute chose par la prévision» (Weber, 1959, p. 70).

Comment ce processus de rationalisation s'est-il mis en branle? Pour Weber, le monothéisme, juif d'abord, chrétien ensuite, a joué sur ce plan un rôle décisif. Le Dieu de la Bible est en effet un dieu transcendant, c'est-à-dire lointain. Contrairement à bien d'autres divinités, celles des Grecs par exemple, il ne passe pas son temps, si l'on peut s'exprimer ainsi, à intervenir dans les affaires humaines ou, plus généralement, à se mêler de la marche du monde. C'est en particulier le cas du Dieu des chrétiens, qui laisse finalement aux hommes toute latitude pour ordonner leur existence comme ils l'entendent. Dans cette perspective, totalement opposée aux diverses formes de magies traditionnelles, le monde est en quelque sorte débarrassé de toute autre force que celles, impersonnelles et prévisibles, de la nature, d'une part, et que celles des humains, d'autre part. C'est, dira Weber, un monde qui tend à être «désenchanté» et, par là même, que l'homme peut prétendre maîtriser pleinement.

L'essor de la science et de la technique dans le monde occidental est la conséquence la plus remarquable de ce rationalisme. Toutefois, selon Weber, l'entreprise capitaliste est également l'un des rejetons les plus vivaces et les plus déterminants de ce mouvement de rationalisation. Pour le sociologue, qui s'oppose ici notamment à Marx, «le problème majeur de l'expansion du capitalisme moderne n'est pas celui de l'origine du capital, c'est celui du développement de l'esprit du capitalisme» (Weber, 1964, p. 70). Et cet esprit, Weber le définit comme étant la «recherche rationnelle et systématique du profit par l'exercice d'une profession » (Weber, 1964, p. 66). La quête de profit n'est pas tout « l'esprit du capitalisme ». Il faut ajouter à cela l'effort continu pour mettre en oeuvre les moyens les plus efficaces qui soient en vue de parvenir à cette fin. Il faut, autrement dit, que cette quête relève des principes de l'action rationnelle en finalité. Alors, mais alors seulement, on peut parler d'un « esprit du capitalisme », moteur essentiel, aux yeux de Weber, de la diffusion du modèle de l'entreprise privée. « L'avidité d'un gain sans limites n'implique en rien le capitalisme, bien moins encore son "esprit". Le capitalisme s'identifierait plutôt avec la domination, à tout le moins avec la modération rationnelle de cette impulsion irrationnelle. Mais il est vrai que le capitalisme est identique à la recherche du profit, d'un profit toujours renouvelé, dans une entreprise continue, rationnelle, capitaliste — il est recherche de la rentabilité. Il y est obligé. » (*Ibid.*, p. 15.)

11.4.3 L'ENTREPRISE COMME ORGANISATION RATIONNELLE DE LA QUÊTE DE PROFIT

Qu'est-ce, pour le sociologue, qu'un capitalisme « non rationnel » ? Essentiellement, une quête de profit fondée sur la réalisation de « bons coups » et d'opérations sans lendemain, d'ordre financier ou commercial, ou sur le prélèvement plutôt aléatoire de « butins », par la violence physique (guerre, piraterie, *razzia*) et l'exploitation de la détresse d'autrui, comme dans le cas de prêts usuraires. Weber parle à ce propos d'un capitalisme d'« aventuriers », de « flibustiers » ou de « spéculateurs » ; autant de formes « irrationnelles » de recherche du gain qui n'ont d'ailleurs, selon lui, pas complètement disparu du capitalisme typique de l'Occident moderne.

Pour assurer la régularité et la croissance des profits, autrement dit pour gagner en efficacité dans cette quête, il a fallu, dit Weber, que l'entrepreneur capitaliste oriente son activité vers la couverture des « besoins quotidiens » d'une clientèle toujours plus étendue (Weber, 1991, p. 296). Ce faisant, il a été amené a organiser rationnellement le travail de production des biens et des services vendus à cette clientèle, en achetant la force de travail d'une main-d'œuvre formellement libre (principe du salariat). De même, il en est venu à utiliser la comptabilité rationnelle et à procéder sur la base de bilans chiffrés et de calculs prévisionnels. Autre implication essentielle de cet effort de rationalisation : la séparation du « ménage » et de l'entreprise, tant sur le plan physique, que juridique et comptable (Weber, 1964, p. 18-19). La mise en place de cette nouvelle manière de viser le profit a par ailleurs bénéficié du développement de techniques rationnelles, en particulier sur le plan de la production et des transports, et de l'instauration d'un droit rationnel, corrélative de l'émergence des États-nations modernes en Europe. *Last but not least,* cette forme de capitalisme n'a pu s'établir qu'au prix d'« une appropriation de tous les moyens matériels de production (terrain, équipements, machines, outils, etc.) par des entreprises lucratives autonomes privées qui en ont la libre jouissance » (Weber, 1991, p. 297).

Dans tout cela, l'élément le plus décisif, aux yeux de Weber, la caractéristique essentielle du capitalisme occidental moderne selon lui, reste «l'organisation rationnelle du travail (formellement) libre, dont on ne rencontre ailleurs que de vagues ébauches» (Weber, 1964, p. 18). Que faut-il entendre par là? La soumission du travail salarié au seul impératif de la productivité et du rendement : l'objectif premier de l'entrepreneur capitaliste est l'augmentation continue du produit de ce travail par rapport aux moyens mis en œuvre pour l'accomplir (matériaux, outils et machines, main-d'œuvre). Toute autre considération est négligée. Valeurs, traditions et sentiments n'ont plus rien à faire ici. Seule compte l'efficacité. Les choix en matière de recrutement, de méthodes de travail, d'encadrement et de rémunération des salariés sont effectués en fonction de cet unique critère. D'après Weber, cette «manière d'agir et de penser», qui relève pleinement de la logique de l'action rationnelle en finalité, s'impose au cours du XIXe siècle dans la grande industrie naissante en Occident. On pourrait ajouter qu'elle sera formalisée et explicitée, au début du XXe siècle, par ceux que l'on considère aujourd'hui comme les fondateurs du management, au premier rang desquels on trouve Henri Fayol et Frederick Taylor.

Dans son célèbre ouvrage *The Principles of Scientific Management* (1911), Taylor vise plus particulièrement la rationalisation du travail productif, du «cœur opérationnel» de l'entreprise. L'ambition déclarée de l'ingénieur américain est de s'attaquer à certaines sources d'inefficacité propres à l'organisation du travail dans l'industrie américaine, au tournant du siècle. Taylor identifie deux problèmes essentiels. Premièrement, les ouvriers mobilisent des méthodes de travail traditionnelles, transmises oralement de génération en génération, dont il est impossible de dire avec certitude qu'elles sont les plus efficaces, puisqu'elles ne sont fondées que sur un «savoir empirique». Deuxièmement, ces mêmes ouvriers pratiquent la «flânerie systématique». Leur mode de rémunération, fondé sur le principe de quotas de production à atteindre sur une période donnée, est en fait conçu de telle sorte qu'ils n'ont aucun intérêt à donner le meilleur d'eux-mêmes, remarque Taylor. Mais les dirigeants n'ont pas vraiment le choix. Ce système de rémunération s'impose à eux tant qu'ils ne savent rien ou presque du travail de production. Il s'ensuit des rapports structurellement conflictuels entre dirigeants et ouvriers, et par conséquent des pertes d'efficacité importantes. Pour résoudre ces deux problèmes, Taylor préconise :

■ l'étude scientifique du travail, de façon à établir ensuite la meilleure façon de faire, le *one best way*, en lieu et place du «vieux système de connaissances empiriques des ouvriers». D'une manière générale, le *one best way* passe par une parcellisation accrue des tâches, qui doit permettre à l'entreprise de bénéficier des gains de productivité qu'offre la spécialisation productive (division horizontale du travail) :

■ la sélection et la formation «scientifiques» des ouvriers qui devront accomplir ces tâches parcellisées. C'est le principe du *right man in the right place*. Seules les compétences de l'ouvrier, ses aptitudes, physiques notamment, doivent être prises en considération ; le reste — ses sentiments, ses convictions et ses « vieilles connaissances empiriques » — n'a plus aucune pertinence ;

- l'application et le contrôle du respect des méthodes que l'étude scientifique du travail a permis d'identifier ; concrètement, il s'agit de s'assurer que les ouvriers suivront bel et bien les procédures « optimales » établies par le bureau des méthodes et qu'ils se contenteront du rôle d'exécutant ;

- la participation active des dirigeants au travail de production : sur la base de l'étude scientifique du travail, c'est à eux que revient désormais la tâche de concevoir le travail. À la division horizontale du travail, que Taylor n'invente pas mais radicalise, s'ajoute ici la division verticale du travail, qui doit permettre là encore d'améliorer la productivité des ouvriers, dans la mesure où ils n'ont plus à penser leur travail, mais seulement à l'exécuter.

À condition que cette « organisation scientifique du travail » (OST) s'accompagne de la mise en place d'un système de rémunération au rendement, elle est censée augmenter considérablement la productivité du travail et, partant, la « valeur ajoutée » de celui-ci. Selon Taylor, la croissance de la « valeur ajoutée » que permet son système est la clé d'une paix durable dans les ateliers, puisque les bénéfices de l'entreprise seront tels que la lutte entourant leur partage n'aura plus lieu d'être.

La contribution de Henri Fayol porte quant à elle, non plus sur l'organisation du travail, mais sur la fonction administrative au sein de l'entreprise. C'est le travail du dirigeant qui est en cause ici. Comme dans le cas de Taylor cependant, la démarche de l'ingénieur français est d'abord inspirée par un souci d'efficacité et participe d'un effort de rationalisation du fonctionnement des entreprises. Le propos central d'*Administration industrielle et générale* (1916) est d'établir la description de tâches du dirigeant, la méthode de travail qu'il doit suivre et les outils qu'il doit utiliser. Le travail de rationalisation commence en fait avec la reconnaissance de la fonction administrative, qu'il convient de distinguer des fonctions spécialisées telles que la production, la vente, le financement, la comptabilité ou la direction du personnel. Celui qui occupe cette fonction a pour principale responsabilité de s'assurer de la rentabilité de l'entreprise. Pour ce faire, sa tâche doit consister, selon Fayol toujours, à « planifier », « organiser », « diriger » et « contrôler » le fonctionnement de l'entreprise. Le fameux « PODC », on le voit, n'est jamais qu'une déclinaison du schéma de l'action rationnelle en finalité. Les trois autres types d'action identifiés par Weber — émotionnel, traditionnel, rationnel en valeur — sont très clairement marginalisés ici, voire exclus. En ce qui concerne les méthodes à mettre en œuvre, Fayol préconise le respect de quatorze « principes administratifs ». Certains de ces principes sont des « valeurs », telle l'équité. Mais, s'il faut s'y soumettre, c'est d'abord par souci d'efficacité et non pas au nom d'un quelconque devoir moral. Enfin, le gestionnaire doit utiliser un certain nombre d'outils, basés d'ailleurs essentiellement sur l'écrit : les programmes d'action (planifier), les organigrammes (organiser), les notes de service et les règlements (diriger), et les tableaux synoptiques (contrôler). L'une des principales «vertus» de ces outils, d'un point de vue rationaliste, est qu'ils contribuent à la dépersonnalisation des rapports entre le dirigeant et ses subordonnés. Par conséquent, ces rapports hiérarchiques sont susceptibles de perdre une bonne part de leur charge émotionnelle. On se rapproche ainsi d'une situation dans laquelle les relations entre humains au sein de l'entreprise deviennent essentiellement techniques, fonctionnelles. Tel est en tout cas l'espoir qui fonde, en partie du moins, ces outils de gestion; espoir qu'exprimait avec force, un siècle avant Fayol, le comte de Saint-Simon, précurseur de la sociologie, dans l'exposé de son «système industriel»: «L'administration des choses remplacera le gouvernement des hommes».

11.4.4 LES ENTREPRISES SONT DES BUREAUCRATIES

Ce que Taylor et Fayol tentent de mettre en place dans les entreprises industrielles du début du XXe siècle, et que Ford réalisera sans doute mieux que personne ensuite, c'est un modèle d'organisation que Weber et d'autres après lui ont appelé la *bureaucratie*. Pour le sociologue allemand, ce terme désigne une forme d'organisation humaine dont le fonctionnement est, en principe, tout entier soumis à des règles, des procédures, des normes, établies selon les seuls principes de l'action rationnelle en finalité. Ce corps de règles impersonnelles est élaboré dans des bureaux — d'où le terme de *bureaucratie* — et appliqué par des «fonctionnaires», recrutés sur la base d'un savoir spécialisé, acquis généralement par une formation professionnelle, révélé par l'examen ou le concours et attesté par le diplôme. Ces spécialistes, qui travaillent essentiellement à l'aide de documents écrits, ne sont pas propriétaires de leur fonction, ni des moyens de production, mais ils sont rémunérés pour exercer leurs fonctions à plein temps. Les règles qu'ils contribuent à instaurer et à faire appliquer définissent de manière précise les pouvoirs et les responsabilités attachées à chacune des fonctions spécialisées qui constituent l'organisation, y compris les fonctions de direction. Chaque fonction correspond à l'une des tâches ou activités considérées comme nécessaires à l'atteinte des buts officiels de l'organisation. Elle s'inscrit par ailleurs dans une structure hiérarchique qui prend généralement la forme d'une pyramide, au sein de laquelle sont établis avec précision les liens de domination et de subordination entre grades.

La manière dont sont envisagés les rapports de domination au sein d'une telle organisation est typique également du rationalisme moderne. Pour bien le faire voir, il faut s'arrêter ici sur une autre typologie wébérienne célèbre, celles des modes de domination. Selon Max Weber, d'une façon générale, «la chance, pour des ordres spécifiques, de trouver obéissance de la part d'un groupe déterminé d'individus» ne dépend pas uniquement des moyens de coercition dont dispose celui ou ceux qui prétendent se faire obéir. Aussi puissants soient-ils, ces moyens ne suffiront jamais à garantir «les fondements sûrs d'une domination». Il est essentiel également que les ordres donnés soient perçus comme légitimes par ceux à qui ils sont destinés. C'est pourquoi «toutes les dominations cherchent à éveiller et à entretenir la croyance en leur légitimité» (Weber, 1971, p. 220).

Quiconque a la prétention de se faire obéir dispose en fait de trois grandes options pour susciter cette croyance dans la légitimité de ses ordres, suggère Weber. Il peut tout d'abord tenter de faire valoir une qualité personnelle extraordinaire, un don exceptionnel, un *charisme* particulier, qui justifierait à lui seul qu'on lui obéisse, tel Jésus se présentant comme le fils de Dieu au moment d'adresser de nouveaux commandements aux hommes. S'il parvient à convaincre un groupe d'individus qu'il est effectivement dépositaire de ce *charisme*, il s'établit alors une relation de domination que Weber qualifie de charismatique. Les adeptes ou les disciples du leader charismatique, dans la mesure où leur obéissance relève toujours plus ou moins d'une forme de fascination, forment une «communauté émotionnelle». Une telle relation de domination présente l'avantage, du point de vue du donneur d'ordre, que l'obéissance des adeptes a généralement quelque chose d'absolu — les apôtres de Jésus, après la Pentecôte, sont disposés à mourir par fidélité à la parole de leur Maître. Le principal inconvénient de ce rapport de domination, toujours du point de vue du «chef», est qu'il est strictement personnel, et par conséquent plutôt fragile. Le leader charismatique doit «payer de sa personne» pour, régulièrement, réaffirmer son charisme — Jésus ne se contente pas de parler, il réalise des miracles à intervalles réguliers. Au mieux, la relation perdure jusqu'à la mort du leader. Ensuite, la domination ne peut se perpétuer qu'au prix d'une forme de routinisation du charisme.

Dans l'histoire de l'humanité, la forme la plus commune de routinisation du charisme est sans aucun doute le type de domination que Weber qualifie de traditionnel. Ici, celui qui prétend se faire obéir n'invoque aucune qualité personnelle extraordinaire. Il fait valoir la conformité de ses ordres à des «traditions valables de tout temps»; traditions qui l'ont désigné comme détenteur légitime du pouvoir de commander à autrui. S'il trouve en face de lui des humains sensibles à ce genre d'arguments, prêts en somme à se soumettre à «l'autorité de l'éternel hier» et à «croire en la sainteté de ce qui a toujours été», comme dit Weber, on a alors une relation de domination traditionnelle. Typiquement, le chef est ici un *seigneur* ou un *souverain*, et ceux qui lui obéissent directement, sont ses *sujets* ou ses *serviteurs*. Mais, la domination traditionnelle la plus répandue reste celle qu'exerce tout simplement le chef de famille, y compris d'ailleurs, dans une certaine mesure, au sein de nos sociétés modernes. Les ordres que donne le *pater familias* à ses enfants en particulier, n'ont bien souvent d'autre justification que leur conformité à un passé immémorial: «on a toujours fait comme ça!».

La tendance des «modernes», des enfants comme de leurs parents, est de ne se satisfaire que rarement d'un tel argument. Non pas que l'idée d'obéir leur répugne plus qu'aux autres, bien au contraire, mais ils ne croient guère dans la «sainteté de ce qui a toujours été». Ils seront plus prompts à accepter de se soumettre à un ordre dont on leur aura fait valoir le caractère rationnel et légal. Que cet ordre soit effectivement rationnel importe peu ici. Il suffit que ceux qui le reçoivent en soient convaincus. Si tel est le cas, on est alors en présence d'un rapport de domination de type rationnel-légal, selon Max Weber. Comme les deux autres types de domination, celui-ci suppose une forme de croyance de la part du dominé[6]. Il n'est donc pas plus «rationnel» que la domination charismatique ou traditionnelle. En revanche, il est beaucoup plus impersonnel. Le dominé ici n'obéit pas tant à son supérieur qu'à une loi ou une règle, à laquelle ce supérieur est lui-même soumis, au moins en principe. Par ailleurs, le «donneur d'ordre» occupe sa position en vertu d'un savoir spécialisé, de compétences professionnelles, qui ont été méthodiquement évaluées. Ni son éventuelle aura personnelle — domination charismatique, ni ses liens de parenté — domination traditionnelle, ne justifient le pouvoir de donner des ordres qu'on lui reconnaît. Seule son efficacité, sa capacité à assumer ses fonctions, entrent ici en ligne de compte, toujours en principe, bien sûr. On l'aura compris, ce troisième mode de domination qualifié par Weber de rationnel-légal, est celui qui caractérise en propre la *bureaucratie*[7].

11.4.5 Les métamorphoses de la bureaucratie

Il est de bon ton aujourd'hui, en particulier dans le milieu des affaires, de dénoncer la bureaucratie. À bien des égards, cette forme d'organisation, associée spontanément par nos contemporains à l'administration publique, est considérée comme la plus inefficace qui soit. Contre ce lieu commun, l'idéal type wébérien de la bureaucratie que nous venons de présenter permet d'affirmer au contraire que, d'une part, cette manière d'organiser l'activité d'êtres humains reste à ce jour la plus efficace que l'on ait inventé, et que, d'autre part, nos entreprises privées, aujourd'hui comme hier, sont fondamentalement des bureaucraties.

Concernant la première de ces deux affirmations, il est incontestable que la mise en œuvre et la diffusion de principes bureaucratiques dans nos sociétés, au cours des deux derniers siècles, sont largement responsables de l'incroyable création de richesses matérielles dont l'Occident moderne a été à la fois le témoin et le bénéficiaire. De même, le progrès scientifique et technique, qui conditionne dans une large mesure la domination européenne et nord-américaine de ces derniers siècles sur le reste du monde, est inconcevable en dehors du modèle de l'organisation bureaucratique. Somme toute, les Occidentaux modernes doivent une bonne part de leur toute-puissance actuelle à la bureaucratie, quoi que l'on pense par ailleurs de cette toute-puissance![8]

Bien sûr, la bureaucratie n'est pas parfaite. Gestionnaires et théoriciens des organisations ont pointé tout au long du XXe siècle les limites de cette forme d'organisation, en matière d'efficacité. On pourrait dire, dans la perspective ouverte par Weber, que ces critiques ont montré qu'il était toujours vain et parfois contreproductif de chercher, à l'instar de Taylor, à exclure du fonctionnement des entreprises l'action émotionnelle, l'action traditionnelle et l'action rationnelle en valeur. L'administration des choses ne peut remplacer le gouvernement des hommes, n'en déplaise au comte de Saint-Simon. Ce livre contribue d'ailleurs à le rappeler, notamment dans les chapitres 2 et 3.

Les théories contemporaines du management et les nouvelles formes d'organisation qui leur sont associées constituent autant de tentatives de dépassement des limites de la bureaucratie (Déry, 1998). Entre autres principes, les promoteurs de ces changements dans la manière de concevoir le fonctionnement des entreprises font valoir l'importance de la passion et de l'enthousiasme, du respect de valeurs centrales et de l'adoption d'une démarche éthique. Beaucoup insistent également sur l'atout que peut représenter une culture d'entreprise forte. D'un point de vue wébérien, ces spécialistes du management font en somme l'apologie de l'action émotionnelle, traditionnelle et rationnelle en valeur, contre une observation trop exclusive des seuls principes de l'action rationnelle en finalité. Quant à la relation de domination rationnelle-légale, typique de la bureaucratie, elle est remise en cause au profit d'un modèle de relation qui, tantôt s'approche de la domination charismatique, tantôt exclut purement et simplement le rapport dominant-dominé. Dans ce second cas (structure en réseau, en étoile, pyramide inversée, etc.), l'organisation est censée pouvoir fonctionner sans chef ni hiérarchie formelle [9].

Tout cela est en contradiction apparente avec les fondements de la bureaucratie. Cependant, les propositions nouvelles que contiennent les livres de management depuis 20 ans ne sont pas valorisées pour elles-mêmes par ceux qui les formulent. Elles sont présentées comme des moyens particulièrement efficaces, pour l'entreprise, de faire des profits et d'améliorer ses performances économiques. Le « retour » aux valeurs, aux émotions, aux traditions est envisagé d'un point de vue instrumental. Dans son principe, ce nouveau management n'est pas moins rationaliste que celui d'un Fayol ou d'un Taylor. Simplement, si l'on peut dire, il est désormais considéré comme rationnel d'encourager les employés des entreprises à ne pas l'être (trop).

À cela on peut ajouter, puisque ce texte est censé être lu notamment par des étudiants en gestion, que l'existence et la prospérité actuelle des écoles de gestion sont la preuve que les entreprises d'aujourd'hui restent fondées sur des principes essentiellement bureaucratiques. À l'évidence, l'apprentissage sur le tas ou le simple fait d'être fils ou fille de patron ne suffit plus à asseoir une légitimité dans l'entreprise d'aujourd'hui. Il faut dorénavant se prévaloir d'une compétence professionnelle, révélée par une série d'examens et attestée par un diplôme (que l'on affichera plus tard dans son bureau). Ces exigences constituent le fondement même de la bureaucratie, nous l'avons vu. Qu'elles s'imposent avec plus de force aujourd'hui qu'hier laisse penser que ce modèle d'organisation, loin d'être remis en cause, n'a en fait jamais été aussi prisé.

11.4.6   AU-DELÀ DU RATIONALISME

On a souvent présenté Weber, en particulier dans les manuels de théorie des organisations, comme un adepte de la bureaucratie et un prophète du rationalisme. Cette lecture des travaux wébériens est tout simplement absurde. Certes, Weber était fasciné par l'efficacité propre à l'organisation bureaucratique, mais les conséquences du rationalisme pour l'homme étaient loin de le réjouir. Concernant l'avenir de ce monde désenchanté, il s'interrogeait en ces termes, à la toute fin de *L'Éthique protestante et l'esprit du capitalisme*: «Nul ne sait encore qui, à l'avenir, habitera la cage, ni si, à la fin de ce processus gigantesque, apparaîtront des prophètes entièrement nouveaux, ou bien une puissante renaissance des pensers et des idéaux anciens, ou encore — au cas où rien de cela n'arriverait — une pétrification mécanique, agrémentée d'une sorte de vanité convulsive. En tout cas, pour les "derniers hommes" de ce développement de la civilisation, ces mots pourraient se tourner en vérité — "Spécialistes sans vision et voluptueux sans cœur — ce néant s'imagine avoir gravi un degré de l'humanité jamais atteint jusque-là."» (Weber, 1964, p. 251.)

On le voit, Weber ne fait pas vraiment preuve d'un optimisme béat à l'égard de ce monde dont il a cherché toute sa vie à saisir les fondements. On voit également que ses pressentiments concernant l'avenir sont loin d'être démentis par ce que nous observons chaque jour autour de nous. Outre la prédominance croissante de cet «homme sans qualités» dont il craignait la venue, le retour du religieux, que l'on constate sous diverses formes depuis les années 1980 (islamisme, fondamentalisme chrétien aux États-Unis, etc.), semble donner raison aussi au sociologue, sans qu'il soit possible de dire si ce retour est susceptible de remettre en cause ou pas le processus de rationalisation et d'intellectualisation. On voit enfin et surtout, que pour Weber, l'avenir reste fondamentalement ouvert. Rien n'est à exclure. Autrement dit, ce rationalisme n'est pas inéluctable. Il ne constitue pas un horizon indépassable. C'est essentiellement une «manière d'agir et de penser», une «habitude collective», une «coutume», bref une *institution*, propre aux humains modernes. Comme toute institution, elle est éphémère et laissera un jour ou l'autre la place à d'autres «manières d'agir et de penser».

11.5   PROPRIÉTÉ PRIVÉE ET SALARIAT

L'apparition, le développement et la survie des entreprises sont étroitement liés à l'existence de droits de propriété reconnus par tous et à une certaine répartition de ces droits. Après Marx et bien d'autres, Weber insiste, on l'a vu, sur le fait que la première condition de possibilité du «capitalisme» est l'«appropriation de tous les moyens matériels de production (terrain, équipements, machines, outils, etc.) par des entreprises lucratives autonomes privées qui en ont la libre jouissance.» (Weber, 1991, p. 297.) Le corollaire de cette appropriation des moyens de production par une minorité est l'obligation pour le plus grand nombre d'assurer sa survie en vendant sa force de travail à cette minorité «capitaliste». Tel est le principe du salariat.

11.5.1 QU'EST-CE QUE LA PROPRIÉTÉ?

Toutes les sociétés occidentales modernes considèrent la propriété privée, avec la liberté et l'égalité, comme l'un des droits les plus fondamentaux de leurs membres. L'article 2 de la déclaration des Droits de l'homme et du citoyen de 1789 en France disait que: «Le but de toute association politique est la conservation des droits naturels et imprescriptibles de l'homme. Ces droits sont la liberté, la propriété, la sûreté et la résistance à l'oppression.» Il faut se souvenir d'ailleurs que la première devise de la Révolution française était «Liberté, Égalité, Propriété». L'article 17 de la Déclaration universelle des droits de l'homme (1948) stipule que: «1. Toute personne, aussi bien seule qu'en collectivité, a droit à la propriété; 2. Nul ne peut être arbitrairement privé de sa propriété». On peut citer également La Charte des droits et libertés de la personne du Québec, qui proclame à l'article 6 que «Toute personne a droit à la jouissance paisible et à la libre disposition de ses biens, sauf dans la mesure prévue par la loi», et qu'en vertu de l'article 8, «Nul ne peut pénétrer chez autrui ni y prendre quoi que ce soit sans son consentement exprès ou tacite.» En somme, le droit de propriété est généralement considéré par les «modernes» comme un droit naturel, inaliénable et imprescriptible.

C'est là encore une évidence que nous n'interrogeons plus, mais que la confrontation avec d'autres sociétés que la nôtre nous oblige à voir comme une institution propre à notre monde, et non pas justement comme un droit naturel de l'homme. En fait, il n'est même pas nécessaire, du moins dans un premier temps, d'effectuer un détour par des mondes très lointains comme ceux dont il a été question précédemment. En Occident, le XIXᵉ siècle a été le théâtre de remises en cause radicales, sinon virulentes, de la propriété privée, notamment de la part des grands penseurs du socialisme. L'attaque la plus célèbre a été lancée par le français Pierre-Joseph Proudhon et son fameux slogan «La propriété, c'est le vol!». C'est d'abord aux thèses de ce philosophe autodidacte, précurseur lui aussi de la sociologie, que nous allons nous intéresser ici.

Dans le premier mémoire qu'il a rédigé sur ce sujet, Proudhon interroge la propriété de la manière la plus forte qui soit en posant une question élémentaire et naïve, du genre de celles que seuls les enfants sont capables de poser et qui, bien souvent, touchent aux fondements de notre monde: qu'est-ce qui justifie le droit de propriété? D'où vient la propriété[10]? Avant d'y répondre, Proudhon établit une distinction importante entre la *possession* et la *propriété*. Selon lui, la possession est une forme de propriété restreinte, qui suppose l'usage de la chose possédée, son occupation, son utilisation. Elle exclut en revanche ce que le philosophe appelle le *droit d'aubaine*, c'est-à-dire la possibilité d'autoriser autrui à utiliser ce que l'on possède, en échange d'un revenu. «L'aubaine reçoit différents noms, selon les choses qui la produisent : fermage pour les terres ; loyer pour les maisons et les meubles ; rente pour les fonds placés à perpétuité ; intérêt pour l'argent ; bénéfice, gain, profit (trois choses qu'il ne faut pas confondre avec le salaire ou prix légitime du travail), pour les échanges. » (Proudhon, 1840, p. 114.) D'où la définition de la propriété proposée par Proudhon : « La propriété est le droit d'aubaine que le propriétaire s'attribue sur une chose marquée par lui de son seing. [...] Par le droit d'aubaine, le propriétaire moissonne et ne laboure pas, récolte et ne cultive pas, consomme et ne produit pas, jouit et n'exerce rien. » (*ibid.*, p. 114-115.) Tout le problème, affirme-t-il, est de comprendre comment l'on passe de la possession à la propriété, du simple droit d'usage au droit d'aubaine, du *jus ad rem,* droit à la chose, au *jus in re,* droit dans la chose ? Autrement dit, en quoi le « droit d'aubaine » est-il légitime ?

Selon un premier argument classique, la propriété résulte essentiellement du *droit d'occupation* ou du *droit de premier occupant.* Ce droit lui-même trouve sa justification dans le droit à la vie de tout être humain, droit à la vie qui implique qu'on ne prive aucun homme des moyens matériels de subvenir à ses besoins. La thèse de l'occupation comme fondement de la propriété ne résiste pas longtemps à l'examen. D'une part, alors que la possession suppose effectivement l'occupation, il n'y a pas toujours occupation là où il y a propriété. C'est même l'un des principaux intérêts du droit d'aubaine que de permettre de tirer profit d'un bien sans l'occuper soi même. D'autre part, si la propriété était fondée sur le droit du premier occupant, la propriété de chacun devrait être strictement égale à celle d'autrui, sauf à remettre en cause cet autre droit fondamental qu'est l'égalité. « Si le droit de vivre est égal, le droit de travailler est égal, et le droit d'occuper encore égal », remarque Proudhon (*ibid.*, p. 49). Or, il est clair que la propriété n'est pas distribuée également dans nos sociétés.

Le droit du premier occupant ne suffisant pas à fonder le droit de propriété, d'autres arguments ont été avancés pour sa défense. Parmi ces arguments, la *prescription* a souvent été invoquée. Selon ce principe, il est admis que l'occupation en elle-même ne suffit pas à justifier le droit de propriété. C'est le temps qui, finalement, créerait la propriété au sens strict ; possibilité que réfute vigoureusement Proudhon. Qu'ajoute en effet la simple durée à l'occupation ? Rien en tout cas qui puisse justifier le droit d'aubaine, selon cet auteur.

L'argument le plus souvent repris en faveur de la propriété, notamment par les fondateurs de l'économie politique, est d'un autre ordre. Il consiste à dire que c'est le travail de l'homme qui est la cause unique et essentielle du droit de propriété. L'homme n'est libre que s'il appartient à lui-même (contrairement à l'esclave ou au serf), ce qui suppose de lui reconnaître au moins la propriété de son corps, donc de sa force de travail. Par extension, le produit de cette force de travail lui revient alors aussi, logiquement.

La formulation la plus célèbre de cette position est celle qu'en a proposée le philosophe anglais John Locke (1632-1704) dans son *Traité du gouvernement civil* publié en 1690 : «Encore que la Terre et toutes les créatures inférieures soient communes et appartiennent en général à tous les hommes, chacun pourtant a un droit particulier sur sa propre personne, sur laquelle nul autre ne peut avoir aucune prétention. Le travail de son corps et l'ouvrage de ses mains, nous le pouvons dire, sont son bien propre. Tout ce qu'il a tiré de l'état de nature, par sa peine et son industrie, appartient à lui seul : car cette peine et cette industrie étant sa peine et son industrie propre et seule, personne ne saurait avoir droit sur ce qui a été acquis par cette peine et cette industrie, surtout, s'il reste aux autres assez de semblables et d'aussi bonnes choses communes. Un homme qui se nourrit de glands qu'il ramasse sous un chêne, ou de pommes qu'il cueille sur des arbres, dans un bois, se les approprie certainement par là.» (Locke, 1690, p. 35.)

Mais, l'appropriation ne peut s'arrêter là, selon Locke. De même que le travail implique la propriété du produit de ce travail, de même la matière de ce travail doit devenir la propriété du travailleur. Le philosophe pense ici en particulier à la terre. «Le Créateur et la raison ordonnent [à l'homme] de labourer la terre, de la semer, d'y planter des arbres et d'autres choses, de la cultiver, pour l'avantage, la conservation et les commodités de la vie, et lui apprennent que cette portion de la terre, dont il prend soin, devient, par son travail, son héritage particulier. Tellement que celui qui, conformément à cela, a labouré, semé, cultivé un certain nombre d'arpents de terre, a véritablement acquis, par ce moyen, un droit de propriété sur ses arpents de terre, auxquels nul autre ne peut rien prétendre, et qu'il ne peut lui ôter sans injustice.» (*ibid.*, p. 37.)

11.5.2 LA PROPRIÉTÉ, C'EST LE VOL !

À cette justification du droit de propriété, Proudhon oppose essentiellement trois arguments, qui tous aboutissent à l'idée que la thèse lockéenne, loin de soutenir la propriété, ne peut en fait que la détruire.

Premièrement, si seul le travail de l'homme peut créer la propriété, la propriété de la terre en général, sous toutes ses formes, est injustifiable, contrairement à ce qu'en dit Locke, puisque la terre n'est pas le produit du travail des hommes. Avec toujours la même ironie mordante, le philosophe observe ainsi : «À qui est dû le fermage de la terre ? Au producteur de la terre, sans doute. Qui a fait la Terre ? Dieu. En ce cas, propriétaire, retire-toi.» (Proudhon, 1840, p. 71.) Et plus loin, sur le même thème et le même ton : «Voilà précisément en quoi consiste le monopole du propriétaire, que n'ayant pas fait l'instrument, il s'en fait payer le service. Que le Créateur se présente et vienne lui-même réclamer le fermage de la terre, nous compterons avec lui, ou bien que le propriétaire, soi-disant fondé de pouvoirs, montre sa procuration.» (*ibid.*, p. 120.) Si l'on s'accorde donc pour considérer le travail comme la cause de la propriété, seul Dieu (s'il existe !), en tant que créateur de l'Univers, pourrait revendiquer un quelconque droit de propriété sur la Terre. L'objection de Proudhon vaut en fait pour tout ce que produit la Terre : le contenu du sol (métaux, fossiles…), les végétaux, les animaux, etc.

Chaque homme peut tout au plus en devenir copropriétaire par son travail. Il reste que ce n'est pas un être humain qui a créé le blé, le fer ou le cheval. Dès lors, si l'on se fie à la seule justification de la propriété par le travail, force est d'admettre que personne ne peut revendiquer un droit d'aubaine sur toutes ces choses, vivantes ou pas, que l'homme a trouvées et continue de trouver sur la planète qu'il occupe. « L'homme a tout créé, tout, excepté la matière elle-même. Or, c'est de cette matière que je soutiens qu'il ne peut avoir que la possession et l'usage, sous la condition permanente du travail, lui abandonnant pour un moment la propriété des choses qu'il a produites. » (Proudhon, 1840, p. 84.)

Deuxièmement, et toujours en admettant que la propriété puisse être causée par le travail, Proudhon fait valoir que, hormis la terre donc, « tout capital, soit matériel, soit intellectuel, étant une œuvre collective, forme par conséquent une propriété collective. » (*ibid.*, p. 107.) Dans des termes qui rappellent d'ailleurs ceux qu'utilisent Adam Smith pour vanter les bienfaits de la division du travail, le philosophe souligne que : « L'homme isolé ne peut subvenir qu'à une très petite partie de ses besoins ; toute sa puissance est dans la société et dans la combinaison intelligente de l'effort universel. » (*ibid.*, p. 109.) De même qu'une majeure partie de ce qu'il consomme lui vient du travail d'autrui, de même sa production, presque toujours, suppose la production d'une multitude d'autres travailleurs. Proudhon en tire la conséquence suivante : « Or, ce fait incontestable et incontesté de la participation générale à chaque espèce de produit a pour résultat de rendre communes toutes les productions particulières : de telle sorte que chaque produit, sortant des mains du producteur, se trouve d'avance frappé d'hypothèque par la société. » (*ibid.*, p. 109.)

Mais, en payant ses instruments de travail, celui qui les utilise ne s'est-il pas acquitté de toute dette à l'égard de la multitude qui les a produits ? En quoi peut-on dire qu'il reste redevable à la société ? Pour la raison que les moyens dont il dispose pour effectuer son travail sont le produit d'un effort collectif, qui ne peut se réduire à la somme des efforts individuels qu'il comprend. L'exemple utilisé par Proudhon à l'appui de cette idée est on ne peut plus clair : « Deux cents grenadiers ont en quelques heures dressé l'obélisque de Louqsor sur sa base ; suppose-t-on qu'un seul homme, en deux cents jours, en serait venu à bout ? » (*ibid.*, p. 88). La société, le groupe, le collectif est capable de produire des biens qu'un individu seul, y consacrant chaque jour de son existence, ne pourrait jamais produire. C'est donc bien le collectif, en tant que tel, qui doit être considéré comme le producteur de ces biens, et par conséquent comme son légitime propriétaire, si l'on considère le travail comme la cause de la propriété.

Le même argument vaut en ce qui concerne, non plus le « capital matériel » mobilisé par le travailleur, mais son « capital intellectuel », son talent, son savoir. « De même que la création de tout instrument de production est le résultat d'une force collective, de même aussi le talent et la science dans un homme sont le produit de l'intelligence universelle et d'une science générale lentement accumulée par une multitude de maîtres, et moyennant le secours d'une multitude d'industries inférieures. Quand le médecin a payé ses professeurs, ses livres, ses diplômes et soldé toutes ses dépenses, il n'a pas plus payé son talent que le capitaliste n'a payé son domaine et son château en salariant ses ouvriers. L'homme de talent a contribué à produire en lui-même un instrument utile : il en est donc co-possesseur ; il n'en est pas le propriétaire. Il y a tout à la fois en lui un travailleur libre et un capital social accumulé : comme travailleur, il est préposé à l'usage d'un instrument, à la direction d'une machine, qui est sa propre capacité ; comme capital, il ne s'appartient pas, il ne s'exploite pas pour lui-même, mais pour les autres. » (Proudhon, 1840, p. 105.) Cela conduit Proudhon à suggérer qu'à la limite, le médecin devrait recevoir une rémunération inférieure à celle du laboureur. La somme de talents et de savoirs qu'il a reçue de la société est nettement supérieure en effet à celle dont a hérité le laboureur. La dette du médecin, par conséquent, est bien plus considérable que celle du laboureur, d'autant que de nombreuses années de formation lui ont été nécessaires avant qu'il commence à exercer son activité. Le laboureur a pu commencer à rendre service, à se montrer utile, bien plus vite. Mais, l'essentiel n'est pas là. Il s'agit d'abord de reconnaître que l'un et l'autre doivent ce qu'ils savent faire et ce qu'ils sont à la société. Produits de la société, le produit de leur travail appartient donc, au moins pour une part, à la société. « Quelle que soit donc la capacité d'un homme, dès que cette capacité est créée, il ne s'appartient plus ; semblable à la matière qu'une main industrieuse façonne, il avait la faculté de devenir, la société l'a fait être. Le vase dira-t-il au potier : Je suis ce que je suis, et je ne te dois rien ? » (Proudhon, 1840, p. 105.) À nouveau donc, mais cette fois en s'appuyant sur un raisonnement que l'on peut considérer comme proprement sociologique, puisque la société y est envisagée comme une entité spécifique et une force agissante, Proudhon en arrive à montrer que la justification de la propriété privée par le travail conduit à « détruire » la propriété privée.

Son troisième argument est d'ordre logique. C'est le plus simple des trois, et peut-être le plus embarrassant pour les défenseurs de la justification lockéenne de la propriété. Il consiste simplement à faire remarquer que « pour transformer la possession en propriété, il faut autre chose que le travail, sans quoi l'homme cesserait d'être propriétaire dès qu'il cesserait d'être travailleur […] » (Proudhon, 1840, p. 83). Et inversement, dès qu'il y a travail, il devrait y avoir propriété, appropriation, si l'on accepte le principe selon lequel la propriété est causée par le travail. Le fermier qui loue une terre à un propriétaire foncier, devrait, selon l'argument développé par Locke, finir par en devenir copropriétaire et, ultimement, le seul propriétaire. L'ouvrier qui utilise les machines et les locaux d'une usine appartenant à un industriel, si le travail crée la propriété, ne peut que devenir à terme le propriétaire légitime de ce capital, tandis que son patron, dans la mesure du moins où il n'exploite pas lui-même ce capital, devrait perdre au contraire son droit d'aubaine sur celui-ci. « Quiconque travaille devient propriétaire : ce fait ne peut être nié dans les principes actuels de l'économie politique et du droit. Et quand je dis propriétaire, je n'entends pas seulement, comme nos économistes hypocrites, propriétaire de ses appointements, de son salaire, de ses gages ; je veux dire propriétaire de la valeur qu'il crée, et dont le maître seul tire le bénéfice. [...] Voici ma proposition : Le travailleur conserve, même après avoir reçu son salaire, un droit naturel de propriété sur la chose qu'il a produite. » (Proudhon, 1840, p. 85-86.) C'est ainsi qu'en fondant la propriété sur le travail on finit, logiquement, par supprimer le droit d'aubaine, donc la propriété.

Au total, la propriété privée est sans fondement légitime pour Proudhon. Comment cette institution a-t-elle pu alors s'imposer dans nombre de sociétés humaines ? Pour le philosophe, il ne fait pas de doute que l'instauration du droit d'aubaine n'est qu'une manifestation de la loi du plus fort. Son maintien dans la société occidentale du XIXᵉ siècle est conforme non plus au « droit de la force », mais au « droit de la ruse » qui lui a succédé dans l'histoire — « c'est toujours la force, mais transportée de l'ordre des facultés corporelles dans celui des facultés psychiques », dit Proudhon. L'exercice du droit d'aubaine doit être envisagé comme un vol pur et simple sur le produit du travail d'autrui. L'accusation lancée par Proudhon, on l'aura compris, ne vaut pas seulement dans le cas classique de l'esclavage et du servage, mais aussi dans le cas du salariat. Le fait que le salarié soit formellement libre de vendre ou pas sa force de travail au « capitaliste » n'y change rien. Ce rapport social reste une forme d'exploitation de l'homme par l'homme.

11.5.3 LE SALARIAT, UNE FORME D'EXPLOITATION QUI NE VEUT PAS DIRE SON NOM

Reprenant à son compte l'essentiel des thèses de Proudhon sur la question de la propriété, Karl Marx, troisième grand fondateur de la sociologie avec Weber et Durkheim, tente dans *Le Capital* de démontrer de manière systématique que le salariat, rapport social essentiel de l'entreprise capitaliste, constitue bel et bien un vol que commet le propriétaire sur le produit du travail de celui qu'il emploie.

Le capitaliste, dit Marx, est celui qui utilise de l'argent pour acheter des marchandises qu'il revendra ensuite contre de l'argent, en cherchant à réaliser une plus-value, c'est-à-dire un profit. Le capitaliste achète pour vendre, contrairement à celui qui, comme l'artisan, se contente de vendre une marchandise qu'il a produite, contre de l'argent avec lequel il pourra acheter en retour les marchandises dont il a besoin pour vivre. Ces deux modes de circulation des marchandises ont été schématisés par Marx de la façon suivante : A – M – A (argent – marchandise – argent) pour le mode de circulation capitaliste ; M – A – M (marchandise – argent – marchandise) pour le mode de circulation qu'il qualifie de « simple ».

La circulation simple ne pose pas problème, selon Marx. Elle constitue une manière traditionnelle pour l'homme de subvenir à certains de ses besoins[11]. En revanche, la démarche qui consiste à *acheter pour revendre*, autrement dit la formule A – M – A, ne va pas de soi. Elle n'a de sens, pour le capitaliste, que dans la mesure où la valeur de l'argent récupéré au terme du cycle est supérieure à la valeur de l'argent utilisé au point de départ. Cela soulève au moins deux questions : pourquoi des humains font-ils profession d'obtenir de leur argent une plus-value par l'achat et la revente de marchandises ? Comment ces humains, les capitalistes, parviennent-ils effectivement, en fin de cycle, à réaliser cette plus-value ? La première question, on l'a vu plus haut, a surtout intéressé Max Weber. Karl Marx s'est d'abord préoccupé de répondre à la seconde de ces questions : d'où vient la plus-value que recherche et obtient le capitaliste ?

Après avoir montré que cette plus-value ne peut être réalisée dans l'échange, puisque cet acte suppose une stricte équivalence de la valeur des marchandises offertes et reçues par les parties prenantes, Marx en vient à l'idée qu'une seule marchandise, parmi toutes celles qui sont disponibles sur le marché, permet au capitaliste d'obtenir finalement une plus-value : *la force de travail* humaine.

Cette marchandise particulière, « l'homme aux écus », comme dit Marx, l'achète à sa valeur, c'est-à-dire à un salaire qui doit permettre à son bénéficiaire de subvenir à ses besoins matériels et à ceux de sa famille. Mais, en retour, le capitaliste obtient ainsi le droit d'utiliser cette force de travail une journée entière, et cela de six à sept jours par semaine. Or, il se trouve que l'être humain a cette capacité bien particulière de pouvoir produire en une journée bien plus que ce qui lui est strictement nécessaire pour assurer sa subsistance et celle des siens. « Les frais de la force [de travail] en déterminent la valeur d'échange, la dépense de la force en constitue la valeur d'usage [12]. Si une demi-journée de travail suffit pour faire vivre l'ouvrier pendant 24 heures, il ne s'ensuit pas qu'il ne puisse travailler une journée tout entière. La valeur que la force de travail possède et la valeur qu'elle peut créer diffèrent donc de grandeur. C'est cette différence de valeur que le capitaliste avait en vue lorsqu'il acheta la force de travail. [...] ce qui décida l'affaire, c'était l'utilité spécifique de cette marchandise d'être source de valeur, et de plus de valeur qu'elle n'en possède elle-même. » (Marx, 1963a, p. 745-746.)

La journée de travail (ou la semaine, ou le mois) du salarié comporte en fait deux périodes, explique Marx. Une première période correspond au temps qu'il faut au travailleur pour produire une valeur équivalente à la sienne, c'est-à-dire une valeur équivalente à son salaire quotidien. Marx nomme cette période « le temps de travail nécessaire ». Si le salarié s'arrête de travailler au terme de cette période, le capitaliste ne perdra pas d'argent, mais n'en gagnera pas non plus, la force de travail employé n'ayant produit qu'une valeur strictement égale à son coût, comme c'est le cas de toutes les autres marchandises. Toutefois, ce « temps de travail nécessaire » ne constitue jamais qu'une fraction de la journée de travail dont est capable un être humain. C'est cette journée qu'achète « l'homme aux écus ». Il n'est donc pas question pour lui que le travail cesse avant qu'elle s'achève. Lorsque le « travail nécessaire » est accompli, commence donc une seconde période, que Marx appelle le « temps extra » ou le temps de « surtravail ». C'est évidement ce « surtravail » qui intéresse le capitaliste. C'est là, dans ce temps de travail non rémunéré, que se situe la source de la plus-value. C'est grâce au produit de cette seconde période de temps de travail qu'il peut retourner au marché avec des marchandises dont la valeur est finalement supérieure à celle des marchandises qu'il avait initialement achetées. Et c'est ainsi qu'il va réaliser un profit, selon le schéma A – M – A.

La plus-value, et par conséquent le profit, seront d'autant plus élevés que le *surtravail* obtenu des salariés sera important. Le capitaliste a donc perpétuellement intérêt à augmenter la durée de ce «temps extra». Pour ce faire, le plus simple est d'augmenter la durée de la journée de travail que le salarié doit à son employeur. On peut aussi augmenter l'intensité du travail, en réduisant, voire en supprimant, des temps de pause au cours de la journée. En procédant de la sorte, le capitaliste obtient une hausse de «la plus-value absolue». L'autre option, qui s'impose dès lors que l'on a atteint les limites possibles de l'allongement de la journée de travail ou de son intensification, consiste à augmenter la durée du «surtravail» par rapport à la durée du «travail nécessaire». Dans ce cas, on parlera d'une hausse de la «plus-value relative». Concrètement, cela suppose de réussir à augmenter la productivité de la force de travail. C'est précisément la possibilité qu'offre au capitaliste le modèle de la manufacture, selon Marx. Cette forme d'organisation du travail permet en effet d'accroître la force productive de salariés de deux manières. D'une part, la simple coopération entre employés crée une force de travail supérieure à la somme des forces individuelles, comme le rappelait déjà Proudhon avec l'exemple de l'édification de l'obélisque de Louqsor. C'est le principe de la «coopération simple», dit Marx. D'autre part, et sur ce point Marx ne fait que reprendre les propos d'Adam Smith, la division du travail, c'est-à-dire la spécialisation productive, contribue à améliorer les habiletés de chacun, à réduire les pertes de temps attribuables aux changements de tâches, à perfectionner les instruments de travail. Ce principe d'organisation permettra donc des gains de productivité importants. Et c'est ainsi que la valeur produite par les salariés de la manufacture augmentera considérablement, sans pour autant entraîner une augmentation du coût de la force de travail pour le capitaliste ni un allongement de la journée de travail. D'où l'idée que l'on a affaire ici à une hausse de la *plus-value* «relative» et non pas «absolue».

Tel est, nous dit Marx, le «secret» du profit que réalise le capitaliste. Son succès suppose l'exploitation du salarié, qui reçoit un salaire toujours inférieur à la valeur qu'il a produite. Autrement dit, en vendant sa journée de travail, le salarié se trouve dans l'obligation de travailler au-delà de ce qui lui est nécessaire pour vivre. Et le produit de ce surcroît de travail revient légalement au capitaliste, sans autre forme de procès. Il reste que, selon la justification lockéenne de la propriété, il serait légitime que le fruit de ce surtravail revienne au travailleur.

11.5.4 La lutte des classes

Dans le contexte de la manufacture, cette forme d'exploitation de l'homme par l'homme se double, selon Marx, d'une sorte de mutilation de la force de travail employée par le capitaliste. La division du travail, en effet, « estropie le travailleur, elle fait de lui quelque chose de monstrueux en activant le développement de sa dextérité de détail, en sacrifiant tout un monde de dispositions et d'instincts producteurs [...]. » (Marx, 1963a, p. 903.) Et l'auteur du *Capital* se fait un plaisir ici de citer Adam Smith qui, après avoir fait l'apologie de cette fameuse division du travail — cause de la richesse des nations — en dénonce également les effets pervers, dans un passage célèbre : « Un homme qui passe toute sa vie à remplir un petit nombre d'opérations simples, dont les effets sont aussi peut-être toujours les mêmes ou très approchant les mêmes, n'a pas lieu de développer son intelligence ni d'exercer son imagination à chercher des expédients pour écarter des difficultés qui ne se rencontrent jamais ; il perd donc naturellement l'habitude de déployer ou d'exercer ces facultés et devient, en général, aussi stupide et aussi ignorant qu'il soit possible à une créature humaine de le devenir. » (Smith, 1991, II, p. 406.) Pour Marx, chaque ouvrier devient ainsi la simple parcelle d'un tout constitué par l'ensemble des salariés, ensemble qui forme le « travailleur collectif ». La conséquence ultime de cette évolution, qui se poursuit d'ailleurs avec le modèle de la grande industrie, c'est le lien de dépendance étroit qui se crée entre ces « ouvriers parcellaires » et ces formes d'organisation du travail salarié. Avec le temps, affirme Marx, la manufacture et sa division du travail créent des humains qui deviennent incapables d'exercer leur force de travail dans un autre contexte. « Originairement l'ouvrier vend au capital sa force de travail parce que les moyens matériels de la production lui manquent. Maintenant, sa force de travail refuse tout service sérieux si elle n'est pas vendue. Pour pouvoir fonctionner, il lui faut ce milieu social qui n'existe que dans l'atelier du capitaliste. » (Marx, 1963a, p. 904.) La domination du Capital — les capitalistes — sur le Travail — les salariés — devient donc totale.

Pourquoi les salariés acceptent-ils de prendre part à ce jeu de dupes, selon Marx ? Il leur est en fait difficile de faire autrement, puisque les moyens de production par lesquels ils pourraient subvenir à leurs besoins sont la propriété exclusive de quelques-uns — les *bourgeois,* dans la terminologie marxienne. En ce sens, ils se retrouvent dans une situation à peine plus enviable que celles des esclaves de l'Antiquité et des serfs du Moyen Âge. « Les différentes formes économiques revêtues par la société, l'esclavage, par exemple, et le salariat, ne se distinguent que par le mode dont [le] surtravail est imposé et extorqué au producteur immédiat, à l'ouvrier. » (*ibid.,* p. 770.) Certes, contrairement à l'esclavage et au servage, le salariat suppose que le *prolétaire* est formellement libre de travailler ou pas pour un capitaliste. Mais, comme dit Marx, ce salarié en puissance est « libre à un double point de vue. Premièrement, le travailleur doit être une personne libre, disposant à son gré de sa force de travail comme de sa marchandise à lui ; secondement, il doit n'avoir pas d'autre marchandise à vendre, être, pour ainsi dire, libre de tout, complètement dépourvu des choses nécessaires à la réalisation de sa puissance travailleuse. » (*ibid.,* p. 717.) Pour simplement vivre, il n'a pas d'autre solution que d'abandonner sans contrepartie une part du fruit de son travail au capitaliste, et de contribuer ainsi à l'enrichissement de celui-ci.

Le mode de production a changé, mais le problème de fond demeure. Et ce problème, c'est celui de l'appropriation des moyens de production par une minorité aux dépens d'une majorité. « Le capital n'a point inventé le surtravail. Partout où une partie de la société possède le monopole des moyens de production, le travailleur, libre ou non, est forcé d'ajouter au temps de travail nécessaire à son propre entretien un surplus destiné à produire la subsistance du possesseur des moyens de production. » (Marx, 1963a, p. 791.) Cette inégalité fondamentale dans la propriété des moyens de production, inégalité qui n'a rien de naturel, précise Marx, est ce qui détermine la formation de classes sociales aux intérêts antagonistes ; classes dont les luttes ont fait l'essentiel de l'histoire de l'humanité, selon Marx et Engels (1976, p. 30).

Pour les auteurs du *Manifeste du parti communiste* (1976), seule l'abolition de la propriété privée permettra d'en finir avec la société de classes, dont la société bourgeoise ne constitue que le plus récent avatar, et de mettre fin aux luttes incessantes pour l'appropriation des moyens de production. Toujours selon Marx et Engels, cette abolition décisive devra être l'œuvre de la classe prolétarienne quand, au terme d'une révolution prochaine, elle aura pris le pouvoir. Pour que cette révolution se produise, il est essentiel que cette classe prenne conscience d'elle-même et de l'exploitation qu'elle subit de la part de la classe bourgeoise. La classe sociale, d'après ces deux auteurs, c'est d'abord l'ensemble des membres d'une société occupant une position similaire dans les rapports de production propres à la société en question. Tendanciellement, dans le mode de production capitaliste, ces positions sont au nombre de deux : celle des *prolétaires* qui n'ont que leur force de travail à offrir et celle des *bourgeois* qui possèdent les moyens de production. Mais, pour qu'il y ait véritablement classe sociale, encore faut-il qu'il y ait conscience de classe. La classe *en soi* n'est rien sans la classe *pour soi*. Les paysans, remarque par exemple Marx, forment assurément une classe *en soi,* mais ils sont incapables d'éprouver une quelconque conscience de classe ; il n'y a pas de classe paysanne *pour soi*. Or, l'engagement dans la lutte des classes suppose la conscience de classe.

En ce qui concerne la classe prolétarienne, Marx concevait son propre travail comme un moyen décisif d'aider cette classe à prendre conscience d'elle-même. Le salariat n'a *a priori* rien d'un rapport d'exploitation. Il n'en a pas l'apparence, à tout le moins. Contrairement à l'esclavage et au servage, ce mode de production associe des humains égaux en droit, et qui sont censés faire affaire librement. Seule l'analyse des sources de la plus-value que propose Marx révèle l'existence du rapport d'exploitation subi par les prolétaires. La compréhension par ces derniers de ce qui se joue « réellement » dans ce rapport de production constitue le point de départ de cette lutte contre la classe bourgeoise qui doit les conduire à la révolution et, ultimement, à l'instauration de la société communiste.

Cela dit, Marx considère également que dans leurs efforts pour abattre la société bourgeoise, les prolétaires ont toutes les chances de bénéficier des faiblesses propres au mode de production capitaliste. Celui-ci, assure-t-il, est en effet fondamentalement autodestructeur. D'une part, la concurrence incite le capitaliste à réduire continuellement ses coûts de production, ce qui l'amène à préférer à la force de travail humaine (capital variable) la force des machines (capital constant). Mais, ce faisant, c'est la source de sa plus-value qui va se tarir. Marx parle à ce propos de la « baisse tendancielle du taux de profit ». D'autre part, le remplacement des hommes par des machines et la pression à la baisse que le capitaliste exerce en permanence sur le salaire de ceux qu'il emploie (pression d'autant plus efficace que le nombre de travailleurs sans emploi est élevé), contribuent à la paupérisation du prolétariat. Le problème est que ce prolétariat ne représente pas seulement une force de travail. C'est aussi une classe de consommateurs. Or, plus cette classe s'appauvrit, moins elle consomme. Le mode de production capitaliste vit par conséquent sous la menace perpétuelle de la surproduction, chose inouïe dans l'histoire de l'humanité. Finalement, la révolution pourrait donc en principe n'être même pas nécessaire pour que l'ordre bourgeois disparaisse.

11.5.5 Société de masse ou société de classes ?

Marx prédisait une bipolarisation de la société, avec d'un côté la classe bourgeoise, toujours plus riche et toujours moins nombreuse, et de l'autre, la classe prolétarienne, toujours plus nombreuse et toujours plus pauvre. Le conflit violent lui paraissait inévitable. Or, il n'y a pas eu de révolution, du moins pas dans les grands pays occidentaux où régnait le mode de production dénoncé par Marx. Au contraire, le XXᵉ siècle a vu l'émergence et la croissance d'une troisième classe, appelée classe moyenne. Toutefois, cette apparition n'a rien eu de miraculeux, et ne donne tort à Marx que partiellement. Elle est en effet la conséquence de luttes politiques et syndicales, qui ont abouti à la mise en place du modèle de l'« État-providence » et à l'imposition de toute une série de dispositifs de protection des salariés et de redistribution à leur intention d'une partie des richesses produites par les entreprises.

À la fin des « Trente Glorieuses » (1945-1975), cette classe moyenne, parfois appelée « petite bourgeoisie », a semblé sur le point d'inclure la quasi-totalité de la population des sociétés occidentales. On a alors pensé, notamment chez les sociologues, que la notion de société de classes devait être abandonnée définitivement au profit de celle de société de masse. En tout cas, le statut de salarié, avec la généralisation des « emplois standards » (sécurité de l'emploi, salaires supérieurs aux minima, avantages sociaux, retraite, congés payés, etc.), pouvait de moins en moins être considéré comme une forme d'exploitation brutale de l'homme par l'homme. L'idéal smithien de « l'harmonie naturelle des intérêts » semblait sur le point de se réaliser, la main invisible du marché bénéficiant en l'occurrence du soutien de la main bien visible de l'État : la croissance des richesses produites par les entreprises profitait effectivement au plus grand nombre.

À partir de la première crise pétrolière (1973), les choses ont commencé à se détériorer sérieusement. Depuis le début de cette période, que certains ont déjà baptisée les « Trente Piteuses », les inégalités de condition au sein des sociétés occidentales ont recommencé à se creuser, et ce, de manière très sensible. Les plus riches ont continué à s'enrichir, alors que les plus démunis n'ont cessé de s'appauvrir. La fameuse classe moyenne a perdu de son importance partout. On a parlé d'un « divorce » entre la société et les entreprises, ou encore d'une économie qui se serait retournée « contre la société ».

Le chômage massif, la généralisation des emplois « atypiques », les diverses formes de souffrance au travail (stress, épuisement…) qu'occasionne la pression au rendement subie par ceux qui ont « la chance » d'être salariés : tout cela nous rappelle surtout que nos sociétés restent bâties sur l'appropriation par une minorité des moyens de production, c'est-à-dire des moyens d'assurer notre subsistance. Dès lors que les propriétaires de ces moyens de production estiment qu'ils n'ont pas intérêt à « faire travailler » leurs capitaux, ceux qui n'ont pour vivre que leur force de travail, se retrouvent forcément dans une situation critique. S'ils veulent éviter le chômage pur et simple, et les risques de paupérisation qui lui sont évidemment associés, ils n'ont d'autre choix que d'accepter les conditions de travail imposées par les employeurs. Cela peut donner lieu à des formes d'exploitation qui n'ont pas grand-chose à envier à celles que les socialistes dénonçaient au XIXe siècle. C'est ainsi que l'on a vu apparaître depuis quelques années en Occident une nouvelle catégorie de démunis, que les Américains ont appelé les *working poors*. Ces nouveaux pauvres exercent une activité salariée. Ils ont même parfois deux ou trois emplois. Mais les termes de leurs contrats de travail sont tels que, malgré des journées de labeur de plus de 12 heures parfois, il leur est impossible de « joindre les deux bouts », c'est-à-dire de subvenir à leurs besoins, même les plus élémentaires, comme le décrit notamment Barbara Ehrenreich dans son ouvrage intitulé fort justement *L'Amérique pauvre. Comment ne pas survivre en travaillant* (2004).

Sans être exceptionnelle, la situation des « travailleurs pauvres » ne touche pas, pour le moment, la majorité des salariés des pays occidentaux. Toutefois, elle n'est pas sans rappeler la situation de millions de salariés du tiers-monde actuellement au service d'entreprises dont les capitaux sont encore bien souvent d'origine occidentale. Ce que vit la grande majorité de ces travailleurs ressemble fort aux conditions d'existence des salariés de l'industrie naissante en Europe au XIXe siècle. Même en admettant, dans la perspective de Marx, que la valeur d'échange de cette force de travail est inférieure à celle de la force de travail en Occident, il est difficile de ne pas considérer que leurs conditions d'emploi relèvent d'une forme d'exploitation très brutale de l'homme par l'homme. Quant aux centaines de milliers de candidats au salariat qui tentent de venir chercher du travail dans les pays occidentaux, leur situation, dans bien des cas, confère une sinistre actualité à ces mots pathétiques de Proudhon : « Le propriétaire, comme un Robinson dans son île, écarte à coups de pique et de fusil le prolétaire que la vague de la civilisation submerge, et qui cherche à se prendre aux rochers de la propriété. Donnez-moi du travail, crie celui-ci de toute sa force au propriétaire ;

ne me repoussez pas, je travaillerai pour le prix que vous voudrez. — Je n'ai que faire de tes services, répond le propriétaire en présentant le bout de sa pique ou le canon de son fusil. — Diminuez au moins mon loyer. — J'ai besoin de mes revenus pour vivre. — Comment pourrai-je vous payer, si je ne travaille pas ? — C'est ton affaire. Alors l'infortuné prolétaire se laisse emporter au torrent, ou, s'il essaie de pénétrer dans la propriété, le propriétaire le couche en joue et le tue. » (Proudhon, 1840, p. 49 [13].)

Sans avoir à reprendre à notre compte la totalité des analyses marxiennes ou proudhoniennes, ni d'ailleurs faire nôtres les solutions politiques que ces deux grands penseurs du socialisme ont préconisées, force est d'admettre avec eux que l'entreprise est essentiellement fondée sur un rapport social très particulier, le salariat ; que ce rapport social, pour s'imposer, suppose qu'une majorité des membres de la société n'a d'autre ressource pour vivre que sa seule force de travail, tandis qu'une minorité est légalement propriétaire de l'essentiel des moyens de production ; qu'il suppose également, innovation proprement moderne (ou bourgeoise, dirait Marx), que tous les membres de la société en question soient reconnus comme libres et égaux en droit ; que ce rapport social, enfin, doit être envisagé comme un rapport de force qui, dans la plupart des cas, tourne à l'avantage des propriétaires des moyens de production, pour la simple raison que leurs biens leur assurent, au moins pour un temps, une indépendance matérielle dont, par définition, ne peuvent jouir les candidats au salariat.

Et ce n'est pas être marxiste que de soutenir cela. Adam Smith, qu'on ne peut évidemment taxer de gauchisme, affirmait déjà dans ses *Recherches* : « Les ouvriers désirent gagner le plus possible ; les maîtres, donner le moins qu'ils peuvent ; les premiers sont disposés à se concerter pour élever les salaires, les seconds pour les abaisser. Il n'est pas difficile de prévoir lequel des deux partis, dans toutes les circonstances ordinaires, doit avoir l'avantage dans le débat, et imposer forcément à l'autre toutes ses conditions. [...] Dans toutes ces luttes, les maîtres sont en état de tenir ferme plus longtemps. Un propriétaire, un fermier, un maître fabricant ou marchand, pourraient en général, sans occuper un seul ouvrier, vivre un an ou deux sur les fonds qu'ils ont déjà amassés. Beaucoup d'ouvriers ne pourraient pas subsister sans travail une semaine, très peu un mois et à peine un seul une année entière. À la longue, il se peut que le maître ait autant besoin de l'ouvrier que celui-ci a besoin du maître ; mais le besoin du premier n'est pas si pressant. » (Smith, 1991, I, p. 137-138.)

Tant que l'économique constituera l'infrastructure de nos sociétés (ce qui n'a rien d'une fatalité, nous l'avons vu) et que les moyens de production seront inégalement répartis entre les membres de ces sociétés, il restera pertinent de se représenter la structure de celles-ci en utilisant le concept de classe sociale. L'idée, défendue par Proudhon comme par Marx, selon laquelle nos « manières d'agir et de penser » sont largement conditionnées par la position que nous occupons dans les rapports de production continue d'être valide et féconde. Toute la sociologie de Pierre Bourdieu, bâtie sur une conception des classes sociales articulant les apports de Marx et de Weber sur ce plan, est là pour en témoigner. Par ailleurs, bon nombre de jeunes sociologues, sans s'inscrire forcément dans le cadre de la théorie bourdieusienne, recommencent aujourd'hui à utiliser le concept de classe. C'est le cas par exemple, en France, de Louis Chauvel (2001). En Amérique du Nord, le retour en grâce de cette notion se fait sentir également, quoique d'une manière moins nette. L'idée même de « classe sociale » a toujours posé problème de ce côté-ci de l'Atlantique. Elle entre clairement en contradiction avec le « rêve américain », qui veut que la réussite économique soit à la portée de chacun, à condition de s'en donner la peine. Ce rêve n'est certainement pas infondé. Les sociétés canadienne et états-unienne offrent sans doute plus de chances d'appropriation de moyens de production à leurs membres, quelle que soit leur position sociale initiale, que les sociétés européennes. Il reste qu'un certain nombre de phénomènes enregistrés par les études statistiques, tels que la stabilité dans le temps d'inégalités de condition selon le milieu socioprofessionnel et la reproduction d'une génération à l'autre de ces inégalités, semblent justifier le recours à la notion de classe sociale.

11.5.6 Propriété menaçante, propriété menacée

Pour finir, il faut encore souligner que la relecture des travaux de Proudhon sur la propriété s'avère particulièrement pertinente aujourd'hui. La question des droits de propriété constitue en effet un enjeu plus que jamais crucial dans le monde des affaires et, par conséquent, dans nos sociétés en général. On assiste en fait sur ce plan à deux mouvements contradictoires.

D'une part, on constate que le milieu des affaires ne cesse actuellement d'étendre le *droit d'aubaine* à des « choses » qui jusque-là n'en faisaient pas l'objet. C'est le cas en particulier dans le domaine des productions culturelles et scientifiques. On a vu ainsi s'imposer au cours des dernières années la notion de droits de propriété intellectuelle. Mais le phénomène le plus marquant sur ce plan est sans doute le développement du brevetage du vivant. Ces tentatives d'appropriation de la chose intellectuelle sont la conséquence prévisible du développement de l'« économie du savoir » et de l'« information » dans les sociétés occidentales. Pour ces sociétés, l'appropriation de ce nouveau genre de « biens » est la condition même de la préservation de leur suprématie économique sur le reste du monde. Les débats qui entourent ces extensions récentes du droit de propriété recoupent bon nombre des réflexions de Proudhon sur la question. La revendication d'un droit d'aubaine sur des organismes vivants, par exemple, soulève ainsi l'objection que ces organismes ne sont le produit du travail de personne et ne peuvent donc être appropriés. Néanmoins, pour ceux qui défendent cette possibilité, dans laquelle ils voient bien entendu une source de profits importante, l'enjeu est de réussir à montrer que cet organisme vivant porte, dans son essence même, la marque du travail humain, comme dans le cas des semences génétiquement modifiées. Cette question est au centre de plusieurs procès dans lesquels sont impliquées actuellement les entreprises productrices d'OGM.

D'autre part, la propriété se trouve également contestée de diverses manières aujourd'hui. À l'origine de ces menaces, il y a la diffusion des nouvelles technologies de l'information et de la communication (NTIC). On pense ici bien sûr, en premier lieu, au cas de la reproduction et de l'échange de fichiers numériques par Internet, qui constitue une violation du *droit d'aubaine* des sociétés productrices de disques et de films. Ce cas rappelle que l'exercice d'un droit de propriété suppose d'abord de disposer des moyens de le faire respecter. Surtout, il montre que toute mise en cause du *droit d'aubaine* revendiqué par une entreprise constitue une menace directe pour la survie de celle-ci. C'est une telle menace qui pèse aujourd'hui sur les maisons de disques notamment. D'où leurs efforts vigoureux pour obtenir des protections contre le « piratage ». Mais Internet est aussi le lieu d'émergence de phénomènes tout à fait légaux qui risquent de fragiliser d'une autre manière la position d'entreprises au fonctionnement traditionnel. Nous pensons ici, d'une part, à l'incroyable floraison de logiciels libres à laquelle on assiste (Linux, Mozilla, etc.), et d'autre part, à l'apparition d'« objets de consommation » tels que l'encyclopédie électronique Wikipédia. On a là autant de productions collectives, qui ne sont pas fondées sur le salariat et qui ne donnent pas lieu à la revendication d'un *droit d'aubaine* par qui que ce soit. Or, ces « produits » semblent pouvoir rivaliser en qualité avec ceux que mettent en vente les entreprises spécialisées dans ces domaines. Ils représentent donc une sérieuse menace pour ces entreprises commerciales. Au-delà de cette conséquence immédiate, ils préfigurent peut-être l'avènement d'un nouveau mode de production, reposant sur une toute autre conception de la propriété, plus proche, peut-être, de celle qu'aurait défendue Proudhon. À moins que l'on soit ici en présence d'une forme d'exploitation absolue, consistant pour certains propriétaires de moyens de diffusion de contenu sur Internet, à tirer bénéfice d'une force de travail parfaitement gratuite.

11.6 « DÉNATURALISER » L'ENTREPRISE

Dans le premier chapitre de ce manuel, Jean-Pierre Dupuis pose la question des origines du capitalisme et s'appuie en particulier sur la réponse que donne à cette question le sociologue Jean Baechler. Selon ce dernier, « l'expansion du capitalisme tire ses origines et sa raison d'être de l'anarchie politique » (1971, p. 126). Plus précisément, dit-il, « les ressorts profonds de l'expansion capitaliste sont, d'une part la coexistence de plusieurs unités politiques dans un même ensemble culturel, et, d'autre part, le pluralisme politique, qui libère l'économie » (Baechler, 1971, p. 132). Aussi intéressante et stimulante soit-elle, cette théorie présuppose que « l'esprit du capitalisme » a en fait toujours habité les êtres humains. Ce « démon » ou ce « génie » aurait été soigneusement contenu dans sa lampe ou dans sa boîte jusqu'au xe siècle environ, par les autorités politiques successives qui ont régné sur l'Occident. Un moment de faiblesse de la part de ces dernières aurait cependant suffi pour qu'il s'échappe enfin et impose peu à peu sa loi aux hommes de cette région du monde. En d'autres termes, également métaphoriques, Baechler nous présente le capitalisme comme les eaux d'un torrent tumultueux, dont les berges environnantes sont protégées par de hautes digues — les institutions politiques. Un jour, ces digues s'effondrent, et les eaux se répandent alentour de manière irrésistible… L'économie, enfin, est «libérée», nous dit-il.

Cette conception des origines du capitalisme est profondément naturaliste. Elle rejoint en fait celle qu'ont défendu et que continuent de défendre la plupart des économistes. Pour eux, le capitalisme, et par conséquent l'entreprise, sont fondamentalement dans la nature de l'homme. Nous partageons pour l'essentiel la critique que faisait Marx d'une telle position : «Les économistes, disait-il, ont une singulière manière de procéder. Il n'y a pour eux que deux sortes d'institutions, celles de l'art et celles de la nature. Les institutions de la féodalité sont des institutions artificielles, celles de la bourgeoisie sont des institutions naturelles. Ils ressemblent en ceci aux théologiens, qui établissent deux sortes de religions. Toute religion qui n'est pas la leur est une invention des hommes, tandis leur propre religion est une émanation de Dieu. En disant que les rapports actuels — les rapports de la production bourgeoise — sont naturels, les économistes font entendre que ce sont là des rapports dans lesquels se crée la richesse et se développent les forces productives conformément aux lois de la nature. Donc ces rapports sont eux-mêmes des lois naturelles indépendantes de l'influence du temps. Ce sont des lois éternelles qui doivent toujours régir la société. Ainsi il y a eu de l'histoire, mais il n'y en a plus. Il y a eu de l'histoire, puisqu'il y a eu des institutions de féodalité, et que dans ces institutions de féodalité on trouve des rapports de production tout à fait différents de ceux de la société bourgeoise, que les économistes veulent faire passer pour naturels et *partant* éternels.» (Marx, 1963b, p. 88-89.)

En envisageant l'entreprise comme un ensemble de «manières d'agir et de penser» propres aux sociétés occidentales modernes, selon une perspective inspirée de la sociologie durkheimienne, nous avions un double souci. D'abord, nous voulions mettre en évidence la singularité, voire l'étrangeté de cette organisation humaine. Nous voulions rappeler que l'entreprise ne va pas de soi. Le modèle sociologique présenté au début de ce manuel s'applique pour l'essentiel à toute organisation humaine. C'est là une bonne partie de sa force. C'est aussi sa faiblesse : il ne rend pas vraiment compte de l'originalité de l'entreprise, de ses caractéristiques propres. Ensuite, nous voulions au moins faire sentir, à défaut de pouvoir le démontrer, que l'entreprise n'est pas dans la nature de l'homme, contrairement à ce que suggère implicitement Baechler, à la suite de la plupart des économistes classiques, aussi bien que néoclassiques. Comme le détour par d'autres sociétés que les nôtres semble l'attester, les «manières d'agir et de penser» constitutives de l'entreprise, telles que l'«Individu» (Dumont) et ses «besoins illimités» (Sahlins) par exemple, peuvent être considérées comme de pures inventions, des créations originales de l'Occident moderne.

Pourquoi chercher à dénaturaliser l'entreprise? Cette institution occupe une place dominante dans nos sociétés. Elle fournit le modèle de fonctionnement de toutes les autres organisations humaines (on croise même des religieuses aujourd'hui dans les écoles de gestion!) et nous lui devons la plupart des «choses» dont nous éprouvons le besoin au quotidien (quel objet autour de nous n'est pas produit par une entreprise?). Cette domination de l'entreprise est telle que l'on pourrait même parler d'une forme inédite de totalitarisme et d'un processus d'«*entreprisation du monde*», ainsi que le suggère le sociologue Andreu Solé (2000, 2006). Considérer cette institution comme *naturelle,* c'est lui conférer une sorte de nécessité, d'inéluctabilité. C'est admettre qu'elle constitue pour les humains un horizon indépassable. C'est dire que nous n'avons pas le choix, qu'il nous faudra vivre à jamais avec cette institution, que cela nous plaise ou non, comme l'a affirmé par exemple, il y a quelques années, l'économiste américain Francis Fukuyama, en annonçant tranquillement «La fin de l'Histoire» (1993).

En montrant, comme nous avons essayé de le faire ici, que l'entreprise ne repose que sur une série d'«habitudes collectives» qui n'ont rien de naturel à l'homme, on affirme en fait la possibilité que ces «habitudes» disparaissent un jour et soient remplacées par de tout autres «coutumes». Compte tenu de la place centrale occupée par l'entreprise dans nos sociétés, il est clair que la disparition des «manières d'agir et de penser» qui la fondent, entraînerait la disparition pure et simple de notre monde ou, à tout le moins, sa transformation radicale. C'est précisément cette possibilité que nous voulons faire valoir ici. Un monde sans entreprise, qui ne soit pas non plus la copie d'un monde ancien, est possible. Il est à inventer, mais on peut compter pour ce faire sur l'incroyable capacité créatrice de l'homme. Comme nous le suggèrent l'histoire et l'ethnologie, la principale caractéristique de la nature humaine est sans doute cette disposition, apparemment unique dans le règne animal, à «créer des mondes» (Solé, 2000).

Reste à savoir si l'on souhaite ou pas l'avènement d'un monde sans entreprise. Sur ce point, c'est évidemment à chacun d'en décider. Le sociologue ici n'a pas d'autorité particulière à revendiquer. Toutefois, il aura fait son travail correctement s'il a réussi à convaincre ses contemporains que le monde dans lequel ils vivent ne se perpétue qu'avec leur collaboration active et qu'il leur appartient finalement d'en changer ou pas. Que ce choix ne soit pas chose facile est une évidence incontestable — aucun philosophe digne de ce nom n'a jamais prétendu qu'il était aisé d'exercer sa liberté. Ce choix existe néanmoins. Il faut en prendre conscience. La sociologie peut y aider.

Notes

1. Le Goff montre aussi que cet interdit a perdu de sa force avec l'invention du purgatoire, à la fin du XIIe siècle. À partir de ce moment, l'usurier, à condition de ne pas avoir trop abusé de sa pratique, pouvait se retrouver dans ce troisième lieu, et non plus directement en enfer.

2. Le Coran, comme la Bible, interdit le prêt à intérêt. Dans bien des pays musulmans, cet interdit continue d'être pris au sérieux au moins officiellement. Des banques islamiques fonctionnent dans le respect de cette prohibition.

3. Les révolutions, y compris lorsqu'elles sont « tranquilles », nous rappellent qu'aucune institution n'est éternelle. Reconnaître le pouvoir coercitif de ces « habitudes collectives » ne signifie pas qu'elles sont inéluctables. Elles n'ont jamais que le pouvoir qu'on leur donne.

4. Nous ne donnons à ce qualificatif aucune connotation particulière, ni positive, ni négative. Il s'agit pour nous de désigner par ce terme les membres des sociétés occidentales (Europe de l'Ouest, Amérique du Nord, essentiellement) telles qu'elles ont pris forme à la fin du Moyen Âge, qu'il vaut mieux appeler d'ailleurs le « monde chrétien », comme le suggèrent aujourd'hui de nombreux historiens.

5. L'une des principales différences entre la sociologie et l'économie touche à cette question de la rationalité des acteurs. On peut dire, en caricaturant ces deux disciplines, que l'économiste postule la rationalité en finalité des agents économiques (rationalité qu'il reconnaît aujourd'hui comme limitée), tandis que le sociologue consacre une bonne partie de ses efforts à montrer que ces mêmes agents ont bien souvent en fait, sans le savoir, un comportement qui relève de l'action traditionnelle ou de l'action rationnelle en valeur.

6. « *D'une façon générale, il faut retenir que le fondement de toute domination, donc de toute docilité, est une croyance, croyance au "prestige" du ou des gouvernants.* » (Weber, 1971, p. 271).

7. Weber souligne que les membres de toute bureaucratie pure sont « *nommés* » par un supérieur hiérarchique. En revanche, au sommet de la hiérarchie, on trouve un dirigeant qui lui-même n'a pas été désigné selon des procédures purement bureaucratiques (Weber, 1971, p. 227).

8. Évidemment, et bien qu'ils aient parfois tendance à l'oublier, les Occidentaux ne doivent pas leur suprématie actuelle uniquement à ces activités pacifiques. Force est de rappeler qu'ils ont établi leur domination grâce aussi à la colonisation des Amériques et de l'Afrique, à l'esclavage de millions d'Africains et d'Amérindiens, au pillage pur et simple des ressources naturelles (minières notamment) de ces continents et à l'expropriation massive de leurs habitants.

9. Une entreprise sans chef constituerait une vraie nouveauté, mais pas seulement par rapport au modèle bureaucratique. C'est une autre institution, celle du chef en général, qui se trouverait ainsi mise en cause. Outre le fait que cette institution n'a rien de spécifiquement moderne et que, par conséquent, elle ne doit pas trop nous occuper ici, le projet d'une entreprise sans chef reste sans doute tout à fait illusoire tant que ce groupement humain sera constitué d'une part, des propriétaires des moyens de production, et d'autre part, des salariés qui leur vendent leur force de travail. Les premiers sont légalement censés commander aux seconds (voir sur ce point le paragraphe suivant portant sur la question de la propriété privée). Quant au fait de considérer le chef comme une institution, et non pas comme un phénomène naturel, il est justifié par l'existence avérée au cours de l'histoire de l'humanité de sociétés dans lesquelles il n'existait pas de chefs. Sur cette question, voir en particulier Clastres (1974) et Solé (2000).

10. Les artistes partagent avec les enfants et quelques grands philosophes cette capacité à poser des questions essentielles, donc embarrassantes. C'est ainsi qu'Agatha Christie fait dire à l'un de ses personnages, la comtesse Rossakoff, surprise par Hercule Poirot en possession de bijoux volés : « Et voici mon sentiment : pourquoi pas ? Pourquoi une personne aurait-elle plus de droits qu'une autre à la possession d'une chose ? » (Cité par Douglas, 1999, p. 130.)

11. Dans le premier paragraphe de ce chapitre, en se référant au travail de Karl Polanyi, on a vu que cette circulation simple n'est pas forcément aussi évidente et traditionnelle que le laisse penser Marx.

12. La valeur d'usage d'une marchandise est fonction de son utilité pour les humains. Sa valeur d'échange est fonction de la quantité de marchandises qu'elle permet d'obtenir par voie d'échange. La valeur d'usage de l'eau est très élevée, mais sa valeur d'échange (pour le moment encore) reste assez faible. C'est l'inverse pour le diamant.

13. Comment ne pas penser ici aux murs et aux barrières de toutes sortes que les États-Unis d'Amérique dressent à leur frontière avec le Mexique, de façon à empêcher l'immigration clandestine massive des populations pauvres vivant au sud de cette frontière ? De l'autre côté de l'Atlantique, les affrontements entre clandestins et forces de l'ordre, dans les enclaves espagnoles de Melilla et Ceuta au Maroc, au cours de l'été 2005, affrontements qui ont fait huit morts parmi les insurgés, ou les centaines de candidats à l'immigration clandestine, naufragés au sens propre du terme, que récupère chaque année la police des frontières espagnole en mer Méditerranée, montrent que le problème soulevé par Proudhon n'a rien perdu de sa gravité, bien au contraire.

CINQUIÈME PARTIE

Analyses et cas[*]

Dans cette cinquième et dernière partie, nous proposons une série de textes sur des situations concrètes de travail ou de gestion qui peuvent être analysées, ou qui le sont déjà, à la lumière des concepts et notions qui ont été exposés dans les chapitres précédents, notamment dans les chapitres 2 et 3. Cette section réunit deux types de textes: des analyses et des cas. Les analyses consistent en un exposé d'une situation de travail ou de gestion accompagné d'une analyse qui s'inscrit dans la problématique théorique générale du livre, c'est-à-dire qui s'appuie sur une connaissance des acteurs de l'entreprise et de leurs stratégies, de leurs ressources, etc. Il en est ainsi des textes de Paul-André Lapointe et de Denis Harrisson.

Les cas, bien qu'ils décrivent des situations de travail ou de gestion, ne proposent pas d'analyse. Ce sont ceux qui en feront usage (enseignants, étudiants, conseillers, etc.) qui doivent procéder à l'analyse à l'aide des concepts et des notions étudiés dans les chapitres précédents. Les textes de Chantal Mailhot, Marie-André Caron, Virginia Bodolica, Martin Spraggon, Jean-Pierre Dupuis et Marie-Hélène Jobin sont de ce type.

Nous n'avons pas formulé de questions, comme il se fait souvent dans ce genre d'exercice, pour lancer la discussion et la réflexion sur les situations décrites. La raison en est que ces textes se prêtent à des analyses et à des usages divers et, dans cette perspective, nous avons préféré ne pas orienter les lecteurs vers des pistes particulières ou limiter l'analyse des situations à quelques questions. Nous croyons que chaque lecteur pourra aisément formuler des questions pertinentes au regard, ou non, du matériel théorique contenu dans ce livre.

---

[*] Ces cas sont destinés à servir de cadre de discussion à caractère pédagogique et ne comportent aucun jugement sur la situation dont il traite.

ANALYSE 1

Rationalité, pouvoir et identités : autopsie de la grève chez Alcan en 1995

Paul-André Lapointe

Après une longue période de paix industrielle, la grève refait surface chez Alcan, à l'automne 1995, dans un contexte caractérisé à la fois par une reprise économique sectorielle et par une modernisation sociale et une restructuration de l'entreprise, commencées depuis déjà plus de 20 ans. Est-ce un retour aux années 1970, fortement perturbées par les longs et coûteux conflits de 1976 (six mois) et de 1979 (quatre mois) ? À une époque où la grève est à son plus bas niveau dans la pratique des relations de travail et presque bannie dans les nouvelles approches, élaborées autour de la « négociation raisonnée », que les travailleurs d'Alcan avaient d'ailleurs été parmi les premiers à expérimenter, comment expliquer cette grève ? Est-ce dû à une erreur de stratégie ou à un manque de rationalité de la part des parties ? Est-ce le prélude à un renversement de situation, dans la mesure où le retour de la prospérité dans les grandes entreprises incitera les salariés à réclamer « leur juste part » des profits qu'ils ont contribué à générer par leurs concessions ou leur modération salariale dans les années de crise ? Compte tenu de la réorganisation et de la professionnalisation du travail, est-ce au contraire la « dernière des grèves » mettant en scène les « derniers des prolétaires [1] » ?

LES ACTEURS EN PRÉSENCE

De propriété canadienne, Alcan, dont le siège social est situé à Montréal, est l'une des plus vieilles et des plus grandes entreprises industrielles du Québec. C'est une entreprise multinationale, présente dans plus de 20 pays, et spécialisée dans la production de l'aluminium, dans laquelle elle intervient à toutes les étapes, de l'extraction des matières premières à la fabrication de produits semi-finis. Elle est le deuxième producteur mondial d'aluminium, détenant 10 % de la capacité mondiale de production d'aluminium. Elle emploie, en 1995, au total dans le monde 34 000 personnes, un chiffre qui ne représente plus que la moitié des effectifs qu'elle regroupait 10 ans plus tôt. Attirée au Québec au début du siècle par l'abondance et le faible coût d'exploitation des ressources hydroélectriques, requises en grande quantité pour la production de l'aluminium, Alcan est principalement présente au Saguenay–Lac-Saint-Jean. Dans cette région où elle exploite quatre alumineries et possède six centrales hydroélectriques, elle emploie près de 6 000 personnes, soit beaucoup moins qu'au début des années 1980 alors qu'on comptait 9 500 personnes à son service. Depuis lors, Alcan a procédé à une importante restructuration de ses activités et à une modernisation de ses usines. Non seulement ces transformations ont-elles entraîné des conséquences majeures pour l'emploi, mais elles se sont accompagnées aussi de changements profonds dans l'organisation et les relations du travail, porteurs de nouveaux enjeux pour les acteurs sociaux.

Quant aux travailleurs d'Alcan au Saguenay–Lac-Saint-Jean, ils sont syndiqués depuis belle lurette, en fait depuis 1937. Activement présents dans le mouvement syndical, ils ont longtemps dominé par leur nombre la Fédération de la métallurgie à la CSN. En 1972, ils choisissaient de s'en retirer, non sans division, pour former une fédération indépendante, la Fédération des syndicats du secteur aluminium (FSSA). Cette dernière regroupe tout près de 5 300 membres qui, à l'exception des travailleurs de l'aluminerie de Bécancour, syndiqués depuis 1990, viennent tous d'Alcan et en très grande majorité de la région du Saguenay–Lac-Saint-Jean. La FSSA a connu au cours des dernières années une baisse importante du nombre de ses membres qui s'est déjà élevé à près de 8 000, au début des années 1980. Au Saguenay–Lac-Saint-Jean, elle a perdu le monopole de la représentation des salariés d'Alcan : en 1980, la compagnie démarrait une nouvelle usine, à Grande-Baie, où la FSSA, ni d'ailleurs aucune autre centrale syndicale, n'a pas réussi à pénétrer. En outre, les travailleurs de l'usine d'Alma, au nombre d'environ 450, ont choisi en 1994 de quitter la FSSA pour former un syndicat indépendant. Depuis son congrès de 1994, la FSSA est dirigée par un nouveau président qui représente une certaine radicalisation du discours et des stratégies.

Le principal syndicat de la FSSA est le Syndicat national des employés de l'aluminium d'Arvida (SNEAA) qui détient cinq accréditations (les employés horaires de l'usine d'Arvida, les employés de bureau de la même usine, les employés du Centre de recherche d'Arvida, les employés horaires de l'usine de Laterrière et les employés de bureau de la même usine). Les syndiqués du complexe Jonquière (anciennement dénommé usine d'Arvida) représentent le groupe le plus important du SNEAA : au nombre de 2 400 travailleurs (ouvriers de production et ouvriers de métiers) et de 250 employés de bureau, ils surpassent largement les autres groupes : 450 travailleurs et 30 employés de bureau à l'usine de Laterrière, et 110 techniciens au Centre de recherche. Depuis le début des années 90, la direction syndicale a été renouvelée et elle est également porteuse d'une certaine radicalisation. Alors que le complexe Jonquière exploite une vieille technologie remontant aux années 1940, l'usine de Laterrière, mise en service au début des années 90, est dotée d'une technologie de pointe. En outre, tandis que le travail à cette dernière usine est organisé autour des nouveaux concepts du travail en équipes, de l'autonomie et de la polyvalence, il est dans la vieille usine encore largement organisé autour des vieux principes du taylorisme, même si certains services ont été profondément réorganisés selon les nouvelles formes d'organisation du travail. En conséquence, la productivité du travail dans les salles de cuves à Laterrière est deux fois plus grande qu'à Jonquière.

LE CONTEXTE ET LES ENJEUX

Après avoir connu des négociations extrêmement difficiles et deux longues grèves dans les années 1970, qui ont entraîné des pertes de production équivalentes à 20 % de la capacité de production de la compagnie dans la région, les négociateurs tant patronaux que syndicaux convenaient, à l'aube des années 1980, à la suite d'une réouverture de contrat en 1981 qui avait été très bénéfique pour les salariés, d'adopter un mode de négociations moins conflictuel, qu'on pourrait qualifier de « négociations raisonnées ». Ce changement s'appuyait sur la conclusion d'un « nouveau compromis », en vertu duquel les salariés acceptaient la restructuration et le maintien de la paix industrielle en échange d'augmentations salariales appréciables, d'une amélioration des conditions de travail et de certaines mesures assurant une plus grande sécurité d'emploi. Quatre rondes de négociations sans conflit (1981, 1984, 1988 et 1992) ont alors suivi et ont amené également le règlement de certains dossiers majeurs, notamment l'extension du certificat d'accréditation de l'usine d'Arvida à la nouvelle usine de Laterrière et la sélection de la main-d'œuvre en fonction de l'ancienneté. Mais le compromis était fragile et quatre de ses cinq dimensions constitutives seront remises en question : les salaires, la sécurité d'emploi, la réorganisation du travail et la paix industrielle.

Après avoir traversé une période de baisse des prix, de faible utilisation des capacités de production et d'offre fortement excédentaire sur les marchés, à la suite de l'écoulement des stocks de métal des pays formant l'ancienne URSS, la conjoncture est redevenue très favorable et les prix ont connu une remontée importante. Les entreprises d'aluminium et particulièrement Alcan ont dès lors recommencé à enregistrer des bénéfices appréciables. Les syndiqués, qui avaient consenti à une modération salariale dans les années difficiles, encaissant même une baisse de leur salaire réel depuis 1984, revendiquent maintenant leur juste part des fruits de la reprise économique. Ils soutiennent en outre que leur salaire a accumulé un retard par rapport aux autres travailleurs syndiqués de l'aluminium au Québec et au Canada. C'est donc un enjeu classique des années 1970 et des Trente Glorieuses. Mais il est également bien actuel dans la mesure où les salariés revendiquent le partage des gains après une période d'acceptation de relative austérité. Les syndiqués, déjà bien payés avec un salaire horaire moyen de 20 $, sentiront le besoin de justifier leur demande de rattrapage salarial auprès d'une population régionale qui est aux prises avec de bas salaires et un chômage massif. Ils donneront l'impression d'être des «privilégiés» qui en veulent toujours plus. À cet égard, la compagnie n'a guère meilleure image. Après avoir édifié un empire grâce à l'exploitation des richesses hydrauliques, dont elle tire encore largement profit puisque les coûts de production de l'énergie sont sans conteste les plus bas du monde, elle réorganise aujourd'hui ses activités en supprimant un très grand nombre d'emplois dans une région où le taux de chômage officiel oscille autour de 15 % et que les jeunes quittent massivement pour aller vivre ailleurs. «Un autobus de jeunes quitte la région à chaque semaine», me disait récemment en entrevue un dirigeant syndical.

Les négociations se déroulent en outre dans un contexte de restructuration de la production. Les vieilles usines sont en sursis: elles sont soit modernisées ou carrément fermées et remplacées par des installations utilisant des technologies plus productives et moins polluantes. En conséquence, l'emploi se réduit comme une peau de chagrin. Le nombre de syndiqués, employés horaires et de bureau, à l'usine d'Arvida est passé de 5 500 au milieu des années 1970 à environ 2 600 aujourd'hui, et à un peu plus de 3 000 si on ajoute les travailleurs de la nouvelle usine de Laterrière. Il était à l'origine prévu que cette restructuration s'accomplisse sans entraîner de mises à pied. Or, avec la récession sur le marché de l'aluminium, les mesures de protection de l'emploi se sont révélées inefficaces et n'ont pu empêcher la mise à pied de près de 500 travailleurs. Pour les syndicats, la sécurité d'emploi devient donc un enjeu majeur. Certains progrès ont été réalisés dans les négociations précédentes et il s'avère nécessaire de les consolider. Les syndicats avancent même l'objectif de création d'emplois, en convertissant les heures supplémentaires en congés payés et en cherchant des formules pour réduire le temps de travail.

La réorganisation du travail se situe également au cœur des négociations. Pour la direction de l'entreprise, il s'agit d'éliminer les rigidités de l'organisation traditionnelle du travail avec ses nombreux postes de travail étroitement définis et fortement cloisonnés. La direction veut introduire une plus grande flexibilité en élargissant et en enrichissant les postes de travail, en éliminant bon nombre de contremaîtres de premier niveau et en décloisonnant les métiers traditionnels. À l'usine de Laterrière, elle est largement réalisée, alors qu'au complexe Jonquière elle est encore en chantier parmi les ouvriers de production et tout simplement en projet parmi les ouvriers de métiers. Les salariés ont quelques réserves à l'égard de l'augmentation des charges de travail et des pertes d'emplois. Mais, dans cette négociation, l'enjeu se centrera sur les contreparties salariales revendiquées pour accepter les nouvelles formes d'organisation du travail.

Le dernier enjeu concerne la paix industrielle, censée être assurée par un nouveau mode de négociations. Le mode traditionnel de négociations, qui a dominé pendant les Trente Glorieuses, se caractérise par l'usage du rapport de force pour imposer ses revendications à l'autre partie. Ce sont la capacité de faire du tort à l'autre partie et la crainte de subir des pertes considérables au cours d'un conflit qui contraignent les parties à conclure une entente. À la limite, le différend se règle au terme d'une guerre d'usure qui entraîne des conflits parfois très longs et toujours coûteux pour les deux parties. Les négociations raisonnées veulent éviter cette situation par une nouvelle approche des différends. À l'usage du rapport de force autour de positions arrêtées elles proposent de substituer la recherche de solutions, mutuellement avantageuses compte tenu des divergences d'intérêts, mais compte tenu aussi et surtout de l'existence d'intérêts communs, comme le maintien et le développement de l'entreprise, seule garantie en fin de compte de l'emploi et des salaires. Tandis que les négociations traditionnelles se caractérisent comme un jeu à somme nulle, les gains de l'une des parties se faisant au détriment de l'autre, les négociations raisonnées se définissent comme un jeu à somme positive, chacune des parties enregistrant des gains au terme du processus.

Dans la réalité toutefois, même s'il a permis de régler certains problèmes majeurs et d'éviter des conflits coûteux, l'usage du nouveau mode de négociations chez Alcan, pendant plus de 10 ans, a donné lieu à un certain nombre de critiques parmi les syndiqués. D'une longueur excessive, les négociations se déroulent quasi en secret : les informations sont distribuées au compte-gouttes et, exemptes de critiques, elles se distinguent par leur caractère de neutralité, ne rapportant ni les enjeux ni les divergences entre les parties. Par ailleurs, en l'absence de positions véritablement indépendantes, la trop grande proximité des négociateurs syndicaux et de l'employeur remet en cause leur indépendance. Au fur et à mesure qu'ils se rapprochent de la direction, les chefs syndicaux s'éloignent de la base, dont la mobilisation est jugée inutile, étant donné que le rapport de force n'est plus utilisé.

Dans la foulée de ces critiques, les leaders syndicaux des années 1980 ont été, à la suite d'élections syndicales, remplacés par d'autres plus « combatifs » et voulant se rapprocher de la base. Ces derniers ont imprimé un tournant au mode de négociations. C'est ainsi que les dernières négociations marquent le retour des négociations plus « traditionnelles » et militantes. C'est l'appel à la mobilisation des membres et au rapport de force : à la force des arguments s'ajoute l'argument de la force. En 1995, les leaders syndicaux ont voulu profiter du fait que la conjoncture économique sur le marché de l'aluminium leur procurait un pouvoir considérable pour imposer leurs revendications, et c'est sur cette base qu'ils ont mobilisé les membres. Entre la fin de juin et la mi-octobre 1995 se sont tenues chez les syndiqués de l'usine d'Arvida six assemblées générales, auxquelles les membres ont participé en très grand nombre, en moyenne à plus de 75 %. Les syndiqués ont été tenus en alerte avec des informations nombreuses et critiques à l'égard des positions de la partie patronale. Les négociateurs syndicaux ont recherché la conclusion rapide d'une entente avantageuse pour leurs membres. Devant le piétinement des négociations, ils n'ont pas hésité à brandir l'ultimatum de la grève et ils ont négocié en ayant en poche un mandat de grève. Les travailleurs se sont mobilisés pour exercer des pressions qui ont culminé dans une grève générale d'une dizaine de jours. Tout semblait donc favoriser la partie syndicale, qui espérait beaucoup des bonnes vieilles stratégies qui avaient si bien servi par le passé. Mais, toujours plus compliquée, l'histoire se répète rarement.

LA GRÈVE ET SON DÉNOUEMENT

À la suite d'un mandat de grève obtenu au début du mois d'août, accordé par 86 % des membres votants lors d'un scrutin secret, les négociateurs syndicaux du SNEAA ont invité leurs membres à se mettre en grève le 6 octobre suivant, sans tenir de vote préalable. La grève était à peine déclenchée dans les diverses accréditations du SNEAA que la division apparut dans les rangs des syndiqués. À l'occasion d'une assemblée syndicale des travailleurs de l'usine d'Arvida, tenue le premier jour de la grève, on procède à un vote à main levée relativement à une proposition de soumettre au vote les offres patronales, déposées la veille et sensiblement pareilles aux offres rejetées lors d'un vote ayant eu lieu en août dernier. La proposition est rejetée à la majorité. Dans la fin de semaine qui suit, une pétition circule parmi les salariés pour demander qu'on soumette au vote les dernières offres patronales. Elle aurait recueilli près de 600 noms. Devant la situation, les dirigeants syndicaux convoquent une assemblée générale pour le 9 octobre. Au cours de cette assemblée, la direction syndicale présente aux membres une proposition d'organiser un vote sur les offres dans les plus courts délais, soit dans 48 heures, c'est-à-dire le mercredi suivant, le 11 octobre. Cette proposition est acceptée dans une proportion de 72,6 %, à la suite d'un scrutin secret. En conséquence, les salariés sont conviés à un vote secret sur les offres patronales. Ce même jour, les membres des autres accréditations du SNEAA et tous les autres syndiqués d'Alcan, membres de la FSSA, se prononcent également sur les offres patronales. Les résultats alors obtenus indiquent une très grande division parmi les syndiqués. Les syndiqués horaires d'Arvida rejettent les offres à 51,3 %, tandis que ceux de Laterrière les acceptent dans une proportion de 66,1 %. Pour l'ensemble du SNEAA, incluant tous les membres couverts par les cinq accréditations détenues, les offres sont acceptées à 51,4 %. Néanmoins, la grève se poursuit. Les syndiqués horaires d'Arvida ont rejeté les offres et les autres syndiqués sont invités par solidarité à poursuivre la grève en appui aux grévistes d'Arvida. La grève se poursuivra encore quelques jours. Une entente de principe interviendra rapidement, reprenant avec quelques changements mineurs les offres du 5 octobre, et les employés l'entérineront dans une proportion légèrement supérieure à 70,0 %. Le retour au travail s'effectuera le lendemain, soit le 17 octobre.

Avant le déclenchement de la grève, les écarts entre les offres patronales et les demandes syndicales étaient les suivants, selon les dernières offres déposées en date du 5 octobre 1995 :

	Offres patronales	Demandes syndicales
Augmentations salariales, égales pour tous	1,50 $ (soit 7 %)	1,93 $ (soit 9 %)
Prime pour la réorganisation pour les ouvriers de métiers	1,40 $	1,65 $
Prime pour la réorganisation pour les ouvriers de production	0,75 $	1,00 $

En règlement après la grève, la proposition patronale sur le plan pécuniaire est acceptée telle quelle: soit 1,50 $ plus 1,05 $ (moyenne de la prime de réorganisation pour les ouvriers de métiers et les ouvriers de production), ce qui donne au total une augmentation de 2,55 $ l'heure ou 12,6 %.

Avant la grève, les formules de sécurité et de partage d'emploi avaient été à peu près mises au point. À ce chapitre, il y a indéniablement innovations et gains syndicaux. Les syndiqués ont notamment obtenu la protection à peu près totale de l'emploi pour 3 044 travailleurs du SNEAA, à la suite d'une précision apportée à la définition de «baisse de production». C'est que l'interprétation que faisait de cette notion la compagnie en vertu du contrat de 1992 lui permettait une très grande liberté pour procéder à des suppressions de postes et à des mises à pied touchant les travailleurs qui avaient plus de cinq ans d'ancienneté, dont la sécurité d'emploi devait être assurée par le contrat de 1992. Les négociateurs syndicaux ont également réussi à faire des gains dans le domaine de la création d'emplois grâce à la mise en œuvre d'une formule originale, le 40/38. En vertu de cette formule, les syndiqués qui le désirent travaillent 40 heures par semaine et sont payés pour 38 heures. Ils accumulent deux heures par semaine pour obtenir en fin de compte deux semaines et demie de vacances supplémentaires par année. Par ailleurs, les parties se sont entendues pour réduire les heures supplémentaires et inciter les travailleurs à reprendre en congé les heures supplémentaires qu'ils font. Ces deux initiatives se sont révélées un succès, puisque, au printemps 1997, soit un an et demi après l'entente, les travailleurs y avaient adhéré dans une proportion de 70 %, créant ainsi plus de 100 emplois. La courte grève d'octobre 1995 a porté ses fruits en bonifiant les formules de partage du travail. Ainsi, une augmentation de 0,25 $ l'heure a été consentie pour les salariés qui se prévaudront de la formule 40/38. Cela leur rapportera environ 500 $ supplémentaires par année, soit à peu près l'équivalent de la perte salariale nette pendant la grève.

Au sujet de la rémunération, il faut mentionner une autre innovation, introduite cette fois sur l'initiative de la compagnie et contenue dans les offres faites avant la grève. Il s'agit d'une prime salariale indexée sur le prix du métal. Sur la base de la formule proposée, cette prime devrait être de l'ordre de 0,43 $ l'heure, soit environ 900 $ par année, compte tenu du fait que le prix actuel du métal se situe aux environs de 0,85 $ la livre. Tout à fait particulier ! Ce n'est en rien relié à la motivation au travail et aux rendements des salariés. En fait, comme le prix du métal a une forte incidence sur les profits de l'entreprise, c'est une formule de partage des profits.

Après la grève, il en a coûté près de 100 millions de dollars à l'entreprise pour redémarrer les salles de cuves à Arvida et à Laterrière, car le métal avait «gelé» dans les cuves. C'est un coût énorme pour la compagnie, alors qu'avant la grève un écart de 27 millions séparait les offres patronales des demandes syndicales. Quant à l'ensemble des syndiqués, ils ont perdu au total en salaires près de 5 millions de dollars, pour enregistrer des gains plutôt limités. Mais par-delà cette comptabilité étroite, il faut mesurer les gains et les pertes à plus long terme et évaluer la grève en relation avec d'autres dimensions que les seules dimensions pécuniaires.

ANALYSE

L'analyse de cette grève et de son dénouement fait appel à trois interprétations privilégiant un facteur déterminant dans les relations entre acteurs sociaux: la rationalité, le pouvoir ou les identités. Selon la première interprétation, le conflit apparaît inutilement coûteux. Si elles avaient adopté des comportements plus «rationnels» et «raisonnés» dans leurs négociations, les parties auraient pu éviter ce conflit et trouver une solution plus avantageuse. Il est alors tenu pour acquis qu'à moins d'y être contraint, un acteur rationnel ayant une bonne compréhension de ses intérêts et de ceux de l'autre, évitera l'affrontement étant donné les coûts qui s'y rattachent au profit d'une «négociation raisonnée». Cette interprétation soulève deux questions. D'abord, il y a un problème de définition des coûts, des gains et des pertes, au terme d'un conflit. Dans une logique de gestion «rationnelle», tout peut s'évaluer en dollars et à court terme. Mais dans une perspective sociologique et stratégique plus large et à plus long terme, d'autres dimensions sont à considérer, notamment les relations de pouvoir. L'histoire du mouvement syndical n'est-elle pas d'ailleurs constituée de coûts supportés à court terme pour enregistrer des gains à long terme? Sur un autre plan, la conception de la rationalité sous-jacente à cette interprétation est elle-même discutable. Elle suppose l'existence d'une rationalité universelle et «désincarnée», située en dehors des acteurs sociaux concrets. La sociologie des organisations ne nous enseigne-t-elle pas qu'il n'y a pas de rationalité unique, mais seulement des rationalités limitées et propres à chaque acteur? D'ailleurs, n'est-il pas révélateur de constater à la lecture des journaux et des diverses informations diffusées par les parties au cours du conflit que chacune accuse l'autre de manquer de rationalité, de ne pas respecter l'esprit des «négociations raisonnées» et de retourner au mode traditionnel de négociations?

Selon la deuxième interprétation, c'est le pouvoir dont disposent les acteurs dans le cadre d'une relation donnée qui explique leur comportement. Dans le cadre de négociations collectives, celui qui est avantagé par l'état du marché et de la conjoncture peut causer des pertes énormes à l'autre, sans que cela lui coûte beaucoup. En période de reprise économique, la grève est beaucoup plus efficace qu'en période de crise et de surproduction. Alcan et Kenworth représentent à cet égard des situations opposées. Ainsi, les syndiqués d'Alcan ont voulu profiter d'une conjoncture très favorable, il est vrai, pour enregistrer des gains importants. Bien plus, la fragilité de la technologie, comme l'indiquent les coûts élevés de redémarrage après un conflit, si court soit-il, donne un pouvoir énorme aux syndiqués. C'est en partie ce qui explique pourquoi la direction tient tant à la paix industrielle et n'a pas ménagé les efforts pour l'obtenir au début des années 1980 après les conflits coûteux des années 1970. Quelque temps après la grève de 1995, elle a d'ailleurs proposé au syndicat l'ouverture de discussions en vue de conclure une entente à long terme, jusqu'en l'an 2015 et plus, pour assurer la stabilité des opérations. Sans aucun doute, les dirigeants syndicaux ont voulu exploiter cet avantage que leur procuraient la conjoncture favorable et la fragilité de la technologie et ils ont tenté de convaincre leurs membres de les suivre. Pourquoi les membres n'ont-ils pas suivi? Ils étaient prêts à brandir la menace de la grève, mais, le moment venu de passer à l'action, ils ont hésité et la division s'est installée. En effet, c'est à une très faible majorité que la grève a été déclenchée et les résultats sont très différents selon les usines. Pourquoi les syndiqués ont-ils refusé, en pratique, de renouer avec les stratégies et les actions des années 1970, même si la conjoncture était des plus favorables? Pourquoi les travailleurs de l'usine de Laterrière, à qui la fragilité de la technologie donne un pouvoir encore plus grand que celui qu'elle confère à leurs confrères d'Arvida, ont-ils refusé de voter pour la grève, même s'ils ont été ensuite contraints de la faire par le jeu de la solidarité syndicale?

Selon une troisième interprétation, il faut prendre en considération les répercussions de la modernisation sociale et de la réorganisation du travail sur les identités et sur les rapports sociaux au travail. Les divisions ouvrières deviennent ici le phénomène le plus révélateur. L'attitude des salariés à l'égard de la grève s'expliquerait alors par les identités et les rapports sociaux au travail qui sont eux-mêmes fortement déterminés par la réorganisation du travail et la modernisation sociale des entreprises. Ainsi se comprendrait la division parmi les salariés : si ceux des vieilles usines sont en faveur de la grève et que ceux des nouvelles usines sont contre, c'est que, dans un cas, le travail n'a pas été fondamentalement changé, alors que, dans l'autre, il aurait été substantiellement modifié. Dans le cadre du taylorisme, les identités fonctionnent à la dualisation : c'est *nous* contre *eux*. Elles s'alimentent à une logique de protection contre l'arbitraire patronal et de répartition des fruits de la production (le «partage du gâteau»), tout en acceptant la division traditionnelle des fonctions : il revient à la direction, grâce à des droits de gérance étendus, de diriger, et aux syndicats, de réagir et de négocier le partage. Les syndicats sont exclus de la prise de décision concernant l'organisation du travail et la gestion de l'entreprise. La solidarité ouvrière se construit à même l'hostilité envers le patronat, exacerbée par un discours de dénonciation.

C'était manifestement sur ces identités traditionnelles que les dirigeants syndicaux misaient dans leur stratégie. Dans les milieux où le travail a été réorganisé, comme à l'usine de Laterrière et dans certains départements de l'usine d'Arvida, les identités ouvrières se transforment et elles hésitent entre deux orientations : soit l'identification et l'intégration à la direction, soit la construction de nouvelles identités autour de la démocratisation du travail. Conformément à la première orientation, la logique de la compétitivité domine : c'est le « tous ensemble » contre l'ennemi extérieur, représenté par la concurrence des autres usines, entreprises et pays. C'est sans conteste le type d'identité qui est mis de l'avant par la direction patronale. Dans ce cadre, la grève est tout simplement obsolète et le fait d'y recourir ne signifie pas autre chose que de « se tirer dans le pied ». Quant aux nouvelles identités, elles reposent sur une logique de démocratisation du travail, qui amène les syndiqués à intervenir dans l'organisation du travail et la gestion de l'entreprise, afin de promouvoir un autre projet de réorganisation du travail moins dominé par les seuls impératifs de la compétitivité et plus respectueux des principes de solidarité et de démocratie industrielle. Dès lors, la grève n'est plus considérée comme le seul moyen d'action des salariés et l'arrêt de la production ne représente plus le seul pouvoir dont ils disposent. En effet, ils peuvent défendre leurs intérêts et faire valoir leurs points de vue au sein de diverses instances de participation et de représentation. Leur pouvoir repose désormais sur leur expertise et leur savoir-faire que la direction sollicite fortement et considère comme la principale source d'efficacité et de qualité. Parmi les membres du SNEAA, ces trois logiques et ces trois formes d'identités coexistent, sans qu'aucune d'elles ne soit hégémonique, expliquant ainsi les bégaiements stratégiques et l'incapacité de la direction syndicale à rallier tous les salariés à la grève.

En somme, c'est comme si les acteurs syndicaux avaient voulu renouer avec les stratégies du passé, que le contexte de la reprise économique rendait possibles, alors que des transformations fondamentales avaient considérablement modifié les rapports sociaux au travail et les identités ouvrières, tout en rendant moins nécessaire le recours à la grève. Les divisions ouvrières reflètent et traduisent ce décalage entre les stratégies syndicales et les identités ouvrières.

Note

1. À l'été 1992, Nathalie Petrowski, alors journaliste au *Devoir*, publiait un article intitulé « Le dernier des prolétaires », à la suite d'une entrevue avec le président du Syndicat des travailleurs d'Alcan à l'usine d'Arvida.

ANALYSE 2

Partenariat et innovation en matière d'organisation du travail à Primétal

Denis Harrisson

Les programmes de qualité, les équipes semi-autonomes de travail et les modifications aux tâches des employés comptent parmi les transformations les plus importantes et les plus fréquentes dans l'organisation du travail manufacturier. Ces transformations ont pour but de redresser la compétitivité des entreprises par l'amélioration de la qualité des processus de production et du rendement des salariés entraînant une réduction des coûts de production. En plus des gains de productivité, ces transformations entraînent des changements importants dans les rapports sociaux du travail en modifiant les relations hiérarchiques et latérales des membres de l'organisation, entre autres par une plus grande participation des employés dans la conception et la prise de décision en ce qui a trait à l'organisation du travail. Cependant, ces transformations ne se font pas machinalement sous l'effet conjugué de contraintes externes et des pressions de l'environnement socioéconomique. Bien que ce contexte (mondialisation, déréglementation, technologie de l'information, etc.) incite fortement les acteurs à transformer les relations, ils doivent prendre en charge le processus de transformation et mener à terme les projets qui conduisent à un nouvel ordre productif. Ces projets sont innovateurs mais, comme toute innovation, ils doivent intéresser les membres de l'organisation afin qu'ils puissent se les approprier en modifiant les règles relationnelles et les rôles. Dans ce contexte, les acteurs disposent de suffisamment d'autonomie et de marge de manœuvre pour agir sur les transformations qui sont également des innovations dans l'organisation du travail parce qu'elles présentent des manières d'agir et de penser le travail qui sont en rupture avec les modes traditionnels d'organisation et de gestion du travail.

Dans les prochaines pages, nous suivrons les principales étapes du projet de transformation de Primétal, une entreprise métallurgique spécialisée dans la fabrication d'acier « à façon ». Située dans une ville industrielle du Québec, l'entreprise emploie 250 personnes dont 200 ouvriers répartis dans trois ateliers interdépendants : l'aciérie, la forge et l'atelier d'usinage. Primétal a implanté un programme de qualité intégrale en 1993. Par ce programme, l'entreprise réussit le passage d'un mode d'organisation du travail tayloriste à un mode d'organisation du travail participatif. Primétal a été transformé en mettant à contribution tous les acteurs : les cadres, les représentants syndicaux et les travailleurs. Ces derniers ont participé à toutes les phases du projet d'innovation que représente la qualité intégrale ; ils ont réussi à intéresser et à rallier les membres en concevant des activités qui ont engendré un succès progressif, puis en cassant les oppositions et les résistances parmi les membres sceptiques. La démarche a eu pour effet de consolider la coopération par des relations patronales-syndicales modifiées et un plan de développement des ressources humaines.

LE PROJET D'INNOVATION

Depuis le début des années 1980, Primétal a perdu une grande part des marchés d'exportation, subissant du même coup les effets de la fluctuation du taux de change et du déclin général de l'industrie métallurgique en Amérique du Nord. La situation économique de l'entreprise est telle que le licenciement d'une cinquantaine de salariés est nécessaire au début des années 1990, suivi d'une période de travail partagé durant laquelle les ouvriers ne travaillent plus que trois jours par semaine pendant 39 semaines. En 1991, les propriétaires de Primétal songent sérieusement à fermer l'usine ou à la vendre. Le syndicat des employés fait tout pour empêcher la fermeture et demande une étude sur les forces et les faiblesses de l'organisation. Cette étude conclut que la gestion de l'usine présente plusieurs lacunes et que le contrôle de la qualité est déficient. La perte d'une grande part des marchés par Primétal n'est pas uniquement le résultat d'une conjoncture défavorable, elle a des causes internes, car il existe un marché pour les produits de Primétal. En effet, l'entreprise possède la seule presse de 5 000 tonnes de tout l'Est nord-américain et il y aurait lieu d'en faire un avantage concurrentiel si les autres phases de fabrication de l'acier sont améliorées, soit les coulées d'acier, le traitement thermique et la modification des pièces à l'usinage. Ces parts de marché peuvent être récupérées à la condition d'améliorer la qualité des produits et les délais de livraison. Ce n'est cependant pas si simple, l'amélioration de la qualité étant un processus complexe qui comprend des dispositifs techniques et des dimensions sociales. Les aspects techniques ne peuvent être pris en charge sans que les acteurs au sein de l'entreprise transforment leurs relations et changent les rôles. Les gestionnaires doivent apprendre à associer et à intéresser les employés à la prise de décision, et ceux-ci doivent apprendre à déceler et à résoudre les problèmes sans avoir recours aux supérieurs hiérarchiques. Le syndicat est au centre de ce revirement, mais il doit aussi apprendre à faire équipe avec les gestionnaires pour promouvoir l'innovation et la répandre dans tous les coins et recoins de l'usine grâce à la participation de chaque employé, tout en continuant de protéger les intérêts socioéconomiques de ses membres.

LES ACTEURS

Une innovation n'est pas un *ready made*, c'est-à-dire qu'elle ne suit pas un cheminement linéaire que suggère un plan précis de chacune des étapes. Une innovation comme celle qu'introduit un programme de qualité intégrale exige que les acteurs décident de l'itinéraire, qu'ils se mettent d'accord sur les objectifs, qu'ils définissent les étapes et les activités à démarrer. Les acteurs coaniment le processus de transformation, mais ils doivent auparavant s'accepter mutuellement dans leurs rôles respectifs. Avant de former les premiers comités, la direction de Primétal apporte des changements à la gestion locale en nommant les cadres supérieurs qui sont les plus susceptibles de mener à bien ces transformations. Ce sont des personnes qui, tout en possédant les qualités de gestionnaires, ne craignent pas le risque et l'incertitude d'une situation de changement. Selon la situation, leurs idées seront évaluées, et parfois contestées, mais en tout temps ces cadres devront tenter de s'accorder, de convaincre et de persuader par la discussion et la démonstration logique plutôt que par la coercition ou le recours à l'autorité. En d'autre temps, ils devront céder devant un argument d'un autre acteur, et les compromis qu'ils doivent faire deviennent aussi une source de transformation. Des gestionnaires «nouvelle vague» sont nommés aux postes stratégiques, à la direction de l'usine, à la production et au contrôle de la qualité. Ces derniers sont réputés pour leur style de gestion participative, qu'ils ont instauré à l'aciérie, et ils sont les personnes désignées pour conduire le changement dans les deux autres ateliers de l'usine, soit la forge et l'atelier d'usinage. Ces nouveaux gestionnaires inspirent confiance, ce qui est fondamental dans une situation à risque comme toute innovation. Ils savent rallier les cadres subalternes et les employés. Le rôle de rassembleur de ces nouveaux gestionnaires n'est cependant pas défini, il se crée en situation, en interaction avec les autres.

LE SYNDICAT

Le syndicat des employés de Primétal désire participer pleinement au changement, mais il n'existe aucun cadre institutionnel qui indique le rôle que peut jouer le syndicat dans le processus de changement. Au Canada, dans les milieux syndiqués, les transformations sont de la responsabilité exclusive des employeurs qui détiennent tous les droits de gérance. Cependant, les employeurs ont des positions divergentes sur le rôle du syndicat dans le processus de transformation. Certains cadres s'opposent au nouveau rôle du syndicat qu'ils tentent de confiner à sa fonction traditionnelle. Cependant, ces mêmes cadres n'ignorent pas que la réussite du projet d'innovation repose sur la participation directe des employés. D'autres, au contraire, voient dans la collaboration syndicale un moyen d'élargir le processus participatif par l'enrôlement d'un acteur influent auprès des employés; le syndicat devient alors un agent qui facilite le processus de transformation. Les syndicats ont aussi défini leur position sur l'innovation : ils sont parfois défensifs, refusant de s'engager et défendant les acquis de la convention collective ; ils sont parfois proactifs, voyant dans l'innovation de l'organisation du travail une façon d'élargir leur sphère d'influence dans l'entreprise qui dépasse la négociation collective.

Le syndicat des employés de Primétal appartient à la seconde catégorie, mais il doit faire sa place dans le processus. Son rôle n'est pas défini, comme c'est le cas dans la négociation collective. À l'instar des gestionnaires, les représentants syndicaux apprennent leur rôle de promoteur d'un système productif, ils apprennent aussi à présenter à leurs membres des activités de reconstruction de l'organisation du travail. C'est très différent du rôle classique du syndicat habitué à réagir aux positions de l'employeur et qui fait adopter par ses membres des stratégies défensives. Or il n'y a pas de modèle et il y a peu d'expériences de ce type de concertation au Québec. Les représentants syndicaux apprennent sur le tas le rôle de partenaire dans l'innovation de l'organisation du travail avec la direction de l'établissement.

Pour réussir le passage d'un rôle à l'autre, le syndicat doit être fort, c'est-à-dire qu'il doit adopter des positions partagées par la majorité des membres sans s'aliéner les opposants. Surtout, l'exécutif du syndicat doit se présenter tel un bloc solidaire. Le changement ne doit pas être l'affaire d'une seule personne. L'apprentissage est collectif, c'est un ensemble qui s'engage et qui cherche à inciter les membres à collaborer avec les différents comités. Les représentants syndicaux tiennent des assemblées fréquentes et informent les membres de toutes les activités. Ils essaient aussi d'étouffer les nombreuses rumeurs qui circulent dans une situation de changement. L'exécutif syndical est persuadé que l'information est primordiale dans le succès du programme de qualité intégrale.

L'information ne concerne pas que le programme. Le syndicat et les employés s'engagent dans une relation de confiance avec les gestionnaires et l'information est une clé pour comprendre ce type de relation fondée non pas sur des règles précises ou des comportements conformistes mais sur un engagement de réciprocité et d'équivalence (je te donne, tu me donnes). Les employés sont régulièrement informés des rapports financiers, des revenus de l'entreprise, des ventes, des contrats, des nouveaux créneaux du marché, des exigences du client, parfois de sa bouche même à l'occasion de visites d'usine. Les livres comptables sont ouverts, et les employés apprennent ainsi que l'entreprise perd 200 000 $ mensuellement pour un chiffre d'affaires de 26 millions. Les investissements pour l'achat de nouveaux équipements et le renouvellement de la technologie sont aussi l'objet de consultations et de discussions entre les acteurs. Plusieurs aspects qui composent les prérogatives habituelles de la direction (les droits de gérance) relèvent d'une prise de décision conjointe ou, dans les autres cas, sont l'objet d'une consultation. À l'occasion d'une démarche de l'entreprise pour obtenir un prêt de sept millions de dollars auprès du gouvernement du Québec, les représentants syndicaux accompagnent les gestionnaires et ils démontrent par cette démarche commune l'harmonisation des relations de travail garante d'un climat plus serein dans les ateliers. Toutes les autres démarches de financement de l'établissement auprès des institutions financières, des agences gouvernementales et du siège social sis en Ontario se font conjointement.

LE COMITÉ

Toute innovation se réalise par la conception d'un projet. Le projet de Primétal consiste à modifier l'organisation du travail dans les trois ateliers et à implanter un processus d'amélioration continue en mettant les employés à contribution. Un consultant est engagé par la direction et le syndicat pour guider les acteurs dans la réalisation de différentes étapes de l'innovation. Un comité directeur paritaire composé de cinq membres de la direction et de cinq représentants syndicaux est formé. Ce comité est responsable du processus de transformation qui comprend la conception du projet, la planification des étapes, la réalisation des activités, l'évaluation du changement, l'établissement des priorités d'intervention, la diffusion de l'information aux membres de l'organisation, dont les travailleurs, et la mise en place de nouveaux réseaux de communications verticales et horizontales. Le comité est un lieu d'interaction et de dialogue entre des acteurs qui souhaitent un changement dans l'entreprise. L'existence de cette structure permet de fréquents contacts directs (deux fois par semaine à raison de deux heures chaque fois), créant un climat de familiarité et d'apprentissage entre les acteurs dans des situations nouvelles pour eux. Une telle structure assure la régularité et la permanence des discussions sur les moyens à prendre pour faire face à l'incertitude.

Des sous-comités sont également constitués sous la responsabilité du comité directeur. Ces sous-comités regroupent des contremaîtres et des employés, généralement quatre ou cinq personnes, qui se rencontrent une fois par semaine. Un représentant syndical assiste à toutes les réunions. Ces comités ont pour objectif d'examiner et de résoudre des problèmes particuliers de production dans les ateliers de travail. Ce sont les travailleurs qui font les recommandations sur les modifications à apporter à l'organisation du travail et aux postes de travail. La création des sous-comités a pour effet de décentraliser le partenariat qui s'institue entre la direction et le syndicat et favorise la participation directe des ouvriers. Chaque sous-comité est structuré par un problème particulier relevé par le comité directeur ou suggéré par des employés, mais la décision de former ou non un sous-comité émane toujours du comité directeur. Une fois qu'une solution est proposée et adoptée par celui-ci, le sous-comité est dissous. D'autres sous-comités sont alors formés pour analyser d'autres problèmes.

Deux objectifs président à la création des sous-comités. Le premier consiste à résoudre un problème à la lumière de l'analyse qu'en font ceux qui possèdent le plus de connaissances sur le travail réel, soit les ouvriers et les contremaîtres. Le second objectif consiste à faire participer tous les membres de l'organisation et non pas uniquement les experts ou une certaine élite ouvrière. Pour les membres du comité directeur, en particulier les représentants syndicaux, le partenariat est une voie vers la démocratie industrielle, d'où l'importance de faire participer le plus grand nombre et de ne pas céder à la tentation de faire intervenir les experts. Plusieurs sous-comités ont ainsi été formés, parfois jusqu'à 10 sous-comités dans les trois ateliers de l'entreprise. Pour les travailleurs et les membres de la direction de Primétal, cette nouvelle structure marque un tournant: les travailleurs habitués à l'affrontement participent à la prise de décision sur l'organisation du travail et la direction les écoute.

LA VIE SYNDICALE

Les pratiques habituelles du syndicalisme sont également modifiées. Le syndicat s'est engagé avec certaines réticences et non par choix délibéré. La participation des membres du syndicat dans l'organisation du travail est d'abord motivée par la survie de Primétal. Mais la crainte que le succès d'un projet de réorganisation puisse conduire à la disparition du syndicat était bien réelle. Le syndicat n'en conserve pas moins son rôle traditionnel et continue à défendre les intérêts socio-économiques de ses membres et à négocier la convention collective de travail, bien que les difficultés financières de l'entreprise ne soient guère propices à l'amélioration des conditions de travail ni à des augmentations salariales. Au dire des représentants syndicaux, il faut parfois marquer un recul avant de revenir avec des demandes à la hausse. C'est ce que font les travailleurs syndiqués de Primétal en acceptant la flexibilité par une fusion de certaines tâches, le regroupement de postes de travail, des modifications à l'horaire de travail et une suppression de sept postes. Les salaires sont réduits de 3 % la première année, mais ils augmentent de 2,5 % la deuxième année et de 2,5 % la troisième année. À ce moment, le calcul rationnel des membres consiste à d'abord participer au redressement économique de la firme avant de demander un partage plus équitable des gains de productivité. Ceux-ci apparaissent assez rapidement après la réorganisation du travail. D'une perte mensuelle de 200 000 $, l'entreprise réussit à faire des profits de quelque 50 000 $ par mois.

Ce revirement ne pourrait avoir lieu sans un appui des membres qui cherchent principalement à conserver leur emploi en participant davantage à la gestion de l'entreprise. Les débats sont cependant houleux aux assemblées syndicales, car ce virage ne fait pas l'unanimité. Il s'agit avant tout d'un calcul stratégique visant à sauver l'entreprise sans trop compromettre le rôle syndical. Certains membres du syndicat croient néanmoins que c'est là un engagement impossible sans compromission du syndicat. Pour ceux-là en effet, cela marque un recul de la force syndicale dans l'entreprise. Pour d'autres, le syndicat joue un rôle qui ne lui appartient pas. L'engagement syndical dans la gestion de l'organisation du travail serait impossible sans compromettre le rôle fondamental de la défense des intérêts des travailleurs.

Les représentants syndicaux et les membres du syndicat qui les appuient tiennent le pari contraire. Leur engagement auprès du comité directeur est conditionnel au maintien des emplois comme il a été négocié à l'occasion de la dernière ronde. L'employeur ne peut réduire le nombre d'emplois sans un accord avec le syndicat. Pourtant, au cours d'une période où les commandes étaient à la baisse, l'employeur a voulu mettre à pied temporairement une dizaine de travailleurs afin de réduire les coûts. Le syndicat s'y est opposé en menaçant de se retirer du comité directeur, ce qui aurait compromis les avancées du partenariat quant à l'organisation du travail. Le syndicat s'est gagné des appuis de ses membres en agissant de la sorte tout en consolidant sa position au sein du comité directeur. Il montre que certaines demandes sont impraticables et que les travailleurs demeurent une priorité. Les gestionnaires n'ont guère le choix et doivent supporter le coût de cette décision afin de ne pas s'engager dans une situation qui annihilerait tous les efforts du partenariat.

Le rôle du syndicat auprès des membres s'est néanmoins modifié, il s'est enrichi de fonctions nouvelles telles que voir au bon fonctionnement des rencontres, encourager et motiver les travailleurs. Ses moyens ont aussi changé; de l'affrontement, il évolue dorénavant vers la concertation et le dialogue. Les membres semblent plus unis et solidaires que jamais. Le syndicat s'assure en effet que les transformations de l'organisation du travail conduisent également à l'amélioration de la qualité de vie au travail et non pas uniquement à l'amélioration de la productivité à même l'intensification du travail. Chaque mesure devant mener à des gains de productivité débattue dans les sous-comités et au comité directeur tient compte des conditions de travail, de la santé et de la sécurité du travail. Dans plusieurs postes de travail, la pénibilité du travail, l'effort physique et la charge de travail ont été réduits, contribuant ainsi à reconditionner le travail. Encore ici, ces mesures de redressement s'accompagnent d'une bonification qui renforce le projet de partenariat auprès des travailleurs sceptiques quant au rôle syndical.

LE SUCCÈS PROGRESSIF DE L'INNOVATION

La démarche de partenariat n'est efficace que si elle conduit au consentement du plus grand nombre, tant chez les travailleurs que parmi les cadres de la direction. Il est normal que les acteurs au sein de l'entreprise soient un peu sceptiques au départ. Après tout, passer d'une longue période d'affrontement à des relations plus harmonieuses ne s'accomplit pas comme par enchantement. Le comité directeur constate que tous les salariés ne sont pas au même point dans l'acceptation de l'innovation et que certains ne sont pas prêts à s'investir dans un nouveau rôle. Les agents de chaque atelier réagissent différemment, l'accueil réservé à l'innovation varie en effet selon les groupes de travailleurs. Primétal est organisé en trois ateliers interdépendants, mais chacun est autonome dans le mode de fonctionnement. Afin de faciliter l'adhésion et d'intéresser le plus grand nombre, les membres du comité directeur décident d'une stratégie par étapes selon laquelle les chances de succès sont grandes. Il s'agit moins de démarrer ce projet d'innovation dans tous les ateliers de l'entreprise que de commencer dans un atelier où les acteurs sont réputés pour leur esprit d'innovation avant de l'étendre à d'autres ateliers. La promotion auprès des unités de travail s'en trouvera facilitée, croit-on au comité directeur.

L'innovation s'amorce donc à l'aciérie puisqu'il faut améliorer la qualité de l'acier et réduire les temps de cycle de façon à augmenter le nombre de coulées. Les ouvriers de l'aciérie ont de plus l'habitude d'être consultés, puisque le directeur de la production a introduit d'une manière très informelle la gestion participative bien avant que la direction de l'établissement et le syndicat s'entendent sur une démarche commune. De plus, un acier de qualité est essentiel à la fabrication des pièces de fonte métallique de haut degré de résistance. L'aciérie est le point de départ de la production et la qualité des produits est le facteur déterminant de l'amélioration de la qualité des procédés au cours des différentes étapes du processus de production en aval. Le démarrage du projet dans cet atelier correspond donc à deux grandes exigences : *a*) la qualité s'améliore par une série d'interventions directes sur les méthodes de travail et les procédés de fabrication décidées au cours des rencontres des sous-comités ; *b*) la résistance des salariés est moindre dans cet atelier en raison d'une habitude acquise grâce à des rencontres informelles antérieures. Aussi, les réussites des sous-comités sont vite connues des employés des deux autres ateliers. Ce succès sème l'enthousiasme chez les ouvriers métallurgistes de l'aciérie, tant au chapitre de la participation qu'au chapitre de l'amélioration des rendements, des conditions de travail et de la qualité de l'acier produit, et ce, sans changement majeur de l'équipement. Aux ouvriers de la forge et de l'atelier d'usinage de prendre la relève maintenant.

Un problème subsiste parmi les travailleurs de l'atelier d'usinage où se trouvent des machinistes dont certains sont diplômés d'écoles techniques alors que d'autres ont appris le métier sur le tas. Les deux catégories sont réunies dans une même classification sans aucune distinction. Par contre, le travail réel effectué par les machinistes est différent selon la formation. Les machinistes diplômés, qui accomplissent les tâches plus complexes, exigent une classification supérieure aux autres de façon que soient reconnues leur compétence et leur contribution réelle. Pour sa part, la direction refuse de procéder à une double classification des machinistes.

Les machinistes diplômés sont invités dans les sous-comités afin de résoudre les problèmes de production, mais ils refusent de coopérer et se retirent de toute forme de participation. Le projet se poursuit auprès des autres unités de travail. À l'atelier d'usinage, l'impasse est dénouée par l'intervention du syndicat auprès de la direction qui promet une solution définitive lors des prochaines négociations, sans pour autant révéler à l'avance la teneur de l'entente. Les machinistes éprouvent la solidité du syndicat en formulant des demandes précises qui interpellent le comité directeur. Ils tentent de marchander leur participation par la reconnaissance d'une classification particulière qui viendrait résoudre ce qu'ils perçoivent comme un problème d'iniquité. Le syndicat s'empresse d'étouffer la revendication et tente de marginaliser la position du groupe des machinistes pour ne pas compromettre le projet d'innovation. À l'intérieur d'une même entreprise, l'organisation du travail diffère d'un atelier à l'autre et il importe que l'innovation soit introduite de façon à tenir compte des particularités de chaque groupe de travail. Les machinistes forment un groupe qualifié qui réagit différemment des autres groupes, car ils pressentent que l'autonomie qui caractérise leur métier peut être remise en question par l'innovation alors qu'elle s'accroît au sein d'autres groupes. De plus, le syndicat est interpellé directement et doit trouver une solution qui ne compromet ni le projet d'innovation, ni son nouveau rôle au sein du comité directeur, ni son rôle de défense des ouvriers quel que soit leur métier. La résistance et l'opposition sont très présentes dans ces projets innovateurs. En fait, la fonction du partenariat consiste généralement à trouver des solutions à ces problèmes sans avoir recours à une tierce partie.

LA DIRECTION

La direction ne se présente pas non plus comme une entité homogène. Il n'est par ailleurs guère facile de modifier la fonction de direction et de faire entrer les cadres dans un rôle où l'autorité revêt une forme différente. Les cadres doivent apprendre à communiquer, à discuter, à faire comprendre et accepter, à convaincre, au besoin à persuader, mais aussi à céder devant un meilleur argument que le leur, devant un arrangement auquel une majorité adhère. La force et la coercition ne sont pas de mise dans cette démarche. L'information et les canaux de communication entre les paliers hiérarchiques sont primordiaux. Bien sûr, ce ne sont pas tous les cadres qui sont capables d'une telle transparence et d'ouverture. Plusieurs ont donc quitté l'entreprise, les autres ont appris et quelques-uns résistent encore, mais c'est une infime minorité que la direction espère gagner au partenariat dans la mesure où le succès de la démarche incite fortement l'adhésion à l'innovation. La structure hiérarchique a été aplanie et la coordination ne peut plus se faire sous forme de contrôle direct comme c'était le cas avant les transformations. Les travailleurs eux-mêmes assument une bonne partie de la coordination du travail, certains contrôles sont informatisés et les ordres de production ne se font plus guère selon la méthode du bouche à oreille mais par des imprimés détaillés des commandes de pièces à fabriquer adressés à chaque poste de travail. Le contremaître, en tant qu'instance du contrôle et de la coordination du travail, n'est pas disparu, mais son rôle est passablement modifié.

Au sein de la direction, les ingénieurs de Primétal forment un groupe à part. L'amélioration de la qualité est le résultat de la démarche de partenariat relativement à l'organisation du travail, notamment de l'application des solutions provenant des sous-comités. Mais la participation des travailleurs, sans être ouvertement contestée par les ingénieurs parce que mobilisatrice, semble néanmoins incomplète aux yeux des ingénieurs, puisque la démarche proposée par le comité directeur laisse en plan l'adoption de mesures de contrôle de qualité. Pour les ingénieurs, la qualité et l'amélioration de la productivité se mesurent par des paramètres techniques et non pas uniquement par le «bon sens» des travailleurs ou par la neutralisation des effets négatifs de l'esprit d'affrontement. L'amélioration du procédé de production est donc partielle. Les aspects sociaux que représentent la participation, la conscientisation, la discussion sur les méthodes de travail les plus efficaces et le décloisonnement des connaissances du travail ne seraient donc qu'une entrée en matière sur le plan des améliorations, laquelle devrait conduire à une prise de conscience des limites de cette démarche et à l'adoption de dispositifs techniques. Selon les ingénieurs, les contrôles techniques s'imposent, mais il y a risque de heurts avec les ouvriers qui croient que les contrôles menacent leur autonomie. Les méthodes de travail sont liées aux conditions de travail, elles ne sauraient être subordonnées aux procédures normées que les ingénieurs seraient tentés d'imposer. Ces représentations diversifiées des moyens d'améliorer les procédés de production illustrent bien l'état de tension qui subsiste entre les propriétés techniques et sociales du travail, même dans un cas où le partenariat est souvent présenté comme un modèle. Rien n'est jamais acquis, les conflits et les tensions ne sont pas nécessairement éliminés, la discussion a des limites qui mettent en lumière les contradictions et la difficulté de concilier des approches et des représentations contradictoires non pas sur le chapitre des objectifs mais sur le chapitre des priorités, des orientations et des activités à privilégier. Cependant, les discussions sont ouvertes, les représentations ne sont pas des stratégies cachées pour mieux combattre l'adversaire. Chacun est informé de ce que l'autre pense. L'accord ne s'obtient cependant pas instantanément, les acteurs doivent y travailler.

CONCLUSION

L'innovation dans l'entreprise est un processus lent et engageant. Ce sont les acteurs eux-mêmes qui y donnent forme par des activités et des interactions concrètes. Les projets servent de guide, mais il n'y a guère de solutions toutes faites aux problèmes que rencontrent les acteurs. L'information et les communications entre des acteurs aux intérêts divergents sont au cœur du processus de transformation. En établissant de nouveaux rapports de coopération, les acteurs réussissent à transformer les relations qui les unissent. Les difficultés de parcours sont résolues par des discussions fréquentes qui débouchent sur des compromis et des arrangements innovateurs. Les acteurs réussissent mieux ces arrangements quand ils connaissent bien leurs limites respectives et leurs intérêts. La direction est intéressée par les gains de productivité, mais elle sait qu'elle ne peut aller au-delà d'un seuil que le syndicat impose. Ce dernier s'engage dans l'innovation en sachant très bien que l'intensité du travail sera plus grande, mais il négocie en retour des conditions de travail moins pénibles pour les ouvriers.

Les conflits et les tensions entre les groupes ne sont pas disparus. Cependant, les acteurs savent que le partenariat ne peut guère aller plus loin sans que des solutions permanentes soient trouvées. Les acteurs ne remettent pas en question le projet parce que certains des membres résistent et ils ne laissent pas ces difficultés sans solutions, ils les traitent, les analysent et formulent des propositions mais ne forcent pas les acteurs à les accepter. L'autonomie des groupes de travail est au centre de ces difficultés qui révèlent que le consensus reste fragile, qu'il n'est pas permanent. Parfois, des tensions se manifestent, liées à l'orientation du projet, comme l'a montré la réaction des ingénieurs. Cependant, un retour en arrière est improbable, les acteurs étant bel et bien engagés dans de nouvelles voies de coopération.

CAS 1

Gestion et changements dans deux caisses populaires de Montréal[1]

Chantale Mailhot

Les deux caisses populaires dans lesquelles nous avons mené une petite enquête comptent de nombreuses années d'histoire. La première, la caisse de l'Est[2], a été fondée dans les années 1910 et la deuxième, la caisse du Nord, au début des années 1960. L'effectif des deux caisses était comparable jusqu'en 1994, année de forte rationalisation à la caisse de l'Est à la suite de problèmes financiers importants (le nombre d'employés est passé de 50 à 26). Dans les deux caisses, le personnel est très stable. La majorité de leurs employés ont plus de cinq années d'expérience et quelques-uns ont travaillé plus de 20 ans dans leur établissement. Le personnel de la caisse du Nord est syndiqué depuis 1980, alors que celui de la caisse de l'Est s'est syndiqué en 1985 pour se «désaccréditer» trois ans plus tard. Dans les deux cas, l'atmosphère n'est pas à la revendication et la communication entre la direction et les employés est qualifiée de facile.

> Ça ne paraît pas du tout que les employés sont syndiqués dans la caisse. Les inspecteurs sont toujours surpris de l'apprendre. Dans la majorité des caisses syndiquées, ça se sent immédiatement. Ici, l'atmosphère de travail est très bonne. (Directeur de la caisse du Nord.)

> Les gestionnaires sont dynamiques ici, et les gens s'entraident beaucoup. En général, il y a un bon esprit de travail, une bonne atmosphère, de l'entraide. Tout dépend des gestionnaires en place. Mais aujourd'hui, la communication est bonne. Ils sont humains. (Membre du personnel de la caisse du Nord.)

> Ici, le travail se fait dans le plaisir. Tout le monde se parle, employés, cadres, comme dirigeant. L'accueil est chaleureux, les relations faciles et agréables. (Membre du personnel de la caisse de l'Est.)

Le directeur général de la caisse du Nord est en place depuis 20 ans au moment de l'enquête. La caisse de l'Est a connu aussi une direction stable des années 1950 au milieu des années 1990, pour ensuite vivre deux changements de direction. En 1994, le directeur adjoint a en effet succédé pendant deux ans au directeur en place depuis si longtemps. Ces deux années sont marquées de nombreux bouleversements pour le personnel de la caisse. Selon certains, la récession et les mesures radicales qu'obligent à prendre de grosses pertes sur prêts sont responsables des deux années plus chaotiques de cette caisse.

Il y a eu des coupures, mais c'étaient des décisions de rentabilité. Le directeur en place a passé pour la bête noire. C'est sûr que le directeur précédent, celui qui était là depuis longtemps, il était bon, c'était un bon papa, mais ça lui nuisait dans le sens où il n'aurait jamais été capable de faire de mises à pied. « On ne peut pas faire ça aux petites filles, elles ont besoin de gagner », disait-il. Il fallait jamais qu'il arrive rien de mauvais à personne. Mais le contexte économique était bien meilleur. (Membre du personnel de la caisse de l'Est.)

De toute façon, c'étaient des décisions de la Fédération. Le directeur devait constituer un comité de gestion et les exécuter. Tout cela est injustifié, cette image négative de la caisse. Avant, la caisse était super bien vue, elle avait un bon directeur, qui faisait de l'argent, qui avait de l'influence à la Fédération. Les profits étaient de 800 000 $ ou un million par année, il n'y avait pas de coupures de postes, on faisait des fêtes avec les employés, les rapports d'inspection étaient beaux, la caisse était bien structurée, la réputation excellente. D'accord, on a ensuite fait trois millions de pertes sur prêts. Mais c'était avec deux membres seulement, dans un contexte de crise de l'immobilier. La Fédération a recommandé une série de coupures de postes ridicules. Le directeur général prenait la relève d'une gestion paternaliste et a tout absorbé le choc du contexte économique. Les gens ont relié ça à lui. (Membre du personnel de la caisse de l'Est.)

Pour d'autres, c'est précisément le passage d'un style de direction paternaliste à un style inéquitable et autoritaire qui explique davantage ces années difficiles. Voici ce qu'en disent certains employés :

Ça allait tellement mal son affaire, il est devenu de plus en plus intransigeant. On ne comprenait pas pourquoi ça allait si mal tout à coup. Puis, il nous mettait tout sur le dos : « Les employés, ça coûte cher, on a trop de dépenses. » Il était vraiment plus agressif, plus strict.

Il a enlevé certains privilèges qu'on donnait pour des prêts hypothécaires ou aux personnes âgées par exemple. Il coupait tout ce qu'il pouvait. Nous, on ne comprenait pas, on se disait qu'on allait perdre tous nos clients ! Les clients non plus ne comprenaient pas.

Il y a eu beaucoup d'insatisfactions au niveau commercial surtout. Les modifications étaient importantes : la guérite enlevée, les heures modifiées, rétrécies, puis ces clients devaient dorénavant faire la file comme tout le monde, avec des augmentations de frais d'administration et un service plus pauvre. Il croyait qu'en imposant plein de décisions et de coupures, il irait tout récupérer dans les frais d'administration.

D'un côté, il y avait des coupures drastiques et de l'autre, on s'apercevait qu'il y avait des dépenses de fou qui se faisaient !

Je pense que s'il y a eu tant de changements, c'est que le directeur essayait de « ploguer » sa gang. Il avait besoin de gens qui l'écoutent. Il était un peu dictateur. Les gens, même les clients, ont beaucoup parlé dans son dos lorsqu'il est parti. Ils l'ont traité [...] de toutes sortes de choses. C'est vrai qu'il avait un style un peu raide, de la difficulté au niveau des communications, il ne disait pas bonjour. Tout cela était un problème d'attitude. C'était vraiment ça le problème.

Ces années difficiles avaient été précédées d'une période de croissance, une excellente progression. Le directeur général en place durant plusieurs années était reconnu pour ses efforts de recrutement. Il n'était que très rarement à la caisse, toujours à la recherche de nouveaux clients.

Il était très gentil, très aimé, mais il n'était jamais ici. C'était la façon de faire, durant de nombreuses années. Lui, il faisait du *P.R.*, il allait chercher les clients, et son assistant, aidé des cadres, gérait. (Membre du personnel de la caisse de l'Est.)

La caisse de l'Est devait plus tard enregistrer des pertes sur prêts substantielles. Son directeur actuel explique :

Le gros développement de cette caisse qui possède 80 années d'existence s'est fait durant les huit dernières années. Cette caisse a poussé comme un champignon, de façon très rapide et en très peu de temps. Dans cette course aux actifs — car il faut bien voir que le salaire des directeurs généraux était anciennement calculé en fonction des actifs — et dans un contexte économique plus propice, il était peut-être possible d'étendre les activités de crédit à l'extérieur du territoire. Il y a eu plein de croissances de caisses, parfois heureuses, et parfois malheureuses. Ici, ç'a été malheureux. Il y a peu de commerces dans notre secteur, c'est vrai, et le directeur général a décidé d'aller à l'extérieur pour en chercher. Mais comment garder l'œil sur des commerces qui sont situés trop loin ? C'est très rentable, mais aussi très risqué. Désormais, notre territoire est limité à l'île de Montréal.

La caisse du Nord a aussi subi les contrecoups du contexte économique, sans que cela ait eu autant d'incidence sur sa rentabilité. Devant une situation financière difficile, certains directeurs de caisses peuvent choisir différentes solutions de redressement, comme le laissent entendre le directeur de la caisse de l'Est et un membre du personnel de la caisse du Nord :

Des gens ont peut-être constaté que la caisse était de moins en moins rentable et ont peut-être décidé de donner un gros coup de barre quelque part… Ils ont essayé de rentabiliser de l'intérieur en mettant des effectifs à la porte. Puis, plusieurs choses avaient été coupées aux clients dans le but de rentabiliser. On a tous nos opinions là-dessus. Je ne crois pas que quand on coupe des choses aux sociétaires, ça puisse rentabiliser une caisse, surtout si ce sont des choses que toutes les caisses donnent. En même temps, il ne faut pas donner une foule de privilèges qui ne se donnent pas ailleurs. Il a fallu régulariser tout cela. (Directeur de la caisse de l'Est.)

Ici aussi, la gestion financière n'a pas toujours été aussi prudente. Ici aussi, il y a eu une sorte de course aux actifs, peut-être à cause de la façon dont était calculé le salaire des directeurs. C'est sûr que le commercial génère davantage de profits, mais des pertes également. Il y a eu une crise dans l'immobilier depuis les cinq dernières années. Les caisses qui ne sont pas performantes ont eu des problèmes au niveau des dossiers de crédit, ont été trop libérales dans leur façon de prêter. Lorsque je suis arrivé, la situation était très mauvaise au niveau du crédit. Face à cela, certains directeurs vont souvent couper des employés pour sauver de l'argent. C'est une grosse erreur. S'il y a des pertes, il faut investir dans le personnel et dans le redressement des dossiers de crédit. C'est pour ça que j'ai été engagé. Pour moi, l'actif n'est pas si important. Il faut développer le particulier, dans notre quartier. Loin des yeux, loin du portefeuille… (Membre du personnel de la caisse du Nord.)

Depuis le mois de janvier 1995, la caisse de l'Est semble avoir retrouvé son atmosphère et ses pratiques de jadis. Le plan de redressement mis en place par le nouveau directeur, le conseil d'administration et les employés semble porter ses fruits. La caisse progresse de nouveau et de nouvelles politiques relatives à l'emploi, à la rémunération et aux communications sont adoptées, comme l'explique le directeur :

On a établi des politiques de crédit très strictes, des politiques administratives, on a refait le budget et on y travaille. On ne va absolument pas à la vitesse de l'éclair, mais on rencontre les objectifs mensuels. On travaille sur la formation, sur la communication, et s'il est vrai qu'on va doucement, on est aussi très constants, on travaille en continu. On donne moins à la fois, mais plus longtemps. Les employés voient que la caisse remonte la pente, et c'est motivant pour eux.

Si les deux caisses se caractérisent par le faible taux de roulement de leurs employés, la gestion de l'emploi est en effet différente. À la caisse du Nord, il est rare qu'un employé demeure plus de deux ou trois ans à un même poste. Deux employés commentent :

Ici, ça bouge tout le temps. On est impliqué dans toutes sortes de choses, on ne s'en tient pas aux descriptions de tâches. On fait plein de choses différentes, et ils insistent pour qu'on s'implique dans les comités par exemple. Tout le monde peut faire quelque chose d'autre que son poste, s'il veut.

Puis, le fait de bouger autant, de connaître toute la caisse, ça t'amène à faire autre chose et à aider. Il y a beaucoup d'entraide, de manière générale, et c'est sans doute à cause de cela. C'est ce qui crée une bonne atmosphère aussi.

Les objectifs de carrière de chaque personne sont pris en considération au moment de l'évaluation et des ouvertures de postes. Les plans de formation sont souvent adaptés à ces objectifs autant qu'aux besoins de la coopérative. Les conditions liées à la formation sont excellentes, et surtout motivantes. Le directeur de la caisse du Nord observe :

> Ici, il y a constamment de la formation interne et externe. Il y a un coût à cela, et pas juste le coût d'entraînement. Un employé qui est super-formé et à qui tu ne peux offrir de poste plus élevé a des chances de partir ailleurs. Mais ça ne me dérange pas. La grande motivation des gens est plus importante. C'est motivant pour eux d'être formés, d'aspirer à des postes élevés, de former d'autres employés, de bouger de postes plutôt que de traîner 10 ou 15 ans dans un même poste et d'être tanné. Il y a peu de routine. Ça fait 12 ans que je leur pousse dans le dos pour qu'ils suivent de la formation. Nous payons les frais d'inscription, les livres, et nous les encourageons constamment, constamment. Ça fait partie de la culture de la caisse.

À la caisse de l'Est, et bien que la formation du personnel ait toujours été encouragée et financée selon les mêmes conditions qu'à la caisse du Nord, les employés sont beaucoup moins polyvalents. Plusieurs sont au même poste depuis leur arrivée à la caisse et ne tiennent pas à changer : « C'est du ciment coulé ensemble, les employés, ici », affirme un membre du personnel. Avec les modifications de l'organisation du travail qu'appelle la réingénierie de l'ensemble des caisses du Mouvement Desjardins (voir l'encadré à la page suivante), une plus grande mobilité du personnel est désormais encouragée à la caisse de l'Est. Selon un employé :

> C'est depuis deux ou trois ans que ça change. Les filles qui sont ici depuis 15 ans trouvent ça difficile, ces changements. Avant, quand on était à un poste, on restait là, on pouvait faire le même travail plusieurs années sans connaître autre chose.

Cet effort s'accompagne de nouvelles politiques d'évaluation et de promotion. Alors que la procédure et le formulaire d'évaluation sont standards dans les deux caisses qui utilisent ceux que recommande la Fédération, le suivi des évaluations à la caisse de l'Est était déficient, voire inexistant. Il en allait de même des généreuses primes et gratifications offertes aux employés : la même somme à tous, peu importe le rendement des individus et celui de la caisse, comme en témoignent les propos du directeur et d'un cadre :

> Avant, la caisse avait une image de papa gâteau dans le sens où on gâtait vraiment les employés et la direction générale de la caisse. On était heureux de voir progresser la caisse, on en profitait, mais on ne se posait pas la question de la direction ou des moyens de cette progression. Les évaluations se faisaient sporadiquement, en catimini, et chaque gestionnaire décidait quel montant il donnait à l'un, quelle petite prime à l'autre, etc. Car il y avait la prime d'intéressement à tous ici. Mais des primes, ça se donne quand les objectifs sont dépassés et quand tu fais de l'argent ! Ici, avec une perte

---

Réingénierie des processus chez Desjardins

À l'époque de l'enquête, les caisses populaires Desjardins vivaient une opération de réingénierie des processus qui consistait principalement dans la transformation des tâches, en particulier celles de caissières*. Elle avait comme objectif d'automatiser les opérations mécaniques (dépôt, retrait, paiement des comptes, etc.) en les reléguant aux guichets automatiques et de confier aux ex-caissières, après une formation appropriée, des tâches de conseiller et de vendeur de services où la qualité des relations interpersonnelles sera toujours importante. Par définition, cette réingénierie ne niait donc pas ce qui constitue la culture de métier du caissier. En effet, pour les caissières, la qualité des relations interpersonnelles (entre elles, avec le reste du personnel et avec les membres clients) passe avant la tâche proprement dite (opérations mécaniques de dépôt, de retrait, etc.). Pourtant, la réingénierie les inquiétait grandement…

* Nous choisissons la forme féminine ici parce que la majorité des caissiers sont des femmes. Nous donnons ainsi priorité à la règle sociologique sur la règle grammaticale.

---

de 1 200 000 $, on donnait des primes. C'était une politique ici. En progression, passe toujours… Aujourd'hui, les employés comprennent la situation financière de la caisse et savent qu'ils ne l'auront peut-être pas. Mais ils comprennent. Avant, c'était un cadeau du ciel qui arrivait sans qu'on comprenne trop pourquoi. (Directeur de la caisse de l'Est.)

On a toujours eu des primes ici. Mais depuis deux ans, c'est en fonction des évaluations. Avant, tout le monde avait le même pourcentage, rendement mauvais ou non. Maintenant, si l'année est mauvaise, le prime est en conséquence. Les gens sont bien contents. Ça les motive. Ils font des efforts. Quand ils sont capables de passer de 1 % à 3 %, ils voient que leurs efforts ont été remarqués. (Cadre de la caisse de l'Est.)

Aujourd'hui, le régime d'intéressement de la caisse de l'Est est donc fonction du rendement de la caisse et de celui des individus, comme dans la majorité des caisses. À la caisse du Nord, le régime d'intéressement proposé par la Fédération — 5 % aux employés, 7 % aux cadres et 10 % au directeur — a été modifié « afin de mettre l'accent sur l'équipe ». C'est tout le personnel de la caisse qui reçoit 5 % d'augmentation salariale s'il y a surplus aux bénéfices prévus.

Nous avons été la première caisse à donner une augmentation globale plutôt que simplement celle de l'échelon et du coût de la vie. Nous nous étions engagés, lors de la dernière convention, à la verser dès que la caisse ristournerait. Comme le régime n'était pas en vigueur lorsque la caisse a ristourné pour la première fois, le conseil a décidé de donner une journée et demie et plus tard deux jours à tout le personnel. On fait beaucoup de choses comme ça ici. Par exemple, après un cours du soir, nous sommes allés au restaurant

La Fonderie et nous avons offert quelques bouteilles de vin. Le professeur n'avait jamais vu ça, il s'attendait à de petits sandwichs. Dans le temps de Noël, on ferme à trois heures. Ça nous permet d'offrir en plus des demi-journées. On est la seule caisse du secteur qui l'a fait. On donne beaucoup. (Directeur de la caisse du Nord.)

Ils ne pensent pas juste à eux, mais aussi à nous. C'est bien, les deux jours qu'on a eus. Les bénéfices ne sont pas juste pour eux. (Membre du personnel de la caisse du Nord.)

Les employés de la caisse de l'Est sont bien conscients du fait que les primes qu'ils recevaient étaient souvent des gâteries. Ils se disent également choyés des installations luxueuses des aires de repos, de repas et de travail :

Nous, nos installations physiques sont super, les gens n'en reviennent pas. On a des gros fauteuils de président, une grosse télévision, on a tout, un vidéo, deux micro-ondes, le poêle, frigidaire, tout. Avant, c'était encore mieux ! Tout était fourni : le sel, le sucre, les serviettes hygiéniques, tout. On était pas mal bien. On avait des millions, il faut dire. Ils nous donnaient plein de primes, comme pour avoir enduré la poussière lors du déménagement, par exemple.

Au chapitre des installations physiques, des fournitures de toutes sortes et même des sorties qui sont offertes aux employés, la caisse de l'Est se démarque de la caisse du Nord. Si le personnel de cette dernière apprécie les quelques activités sociales offertes au cours d'une année, les dirigeants comme les cadres n'encouragent pas leur multiplication, ainsi que le souligne le directeur :

Il n'y a pas souvent d'activités sociales avec les employés. Je trouve ça dangereux qu'il y en ait trop. Il y en a occasionnellement. Sinon, quand on est trop souvent ensemble... Travailler et se voir parfois, ça va. Mais trop souvent, ça finit par faire des cliques et des conflits. Nous n'avons pas de clans actuellement. Il y a peut-être eu des conflits antérieurement entre certains groupes, mais maintenant le responsable a de la poigne et sait concentrer les gens sur le travail.

Toutefois, selon un employé :

Il y avait plus d'activités avant. Mais maintenant, on a notre famille le soir. On n'a pas le temps. Les gens embarquent moins et se tannent s'il y en a trop. C'est le fond social qui organise ces sorties, mais on invite toujours les gestionnaires à s'impliquer. Les quelques sorties, c'est bien. Ça nous permet de nous connaître à l'extérieur.

Les employés ne se plaignent pas de la situation dans la mesure où, contrairement à l'autre caisse, ils considèrent, de manière générale, que si l'ambiance et la bonne entente sont importantes, les relations professionnelles doivent se restreindre au travail et ne pas empiéter sur la vie personnelle. Ce n'est pas du tout l'image qui est véhiculée à la caisse de l'Est où l'ensemble du personnel, dirigeant et cadres compris, présentent la caisse comme une famille :

> Ici, c'est comme une petite famille. Tout le monde parle à tout le monde. Quand il y a un nouveau, tout le monde lui parle comme s'il avait toujours été là. L'intégration est facile. Tout le monde se tient. Ç'a toujours été. Il n'y a jamais eu de clans, tout le monde dîne avec tout le monde, on fait des fêtes, des croisières, le fond social organise toutes sortes d'activités. Nous avons du *fun*.

Que la caisse du Nord se caractérise plutôt par des relations professionnelles et même la présence de clans, de regroupements et de «caquetage» n'empêche pas d'affirmer que la communication, à l'extérieur des réunions, est très facile entre cadres et employés, comme à la caisse de l'Est. Les employés se sentent tout à fait à l'aise d'entrer dans le bureau des cadres ou dans celui du directeur au besoin. Cette aisance sur le plan des communications explique peut-être la faible activité syndicale dans cette caisse. Le personnel de longue date note d'ailleurs qu'à l'époque de la demande d'accréditation, la qualité des échanges entre supérieurs et subordonnés était très mauvaise. L'équipe de gestion est désormais constituée de «nouveaux types de gestionnaires» et le directeur «a beaucoup changé». Les réunions syndicales se font rares depuis une dizaine d'années, et il y a peu de griefs. Les relations qu'entretient la direction avec le représentant syndical semblent aisées, selon ce qu'en disent le directeur et un cadre:

> Je trouverais ça très lourd d'avoir à gérer avec la convention. Une chance qu'ici on a une très bonne relation avec le représentant syndical. On s'assoit et on discute entre nous avant toute négociation. On leur a bien montré que, autant pour eux que pour nous, ça ne serait pas vivable d'appliquer à la lettre le document de la convention. On en est venu d'un commun accord à fonctionner avec des lettres d'entente. Il n'y a pas beaucoup de caisses comme ça. (Directeur de la caisse du Nord.)

> Il y a peu de demandes formelles du syndicat, c'est vrai. Sauf quelques demandes farfelues, mais c'est tout. C'est très facile à gérer. Ça ne changerait rien qu'il n'y ait pas de syndicat ici. Les employés n'en ont pas besoin. Ils ont leur droit de parole, leur représentant. (Cadre de la caisse du Nord.)

À la caisse de l'Est, la désaccréditation a eu lieu pour des raisons semblables à la suite d'un vote secret des employés qui ont préféré former un comité d'entreprise. Un cadre explique:

> On a une bonne communication avec les employés. On a un comité des ressources humaines et on les implique. Quand ils se sont désaccrédités, ils m'ont demandé comment j'allais être sans syndicat. La même affaire, j'ai dit. Ils n'appelaient jamais le syndicat et payaient des cotisations pour rien.

Si la communication est bonne à la caisse de l'Est, l'explication est à chercher dans l'atmosphère familiale qui caractérise l'ensemble des relations — tant entre employés qu'entre patrons et employés — plutôt que dans les mécanismes formels d'information. Les employés de la caisse apprécient par-dessus tout le «bonjour» quotidien du directeur, les dîners en sa présence et celle des cadres:

On est tous ensemble au dîner, et on peut parler de n'importe quoi. Ici, ce qui est merveilleux, c'est qu'il n'y a pas de différences entre patrons et employés. (Membre du personnel de la caisse de l'Est.)

Ce n'est que tout récemment, avec l'arrivée du dernier directeur, que les réunions mensuelles d'information ont été formalisées.

On s'est rendu compte qu'ici il y avait tout de même un problème d'information. Elle ne se rendait pas aux employés. Les grandes décisions n'étaient pas communiquées aux employés. On y a remédié en implantant un meeting mensuel. Ça ne se faisait pas avant, ou plutôt c'était de façon très sporadique. C'est quand même leur entreprise, ils ont le droit de savoir où s'en va leur caisse au niveau des dividendes, des trop-perçus, l'actif, les plaintes des membres, etc. On leur montre tous les chiffres, et c'est dans les réunions hebdomadaires de chaque secteur que sont discutés les sujets plus spécifiques. (Directeur de la caisse de l'Est.)

Quand le directeur convoquait une réunion, avant, c'était pour nous donner le montant des augmentations salariales de l'année. C'est tout. (Membre du personnel de la caisse de l'Est.)

Dans cette caisse, ces réunions visent donc essentiellement à informer le personnel. Les employés apprécient ces rencontres qui leur permettent de mieux comprendre mais surtout de pouvoir répondre aux questions des clients et, dans certains cas, de recevoir des marques d'appréciation.

Pour le reste, s'il y a des problèmes, je préfère en parler à mesure, faire des rencontres immédiates. Je n'attends ni les réunions ni les évaluations. On se parle. Ma porte est toujours ouverte. (Cadre de la caisse de l'Est.)

Les réunions mensuelles de la caisse du Nord visent le même but que celles de la caisse de l'Est mais sont perçues différemment. Du côté des cadres et de la direction, il est important d'informer les gens et de les écouter :

Une des choses qui fait que les employés s'expriment, c'est qu'ils savent qu'ils sont écoutés. Même s'ils n'ont pas toujours la réponse qu'ils désiraient avoir, ils ont la certitude d'être écoutés. C'est très important qu'ils aient cette certitude. (Directeur de la caisse du Nord.)

Les réunions, c'est important. C'est souvent là que le jus sort. Moi, j'explique tout clairement. Les employés m'ont même demandé d'avoir plus de temps pour parler dans les réunions. Il faut dire qu'on a souvent tellement de choses à discuter que tout le temps est pris par l'information, et il en reste peu pour qu'ils s'expriment. Mais ils font des mini-réunions entre eux et en parlent ensuite. (Cadre de la caisse du Nord.)

Ce souci se manifeste notamment par la distribution d'un petit sondage à la fin de chaque réunion, afin de permettre à ceux et celles qui n'auraient pas osé s'exprimer haut et fort de le faire de façon anonyme. Du côté des employés, plusieurs notent en effet que peu de gens osent prendre la parole au cours de ces réunions souvent perçues comme des moments de remontrances :

On ne parle pas du tout en réunion. Ils nous demandent de nous exprimer, mais on ne le fait pas. Ils nous parlent des nouveaux produits, font des mises au point, discutent des frictions. Les gens ne sont pas directement pointés mais… Disons que c'est beaucoup de pinaillage. Mais si le directeur général demande s'il y a des questions, il n'y en aura pas. Quelques employés répondent au nom des autres.

Durant les réunions, ils insistent beaucoup sur «tu ne mâches pas de la gomme» ou plein de détails, comme le beau sourire, la façon d'aborder le client, tout cela. Puis ils nous disent quand c'est bien parfois. S'il y a vraiment un problème, ils font des rencontres individuelles. Mais il faut le dire, ici on est vraiment informés par rapport à d'autres caisses. Si le directeur a une information, il fait une réunion le lendemain et on est au courant.

Les tensions et les frustrations sont davantage palpables à la caisse du Nord comparativement à l'autre. Il faut dire que la direction en demande peut-être plus au personnel de cette caisse-pilote pour le projet de réingénierie, comme pour plusieurs autres avant. Afin d'améliorer encore la qualité du service au membre, la direction a par exemple choisi de modifier les horaires de travail et de rendre son personnel disponible deux soirs de la semaine jusqu'à huit heures. Ce changement ne convient pas aux employés plus âgés ou ayant une famille, puisqu'ils jugent être déjà suffisamment engagés dans les cours du soir qu'on leur recommande d'ailleurs fortement. C'est l'un des rares moments où ils se félicitent d'avoir encore un syndicat, qui les a au moins dispensés, pour cette année, de l'ouverture les fins de semaine. À ces réactions d'insatisfaction les cadres et les dirigeants opposent une argumentation sur la qualité et les nouvelles formes d'organisation du travail en demeurant convaincus que ces tensions finissent toujours par s'estomper. Le directeur de la caisse du Nord possède en effet la réputation de pouvoir transmettre sa vision très positive et enthousiaste du changement.

Et puis, ça ne me choque pas, moi, lorsque les insatisfactions sont exprimées. Pour moi, c'est normal, ça fait partie du quotidien […]. Puis, c'est comme dans les journaux. On ne parle jamais des bonnes choses. C'est la vie. Lorsque les employés sont contents, ils trouvent ça normal. S'ils sont insatisfaits, ils se mettent à crier. Ce n'est pas nécessairement synonyme de problème grave. (Directeur de la caisse du Nord.)

Cette différence dans le dynamisme des caisses et dans le nombre de projets dans lesquels elles s'engagent peut ainsi avoir une incidence sur les exigences de la direction envers le personnel, sur les conditions et les horaires de travail et sur la manière de gérer l'emploi et le développement humain et professionnel. La caisse de l'Est a moins de projets innovateurs à son actif et tout semble se dérouler beaucoup plus lentement et selon les normes explicites et implicites de fonctionnement. Les discours entourant les mécanismes de promotion ou d'embauche contiennent des termes renvoyant plus à l'ancienneté qu'au rendement. La formation est liée moins à la vision du dirigeant ou aux changements à venir qu'à un bien ou un mal nécessaire. Les processus de consultation semblent facilités par leur contenu moins novateur. Les employés de la caisse de l'Est paraissent déjà un peu plus effrayés par les changements d'organisation du travail qui s'imposent bientôt, bien qu'ils en ont entendu moins parler comparativement à l'autre caisse.

Ici, à la caisse [du Nord], les employés ont hâte aux changements. C'est parce qu'ils sont préparés longtemps à l'avance. C'est eux, ensuite, qui nous pressent. Tout cela est volontaire. Je leur ai, par exemple, présenté le projet d'être caisse-pilote pour la réingénierie avant même de le présenter au conseil d'administration. Les employés ont envie d'embarquer dans ce temps-là. Puis, les changements, c'est inscrit dans la culture de la caisse. Ça ne leur fait pas peur. On a toujours été pionniers des changements, et tout s'est toujours bien passé, sans accrocs, sans licenciements. On leur rappelle souvent. (Directeur de la caisse du Nord.)

Le conseil d'administration de la caisse de l'Est est perçu de la même façon par les employés : il est plutôt effacé, peu énergique ou innovateur, assez lent.

Ici, je pense que le conseil est homogène. Il y a peut-être une prédominance du président. En tout cas, c'est bien facile de rallier les gens à une décision. Avant, les rôles respectifs du conseil et de la direction n'ont peut-être pas toujours été clairs. Maintenant, c'est très clarifié. C'est bien normal que le conseil soit au courant des décisions du directeur général et de pourquoi elles ont été prises. Ça a déjà mal été. Le conseil s'est peut-être rendu compte qu'il n'avait pas toute l'information qu'il aurait dû avoir. (Directeur de la caisse de l'Est.)

Le président du conseil siège depuis 30 ans au conseil d'administration. Il est à la présidence depuis cinq ans. J'ai l'impression que la dynamique du conseil, ici, c'est 20 % de membres actifs, 70 % de non actifs et un 10 % qui ne parle pas beaucoup mais émet des idées en dernier. (Employé de la caisse de l'Est.)

De toute manière, bien peu de gens connaissaient les membres de ce conseil avant l'arrivée du directeur actuellement en place. Maintenant, une politique stipule qu'au moins un membre du conseil doit être présent à l'occasion de tout événement spécial, comme le départ d'un employé, par exemple. La caisse populaire du Nord ne possède pas de telle politique. Le personnel y est toutefois beaucoup plus à même de parler du conseil d'administration, tout simplement parce que sa présence « se sent davantage ». Les contributions de ce conseil ont longtemps été le seul fait du président. Depuis deux ans, l'ensemble des membres contribuent à la dynamisation du conseil d'administration.

Ici, on ne connaît pas trop le conseil mais on sent son dynamisme, il me semble. Je ne sais pas comment se passent les réunions, mais j'ai une idée de la dynamique dans le conseil. Il y a beaucoup de jeunes maintenant. Ça a créé du dynamisme. Je crois vraiment que le dynamisme vient du directeur général et du conseil. (Membre du personnel de la caisse du Nord.)

Notes

1. Ce cas a été élaboré dans le cadre d'une recherche portant sur les liens entre la culture des entreprises et leurs performances économiques. Cette recherche, sous la direction de Jean-Pierre Dupuis, a bénéficié d'une subvention du Service de la recherche de l'École des HEC. Je tiens à remercier Dominique Dorion, qui a participé à une partie de la collecte et de l'analyse des données dans une des deux caisses populaires.

2. Afin de préserver la confidentialité, les noms des caisses étudiées ont été changés.

CAS 2

Une femme comptable

Marie-Andrée Caron

> Le sujet est irritant, surtout pour les femmes, et il n'est pas neuf. La querelle du féminisme a fait couler assez d'encre, à présent elle est à peu près close : n'en parlons plus. On en parle encore cependant. [...] D'ailleurs y a-t-il un problème ? Et quel est-il ? Y a-t-il même des femmes ?
>
> Simone de Beauvoir, *Le deuxième sexe*

Léticia Duteil contrevient, en ce lundi pluvieux du mois de septembre, à une de ses habitudes les plus chères : elle quitte le bureau en milieu d'après-midi, bouleversée par la conversation qu'elle vient d'avoir avec son patron. C'est définitif, elle n'aura pas la direction du « service partagé » [2], — son projet, son bébé — sur lequel elle a travaillé avec acharnement pendant plus de trois ans. La direction a été confiée à Conrad Guy. Léticia ne comprend pas. Bien sûr, son patron a pris le temps de lui expliquer que cette décision avait été très difficile à prendre et qu'elle était structurelle. Pourtant, Léticia ne peut s'empêcher d'en être renversée.

Dans l'ambiance feutrée du restaurant Chez Chiang : Léticia est bouleversée

Léticia Duteil est une comptable agréée qui a toujours eu une inébranlable confiance en elle. Embauchée au moment où seulement 10 % des diplômés universitaires en comptabilité étaient des femmes, elle n'a jamais senti qu'être une femme dans ce milieu pouvait être nuisible. Pour mener la carrière dont elle est très fière aujourd'hui, elle s'est toujours fait un point d'honneur de se concentrer sur la tâche à accomplir et de ne jamais se laisser ralentir par des états d'âme. Attablée à son restaurant préféré avec Jasmine Prud'homme, son amie d'enfance, avocate associée d'un important cabinet et féministe convaincue par surcroît, elle a bien du mal à comprendre l'interprétation que son amie fait de sa situation au moment où elle lui confie son désarroi.

Jasmine est scandalisée :

« Franchement, je trouve que c'est trop fort ! Tu ne changes pas, tu es toujours aussi conciliante. Tu as tellement travaillé pour eux, regarde ce qu'ils te font aujourd'hui. Il me semble que cette fois, ça saute aux yeux ! Tu en laisses trop passer. Et puis, si tu n'avais pas décidé d'avoir un troisième enfant aussi. Je t'avais prévenue. Les hommes se disent conscientisés par la condition féminine, mais au fond ce sont toujours les mêmes critères qui dominent. *Chummé, chummé*, pis c'est réglé !

— Écoute, rétorque Léticia avec aplomb, je suis très malheureuse de cette décision, mais je n'ai jamais pensé que mon patron a préféré donner le poste à Conrad Guy parce qu'il est un homme et moi une femme. Depuis que je suis chez Ulm, tu le sais bien, je ne me suis jamais préoccupée de ces questions et jusqu'à maintenant ma carrière a été à la hauteur de mes ambitions qui sont, tu le sais, très élevées. Je vise le poste de vice-présidente financière du holding. »

Léticia Duteil a été la première CA embauchée par Ulm ltée, une entreprise cliente du cabinet d'expertise comptable où elle a fait son stage et qui, jusqu'à présent, ne l'avait jamais déçue. Dans un style de gestion paternaliste, Ulm lui a toujours confié des postes à la hauteur de ses capacités d'organisatrice, sa qualité première. Elle s'est toujours fait un devoir d'accepter tous les mandats. Léticia est une femme très ouverte d'esprit, mais s'il y a une chose qu'elle ne supporte pas, c'est d'entendre quelqu'un dire « je suis débordé ». Pour Léticia, être débordé signifie tout simplement être mal organisé. Ses qualités d'organisatrice lui ont valu de gravir les échelons de la finance à toute allure : elle devient directrice de la comptabilité en 1986, vice-présidente à la vérification interne en 1989, vice-présidente à l'information financière en 1994, vice-présidente principale à la planification stratégique et à l'information financière en 2000 et enfin vice-présidente principale aux finances et à l'administration en 2005, poste qu'elle occupe aujourd'hui, au moment où elle aspire à la direction du tout nouveau « service partagé » qu'elle vient de mettre sur pied. Pour concevoir ce service et le faire accepter dans l'entreprise, elle a fait appel à ses remarquables habiletés de communication. Évidemment, cette nouvelle responsabilité lui aurait permis de bonifier son poste de vice-présidente. En effet, elle aurait ainsi disposé de plus de ressources, notamment financières, humaines et informatiques, mais elle aurait aussi joui d'un pouvoir accru avec l'uniformisation de pratiques financières jusqu'à maintenant sous la responsabilité des unités d'affaires.

La décision de confier la direction du service partagé à Conrad Guy est structurelle aux dires de son patron, Yves Légaré, parce qu'elle vise à confier le poste à quelqu'un qui relève d'une filiale, et non du siège social, évitant ainsi d'attiser les craintes des filiales à propos de la prétendue ingérence du siège social. Léticia est convaincue de la véracité des propos tenus par son patron, mais les allusions de

Jasmine la dérangent. Elle sait bien que, depuis très longtemps, Conrad Guy et son patron sont en contact quotidien pour la gestion de Ulm. Toutefois, Léticia a toujours eu une excellente relation avec son patron, qui était aussi son chef d'équipe au moment de son stage en vérification. Il est devenu son patron peu de temps après, quand Ulm l'a embauchée. Avec lui, le sexisme n'a jamais eu sa place, pas plus d'ailleurs qu'avec ses autres collègues de travail masculins. Pour Léticia Duteil, être une femme ou un homme, dans un milieu de professionnels, n'a jamais fait de différence.

Léticia est convaincue que le contexte de travail y est pour quelque chose. Comme vérificatrice junior, ses relations avec ses collègues étaient d'égal à égal et jamais déplacées. Les propositions inconvenantes venaient des clients, surtout dans les domaines traditionnellement masculins, comme les transports, la construction, l'automobile, etc. L'associé avait confié aux quatre femmes du cabinet la vérification d'une entreprise appartenant au pire des machos. Léticia est convaincue qu'il voulait lui donner une bonne leçon.

Chez Ulm, il y a parfois eu des blagues au sujet de son patron qui n'embauchait que des femmes, mais jamais rien de déplacé. De toute façon, Léticia a bien remarqué une ouverture d'esprit chez ses collègues plus âgés lorsqu'ils ont vu leur propre fille devenir professionnelle, obtenir des postes de direction ou même siéger à des conseils d'administration.

Selon Léticia Duteil, les enfants constituent le seul élément qui peut nuire à la carrière d'une femme. La décision d'avoir un troisième enfant a d'ailleurs été très difficile à prendre pour elle et son mari Martin qui a toujours appuyé ses ambitions sans réserve et qui a lui-même une vie professionnelle très active. C'est ce qui explique que six ans séparent la dernière-née de son frère et de sa sœur. Pourtant, trois semaines après son accouchement, Léticia travaillait déjà 35 heures par semaine, à partir de la maison. Évidemment, elle avait encore l'aide de la gouvernante qu'elle avait engagée à la naissance de son premier enfant. Pour éviter de perdre du temps en déplacements, Léticia et Martin ont choisi d'habiter au centre-ville près des écoles secondaires, des cégeps et des universités, de se tenir loin des arénas et de privilégier le ski à la campagne, afin de profiter de moments en famille malgré leur vie professionnelle exigeante. De plus, Léticia s'est toujours fait un devoir de quitter le bureau à 5 h et de travailler plutôt le soir entre 9 h et 11 h, alors que sa petite famille n'a plus besoin d'elle, et tous les avant-midi des week-ends à la campagne. Elle le reconnaît : elle a une santé de fer !

Léticia n'a pas avalé une bouchée depuis plus de 20 minutes. Devant le malaise évident de son amie et par crainte de porter atteinte à leur amitié, Jasmine allège la discussion avec quelques potins :

« Tu sais Hortencia, l'avocate de 38 ans vouée à une brillante carrière avec qui nous dînions la semaine dernière, elle vient de quitter son emploi pour donner la chance à son mari de se consacrer à sa carrière. Comme cela, il pourra voyager autant que son poste l'exige sans subir les contraintes familiales. J'ai senti qu'elle trouvait cela très difficile. Eh bien moi, je trouve cela criminel ! Et puis Pierre, le mari de Julie, il refuse toujours de confier l'entretien de la maison à une femme de ménage, sous prétexte qu'il n'aime pas qu'une étrangère s'introduise chez lui ! »

Léticia, qui se fait un devoir de voir le côté positif des choses, lui rappelle que plus de 50 % des diplômés universitaires en comptabilité étaient des femmes en 1980, comparativement à 10 % au moment où elle a obtenu son diplôme à peine deux ans plus tôt[3]. De plus, elle remarque que son équipe de CA comprend huit femmes et deux hommes. Comme les femmes sont plus nombreuses, elles n'ont plus à se soucier de discrimination comme avant. De plus en plus, ce sont elles qui prennent les décisions stratégiques.

Léticia prend aussi plaisir à raconter à son amie des anecdotes étonnantes :

« Tu te souviens d'Annie, l'ingénieure vice-présidente aux opérations dont je t'ai parlé ? Elle a eu des jumelles. Depuis, elle se plaint sans cesse de la lourdeur de sa tâche de mère. Lors de notre dernier conseil, elle soutenait qu'il était impossible pour une femme d'accéder à un poste de vice-présidence avec des enfants. Quand Robert, mon partenaire de projet lui a dit que j'avais trois enfants, elle est restée stupéfaite. Elle croyait que je n'avais pas d'enfants.

Les femmes de son équipe qui choisissent d'avoir des enfants peuvent se prévaloir de la semaine de quatre jours. La mesure existe aussi pour les hommes, mais ils s'en prévalent rarement. S'ils le font, c'est souvent après avoir amassé une fortune personnelle. Quant aux femmes, elles sont aussi compétentes même si elles travaillent quatre jours, soutient Léticia. »

René, son collègue français plutôt conservateur, admet lui-même que « parfois on n'a pas le choix d'embaucher une personne qui travaille quatre jours lorsqu'on veut quelqu'un de compétent ». Naturellement, à compétences égales, Léticia préfère aussi embaucher quelqu'un qui travaille toute la semaine parce que ça facilite le travail en équipe.

Léticia Duteil s'est toujours fait un devoir de jouer franc jeu et de placer sa compétence au premier plan. Elle laisse aux hommes « les manœuvres de politicaillerie ». Pour elle, l'important a toujours été de faire ses preuves et de manifester clairement son intérêt pour les postes qu'elle convoitait, ce qu'elle a l'impression d'avoir fait en ce qui concerne le service partagé.

Pendant ce temps, au 19e étage d'une tour à bureaux, le sort de Léticia Duteil est débattu

Charles Lemieux (vice-président exécutif), Yves Légaré (vice-président aux finances) et Sébastien Perreault (vice-président aux ressources humaines) sont réunis pour leur rencontre stratégique semestrielle. Ils doivent notamment approuver les plans de travail des vice-présidents qui sont sous leur supervision. Bien qu'ils aient l'habitude de partager une vision commune de la gestion de

Ulm, ils sont en désaccord à propos des recommandations à faire à Léticia Duteil concernant son plan de travail et du traitement compensatoire à lui offrir étant donné qu'elle n'a pas obtenu la dirrction du service partagé qu'elle convoitait. Légaré relate d'abord l'entretien qu'il a eu avec elle la veille et donne son point de vue :

« Je l'ai rencontrée et elle semblait avoir bien compris cette décision. Et puis, je devais bien cela à Conrad pour toutes les fois où il m'a dépanné. De toute façon, elle ne peut pas m'accuser de discrimination. D'abord, ce n'est pas son genre. Léticia est belle, mais elle est aussi intelligente. Et puis, j'ai toujours tout fait pour lui donner les meilleures conditions de travail possibles. Léticia travaille chez nous depuis 25 ans, elle mérite toute notre confiance. »

Sébastien Perreault, se souvenant d'une période houleuse, reprend :

« On ne peut quand même pas donner l'impression qu'on la favorise toujours, cela va encore créer de la jalousie. Je n'ai pas oublié la période difficile que nous avons traversée et les remarques mesquines dont elle a été victime en 1995, alors que tu avais insisté pour qu'elle se joigne à nous pour notre rencontre de planification stratégique, au moment où elle était encore en congé de maternité. Notre équipe en a été déstabilisée pendant deux mois. Je n'ai pas envie de revivre cela. Et puis comment va réagir notre acquéreur français si l'on accorde trop de faveurs à une femme qui occupe une position stratégique ? Cela ne va certainement pas simplifier les choses. »

Légaré se justifie pour la nième fois depuis cet événement :

« Léticia devait être présente à cette rencontre d'extrême importance pour la suite des événements et cela concernait directement les fonctions qu'elle devait assumer à son retour à peine deux mois plus tard. »

Perreault ne démord pas :

« Oui, mais était-ce bien nécessaire de lui louer un super condo de luxe ?

— Elle devait amener sa petite pour l'allaiter, rétorque Légaré. C'était tout à fait normal de l'installer convenablement. De toute façon, vous avez tous exagéré cet événement. »

Pour réduire la tension entre ses collègues, Charles Lemieux ramène la discussion à son objectif initial.

« Duteil nous a remis un plan de travail fort ambitieux. Je vous rappelle que nous n'avons pas l'habitude de décevoir nos champions. Il faudra lui trouver des fonctions à la hauteur de ses aspirations, sans quoi nous allons la perdre. »

La discussion se poursuit sans que le conseil parvienne à une entente concernant Léticia Duteil. Mais d'autres problèmes sont tout aussi urgents, notamment l'attribution du poste de direction de la distribution du courrier, un service majoritairement masculin. Sébastien Perreault est désemparé de n'avoir reçu que des *curriculum vitæ* féminins pour ce poste. Ils s'entendent toutefois pour dire que celle qu'ils embaucheront ne devrait pas avoir la langue dans sa poche. N'ayant pas l'habitude de ce genre de situation, ils envisagent d'embaucher un consultant, mais ils se demandent si une consultante ne ferait pas mieux l'affaire après tout. Peut-être oseront-ils se confier davantage à une femme? À moins que ce ne soit l'inverse? Yves Légaré se rappelle le bon vieux temps, alors qu'il gérait, en tant que consultant, d'importants mandats de réingénierie:

«Nos meilleurs mandats étaient ceux pour lesquels nous pouvions compter sur une collègue super sexy. Elle pouvait obtenir de l'information sur les tensions politiques, sur la vraie *game* quoi, sans même avoir besoin de se découvrir. Jamais nous n'aurions pu obtenir ces informations nous-mêmes.»

Néanmoins, le conseil est unanimement inquiet au sujet de l'impact de l'embauche d'un consultant (ou d'une consultante) sur les «gros bras» du service du courrier. Ils ont peur que le fait de soulever la délicate question des rapports hommes-femmes ne crée plus de problèmes qu'il n'en résolve. Charles Lemieux, qui se relève à peine de sa dernière séparation, confie ses inquiétudes à ses partenaires:

«Cette question est tellement taboue, mais après tout c'est peut-être mieux qu'elle le reste. Les femmes pourraient en profiter pour nous adresser des requêtes additionnelles. Vous voyez ça si elles se mettaient à se plaindre de discrimination? Ne courons-nous pas aussi le risque de culpabiliser nos hommes et de les amputer de leur virilité? Cela serait désastreux pour la distribution du courrier. Vous avez vu le documentaire hier soir à RDI?»

Le conseil envisage, à la blague, de soumettre leurs nouvelles recrues (hommes et femmes) à un test pour mesurer leur indice de propension à la discrimination basée sur le sexe, un indice IPDS!

De retour Chez Chiang: Léticia est résignée

Pendant que son amie s'absente pour aller se refaire une beauté, Léticia reprend confiance en elle. À son retour, elle tente de la rassurer:

«Écoute Jasmine, c'est très gentil à toi de vouloir m'ouvrir les yeux et je trouve que tu as raison sur plusieurs points, mais je ne pense pas que jouer la femme offensée aiderait beaucoup ma cause. De toute façon, ne t'en fais pas, je n'ai jamais été réputée pour être celle qui lâche gentiment.»

Elle se dit à elle-même: «À moins que je remette ma démission. Après tout, je pourrais prendre une retraite anticipée. Martin semble y penser lui aussi… à moins que j'aille tâter le marché. Je pourrais bien trouver un poste à la hauteur de mes attentes. Après tout, à 50 ans, je ne suis pas encore une vieille.»

Notes

1. Ce cas est inspiré d'une situation réelle. Les noms des personnes citées ainsi que certaines informations contextuelles ont été modifiées pour des raisons de confidentialité et pour des motifs pédagogiques. Aucun jugement sur la situation n'est porté. Ce cas vise à servir de base de réflexion et de discussion en classe.

2. Un service partagé est un regroupement de fonctions de soutien de toutes les filiales d'une entreprise (la plupart du temps, des fonctions comptables et informatiques) dans une unité opérationnelle distincte, dont la performance est ensuite comparée avec des *benchmarks* issus des meilleures entreprises (à ce sujet, consulter notamment le site Internet suivant : www.lesechos. fr/formations/entreprise_globale/articles/article_12_7.htm).

3. À ce sujet, voir Rivard, *La marche des femmes, Les carrières de la comptabilité*, Éditions Jobboom, p. 12-14, 2005.

CAS 3

Travailler chez Masha & Dasha International inc. en banlieue de Montréal *

Virginia Bodolica, Martin Spraggon et Jean-Pierre Dupuis

Les entreprises internationales se trouvent au cœur du mouvement de mondialisation qui s'est accéléré au cours des années 1980, notamment à cause des politiques de déréglementation et de l'avènement des nouvelles technologies de l'information et de la communication. La forte concurrence que se livrent les organisations à l'échelle planétaire et leur besoin d'expansion les ont conduites à implanter des filiales à l'étranger, à conclure des alliances stratégiques, à effectuer des fusions d'entreprises ou à acquérir des entreprises étrangères. À l'échelle internationale, la gestion du capital humain joue un rôle crucial et les défis sont nombreux et variés.

L'ouverture des marchés entraîne inévitablement des changements importants sur le plan de l'organisation du travail et de la composition de la main-d'œuvre. Sur ce dernier aspect, on constate que, depuis plusieurs années, la main-d'œuvre se modifie considérablement en ce qui a trait à l'éducation, aux valeurs, à l'âge et aux cultures. Ces changements démographiques sont surtout présents dans les régions très ouvertes à l'immigration et le Québec n'échappe pas à cette réalité. Ils se manifestent par une composition de la population sans cesse plus diversifiée au point de vue ethnique et culturel. Dans ce sens, de tous les bouleversements sociaux actuels, celui concernant la gestion des employés d'origines diverses apparaît comme un nouveau défi pour les gestionnaires d'entreprises. Devant cette réalité, les organisations touchées par ce phénomène de diversification de la main-d'œuvre, parmi lesquelles se trouve Masha & Dasha International inc. (M&DI inc.), réagissent différemment et adoptent des pratiques de gestion très variées.

* Adapté d'un cas paru dans la *Revue internationale de cas en gestion de HEC Montréal*.

La multinationale Masha & Dasha International inc.

Masha & Dasha International inc., important détaillant de meubles et d'accessoires de maison, a vu le jour il y a une trentaine d'années, dans une ville moyenne de Sibérie, cette région éloignée de la Russie où le climat est très rude. D'ailleurs, c'est par souci de rendre les longs et durs hivers sibériens plus confortables que l'idée de Masha & Dasha International inc. a germé dans les pensées de ses créateurs, Vladislav Zukov et Serghei Eremov, deux hommes forts et résistants, autrement dit de « vrais Sibériens ». Toutefois, conformément au dicton arabe qui dit que « Derrière chaque grand homme, il y a une grande femme », les deux concepteurs avouent qu'ils n'auraient pas si bien réussi sans l'apport substantiel de leurs femmes respectives, Masha et Dasha. Étant toutes les deux fortement intéressées par la décoration d'intérieur, elles ont toujours su inspirer leurs maris en leur suggérant de nouvelles idées en matière de conception et de design d'articles pour la maison. C'est d'ailleurs pour souligner leur énorme contribution que l'entreprise porte leur nom.

Le concept de Masha & Dasha International inc. est d'améliorer le confort des foyers en offrant des articles de style moderne, une fonctionnalité appropriée et un prix accessible à tous. De plus, l'entreprise offre un assortiment très varié, pouvant répondre aux besoins de chaque ménage ; on y trouve des plantes, des meubles, des électroménagers, des jouets, etc., bref, une foule d'objets pour meubler toute la maison.

Masha & Dasha International inc. travaille avec environ 1 260 fournisseurs dispersés dans le monde entier et possède sa propre branche de production, le groupe industriel Russwood, qui détient des scieries et des usines. Pour approvisionner efficacement ses clients dans le monde entier, l'entreprise s'est dotée de centres régionaux de distribution. Il existe actuellement 22 centres régionaux dans 10 pays, chargés d'acheminer la marchandise vers les magasins Masha & Dasha International inc. C'est grâce surtout à sa politique de prix, mais aussi à sa rapide adaptation aux besoins changeants de sa clientèle, que la multinationale a pu connaître une telle croissance. Le concept a particulièrement bien marché en Asie centrale, région où, à cause de sa proximité géographique, la direction de l'entreprise a déployé beaucoup plus d'efforts d'implantation. Ainsi, grâce à sa croissance rapide, Masha & Dasha International inc. est devenu un important détaillant d'articles d'ameublement, comptant environ 146 magasins répartis dans 28 pays à travers le monde, dont 5 au Canada.

Les ressources humaines chez Masha & Dasha International inc.

Les ressources humaines du groupe Masha & Dasha International inc. sont devenues des partenaires stratégiques qui ont contribué au succès de l'entreprise, puisqu'il s'agit de la force motrice de son expansion vers les autres marchés. M&DI inc. emploie aujourd'hui près de 66 500 salariés, répartis de la façon suivante par région : Europe — 7 800 employés ; Amérique du Nord — 7 400 ; Asie et Australie — 51 300 ; et par fonction : assortiment, achats, centres logistiques et autres — 7 500 personnes ; production — 8 500 ; distribution — 50 500.

La philosophie M&DI inc. est de recruter des gens compétents partout dans le monde et de développer leurs talents. Comme plusieurs compagnies multinationales, M&DI inc. offre à ses employés la possibilité d'évoluer tant sur le plan individuel que professionnel. Le service des ressources humaines de l'entreprise privilégie la politique de mobilité interne de ses salariés au sein du groupe M&DI inc., tant sur le plan local qu'international, où un employé peut, grâce à son parcours professionnel important au sein du groupe, décrocher un poste de responsabilité dans une filiale à l'extérieur de son pays d'origine.

À cause de la mobilité internationale de ses salariés, M&DI inc. accueille aujourd'hui une main-d'œuvre de plus en plus diversifiée culturellement. La compagnie représente ainsi un environnement de travail où la diversité se reflète à tous les échelons de l'organigramme, tout comme elle se reflète parmi la clientèle et les fournisseurs de l'entreprise. Devant cette réalité, M&DI inc. favorise un climat de collaboration dans lequel des personnes de groupes différents se sentent à l'aise d'appliquer au travail leurs propres points de vue et méthodes en toute confiance en sachant que des membres de leur groupe sont représentés à tous les échelons de l'organisation. Dans ce sens, l'entreprise promeut une politique d'intégration des différences culturelles, de valorisation et d'utilisation de la diversité, où chacun peut mettre ses compétences à profit, contribuant ainsi à l'amélioration des résultats et à la consolidation de la compétitivité. Cet objectif d'une meilleure gestion de la main-d'œuvre diversifiée fait de M&DI inc. un milieu de travail fortement syndiqué. Nous verrons plus loin l'importance du rôle du syndicat au sein de l'organisation.

Le magasin M&DI inc. dans la banlieue de Montréal

Le magasin Masha & Dasha International inc. est situé dans la banlieue de Montréal. En approchant du magasin, nous pouvons apercevoir un bâtiment rectangulaire qui s'impose par sa taille. Devant le bâtiment, il y a un immense espace de stationnement qui peut accueillir un nombre important de clients soucieux de l'aménagement de leurs maisons. À l'intérieur, le magasin s'étale sur une superficie de plusieurs centaines de mètres carrés et occupe les deux premiers étages du bâtiment. C'est dans cette partie que les tâches physiques sont effectuées. Le reste de l'édifice abrite toute l'administration de l'entreprise, soit la partie où le travail intellectuel est accompli. L'accès aux bureaux administratifs se fait par une entrée séparée, mais qui communique avec les autres.

Dans le magasin, toutes sortes de facilités sont prévues pour que le client puisse prendre son temps et faire le tour des produits à sa guise et à son rythme. Des services tels qu'une garderie, un casse-croûte et une cafétéria où l'on peut passer un moment de détente agréable, sont aussi disponibles. Le fonctionnement du magasin proprement dit est fondé sur la logique suivante : en consultant le catalogue et en visitant le magasin, les acheteurs choisissent eux-mêmes leurs meubles et les reçoivent dans la partie libre-service de M&DI inc. Comme la plupart des meubles sont vendus sans être assemblés, les clients n'ont pas à payer pour l'assemblage et peuvent emporter la marchandise facilement. Toutefois, il est possible de voir le produit final assemblé dans l'une des salles de montre du magasin. C'est justement ce principe tout à fait particulier qui permet à M&DI inc. de maintenir des bas prix répondant aux budgets d'une foule de gens partout dans le monde.

Pour ce qui est du service à la clientèle, il intègre des fonctions variées : des préposés au service à la clientèle ; des conseillers auprès desquels les clients peuvent se renseigner sur la qualité et les caractéristiques des produits ; des caissiers ; des responsables de l'expédition des marchandises et des responsables de la réception des retours des articles défectueux. Le cas porte sur le palier hiérarchique de l'entreprise qui est le plus lié au travail physique — celui constitué des préposés au service à la clientèle. Étant donné que les tâches qu'ils exécutent demandent beaucoup d'efforts et de résistance physique, la performance au travail des préposés dépend essentiellement de leurs qualités physiques. Dans ce contexte, il n'est pas surprenant de constater que la force physique est le principal critère de sélection des candidats à ce poste.

Federico, Harry, Gregory et les autres

En matière de recrutement, le service des ressources humaines de M&DI inc. prévoit deux politiques différentes en fonction des postes disponibles. Pour ce qui est des postes vacants de haute responsabilité, le recrutement se fait en priorité à l'interne, tandis que pour des postes qui se trouvent en bas de l'échelle hiérarchique pour lesquels le recrutement à l'interne est impossible, l'entreprise se tourne forcément vers l'extérieur. En décembre 2004, l'entreprise avait un grand besoin de préposés au service à la clientèle, surtout à l'approche des fêtes. Le service des ressources humaines a donc utilisé la méthode formelle de recrutement, en faisant paraître une annonce dans le journal *La Presse.* « Vous voulez être reconnus et valorisés ? Vous voulez développer vos compétences ? Vous voulez construire une carrière ? M&DI inc., entreprise d'envergure internationale, cherche des représentants talentueux et motivés pour faire partie d'une nouvelle équipe de travail. Venez exploiter votre potentiel chez M&DI inc., l'employeur pour lequel tous veulent travailler. Bilinguisme requis, la troisième langue est un atout. » Tel était le contenu de l'annonce publicitaire.

Ce mardi matin du 12 décembre 2004, Federico prenait son café au lait comme d'habitude. Avant de boire son café, il faisait toujours des exercices physiques qui lui permettaient de maintenir son corps athlétique en forme ; en fait, il s'adonnait beaucoup au sport et sa ceinture noire en taekwondo, style japonais, en était la preuve. Sa table de cuisine était remplie de journaux des deux dernières semaines, tous ouverts à la page des offres d'emploi. Federico, jeune immigrant de 27 ans d'origine argentine, était arrivé à Montréal depuis quatre mois. Il était titulaire d'un baccalauréat en psychologie industrielle et d'une maîtrise en marketing international, programmes qu'il avait suivis en Argentine. De plus, il avait une expérience de travail de quatre ans en Amérique latine en tant que responsable du marketing et superviseur des équipes commerciales dans différentes multinationales présentes sur le continent latino-américain. Il était enthousiaste et convaincu qu'avec de tels atouts, tant sur le plan de la formation que de l'expérience professionnelle, et sa connaissance de trois langues (espagnol, anglais et français), il pouvait décrocher, sans trop de difficultés, un emploi correspondant à sa formation et à son expérience. Toutefois, rien ne se passait comme il l'avait imaginé. Depuis son arrivée à Montréal, il avait passé plusieurs entrevues avec des employeurs différents, mais sa candidature n'était jamais retenue parce qu'il « n'avait aucune expérience québécoise et un fort accent espagnol en français ».

Ce jour-là, il tenta sa chance de nouveau. Il commença à feuilleter le journal *La Presse*. À la page des offres d'emploi, son regard tomba sur une annonce qui lui parut fort intéressante. « …Une entreprise d'envergure internationale cherche des représentants talentueux et motivés… » Il répéta à haute voix les mots de l'annonce qui avait si fortement capté son attention. « Voilà ce qu'il me faut ! se dit-il. Même si les responsabilités et les tâches ne sont pas clairement définies, ce travail me permettra certainement d'utiliser mes compétences au maximum et d'acquérir une expérience québécoise dans mon domaine. » Sans hésiter, Federico décrocha le combiné et composa le numéro indiqué. La personne à l'autre bout de la ligne était très gentille et efficace : après avoir compris le but de l'appel, la date et l'heure de l'entretien d'embauche étaient fixées. Federico s'imaginait bien qu'il ne serait pas le seul à vouloir décrocher cet emploi. Effectivement, des dizaines d'appels ont été faits de tous les coins de la grande région de Montréal. Les candidats intéressés étaient sans doute nombreux, mais Federico était prêt à relever le défi encore une fois.

Même si la météo annonçait une superbe journée, pour Harry, jeune Haïtien de 31 ans, ce matin était l'un des plus sombres de sa vie. Il avait passé une nuit blanche à se demander quoi faire et comment se sortir de la situation dans laquelle il se trouvait depuis quelques jours. « Je dois me trouver un emploi tout de suite avant que ma femme s'aperçoive de ce qui se passe en réalité », se disait-il. Pour ne pas réveiller sa femme, il sortit de la chambre sur la pointe des pieds et se dirigea vers le salon pour remettre de l'ordre dans ses idées. En regardant par la fenêtre les gens pressés qui se rendaient au boulot, Harry se rappela que la veille quelqu'un lui avait parlé de Masha & Dasha International inc., cette importante entreprise d'ameublement qui était à la recherche de gens dynamiques et motivés pour faire partie d'une nouvelle équipe de travail. « C'est peut-être ma chance », pensa Harry en décrochant le combiné.

Harry, sa conjointe Solange et leur petit garçon de trois ans étaient venus s'installer au Canada deux ans auparavant. En Haïti, après avoir obtenu son baccalauréat en comptabilité, il avait travaillé pendant sept ans comme comptable dans une compagnie nationale de produits alimentaires. Arrivé à Montréal, Harry a vite été convaincu que le niveau de vie que son pays d'adoption lui offrait correspondait tout à fait à ses attentes. En fait, comme il parlait dans un français impeccable, même s'il trahissait ses origines, il n'a jamais eu de grandes difficultés à s'adapter à l'environnement et aux conditions de vie fort différentes de celles qu'il avait connues en Haïti. Comme son meilleur ami d'enfance, immigré au Québec cinq ans plus tôt, l'avait intégré à son réseau de connaissances constitué majoritairement de Haïtiens et de personnes originaires des Caraïbes, il ne s'était jamais senti seul devant les problèmes qu'il devait affronter dans sa nouvelle vie. Ainsi, il ne lui avait pas été très difficile de trouver un logement; en ce qui concerne un emploi, deux semaines après son arrivée, il travaillait déjà dans une épicerie de produits alimentaires haïtiens où il était chargé du suivi des achats et des ventes. Même si son salaire n'était pas élevé, il était suffisant pour subvenir aux besoins de sa famille. Toutefois, comme le magasin éprouvait d'importants problèmes financiers reliés à la baisse des ventes, le propriétaire a été contraint de fermer boutique. C'est ainsi que Harry s'est retrouvé sans emploi.

Pour reprendre son souffle, Gregory posa son haltère sur le plancher et se regarda dans le miroir. Il vit un solide gaillard d'allure imposante avec un corps d'athlète fortement musclé. Cette image le rendit très fier. En fait, c'était la dernière journée qu'il pouvait pratiquer l'haltérophilie en toute tranquillité puisque demain, il commencerait à travailler chez M&DI inc. en tant que préposé au service à la clientèle. À vrai dire, il n'avait pas encore reçu la confirmation de son embauche, car son entretien individuel était fixé pour cet après-midi. Pourtant, il était sûr qu'il serait embauché, étant donné que ses qualités physiques correspondaient parfaitement aux exigences du travail.

Gregory, jeune sportif de 23 ans, est d'origine grecque. Cependant, arrivé au Québec avec ses parents à l'âge de quatre ans, il a grandi dans la culture québécoise et a largement intégré toutes les valeurs véhiculées par sa nouvelle société d'accueil. Ainsi, comme la majorité des enfants d'immigrants au Québec, il parle très bien le français et l'anglais, s'exprimant en français avec un véritable accent québécois. Ses connaissances de la langue grecque sont suffisantes pour lui permettre d'échanger avec les siens, mais il est plus à l'aise en français et, dans une moindre mesure, en anglais, les deux langues qu'il utilise le plus fréquemment. Il a quitté le toit familial à l'âge de 18 ans pour s'installer dans un appartement de 5 1/2 pièces avec deux amis du cégep. Afin de pouvoir payer sa part de loyer, il fait divers travaux ici et là, mais toujours sur une base temporaire. Comme il entreprend un bac en sciences politiques en janvier, et qu'il veut conserver son indépendance financière, il pense que le temps est venu de décrocher un emploi plus permanent.

L'organisation du travail des préposés

Pour Camille, jeune Québécoise de 30 ans, cette nouvelle journée de travail s'annonçait très chargée. Après avoir obtenu son diplôme d'études collégiales, elle a tout de suite commencé à travailler pour M&DI inc. en tant que préposée au service à la clientèle. Grâce à un entraînement régulier, elle a développé une grande résistance au travail physique, ce qui lui a permis d'exécuter les tâches habituellement confiées à ses collègues de sexe masculin. Son assiduité et sa permanence au sein de l'organisation lui ont permis de devenir superviseure des préposés au bout de cinq ans, poste qu'elle occupe depuis six ans. Elle s'est souvent dit qu'elle devrait laisser ce boulot pour poursuivre ses études, mais, depuis qu'elle a 30 ans, elle se dit qu'il est trop tard et qu'elle a raté sa chance. Ses responsabilités consistent à établir des horaires, à diriger le travail des préposés et à superviser la rapidité d'exécution de leurs tâches. C'est pourquoi son bureau, entièrement vitré, est au centre du premier étage, là où elle peut facilement surveiller ses subordonnés, détecter les problèmes sur les lieux de travail et réagir en conséquence.

Voyons comment le travail des préposés est organisé. Un superviseur peut fixer à son employé des horaires flexibles commençant au plus tôt à 7 h du matin et se terminant au plus tard la nuit à 1 h. Le nombre d'heures de travail peut varier d'une journée à l'autre en fonction des besoins immédiats et anticipés. C'est pourquoi les horaires de travail sont habituellement distribués à chacun un jour à l'avance. Comme certains horaires sont plus intéressants que d'autres, il revient au superviseur de garder un équilibre équitable entre ses subordonnés. En ce qui concerne les horaires de travail, les employés ont droit à une pause de dix minutes après deux heures consécutives de travail. De plus, un même préposé ne peut dépasser un total de 25 heures de travail par semaine. Enfin, avant d'être promu à un poste requérant moins d'efforts physiques, il doit faire preuve de ses capacités en tant que préposé pendant une période d'au moins six mois.

Il y a trois types de tâches, requérant plus ou moins d'efforts physiques, que les préposés doivent effectuer de façon équitable et non discriminatoire. Cet aspect est assuré par le principe de rotation de postes. La première tâche consiste à prendre les paniers là où les clients les ont laissés et à les remettre à leur place d'origine à l'intérieur du magasin. Ce travail exténuant est perçu comme celui qui mène rapidement à l'épuisement physique. Il nécessite une grande force dans les bras et oblige l'employé à parcourir à pied des distances impressionnantes au cours d'une journée. Selon la quantité de paniers à pousser, ce genre de travail peut être exécuté seul ou en équipe de deux personnes qui s'associent volontairement pour accélérer la vitesse d'exécution. Dans cc dernier cas, un préposé se charge de pousser une vingtaine de paniers tandis que l'autre le guide afin d'éviter des accidents de travail et des dommages aux voitures des clients. Toutefois, pour qu'une telle coopération soit possible, il faut une confiance mutuelle car, en cas d'accident, c'est toujours l'employé qui pousse les paniers qui est responsable.

La deuxième tâche consiste à décharger les camions et à placer la marchandise dans les entrepôts. À cause de la difficulté du travail, de nombreux préposés sont afffectés à cette tâche. Cela entraîne une importante diminution de la charge de travail, mais aussi des possibilités de communication qui créent un climat de convivialité entre les préposés. Notons que, comme la marchandise est placée au fond du magasin, le déchargement échappe à la vigilance du superviseur. Cela permet à certains employés d'exécuter le travail à un rythme très lent et à prendre des pauses plus longues. Les préposés préfèrent cette tâche à la première parce qu'elle leur paraît plus agréable. La dernière tâche consiste à ramasser les sacs utilisés par les clients. Ces sacs sont destinés principalement aux acheteurs qui se procurent de petits articles peu lourds, et qui préfèrent porter un sac plutôt que de pousser un panier. Comme ce travail exige peu de force physique, il est habituellement accompli par des préposés de sexe féminin.

Mis à part son travail habituel, ce mercredi 20 décembre 2004, Camille doit assister à la rencontre collective des recrues de la nouvelle équipe de préposés dont elle aura la charge. C'est ainsi qu'elle établira le premier contact avec ses subordonnés, tandis que Patrick, le chef du service à la clientèle, les initiera à la culture d'entreprise de M&DI inc., leur expliquera les tâches à accomplir et les règles de fonctionnement de l'équipe. Camille est fatiguée de ce genre d'événement qui revient trop souvent à cause du taux de roulement élevé du personnel qu'elle supervise. Conformément à la politique de recrutement interne de l'entreprise, nombreux sont les préposés qui, au bout de sept ou huit mois de travail, sont promus aux postes de conseillers qui demandent beaucoup moins d'efforts physiques. Par ailleurs, beaucoup quittent volontairement leurs postes, parce qu'ils sont épuisés ou insatisfaits du contexte de travail qu'ils perçoivent comme discriminatoire. Par conséquent, Camille doit souvent diriger des employés fort différents tant du point de vue de leur personnalité que de leur culture d'origine. Cette diversification de la main-d'œuvre l'oblige à s'adapter continuellement parce que les façons de faire, d'agir et de travailler sont fort différentes.

Dans de pareilles conditions, il est facile de comprendre que Camille se sent beaucoup plus à l'aise avec les préposés qui restent dans son équipe de travail plus longtemps. Tel est le cas de Benoît, un jeune Québécois de 25 ans, qui travaille pour l'entreprise en tant que préposé depuis cinq ans. Camille l'apprécie beaucoup et lui fait entièrement confiance, parce qu'il a toujours exécuté ses tâches avec précision et rapidité. C'est d'ailleurs à cause d'une évaluation très favorable de la part de Camille que Benoît a obtenu le poste d'assistant. Benoît la seconde depuis plus d'un an et ils s'entendent à merveille. Camille est très satisfaite de leur collaboration.

La rencontre collective des préposés

Federico se précipita dans la salle de réunion de M&DI inc. où, à 9 h, allait commencer la rencontre des nouveaux préposés. Il était impatient de savoir en quoi consisterait son nouveau travail. En fait, il était à la fois content d'avoir finalement trouvé un emploi, et surpris que le processus de sélection ait été aussi simple. Il se rappelait le moment où il s'était présenté à l'entretien individuel cinq jours auparavant. À vrai dire, c'était plutôt une présentation des qualités physiques du candidat qu'un entretien. Vêtu de son costume bleu marine, portant sa cravate jaune italienne et tenant son CV entre ses mains, il avait été accueilli par un homme d'environ 45 ans, en uniforme de travail, devant lequel il s'était senti ridicule dans sa tenue vestimentaire trop officielle. L'entretien avait été bref. Après l'avoir examiné de la tête au pied, et avant que Federico ouvre la bouche, l'homme avait dit d'une voix dure : « Je pense que tu es apte à faire ce travail ». Federico avait été très surpris de décrocher un emploi stimulant si facilement. Il aurait voulu en apprendre davantage sur ses responsabilités, mais on lui assura que tous ces détails seraient présentés en même temps à tous les préposés embauchés.

Une douzaine de personnes étaient présentes dans la salle. Assise derrière un bureau, avec Patrick à sa droite et Benoît à sa gauche, Camille jeta un coup d'œil rapide sur les huit hommes et les deux femmes assis devant elle. Elle constata immédiatement l'hétérogénéité culturelle de sa nouvelle équipe de travail composée de deux Québécois, deux Haïtiens, un Français, un Congolais, un Argentin, un Grec, une Québécoise et une Arabe, au sein desquels nous retrouvons Federico, Harry et Gregory. Elle se disait que superviser une telle équipe en respectant les particularités de chacun ne serait pas une mince tâche.

Patrick commença la rencontre en expliquant que M&DI inc. et sa culture interne guidée par des valeurs et des principes créaient un sentiment d'appartenance à une grande famille. Le film documentaire sur la multinationale qu'il présentait aux préposés en constituait la preuve. De belles images et des employés souriants montraient comment un heureux mélange de gens de différentes cultures parvient à créer un environnement satisfaisant, propice à l'épanouissement personnel, au sein duquel il fait bon travailler. Harry était content de voir des gens de différentes races travailler dans un climat de collaboration et d'amitié pour atteindre un but commun. Federico était ravi de découvrir une entreprise offrant des emplois motivants et où les gens qui travaillent fort étaient valorisés et promus à des postes plus importants. Quant à Gregory, il n'avait rien appris de plus, mais il était toujours convaincu d'avoir fait le bon choix.

Patrick poursuivit sa présentation en expliquant les règles de sécurité au travail. Chacun fut invité à lire à haute voix une phrase du règlement interne de l'entreprise. Federico écoutait attentivement. C'était à son tour maintenant. Il commença à lire quand, soudain, il fut brusquement interrompu par le formateur qui disait « quoi, quoi ? » parce qu'il ne comprenait rien. En levant les yeux, il remarqua les sourires en coin sur les visages des personnes assises devant lui. Il répéta la phrase encore une fois, faisant un gros effort pour améliorer sa prononciation. Le commentaire d'un de ses collègues parvint jusqu'à ses oreilles : « Il a un drôle d'accent le Latino. » Federico a été un peu offusqué par ces moqueries, mais l'invitation à un tour guidé de l'entreprise l'a vite fait changer d'humeur.

La dernière étape de la rencontre consistait à remettre à chacun des préposés un uniforme de travail. Le stock était limité et comme Harry était de taille relativement petite, il s'est vu attribuer un uniforme usagé. Federico était perplexe : son étonnement était d'autant plus grand que son collègue haïtien n'en paraissait nullement affecté. Il se sentait fatigué. Il était 15 h et la réunion durait depuis six heures déjà. À la pause d'une durée de 30 minutes, il n'a même pas pu prendre un café. Les formateurs et certaines nouvelles recrues avaient soudainement disparu et il s'est retrouvé dans la salle tout seul à côté de Harry et de Mamadou, un collègue congolais. Federico avait hâte de profiter de ses dernières heures de détente avant de commencer sa première journée de travail le lendemain. Même si finalement personne ne leur avait expliqué comment exécuter les tâches ni les règles du jeu, Federico était convaincu qu'il apprendrait tout dans le feu de l'action.

L'ambiance de travail

Durant la première semaine de travail, beaucoup de frictions sont apparues entre les nouvelles recrues. Pour affronter cette situation conflictuelle, deux stratégies ont été adoptées : certains ont opté pour l'assimilation ; d'autres ont refusé de s'adapter et ont opté pour le départ volontaire.

Camille, la superviseure, raconte : « Depuis quelques jours, j'ai remarqué des frictions entre deux préposés de sexe masculin qui font équipe pour pousser des paniers. Ils ne se comprennent pas bien… Pourtant, il n'y a jamais de conflits entre les préposés de sexe féminin. » Elle avoue cependant que ses « subordonnés québécois ont parfois tendance à se moquer des étrangers à cause de leur accent, mais que cela est plutôt une preuve de camaraderie et qu'il ne faut pas les prendre au sérieux ». Federico réagissait de la façon suivante aux commentaires désobligeants : « Je suis souvent victime de moqueries, c'est vrai, mais je sais qui je suis et ce ne sont pas des commentaires stupides qui m'enlèveront ma valeur personnelle et ma dignité. Je ne développerai pas le complexe de l'accent et je continuerai à améliorer ma prononciation. » Federico se disait aussi : « Il faut que je fasse quelque chose. Il faut que je me fasse valoir. J'ai besoin de travailler, oui, mais dans le respect… comme ça, ça ne pourra pas durer longtemps. »

Harry est un autre préposé touché par les propos malveillants. « Quand ils se moquent de moi, je préfère me taire. La meilleure solution, c'est de ne parler à personne. Ainsi, je n'entends pas les commentaires blessants. » Quant à Mamadou, il avoue : « Je n'ai pas d'accent québécois quand je parle français, c'est vrai ; donc je parle le moins possible… je ne peux pas faire autrement. » Il convient aussi de souligner les malentendus qui se créent de temps en temps entre les préposés québécois et français. Toutefois, selon Camille, ces discussions vives ou « échanges de gentillesses » n'ont pas de répercussions négatives importantes sur les relations de travail. Benoît commente : « Souvent, je fais des blagues à mon copain français, Alain, mais il ne se fâche jamais vraiment. On s'amuse tout simplement, tu comprends ? »

Au sein de l'entreprise, divers groupes parlent entre eux sans se mêler aux autres. Profitant d'une pause, Federico dit à Harry et Mamadou : « C'est quand même incroyable, on ne parle presque jamais avec Benoît et Alain… vous voyez, ils sont toujours ensemble et ils ont l'air de passer du bon temps… il est impossible de ne pas entendre leurs rires. Je me demande ce qui les amuse autant. » Au même moment, Benoît rigole avec Alain, jetant un regard furtif sur Federico,

Harry et Mamadou: «Eh… comprends-tu quand l'un de ces trois-là te parle? Moi… j'ai de la misère à les comprendre… je trouve ça drôle de les entendre parler.»

D'autres petits accrochages surviennent dans les relations interpersonnelles. Comme le travail des préposés est essentiellement physique, les personnes plus fortes exécutent le travail plus facilement que celles qui sont moins fortes. Souvent, on entend Gregory s'adresser à Harry ou à Mamadou pour le faire bouger plus vite: «Eh, mon gars, dépêche-toi, je commence à en avoir marre. Fais les choses plus vite; tu penses que tu es payé pour compter les autos qui passent?» Harry répond: «Je suis désolé, Gregory, je fais de mon mieux, crois-moi… je vais me dépêcher; tu as raison, il faut aller plus vite.» Quant à Mamadou, il se contente de répondre: «OK! pas de problème.»

Un lundi matin, en poussant les paniers, Harry déclare à Mamadou: «Tu sais, mon frère, je n'arrive pas à m'intégrer dans cette équipe; je ne me sens pas à l'aise ici… Camille ne me traite pas comme les autres… et puis, personne ne s'approche pour nous parler, sauf Federico… je ne me sens pas bien ici, mon frère… et toi?» Mamadou réplique: «Harry… tu n'es pas le seul à te sentir frustré… Moi non plus, je ne sais pas quoi faire… Je me sens isolé, angoissé… un peu seul…. Camille me dit à peine bonjour quand j'arrive… Après, c'est fini… les autres pareil… Je ne peux plus continuer comme ça, Harry.» Harry pousse un long soupir et s'exclame: «Ah! mon frère, tu ne vas pas le croire…, je viens de me rappeler!» Mamadou reste silencieux. Harry continue: «Hier matin, très tôt, alors que j'allais commencer à travailler, j'ai vu à travers la vitre de son bureau Camille qui prenait un café avec Benoît, Alain et Gregory… Est-ce qu'elle t'a déjà invité à prendre un café, toi? Moi, jamais!» «Moi non plus», réplique Mamadou. «Et puis, je vais te dire une chose, depuis qu'on a commencé à travailler ici, j'ai remarqué que Camille nous donne toujours des horaires de travail impossibles… soit le soir et le lendemain matin très tôt, soit le week-end. Pourtant, cela ne semble pas être le cas pour tout le monde; ce n'est pas juste! De plus, quand elle décide de me dire quelque chose d'autre que «bonjour», elle me dit de travailler plus vite… et tu sais, moi, je travaille comme tout le monde. Pourquoi elle me dit ça à moi? La pire des choses, Harry, c'est que la rotation des tâches n'est pas équitable… nous, nous travaillons toujours dehors, tu vois?» Harry hausse ses maigres épaules en disant: «Tu as raison, mon frère, mais on ne peut rien faire; on ne peut pas s'adresser aux supérieurs hiérarchiques, c'est inutile.»

L'éclatement du conflit de travail

Les premiers jours de travail de Federico en qualité de préposé au service à la clientèle lui ont appris beaucoup de choses. Au début, il a ressenti un fort sentiment de frustration provoqué par une impression de surqualification et de sous-utilisation de ses compétences dans le cadre de ses fonctions. Par la suite, il s'est motivé lui-même à l'idée d'obtenir rapidement de l'avancement au sein de l'entreprise après avoir démontré ses capacités. Il résume ainsi sa première semaine de travail : « Sur le plan professionnel, j'ai beaucoup travaillé et j'ai appris comment accomplir les tâches de préposé ; j'ai vu les difficultés inhérentes à ce type de travail. Sur le plan interpersonnel, je ne suis pas trop avancé : certains de mes collègues continuent à se moquer de mon accent. Camille reste distante et réservée ; elle m'adresse rarement la parole et seulement pour des questions de travail. Benoît est plutôt neutre à mon égard et Gregory se montre autoritaire. Seul Harry, tout en étant réservé dans les conversations sociales, se montre plus amical que les autres. » Dans les circonstances, Federico décide de se concentrer davantage sur son travail et de ne pas trop faire attention aux comportements des autres.

Selon Federico, le temps joue contre lui. Au cours de sa deuxième semaine de travail, il remarque qu'il n'y a pas d'améliorations significatives sur le plan des relations interpersonnelles. Au contraire, il a l'impression que les préjugés et les ambivalences de ses collègues à l'égard des comportements à adopter ou des mots à utiliser ont des répercussions négatives sur le plan professionnel. À son sentiment de frustration s'ajoute l'impression de n'être pas traité équitablement parce que Camille fait preuve de favoritisme à l'égard des préposés québécois, y compris Gregory qui, en dépit de ses origines, est considéré comme un vrai Québécois. Il est étonné de constater que pendant ces deux semaines de travail, on lui a toujours confié la même tâche : pousser les paniers. Le fameux principe de rotation des tâches, promis au début, ne s'est pas appliqué dans son cas. Pire encore, Federico sent que sa superviseure privilégie certaines personnes en leur accordant des horaires de travail plus favorables, tandis que lui, comme par hasard, hérite des horaires de week-end. Il travaille très tard le vendredi soir et très tôt le dimanche matin. Pour savoir s'il est la seule victime de cette situation, il fait part de ses réflexions à Harry. Ce dernier lui confie qu'il est dans la même situation, mais qu'il n'a pas le courage de se plaindre aux supérieurs.

Federico n'hésite pas une seconde de plus. Il décide de parler franchement à sa superviseure pour qu'elle tente de régler le problème. Camille se montre surprise de ses récriminations et l'assure que ses perceptions sont sans fondement. Elle lui demande toutefois de se montrer plus conciliant envers certains collègues et ajoute qu'elle a reçu des plaintes de la part de Gregory à propos de problèmes de communication entre eux. À plusieurs reprises, Gregory a effectivement tenté de lui dire comment faire son travail, mais Federico n'a jamais toléré ces interventions autoritaires.

Les jours s'écoulent sans qu'aucun changement ne survienne. Dans l'intervalle, Federico s'est adressé à Camille plusieurs fois pour se plaindre des mêmes problèmes. Insatisfait des résultats de ces discussions stériles, Federico a décidé de se protéger à sa façon : chaque fois que Camille fait une action qu'il juge discriminatoire, il répond par une action défensive, lui permettant de la transformer à son avantage. Ainsi, comme on lui confie toujours la tâche de pousser les paniers, il a de nombreuses occasions de parler avec les clients. Il leur propose son aide pour apporter les articles jusqu'à leur voiture. Pour le remercier de sa gentillesse, les clients lui donnent de généreux pourboires. Quant aux horaires impossibles, comme ceux du vendredi où il doit travailler jusqu'à 1 h la nuit et le dimanche où il doit être en poste à partir de 7 h le matin, ce qui l'empêche de sortir le samedi soir, il conclut une entente avec Harry, le seul qui se sent aussi victime d'injustice. Ainsi, Harry remplace Federico certains jours et Federico lui rend la pareille d'autres jours.

Federico prétend que sa hardiesse a certainement empiré ses relations de travail avec la superviseure. Certains préposés ont dit avoir décelé une accentuation des tensions entre lui et la superviseure, tensions qui, selon eux, ont toujours existé. Ils ont confirmé aussi, qu'après avoir découvert les actions de Federico, Camille a réagi de manière à bloquer ses initiatives en donnant à Harry et à Federico toujours les mêmes horaires de sorte qu'ils ne puissent plus échanger leurs heures de travail. Camille a aussi organisé une réunion de service, appelant tous les préposés à refuser les pourboires. Federico a présenté des arguments liés à la discrimination en milieu de travail et à l'insensibilité de Camille au sujet de ses problèmes.

Pour sa part, Camille soutient que Federico est un employé très difficile qui éprouve des problèmes particuliers d'adaptation en milieu de travail. Peu sociable et très brusque avec les autres, il n'arrive pas à tisser des liens d'amitié avec ses collègues. Camille soutient que Federico ne comprend pas toujours les directives qu'elle lui donne. De plus, ses nombreuses tentatives pour briser les règles internes de M&DI inc. pourraient nuire à l'image de l'entreprise. Elle se dit surprise que Federico se sente traité injustement, tout en insistant sur le fait qu'elle a toujours traité tous ses subordonnés également.

*

*   *

À la fin de la troisième semaine de travail, ayant totalement perdu espoir que Camille prenne des mesures pour redresser la situation, Federico décide de s'adresser aux instances supérieures. Sachant que M&DI inc. est une multinationale fortement syndiquée, Federico s'adresse au syndicat pour se plaindre de discrimination. Les responsables syndicaux prêtent une oreille attentive à ses problèmes et prennent des mesures immédiates, qui donnent des résultats presque instantanés. La même journée, Federico est convoqué au bureau de Camille. Il se rappelle avoir vu une superviseure totalement différente de celle qu'il connaissait : attentive et compréhensive, elle désirait que leurs problèmes se règlent à l'amiable sans recourir aux échelons supérieurs. Toutefois, dans les jours qui ont suivi, selon Federico, elle s'est montrée de nouveau sèche, distante et très autoritaire. Entre-temps, il entendait des rumeurs sur son compte dans le service à la clientèle. Certains de ses collègues ont commencé à le regarder d'un mauvais œil et il se sentait de plus en plus rejeté. Personne ne lui parlait et l'atmosphère devenait insupportable.

À la fin de chaque mois, Camille doit évaluer le travail de chaque préposé. À la fin du mois de janvier 2005, soit environ cinq semaines après avoir été embauché, Federico rencontre Camille et son assistant Benoît en tête-à-tête. Camille dit à Federico qu'il est un employé problématique, qu'il empoisonne le climat de travail, qu'il n'est pas très sociable et qu'il ne travaille pas assez bien. Federico, surpris, ne trouve rien à dire. Il lui reste une seule façon de manifester son désaccord : refuser de signer l'évaluation, ce qu'il fait. Le lendemain, la responsable des ressources humaines le convoque pour tenter de régler son problème. Selon Federico, Christine, une Québécoise dans la quarantaine, l'a écouté attentivement et s'est montrée très touchée quand il lui a parlé de discrimination. En fait, elle avait déjà eu vent du problème par le syndicat. Christine a immédiatement pris des mesures appropriées, invitant notamment Federico à venir la voir s'il était encore victime de discrimination. De plus, après une conversation entre Christine et la superviseure des préposés, Camille a changé le contenu de l'évaluation et Federico a accepté de la signer.

Toutefois, les aventures de Federico ne s'arrêtent pas là. Apparemment, personne dans l'entreprise n'était en mesure d'améliorer les rapports entre Federico et Camille, et les rapports allaient de mal en pis. Un autre incident est survenu. En recevant sa feuille de paye pour les deux dernières semaines de travail, Federico constate qu'il est payé pour un nombre d'heures de travail inférieur aux heures réelles. L'enregistrement du temps de travail d'un employé consiste à noter sur une feuille de temps les heures travaillées. L'employé présente ensuite sa feuille à la superviseure pour qu'elle la vérifie (grâce au badge et à la signature). Ensuite, la superviseure remet les feuilles de temps de chacun des préposés au service des ressources humaines afin que les employés puissent recevoir leur paye. Pour Federico, il était évident que l'erreur venait de Camille. Il a signalé le problème à Christine, en lui apportant des photocopies de ses feuilles de temps qu'il avait soigneusement gardées. Une fois encore, Camille a dû s'excuser pour l'erreur qui s'était glissée dans son rapport de travail en promettant de faire plus attention à l'avenir.

Un dernier incident a eu raison de la patience de Federico. À la fin d'une journée de travail, il poussait les paniers dans le dépôt avec Gregory, Benoît et Alain. Camille était aussi présente pour des fins de vérification et de contrôle. Le climat de travail était lourd. Federico se sentait détesté par toutes ces personnes qui n'arrêtaient pas de chuchoter dans son dos. À un moment donné, Gregory, furieux, s'est adressé à lui : « Hé! tu dois travailler comme nous autres ; tu nous fais perdre du temps. » Federico s'est senti offusqué. Il n'a jamais permis à personne de lui parler de la sorte. Il l'a regardé droit dans les yeux en répondant : « Je travaille comme je peux, et je ne dois d'explications à personne, encore moins à toi. » Gregory n'a pas tardé à manifester son caractère explosif. Il a commencé à marcher vers Federico avec des signes évidents d'irritation et de nervosité. Federico était prêt à l'affronter. Heureusement, les autres sont intervenus et il n'y a pas eu de bataille. Le lendemain, tout le monde pointait Federico du doigt, en racontant comment il avait failli provoquer une bataille sur les lieux de travail. Federico était désespéré. Quatre personnes allaient témoigner contre lui. Il lui restait donc peu de chances d'être cru et de se justifier auprès des autres. Tous ses collègues se tournaient définitivement contre lui. Il se sentait seul au monde.

*
* *

Ce matin du 8 février 2005, la sonnerie du réveil tire Federico du sommeil. Il regarde l'heure. «Il faut que je me dépêche; je vais être en retard au travail», pense-t-il. Il regarde par la fenêtre; le soleil paraît briller plus fort que d'habitude. Il réfléchit à son emploi chez M&DI inc. et au climat dans lequel il travaille. «Je passe plus de temps à me défendre qu'à travailler», se dit-il. Sans hésiter, il décroche le combiné. «Bonjour Christine, ça va? Je vous appelle pour vous dire que je démissionne…»

Quelques minutes plus tard, sentant les chauds rayons du soleil sur son visage, Federico pense avec excitation: «Le jour est beau, la vie est belle; je trouverai sûrement un autre emploi!»

CAS 4

L'aventure de six étudiants à la maîtrise en gestion

Jean-Pierre Dupuis

Jean, jeune sociologue plein d'enthousiasme, s'inscrit à un programme d'études supérieures en gestion pour s'initier au monde des affaires. Il se passionne pour le monde des entreprises et décide de faire une maîtrise en administration. Il devient ensuite assistant et aide les professeurs de sociologie à développer du matériel pour leurs cours. Le monde de la gestion l'intéresse vivement, tout comme la vie étudiante. Il aime bien s'amuser et fêter avec les autres étudiants du programme. Sa tête de jeune premier le rend très populaire auprès des étudiantes.

Hélène est une belle grande fille aux yeux en amande. Titulaire d'un baccalauréat en études est-asiatiques, avec une spécialisation en études chinoises, elle décide de faire une maîtrise en administration. Elle croit qu'en combinant sa connaissance de la langue et de la culture chinoises avec une formation en gestion, les portes des entreprises s'ouvriront toutes grandes. Elle aimerait travailler au sein d'une organisation gouvernementale ou privée comme conseillère en affaires pour la Chine. Elle pourrait ainsi aider les entrepreneurs canadiens et québécois à mieux comprendre la mentalité asiatique et le marché chinois.

Alexandre, qui a une tête de chanteur de folk, est le pur produit d'une école de gestion où il a terminé des études de baccalauréat. N'ayant pas du tout le goût de commencer à travailler à temps plein en entreprise, il décide de poursuivre l'aventure en s'inscrivant au programme de maîtrise en administration. Il n'est pas tout à fait l'étudiant typique des écoles de gestion puisqu'il s'intéresse plus aux sciences sociales qu'à la gestion. Il n'est pas rare de le voir lire un ouvrage savant de sociologie dans une salle de classe. Alexandre aime réfléchir sur la société dans laquelle il vit. Il ne sait pas encore ce qu'il veut faire de sa vie professionnelle. Il est en quelque sorte à la recherche d'une «vocation».

Chantal est aussi le pur produit d'une école de gestion. Elle a suivi le même parcours qu'Alexandre qu'elle connaît bien. Ils se sont connus bien avant le baccalauréat et ils ne se sont jamais perdus de vue. Chantal est une fille enthousiaste, débordante d'énergie, un véritable rayon de soleil. Elle a la bougeotte et elle non plus n'est pas prête à entrer sur le marché du travail. L'idée de faire une maîtrise en administration lui est venue tout naturellement, histoire de prolonger le plaisir des études et de découvrir de nouveaux horizons intellectuels.

Luc est un sympathique trentenaire, entrepreneur et rêveur tout à la fois. Il est toujours au centre de mille et un projets. Diplômé de sciences politiques, il entreprend une maîtrise en administration pour réaliser ses ambitions entrepreneuriales mais aussi pour fuir la pression de la famille qui veut lui confier de grosses responsabilités dans la gestion de l'entreprise familiale. Ces responsabilités sont d'autant plus lourdes à porter que l'entreprise en question est en Roumanie, pays d'origine de son père, et qu'il faut donc s'y rendre souvent. Il préfère développer ses propres compétences et son autonomie, à l'extérieur de la famille, pour mieux gérer l'entreprise éventuellement.

Émilie est une fille à la chevelure flamboyante qui veut conquérir le monde. Elle a terminé son baccalauréat en anthropologie et elle se demande quoi faire maintenant. Elle a la tête pleine de projets, mais elle ne sait lequel choisir. Un ami lui parle alors d'un programme de gestion où elle pourrait faire valoir ses qualités d'anthropologue. Elle trouve l'idée amusante et s'inscrit à la maîtrise en gestion internationale. Elle pourra ainsi mettre à profit sa passion pour les cultures tout en acquérant une formation en gestion. Elle n'a pas encore une idée très claire de ce qu'elle veut faire mais l'aventure l'intéresse au plus haut point.

*
* *

Le professeur Nicolas Perrot examine le calendrier de la prochaine année scolaire et réalise qu'elle sera chargée. Il doit donner quatre cours, poursuivre la recherche qu'il a entreprise sur les gestionnaires travaillant dans des milieux culturels diversifiés, tant ici qu'à l'étranger, et encadrer le travail de 11 étudiants inscrits à la maîtrise et de 2 étudiants inscrits au doctorat. Comme plusieurs étudiants de maîtrise veulent terminer leur mémoire au plus vite, il devra leur consacrer beaucoup de temps. Il en retire toutefois un grand plaisir, puisque la plupart des étudiants travaillent sur des problématiques interculturelles qui le passionnent lui-même.

Cette charge de travail avec les étudiants de deuxième et de troisième cycle l'inquiète un peu cependant. Réussira-t-il à consacrer à chacun autant de temps qu'il le faudra? Chacun trouvera-t-il le sujet stimulant qui lui permettra de mener le projet à terme?

*
* *

Hélène est déjà en Chine où elle travaille pour le consulat canadien à Chongqing, ville de 31 millions d'habitants, près du fleuve Yangtsé, dans la province de Sichuan.

Elle espère y repérer une entreprise typiquement chinoise qui acceptera de faire l'objet de son mémoire de maîtrise. Elle a mis la barre assez haute ; elle veut une entreprise chinoise privée, c'est-à-dire une entreprise qui n'est ni une entreprise d'État, ni une coentreprise comprenant un partenaire chinois et un partenaire étranger, les deux formes d'organisation les plus courantes. Elle veut pouvoir étudier la gestion à la chinoise sans influence directe de l'Occident ou du gouvernement communiste chinois. Elle croit ainsi être en mesure de mieux voir et de mieux mesurer l'influence de la culture chinoise sur les modes de gestion des entreprises locales. Parviendra-t-elle à repérer une entreprise répondant à ces attentes durant les sept mois où elle sera à l'emploi du consulat ? L'entreprise acceptera-t-elle d'être étudiée par une étrangère ? Hélène trouvera-t-elle le temps de combiner son travail au consulat et la collecte de données dans l'entreprise qu'elle aura choisie ?

Jean, de son côté, s'entête à vouloir rédiger un mémoire sur les gestionnaires québécois francophones dans l'industrie pharmaceutique. Il veut voir comment les francophones se débrouillent dans ce milieu surtout anglophone. En fait, il émet l'hypothèse que ces gestionnaires ont assimilé le modèle anglophone de gestion au point d'avoir oublié leur propre identité. Originaire du Saguenay, Jean se passionne pour la question identitaire québécoise et cherche à mieux comprendre la problématique des gestionnaires québécois dans ce contexte minoritaire. Il tient mordicus à son sujet même s'il travaille depuis peu dans une grande entreprise liée au domaine du spectacle. Il fait partie du Service de la planification, division Amérique du Nord, et pourrait faire porter son étude sur son nouveau milieu de travail. Ce serait plus simple et tout aussi intéressant puisqu'il pourrait explorer des dimensions semblables à celles qui l'intéressent : culture, identité, etc. Il serait bien placé puisque l'entreprise lui a demandé de se pencher sur un sujet connexe : l'implantation d'une culture d'organisation au sein de l'entreprise. Quelle doit être cette culture ? Sur quelles valeurs doit-elle être centrée ? Comment faut-il l'implanter ? C'est là un beau défi pour un sociologue comme lui ; il peut faire valoir un point de vue différent.

Chantal veut profiter de son mémoire de maîtrise pour apprendre l'espagnol. Elle est attirée par la culture latino-américaine et croit que les échanges commerciaux vont se multiplier entre le Québec et les pays des Amériques. Dans ce contexte, le besoin de spécialistes en gestion capables de converser en espagnol sera important. La connaissance de la langue serait donc un précieux atout. Toutefois, elle est hésitante depuis qu'un ami lui a ouvert les portes d'une importante entreprise à Hong Kong par l'entremise de son père qui y travaille. Doit-elle aller dans un pays d'Amérique latine où elle n'a encore aucun contact ou à Hong Kong où les portes sont ouvertes ?

Alexandre se propose de travailler sur le modèle québécois dans le contexte de la mondialisation et de la crise de l'État-nation. Il se demande dans quelle mesure le fameux modèle québécois de développement survivra à cette dure réalité de la mondialisation. Il veut mesurer la force et la portée de ce modèle en examinant attentivement son rôle dans le développement de l'industrie des nouvelles technologies des communications et de l'information (NTCI) au Québec. Le modèle est-il présent dans le développement de cette industrie jugée centrale pour l'avenir de toute société? Si oui, quel rôle joue-t-il? Alexandre espère ainsi trancher le débat où certains soutiennent que le modèle est complètement dépassé alors que d'autres affirment le contraire. Il a lui-même des doutes qui s'inspirent de ce qu'il connaît du développement récent de l'industrie des NTCI au Québec. Quoi de mieux que d'aller voir la réalité de ses propres yeux et d'en faire l'objet de son mémoire de maîtrise?

Luc cherche un sujet depuis qu'il a abandonné l'idée d'établir une comparaison entre la Roumanie et le Québec en matière de gestion. Il misait sur ses liens avec des entreprises roumaines et sur son rôle d'interprète pour le gouvernement du Québec dans le cadre d'une mission québécoise en Roumanie pour prendre contact avec des entreprises et comparer les modes de gestion typiques des deux sociétés. Il a cependant renoncé à ce projet depuis qu'il a décidé de s'éloigner de l'entreprise familiale. Finalement, à la suggestion de son directeur, il projette de se pencher sur le cas des gestionnaires québécois travaillant à l'étranger. L'expérience de ces gestionnaires, pourtant nombreux, qui travaillent aux États-Unis, principal partenaire commercial du Québec à l'étranger, est peu connue. Comment s'adaptent-ils à leur nouveau milieu de travail? Quelles sont les principales différences dans la gestion des entreprises au Québec et aux États-Unis? Que peut-on apprendre de ces gestionnaires pour mieux préparer les plus jeunes qui s'apprêtent à aller travailler dans ce pays?

Émilie, tout comme Chantal, est attirée par la culture sud-américaine. Elle voit de nombreux avantages à connaître cette culture. Elle choisit donc d'étudier la gestion interculturelle d'une grande entreprise québécoise qui compte deux usines en terre sud-américaine. Le dirigeant de l'une de ces usines présente plusieurs conférences au Québec où il vante l'esprit de coopération et d'ouverture qui caractérise les relations entre Québécois et Mexicains dans cette usine. Le cas intéresse Émilie parce qu'il est un exemple de réussite en matière de gestion interculturelle. Très souvent, on souligne les difficultés de travailler dans un contexte culturel différent du sien et on fait surtout ressortir les malentendus culturels, voire les nombreux conflits créés par ce genre de situation. Or, voici qu'un dirigeant d'entreprise expose sur la place publique québécoise une expérience positive. Pour une étudiante optimiste et enthousiaste comme Émilie, ce cas mérite d'être étudié et connu. Sait-on jamais? Il pourrait inspirer d'autres dirigeants, d'autres entreprises!

*
* *

Jean a finalement abandonné son projet d'étudier les gestionnaires québécois francophones dans l'industrie pharmaceutique pour s'intéresser plutôt à ceux qui, au sein de sa nouvelle entreprise, travaillent aux États-Unis. Il obtient l'autorisation de son employeur et se met à l'ouvrage. Il est même autorisé à prendre du temps sur ses heures de travail, s'il y a des moments creux, pour compléter sa recherche et rédiger son mémoire. Malheureusement, la réalité le rattrape. Il est difficile de trouver du temps pour le mémoire lorsqu'il y a une pile de dossiers à traiter. En fait, il ne parvient pas à se libérer. Plusieurs fois, il essaiera de recréer les conditions nécessaires à la recherche et chaque fois le travail reprendra le dessus. Il faut dire aussi que Jean renonce difficilement à la vie festive des fins de semaine et que, dans ce contexte, il lui est difficile d'avancer.

De plus, au bout de deux ans, de nombreux changements se produisent au sein de l'entreprise et Jean comprend qu'il vaut mieux changer de décor. Il se retrouve donc dans une entreprise de services publics à faire du développement organisationnel, comme avant. Il n'a pas quitté l'ancienne entreprise en mauvais termes et il a toujours la permission d'y mener son étude pour son mémoire. Il songe souvent à s'y remettre, mais il n'y parvient pas. Le temps passe et la maîtrise devient une préoccupation de plus en plus lointaine. Finalement, la période limite de cinq ans pour compléter sa maîtrise expire sans qu'il ait mené son projet à terme.

Hélène revient de Chine avec des données sur une entreprise de haute technologie située dans une ville voisine de Chongqing. Son séjour dans cette entreprise fondée par un jeune entrepreneur chinois a été fructueux malgré les nombreuses embûches. Par exemple, les employés étaient effrayés à l'idée de signer un formulaire de consentement permettant à Hélène de recueillir, comme chercheuse, des informations sur l'entreprise et la manière dont elle était gérée. Selon eux, le fait d'apposer leur signature sur un document officiel pouvait les compromettre. L'étudiante a dû user de patience et de persévérance pour les amener à signer ce document essentiel à sa démarche (obligation imposée à tout chercheur en Amérique du Nord). Les employés ont finalement signé, mais ils ne sont pas devenus plus bavards. Prudence chinoise, prudence millénaire!

Hélène doit maintenant analyser les éléments d'information, notamment le guide de gestion produit par le jeune entrepreneur chinois pour diriger son entreprise et former ses employés, et les entretiens réalisés avec les gestionnaires et les employés. Il y a des heures de plaisir en perspective puisque le guide et les entretiens sont en mandarin et qu'il faut d'abord les traduire. Pourtant, le temps compte parce qu'il ne reste plus que deux semaines avant qu'elle commence à travailler à temps plein pour une multinationale, dans le secteur des produits de beauté et de la mode. Comment concilier ce nouvel emploi intéressant — Hélène est une passionnée de mode et de produits de beauté — avec la tâche méticuleuse et exigeante de la chercheuse qui doit traiter toutes ces données? Hélène a élaboré un plan de travail fort exigeant: travailler à temps plein le jour et utiliser les soirs et les fins de semaine pour sa recherche. Neuf mois plus tard, elle accouchait d'un beau mémoire de maîtrise!

Chantal, comme Hélène, est revenue avec des données recueillies dans une multinationale à Hong Kong. En chemin, elle a perdu son amoureux, mais ça, c'est une autre histoire! La voici maintenant devant cette montagne de données qui se présentent sous la forme de 27 entretiens. Il faut les traiter et les analyser. Elle se met à la tâche, mais elle se décourage rapidement et se sent démoralisée. Elle décide donc de chercher un emploi pour se remonter le moral et pour regarnir son portefeuille plutôt vide à cause de son séjour à Hong Kong. Elle trouve un emploi chez Bell et finit presque par oublier son mémoire. Il serait plus juste de dire qu'elle voudrait l'oublier parce qu'en fait, il l'obsède; elle y pense souvent, trop souvent, mais elle n'a pas le courage de s'y remettre. Entre-temps, ironie du destin, elle tombe amoureuse d'un Mexicain. Elle qui voulait à l'origine faire sa recherche dans un pays d'Amérique latine, la voilà rendue au Mexique à apprendre intensivement l'espagnol, ce qui l'amènera ensuite aux quatre coins de l'Amérique du Sud où son nouvel ami est appelé à travailler. Deux ans plus tard, plongée dans un nouvel environnement favorable, elle commence résolument à rédiger son mémoire et le termine juste à temps. Elle vit maintenant en Floride où elle travaille comme conseillère en gestion pour une multinationale européenne dans le secteur du transport.

Émilie n'a pu terminer ses entretiens dans l'usine en banlieue de Mexico. Une semaine avant la fin de son étude, l'équipe de direction du siège social de Montréal est arrivée en trombe dans l'usine. Le grand ménage a été fait en l'espace de quelques jours. Les dirigeants locaux ont été remplacés parce que le climat de l'entreprise était malsain et que les résultats étaient mauvais. Émilie n'est pas surprise; elle avait constaté la même chose au fil de ses entretiens et de ses visites sur le terrain. Bien sûr, elle est un peu déçue. Elle pensait découvrir l'histoire d'une belle réussite, mais elle devra se contenter de rapporter les données recueillies et de les analyser.

De retour à Montréal, elle se met au travail et rédige son mémoire. En même temps, elle cherche un emploi parce que sa situation financière devient préoccupante. Elle est embauchée dans une grande multinationale de la distribution, mais son emploi est très exigeant et l'oblige à mettre temporairement de côté son mémoire pourtant presque achevé. L'apprentissage de son nouveau métier et son investissement dans son travail l'empêchent de terminer son mémoire. Pendant deux ans, elle trime très dur pour survivre et apprendre son nouveau métier dans un univers extrêmement compétitif. Elle reprend son mémoire à la limite des cinq années accordées pour le rédiger et passe ses vacances d'été, bon nombre de soirées et plusieurs fins de semaine d'automne à y mettre la touche finale. Elle peut maintenant partir l'âme en paix pour faire progresser sa carrière au sein de l'entreprise à Toronto.

Alexandre est un solitaire, ou plutôt un être farouchement indépendant. Il a travaillé sur son mémoire pendant des mois sans jamais rien montrer à son directeur. Il attendait d'avoir terminé avant de lui montrer son travail. Quel contraste avec d'autres étudiants qui ont constamment besoin d'être rassurés sur leur travail! Il faut dire qu'Alexandre a un petit côté entrepreneur. Son mémoire n'avance pas rapidement parce qu'il est constamment engagé dans des projets tous plus intéressants les uns que les autres. Avec un ami, il a fondé une petite entreprise de consultation en affaires environnementales et il accepte des mandats qui l'éloignent constamment de sa recherche. Il faut bien subvenir à ses besoins comme il le dit. Finalement, un autre projet avec un copain l'amène à travailler au sein d'une équipe de recherche en sciences politiques, ce qui entraînera un changement radical. Après avoir consulté son directeur, il décide de faire plutôt un mémoire de maîtrise en sciences politiques. Le voilà parti pour une nouvelle aventure avec son mémoire inachevé sous le bras!

Luc a commencé à réaliser des entretiens avec des gestionnaires québécois, mais son côté entrepreneurial et le besoin d'avoir un revenu l'ont entraîné vers de nombreux projets qui l'éloignent de son mémoire. Il a fondé une entreprise de consultation avec d'autres étudiants et il remplit des mandats de gestion dans différentes organisations. L'histoire a cependant mal tourné et l'entreprise s'est retrouvée en difficulté: mauvais payeurs, poursuites devant les tribunaux, départ de partenaire, etc. Ces difficultés, combinées à des problèmes familiaux et à des ennuis de santé, l'ont empêché de terminer son mémoire dans les délais prévus. Il a donc été expulsé du programme. Il a demandé une prolongation d'un trimestre, mais la direction du programme de maîtrise a rejeté sa demande, alléguant que ses travaux ne sont pas assez avancés et qu'il lui sera impossible de terminer son mémoire à l'intérieur d'un trimestre. Même son directeur d'études reconnaît que le mémoire n'est pas très avancé. Luc décide donc de faire appel à l'ombudsman pour étudier l'affaire.

*
* *

M. Perrot raccroche le combiné. L'ombudsman veut qu'il rencontre Luc pour clarifier la situation puisque ce dernier soutient que ses travaux sont assez avancés et qu'il a même fait parvenir récemment une partie de son mémoire à son directeur. La décision finale ne lui appartient pas, mais le professeur Perrot sait que son opinion compte. De son côté, le directeur du programme a été informé de la démarche de Luc. C'est lui qui prendra la décision finale. Le sort de Luc est entre ses mains.

ANNEXE C4.1

TABLEAU C4.1

Situation des ex-étudiants en mai 2006

	Employeur actuel	Poste occupé	Salaire annuel
Jean	Entreprise québécoise de services publics	Conseiller en gestion des ressources humaines	80 000 $
Hélène	Multinationale dans le secteur des produits de beauté	Chef de groupe marketing	75 500 $
Alexandre	Université	Chargé de projets	40 000 $
Chantal	Multinationale européenne dans le secteur du transport	Directrice de produits	n.d.*
Émilie	Multinationale de la distribution	Directrice de comptes	78 000 $
Luc	Sa propre entreprise de consultation	En « congé » pour terminer son mémoire de maîtrise	

* Pour des raisons stratégiques et personnelles, Chantal préfère ne pas dévoiler son salaire. Disons simplement que c'est un salaire comparable à celui des autres.

CAS 5

Laure Waridel
et la promotion
du café équitable[*]

Marie-Hélène Jobin

Laure Waridel est une figure médiatique connue dans le monde du commerce équitable, de la consommation responsable et du respect de l'environnement. Son travail, conjugué à celui d'Équiterre[1], organisation qu'elle a cofondée en 1994, fait vraiment bouger les choses au Québec en matière de commerce équitable.

L'action de Laure Waridel se conjugue aussi avec le travail de plusieurs acteurs dans le soutien aux réseaux de production et de distribution alternatifs. On constate en effet qu'une multitude d'intervenants unissent leurs efforts afin de faire du commerce équitable une réalité.

L'assise de la stratégie de cette intervenante majeure dans cette constellation d'acteurs tient certainement à une excellente compréhension de l'industrie, des relations entre les agents et des principes économiques qui régissent le commerce mondial.

La route traditionnelle du café[2]

Le parcours du café jusqu'à notre tasse est long et sinueux (voir la figure C5.1). Nombre d'intermédiaires s'interposent entre la plantation et notre table. Cette chaîne d'intervenants varie d'un pays à l'autre, mais on peut généraliser le parcours du café avec l'illustration de la page suivante.

Il existe deux grands modes de culture du café. À peu près la moitié du café produit dans le monde provient de petites fermes. Un petit producteur obtient entre 0,33 $ et 1,50 $ pour un kilo de café. Au détail, le prix de ce même kilo de café sera de l'ordre de 8 $ à 30 $. Le travail est dur et les conditions sont difficiles dans les plantations.

[*] Ce cas est déposé au Catalogue du Centre de cas HEC Montréal (www.hec.ca/centredecas). Une version étendue a aussi été publiée dans la *Revue internationale de cas en gestion* (www.hec.ca/revuedecas) où le parcours de Laure Waridel est davantage mis en valeur. L'auteure remercie les participants de l'atelier stratégique d'écriture de cas pour leurs judicieux commentaires dans la préparation de ce cas.

FIGURE C5.1

La route traditionnelle du café : de l'arbuste à la tasse

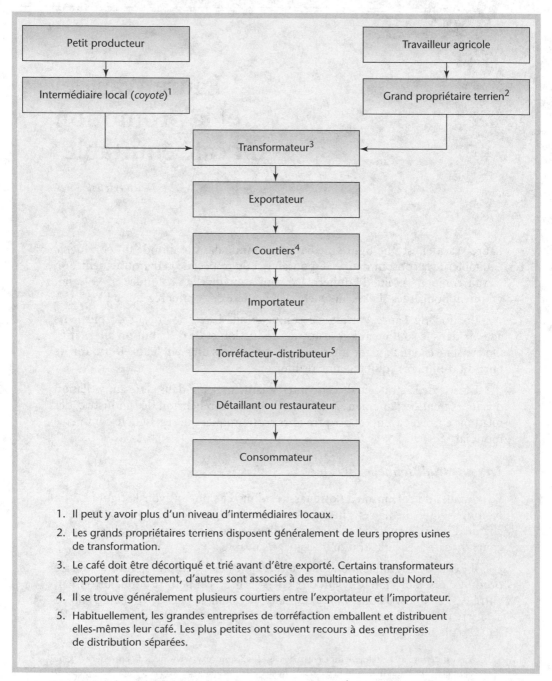

1. Il peut y avoir plus d'un niveau d'intermédiaires locaux.

2. Les grands propriétaires terriens disposent généralement de leurs propres usines de transformation.

3. Le café doit être décortiqué et trié avant d'être exporté. Certains transformateurs exportent directement, d'autres sont associés à des multinationales du Nord.

4. Il se trouve généralement plusieurs courtiers entre l'exportateur et l'importateur.

5. Habituellement, les grandes entreprises de torréfaction emballent et distribuent elles-mêmes leur café. Les plus petites ont souvent recours à des entreprises de distribution séparées.

Source : Tiré de Laure Waridel, *Acheter, c'est voter : le cas du café*, Écosociété, 2005, p. 63.

L'autre moitié de la production mondiale provient de grandes exploitations où des travailleurs agricoles cultivent le café pour un propriétaire terrien. La rémunération des travailleurs dépend de la qualité du café récolté. Les hommes, les femmes et les enfants qui récoltent le café se déplacent de plantation en plantation pour louer leurs services.

La situation des caféiculteurs varie d'un pays à l'autre. Elle dépend notamment du rôle joué par les gouvernements, par les politiques agricoles, les codes du travail, de même que les programmes dans les régions rurales. La qualité du café produit et sa réputation sur les marchés internationaux sont d'autres facteurs influents. (p. 61)

Cela dit, la plupart des producteurs et des travailleurs agricoles sont aux prises avec les mêmes problèmes, bien que la situation des seconds soit encore plus difficile. La chute des cours du café a aussi énormément précarisé la situation de tous.

Le café pousse généralement en montagne, dans des régions isolées où, souvent, il n'y a même pas de route carrossable. L'accès aux soins de santé et à l'éducation est limité pour les travailleurs. Le travail des enfants est un fléau. Souvent, les paysans appauvris se tournent vers la production de narcotiques dans l'espoir d'une vie meilleure. La vie dans ces régions devient alors encore plus périlleuse.

Ne produisant pas en assez grande quantité pour pouvoir exporter directement, les paysans sont généralement contraints de vendre leur café à bas prix à des intermédiaires. Ces négociants locaux sont appelés « coyotes » en Amérique latine.

Pour subvenir à leurs besoins d'une récolte à l'autre, les paysans sont régulièrement forcés de demander des avances au *coyote* de la région. [...] Ils doivent alors accepter les prix négociés à la baisse qu'il leur offre pour leur café. [...] Plongés dans une spirale d'endettement, les petits producteurs sont vite étouffés par la dépendance. (p. 67)

Les *coyotes* jouent ainsi un rôle clé dans l'économie locale, bien que les stratégies utilisées varient d'un pays à l'autre. Ils peuvent, par exemple, jouer le rôle de banquier. Souvent, ils contrôlent le système de transport et le magasin général. Dans certains endroits, ils contrôlent aussi l'étape en aval de la transformation.

La transformation consiste à retirer la pellicule qui recouvre les grains de café, à les trier et à les ensacher. L'équipement appartient soit à un *coyote* intermédiaire, soit à une firme multinationale qui prépare le café avant l'exportation. L'expédition des grains, encore verts à ce stade, se fera en sacs de 60 kg vers les installations des exportateurs.

Acheter au meilleur prix, vendre à prix fort, telle est la maxime des exportateurs. Les prix, régis par la loi de l'offre et de la demande, se décident sur les grands marchés boursiers de New York, pour le café arabica, et de Londres, pour le café robusta.

Les courtiers agissent comme intermédiaires entre les exportateurs et les importateurs, en prenant bien entendu une cote sur les volumes transigés. Les grandes multinationales, comme Nestlé et Altria, possèdent leurs propres courtiers. Elles ont un pouvoir d'achat énorme et influencent grandement les cours mondiaux du café. Elles disposent aussi de systèmes de prévision météorologique qui leur donnent un avantage certain sur les petites firmes.

Les importateurs, quant à eux, se trouvent dans les centres consommateurs de café. « Ces courtiers déterminent les prix payés en fonction des cours de la Bourse, de la qualité des grains et des coûts de transport. » (p. 73)

En bout de course, on retrouve les torréfacteurs, qui achètent le café vert des importateurs pour effectuer la dernière étape de transformation du produit. La torréfaction se fait près des lieux de consommation, car le café doit être consommé rapidement après cette opération délicate.

Finalement, précisons que les réseaux de distribution ajoutent eux aussi une étape, voire deux, avant que le café soit finalement accessible au consommateur.

L'impact des grands groupes alimentaires

Au cours des dernières années, une part croissante du marché du café est passée sous le contrôle des grands groupes alimentaires. Ils jouissent ainsi de fortes économies d'échelle en contrôlant plusieurs maillons, tant dans le pays producteur que dans le pays importateur. Cette rationalisation n'a cependant pas eu d'effets bénéfiques sur la part qui revient au producteur.

Les grands groupes alimentaires commercialisent leurs produits sous différents noms, rendant ainsi difficile l'identification des empires colossaux que certaines multinationales ont érigés. Certains groupes alimentaires dépassent largement le PIB des pays desquels ils achètent leur café, comme l'illustre la figure C5.2 à la page suivante.

Le commerce équitable : leçon 101[3]

Le café constitue un produit phare en matière de commerce équitable. Plusieurs facteurs se sont conjugués pour faire de notre boisson réveille-matin un emblème de ce réseau alternatif dans la commercialisation des produits.

Premièrement, le café est cultivé essentiellement dans les pays du Sud et consommé dans ceux du Nord. De plus, la production est largement dominée par de très grands groupes alimentaires qui dictent les règles en laissant une part bien congrue aux producteurs locaux et aux plus petits acteurs de l'industrie. Il s'agit aussi d'un produit relativement cher, ce qui rend un peu gênant le fait que les caféiculteurs ne jouissent pas de cette richesse. Ajoutons qu'il s'agit d'un produit de consommation important et que l'acte d'achat est fréquent.

Cela dit, plusieurs autres produits bénéficient également des efforts des altermondialistes pour favoriser un meilleur partage des ressources : le sucre, le thé, le riz, le chocolat, pour ne nommer que ceux-là.

FIGURE C5.2

PIB de quelques pays producteurs en comparaison du chiffre d'affaires des grands groupes alimentaires

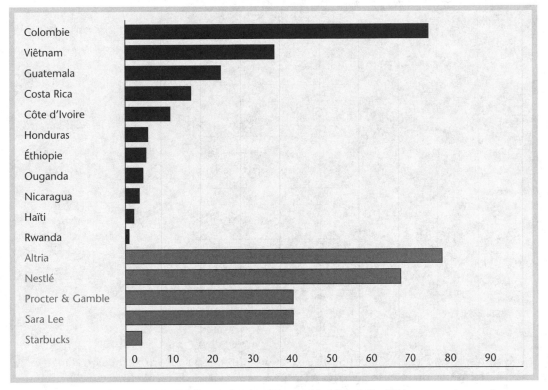

Source : Work Development Indicators Database, Banque Mondiale, juillet 2004, et rapports annuels des entreprises pour l'année 2003. Tiré de Laure Waridel, *Acheter, c'est voter : le cas du café*, Écosociété, 2005, p. 74.

Selon Laure Waridel, le café équitable sera d'une qualité équivalente, voire meilleure que le café qui suit une route conventionnelle. Elle signale qu'en Europe, certaines grandes maisons de torréfaction utilisent du café équitable. Elles l'utilisent pour de précieux mélanges, sans nécessairement toujours préciser qu'il est équitable.

Le commerce équitable cherche à développer un système d'échange alternatif. « Il permet à des petits producteurs d'obtenir un meilleur prix pour leurs produits que lorsqu'ils les vendent par le réseau conventionnel. L'union faisant la force, par le biais de coopératives, les paysans se donnent un accès plus direct aux marchés locaux. » (p. 83)

La route alternative du café, qui compte moins d'intermédiaires (voir la figure C5.3), rapproche donc le producteur du consommateur. Par ailleurs, un prix

FIGURE C5.3

La route équitable du café, de l'arbuste à la tasse

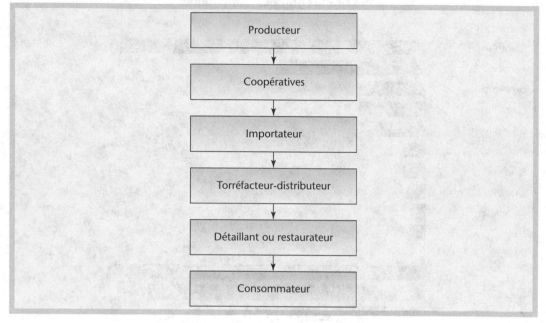

Source : Tiré de Laure Waridel, *Acheter, c'est voter : le cas du café*, Écosociété, 2005, p. 84.

minimal est fixé à l'avance pour la rétribution du producteur par l'acheteur. Dans certains cas, on ira jusqu'à payer à l'avance une partie de la récolte.

La clé de voûte du commerce équitable est le regroupement en coopérative. La mise en commun des ressources permet de mener des projets collectifs en santé, en éducation, en transport ou en soutien à l'agriculture. «Plus de 200 coopératives de café réparties dans 24 pays prennent part au mouvement du commerce équitable.» (p. 83) Le regroupement en coopérative est cependant très exigeant pour les producteurs du Sud et l'apprentissage de la vie démocratique est quelquefois difficile.

Carle Bernier-Genest, chargé de projet chez Équiterre, explique ainsi l'effet du commerce équitable :

L'achat d'un sac de café équitable par un consommateur dans le Nord n'est qu'un tout petit geste à lui seul mais, sur le long terme, ça fait une différence. C'est certain que ça ne change pas le monde, mais ça change le monde de certaines personnes. Ça a un impact majeur sur la vie des producteurs.

Par ailleurs, ce geste a aussi un impact sur l'industrie. Avec l'achat de café traditionnel, le consommateur encourage les multinationales à conserver le même modèle d'exploitation dans lequel les travailleurs du Sud ne reçoivent pas leur juste part. En choisissant le café équitable, le consommateur dit aux autres acteurs qu'il refuse cette façon de faire.

Aux détracteurs, qui déclarent qu'on ne fait que se donner bonne conscience, Carle Bernier-Genest rétorque :

Les effets de nos efforts en matière de commerce équitable sont concrets. Les revenus que les producteurs associés tirent sont plus élevés que ceux qui cueillent pour les multinationales. Le fait d'être regroupés en coopérative leur permet aussi de se doter d'outils conjoints et d'un potentiel de négociation face aux autres acteurs dans leur pays.

Il enchaîne :

C'est certain que ces gens n'ont pas la qualité de vie des gens du Nord et vivent toujours dans une relative pauvreté. Il faut cependant réaliser que, s'ils vivaient comme les Nord-Américains, on sait ce que ça veut dire : il nous faudrait 5 planètes pour répondre aux besoins. Il faut relativiser et se questionner sur nos propres modes de consommation.

Il est plutôt à propos de comparer la qualité de vie des producteurs en commerce équitable par rapport à celle des producteurs en commerce conventionnel. Dans ce sens, la différence est majeure.

Le chargé de projet chez Équiterre reconnaît cependant que la vie démocratique des coopératives peut être difficile, d'où l'importance de la certification. Chaque année, les organisations de certification, comme TransFair Canada, vont visiter les coopératives, entre autres pour les auditer, et, de fait, certaines ont failli perdre leur certification. Par exemple, une coopérative qui n'avait pas nommé de femmes dans ses instances décisionnelles a dû corriger la situation sous peine de perdre sa certification. Il ne s'agit pas d'audit de complaisance. Depuis 1988, quelques coopératives ont effectivement perdu leur certification parce qu'elles ne se conformaient pas aux standards établis.

Par ailleurs, les coopératives sont souvent mises sur pied sous l'œil courroucé des *coyotes*. Les autorités locales, souvent à la solde des multinationales ou des *coyotes* les plus puissants, apportent peu de soutien. Victimes d'intimidation ou de représailles, les adhérents aux coopératives doivent être déterminés mais aussi soutenus par des organismes extérieurs pour concrétiser leur projet.

Actuellement, le problème ne porte pas vraiment sur la mise sur pied des coopératives. Déjà, les bénéfices que les communautés voisines obtiennent par la mise en commun de leurs ressources et l'adhésion au système alternatif du commerce équitable favorisent l'émulation. Il n'est donc pas difficile d'en faire la promotion dans le Sud, mais encore faut-il savoir soutenir adéquatement les efforts de ces communautés.

Alors, où est le nœud du problème ? Pour Carle Bernier-Genest, il est clair que c'est du côté de la demande qu'il faut regarder. L'offre est plus forte que la demande. Il manque carrément de consommateurs. Les coopératives existantes fonctionnent bien, même si souvent, elles ne réussissent pas à vendre plus de 25 % ou 30 % de leur production sur le marché équitable.

« Donc, si on forme de nouvelles coopératives, on nuit aux bénéfices que ces gens-là peuvent retirer du commerce équitable. C'est pour ça qu'on met moins d'effort au développement des coopératives dans le Sud », précise M. Bernier-Genest. Allons donc voir ce qui se passe du côté des torréfacteurs et des distributeurs.

Van Houtte : le baromètre du changement social [4]

Pour les officiers d'Équiterre, le torréfacteur-distributeur Van Houtte représentait le partenaire idéal. Tout d'abord, la société se concentrait uniquement sur le café, le produit phare sur lequel Équiterre avait décidé de faire reposer sa stratégie. De plus, l'actionnariat de Van Houtte est québécois, mais les activités de la compagnie s'étendent partout sur le continent. L'accès aux autorités décisionnelles de la compagnie devrait donc en être facilité et l'impact sur les marchés, maximisé. Qui plus est, la compagnie offre des services de pause-café qui rendraient la consommation de café équitable facile et pratique.

Cependant, au milieu des années 1990, quand Équiterre tente d'approcher Van Houtte, le marché du café équitable est naissant. Les consommateurs sont peu sensibilisés à la cause du commerce équitable et la demande pour ces produits est à peu près inexistante.

Van Houtte pour sa part est dans une intense période d'acquisitions sur tout le continent et axe sa croissance sur le développement du secteur des pauses-café. La stratégie de l'entreprise n'exclut pas le développement de marché de niche mais à ses yeux, les conditions gagnantes ne sont pas encore réunies pour pousser sur le marché du café équitable. La collaboration souhaitée par Équiterre ne se réalisera pas.

Équiterre n'a peut-être pas bien jaugé les enjeux pour le torréfacteur montréalais. Van Houtte est avant tout une entreprise commerciale qui se doit de mener des opérations rentables.

« Nous avons aussi intérêt à bien identifier les attentes de nos clients et à les combler. Nous n'étions pas contre le commerce équitable à cette époque, mais c'est la demande des clients qui mène nos actions », résume Joseph Audi, directeur du marketing chez Van Houtte.

Van Houtte se rappelle de la campagne menée par Équiterre il y a quelques années pour le pousser à promouvoir davantage le café cultivé de façon équitable. L'organisme avait en effet demandé aux citoyens de faire parvenir au torréfacteur des cartes postales l'incitant à mettre en marché des cafés équitables. Aux yeux de l'entreprise, cette campagne était très agressive et injuste.

« [Ce n'est pas] la bonne façon de travailler avec nous. Au lieu de la confrontation, il faut développer une approche plus partenaire », ajoute Joseph Audi avant d'enchaîner : « D'une certaine façon, le lien de confiance est affecté avec Équiterre depuis cet événement. »

Van Houtte reconnaît cependant que l'interlocuteur le plus sérieux dans ce domaine au Québec, c'est Équiterre, et que le café équitable, de même que les cafés biologiques, sont des tendances fortes.

L'entreprise s'est faite toutefois attentive et mesurée dans l'introduction de cette nouvelle gamme de produits, puis elle a graduellement pressé le pas. Assurément, elle constate que la demande est de plus en plus forte. Actuellement, la croissance de la gamme de cafés équitables chez Van Houtte est de 20 % par année.

« La problématique est cependant délicate, surtout dans la grande distribution, explique M. Audi. Au départ, la qualité du café équitable n'était pas toujours au rendez-vous, plaide-t-il, mais on ne peut plus dire que c'est le cas. »

Il ajoute : « La constance de l'approvisionnement est aussi un problème. Quand on décide d'offrir un café équitable en provenance d'une région ciblée, il faut être certain qu'on pourra soutenir l'approvisionnement dans toutes les conditions. »

Par ailleurs, il faut bien comprendre que la mise en marché d'un produit de niche dans le cadre d'un grand réseau de distribution entraîne des frais plus élevés que pour un petit commerçant. « Ça explique notre prudence du début », conclut-il pour expliquer l'attitude attentiste de la compagnie dans la mise en marché et la promotion des cafés équitables.

« D'un autre côté, il est devenu clair que les clients demandent de plus en plus ce produit et nous devons l'offrir, même s'il n'est pas le plus rentable de la gamme. Ça commence aussi à s'imposer comme une condition d'entrée dans certains réseaux de distribution. » Ainsi, dans le domaine institutionnel (gouvernement, hôpitaux, universités, etc.), plusieurs décideurs exigent maintenant le café équitable. Joseph Audi estime même que près de 95 % du café vendu dans certaines institutions est du café équitable.

Dans le secteur privé, la situation est différente. « Il faut provoquer un peu la demande », résume le directeur du marketing. Même si la part de marché du café équitable augmente sensiblement dans ce secteur, les habitudes sont parfois difficiles à changer. « Quand le client a le choix entre le café équitable et d'autres cafés, dans 30 % des cas, il choisira le café qui emprunte la route alternative », ajoute M. Audi.

Joseph Audi estime que la part du café équitable sur le marché pourrait plafonner autour de 12 % dans quelques années. On est bien loin de la part de 20 % à 25 % que l'on connaît dans certains pays européens, la Belgique entre autres.

D'ici là, le torréfacteur de la 19ᵉ Avenue à Montréal[5] ne reste cependant pas les bras croisés. Depuis quelque temps, il commercialise la ligne *Les amoureux du café*, qui propose à la clientèle des cafés biologiques et équitables. On trouve aussi des grains de source équitable dans leurs réseaux de distribution en vrac qu'offrent les épiceries.

« Notre gamme de produits a rapidement évolué dans le secteur des cafés équitables. À ma connaissance, nous sommes maintenant le fournisseur qui offre la plus vaste gamme de produits équitables », souligne Joseph Audi. Et les ventes sont au rendez-vous ! Les objectifs de vente qu'il s'était fixés au début de l'année sont en voie d'être dépassés de plus de 200 %.

En outre, en 2002, Van Houtte a mis sur pied un programme en trois volets pour soutenir les modèles alternatifs de production et de distribution. Dans un premier temps, l'entreprise a subventionné une coopérative au Honduras pour lui permettre de s'organiser : 50 000 $ ont été versés pour ce projet[6]. La compagnie continue de soutenir la coopérative et a accepté de subventionner certains projets d'investissement que les coopérants lui ont présentés. Dans un deuxième temps, l'importateur-distributeur a mis en place un système de vérification de la constance et de la qualité, et un système de versement de surprime pour le café qui emprunte le réseau alternatif. Finalement, un système de ristourne sur les ventes a été mis en place, en collaboration avec l'organisme humanitaire Care Canada.

Outre le souhait, clairement exprimé par M. Audi, de migrer vers la collaboration plutôt que la confrontation avec les organismes qui font la promotion du commerce équitable, le responsable du marketing de cette compagnie signale que l'un des principaux problèmes dans la mise en marché du café équitable tient au fait qu'il existe beaucoup de confusion dans les appellations et dans l'utilisation des fonds versés.

Par exemple, plusieurs consommateurs confondent biologique et équitable. En outre, il existe plusieurs logos différents. Par exemple, sur certains cafés, on signale qu'un pourcentage des ventes est versé pour bâtir des écoles ou pour aider des communautés. « Ce n'est pas facile de savoir ce qu'on achète et ce qu'on subventionne au juste. Les intervenants ont la responsabilité de clarifier les certifications et de mieux informer les consommateurs. Autrement, c'est un frein important à l'expansion du commerce équitable », conclut-il.

« La nouvelle mise en marché de la gamme de Van Houtte est beaucoup plus claire. On fait ressortir le terme Équitable et au-dessous, en plus petit, l'appellation "bio" », fait remarquer Joseph Audi. Il ajoute : « et le logo de TransFair est bien en évidence ».

La certification

La certification, c'est justement le travail de TransFair Canada (www.transfair.ca), un organisme national de certification et de sensibilisation, sans but lucratif, qui fait la promotion du commerce équitable pour améliorer les conditions de vie des producteurs agricoles et des travailleurs des pays en développement. TransFair Canada vise notamment à structurer le marché canadien des produits certifiés équitables en procurant des services de certification indépendants et en informant les consommateurs au sujet du commerce équitable, tout en tenant compte des besoins des diverses parties concernées.

De nombreuses personnes et organisations membres appuient TransFair Canada financièrement, et certaines de manière bénévole. Les partenaires contribuent à sensibiliser le grand public au commerce équitable. Les fonds proviennent surtout des vendeurs de produits équitables. Sur chaque kilo de café vendu, TransFair Canada prélève une certaine somme. L'ACDI[7], des organisations syndicales ainsi que diverses associations caritatives religieuses participent marginalement au financement des activités ou forment des partenariats avec l'organisme.

Équiterre fait aussi partie des organisations membres. Isabelle St-Germain, coordonnatrice des programmes liés au commerce équitable chez Équiterre, siège d'ailleurs au conseil d'administration de TransFair Canada. Cet organisme entretient aussi des partenariats avec Oxfam Canada et le Vancouver Fair Trade Coffee Network, une organisation de Colombie-Britannique qui poursuit sensiblement la même mission qu'Équiterre en matière de commerce équitable, dans le secteur du café.

Le logo de certification ci-dessous, dont TransFair Canada est le dépositaire, symbolise l'équité et la responsabilité sociale dans le commerce international.

Au Canada, ce logo figure sur certaines marques de café, de thé, de chocolat, de sucre, de bananes et de ballons de sport. On espère aussi qu'il se retrouvera sous peu sur d'autres produits, comme les jus de fruits et le riz.

Un problème demeure : le terme équitable n'est pas protégé par la loi, contrairement au terme biologique, et des acteurs, heureusement peu nombreux, profitent de ce flou. Par exemple, certains petits torréfacteurs se disent équitables parce qu'ils font affaire avec des coopératives, mais ils refusent de préciser le prix d'achat du café. Il y a aussi des cafés *charitables* : on prélève un ou deux dollars sur le prix de vente, que l'on verse à des organismes de bienfaisance. Cela contribue à créer de la confusion chez le consommateur.

Il s'agit donc là d'un défi majeur que cette organisation doit relever. Cependant, les gouvernements sont aussi parties prenantes : eux seuls peuvent légiférer pour protéger le terme *équitable*.

Oxfam

Autre acteur clé dans la mosaïque du commerce équitable au Québec, Oxfam Québec cherche à sensibiliser la population aux réalités des populations des pays en développement, afin de faire prendre conscience aux Québécois des inégalités et de l'interdépendance qui existe entre les deux hémisphères. En particulier, l'organisme valorise un commerce mondial plus juste, fondé sur la mise en place de partenariats avec les producteurs du Sud et favorisant l'égalité et le respect mutuel. Commerce Équitable Oxfam-Québec inc., la branche commerciale de l'organisation, est engagée activement dans ce commerce et fait la promotion d'une nouvelle solidarité entre les petits producteurs du Sud et les consommateurs responsables du Québec.

Oxfam produit aussi une trousse très pratique pour l'éducation citoyenne en matière de commerce équitable (www.oxfam.ca/campaigns/downloads/Coffeekit2.pdf). Avec cette trousse, les intervenants sont outillés pour sensibiliser les citoyens, les décideurs, les restaurateurs et les commerçants à la cause du café équitable.

Équiterre

Sur le site d'Équiterre (www.equiterre.org), l'organisation explique qu'elle s'est donné pour mission « de contribuer à bâtir un mouvement citoyen en prônant des choix individuels et collectifs, à la fois écologiques et socialement équitables ».

Au moyen de ses quatre programmes – agriculture écologique, commerce équitable, transport écologique et efficacité énergétique –, l'organisme a développé des projets qui permettent au citoyen et au *consomm'acteur* de faire des gestes concrets qui auront une incidence positive sur l'environnement et la société. En tout, environ 30 personnes travaillent chez Équiterre.

Le secteur du commerce équitable compte trois employés à temps plein :

- Isabelle St-Germain, coordonnatrice ;
- Carle Bernier-Genest, chargé de projet ;
- Murielle Vrins, agente de logistique et d'information.

De plus, Normand Roy, un chargé de projet, travaille chez lui une journée par semaine. Son rôle consiste à soutenir une coopérative au Mexique. Laure Waridel est toujours la présidente de l'organisme, mais elle n'est plus une employée. Elle agit à titre de pigiste si ses services sont requis pour présenter des conférences ou offrir d'autres activités qui bénéficient de sa notoriété et de ses qualités de communicatrice.

Les quatre secteurs cohabitent dans les mêmes bureaux et partagent les services généraux, mais mènent peu de projets conjointement. Carle Bernier-Genest y voit une faiblesse de l'organisation et constate que les équipes travaillent souvent de façon indépendante. Il y a pourtant des synergies intéressantes à créer. Par exemple, Équiterre entretient d'excellents contacts avec les producteurs locaux et les restaurateurs dans le cadre de son programme d'agriculture soutenue par la communauté, mais ces deux groupes n'ont pas de liens avec le programme de commerce équitable.

Équiterre est une organisation très active sur la scène québécoise, comme on le constate sur leur site: «Depuis 1996, plusieurs activités de sensibilisation telles que des conférences, des kiosques, des formations auprès des bénévoles et la diffusion d'expositions photographiques ont été réalisées, principalement au Québec et dans d'autres provinces canadiennes. Un travail médiatique accru et la publication d'outils éducatifs ont permis le développement du commerce équitable ces dernières années.»

Contrairement à Oxfam, Équiterre a fait le pari de ne pas promouvoir une marque de café ou un réseau de distribution en particulier. L'organisation, financée par les gouvernements, notamment par le biais de l'ACDI et du ministère des Relations internationales, complète son financement grâce aux dons de communautés religieuses, du grand public et de quelques fondations privées, dont la Fondation Paul-Émile Léger. Elle prélève également une somme forfaitaire sur chaque abonnement au programme d'agriculture soutenu par la communauté.

Carle Bernier-Genest avoue candidement que la commercialisation de produits équitables simplifierait grandement la recherche de financement, qui exige beaucoup d'énergie de la part de tous les membres de l'organisation. Toutefois, l'indépendance dont l'organisme jouit est un élément important dans la stratégie de positionnement et contribue à asseoir son autorité morale.

Par ailleurs, Équiterre entretient des liens soutenus et diversifiés avec différents intervenants dans le monde du commerce équitable (voir l'annexe C5.1). Équiterre fait entendre sa voix à différentes tables de concertation, notamment au conseil d'administration de la Fair Trade Federation, un regroupement dans le secteur de l'artisanat. De même, l'organisation a noué un partenariat avec le Chantier d'économie sociale, en misant sur un projet de foire qui ferait la promotion du commerce équitable et de l'économie sociale.

Éduquer, sensibiliser et mettre en relation

Équiterre axe sa stratégie sur la promotion des solutions de rechange et mise sur la sensibilisation du public. Les stands d'exposition, les conférences, la participation à des événements et une présence dans les lieux publics sont les moyens que l'organisation privilégie pour se faire connaître. Bien qu'Équiterre tente de créer l'événement, il ne cherche pas les coups d'éclat. Ce n'est pas la marque de commerce de l'organisme.

La coercition et les actions symboliques sont cependant des stratégies efficaces qui ont été utilisées par certains intervenants qui voulaient faire changer les choses. Pour promouvoir le café équitable, l'organisme Global Exchange a notamment lancé une campagne intensive, qui touchait une bonne partie des universités américaines. Il a visé la chaîne Starbuck, l'enjoignant à servir du café équitable, la menaçant de boycott et de représailles sur son image corporative. La chaîne étant très soucieuse de son image, elle a obtempéré. Global Exchange a utilisé cette stratégie avec d'autres chaînes de café aux États-Unis et, aujourd'hui, de nombreux commerces offrent du café équitable autour des campus universitaires.

Quand on demande à Laure Waridel si elle descendrait dans la rue avec une pancarte, elle répond : « Je suis allée avec des pancartes dans la rue. Je pense que les manifestations sont importantes. En fait, toutes les stratégies se complètent. Il faut avoir des gens qui vont dans la rue et qui font des manifestations. Il faut des gens à l'intérieur des gouvernements qui changent les choses, à l'intérieur des entreprises aussi. »

L'organisme utilise cependant beaucoup l'effet de levier que lui offrent les médias. « Les médias sont très réceptifs à notre message. Par exemple, à la Saint-Valentin, on parle volontiers de chocolat équitable. C'est tendance en ce moment dans les médias de parler du commerce équitable et on en profite », se réjouit Carle Bernier-Genest, lui-même un ancien journaliste.

Équiterre fait aussi office d'organisme central pour le commerce équitable, surtout à cause du répertoire de points de vente en ligne sur son site. En effet, la mise à jour du répertoire exige chaque année de prendre contact avec les vendeurs de produits équitables pour connaître leurs points de vente.

Faire bouger les acteurs

Carle Bernier-Genest constate qu'il est plus facile de faire bouger les choses avec les petits acteurs qu'avec les grands acteurs de la transformation et de la distribution alimentaire.

> Je ferais la distinction entre deux grands types d'acteurs dans le marché commercial. Premièrement, il y a les plus petits acteurs avec lesquels on travaille en collaboration de façon continuelle, par exemple la marque Équita. Dans la restauration et la distribution à petite échelle, le Café Santropol, Toi, Moi, café, Café Rico et les petites brûleries sont des acteurs dynamiques sur le marché du commerce équitable. On a une belle collaboration avec eux. On rend notre matériel d'éducation disponible à ces gens-là.

> Avec les grands de l'industrie, c'est plus difficile.

L'expérience qu'Équiterre a vécue avec Van Houtte est représentative des relations tièdes qu'entretiennent les promoteurs du commerce équitable et les acteurs des réseaux traditionnels de torréfaction et de distribution du café.

« Pourtant, je n'ai pas l'impression que nous avons été très durs avec eux, si on compare avec la stratégie de Global Exchange aux États-Unis avec les menaces de boycott», remarque Laure Waridel. Elle explique alors la situation telle qu'elle s'est présentée :

> En fait, l'action auprès de Van Houtte était stratégique. Au début de la campagne, il n'y avait presque pas de points de vente de café équitable. Plusieurs cafétérias ou universités auraient été réceptives au café équitable mais, pour des questions logistiques et financières, elles n'étaient pas prêtes à embarquer.
>
> Van Houtte était très présent dans les établissements et les universités et surtout, ils avaient un service pause café (équipement, sucre et fournitures). On s'est dit qu'en s'alliant à une grosse compagnie, québécoise de surcroît, ça serait super.

Équiterre tente alors de tisser des liens avec Van Houtte mais la compagnie ne mord pas. Puis vient une lettre recommandée adressée à la direction. Les signataires convient le torréfacteur montréalais à vendre du café équitable et à améliorer ainsi la condition des travailleurs des pays producteurs. On attend une réaction qui ne vient pas.

« Alors, on s'est mis à envoyer des cartes postales. Ils n'ont vraiment pas aimé ça, les cartes postales, mais vraiment pas. Je pense qu'on les a offensés », se rappelle Laure Waridel.

Équiterre avait en effet imprimé une carte postale que les consommateurs pouvaient signer et faire parvenir à la compagnie. Le message indiquait qu'il y avait un marché à prendre et conviait le torréfacteur montréalais à saisir cette occasion d'affaires.

Bien que la progression soit quelquefois chaotique et semée d'embûches, Carle Bernier-Genest, chargé de projet à Équiterre, constate que les produits équitables sont de plus en plus nombreux dans les réseaux de grande distribution. Il note cependant que, quand les acteurs s'y engagent, c'est souvent un peu à reculons.

Par exemple, chez Van Houtte, au début des années 2000, les produits équitables sont incorporés à la ligne de produits biologiques. Ce que l'entreprise met de l'avant, c'est le biologique. Pour savoir qu'il s'agit d'un produit équitable, il faut chercher le logo de certification sur le produit.

> On essaie tout de même de faire des activités avec eux, signale M. Bernier-Genest. Par exemple, Van Houtte a un partenariat avec les bibliothèques publiques pour offrir un petit coin café. Nous avons vérifié auprès de ces dernières si le torréfacteur offre des produits équitables et, effectivement, ils le font. Cependant, ils laissent le choix aux bibliothèques entre le café conventionnel ou équitable. Nous allons essayer de voir avec Van Houtte s'ils acceptent de nous donner la liste des bibliothèques afin que nous les sensibilisions au fait que Van Houtte offre un produit équitable et que c'est une option intéressante[8].

Le constat est similaire du côté de la distribution. «C'est souvent aussi la même chose avec les chaînes d'alimentation. La plupart du temps, on trouve les produits équitables dans la section biologique, ou sinon sur des tablettes mal placées. Il n'y a pas d'action de promotion. Elles répondent à une demande, ça s'arrête là», déplore M. Bernier-Genest.

M. Bernier-Genest signale cependant que la chaîne Loblaws démontre une certaine ouverture à faire affaire avec les partenaires du commerce équitable. Une entente entre ce distributeur et Oxfam est intervenue pour la distribution de l'ensemble de la marque Équita.

«On pourrait faire plus avec ces acteurs, mais c'est toujours une question d'énergie et de ressources», conclut-il.

M. Audi, le directeur du marketing chez Van Houtte estime pour sa part que les ventes de café équitable sont beaucoup plus élevées si les produits sont offerts dans la section des cafés plutôt que dans la section des produits biologiques ou équitables. Ce constat intéresserait certainement les intervenants qui cherchent à promouvoir le commerce équitable.

Équiterre participe presque chaque année à l'événement du Special Coffee Association of America, la plus grande foire commerciale de café haut de gamme et de spécialité dans le monde, qui se tient aux États-Unis. TransFair USA y occupe toujours un grand espace consacré au commerce équitable et invite des producteurs du Sud. Pour M. Bernier-Genest, cette présence est essentielle. «C'est important pour nous d'y être pour voir les tendances de l'industrie, mais aussi pour rencontrer les intervenants et garder le contact avec les producteurs.»

De marginal à normal

«Je rêve du jour où l'appellation équitable ne soit même plus nécessaire et qu'il soit interdit de commercialiser du café qui n'est pas cultivé de façon éthique», déclare Laure Waridel. Elle convient cependant qu'il y a encore beaucoup de chemin à parcourir d'ici là.

Actuellement, on estime à environ 2 % la part de marché du café équitable au Québec. Cependant, la croissance est très forte. Depuis quatre ans, on constate une croissance de 50 % par année. Si la tendance se maintient, la part de marché pourrait s'établir à 3 % l'an prochain et à 4,5 % dans deux ans. On est encore loin du record européen de la Belgique, où la proportion de café équitable vendu oscille entre 20 % ou 30 %, mais on peut toutefois y arriver.

En Europe, le commerce équitable existe depuis les années 1960. Ici, ce n'est que depuis 1996 qu'on en parle vraiment. Les niveaux atteints sont le résultat d'une maturité de la cause, mais aussi d'efforts soutenus pendant plusieurs années. En Belgique, par exemple, le gouvernement a accordé des fonds publics pour promouvoir cette option.

Chez Équiterre, on estime qu'avec 100 000 $ par année, pendant trois ans, on pourrait faire des gains appréciables. Cependant, il manque l'appui d'un acteur clé prêt à mettre de l'argent pour sensibiliser le public. Quand le gouvernement appuie, ça marche !

Laure Waridel et les gens d'Équiterre constatent avec tristesse que l'implication politique n'est pas au rendez-vous. Voici le portrait que dresse Carle Bernier-Genest :

> Le gouvernement à Québec n'a aucune ouverture face aux initiatives communautaires. Il y a eu des coupures dans différents secteurs. Le gouvernement ne jure que par l'entreprise privée. Considérant le peu de ressources dont on dispose, [...] on perdrait notre temps. Même comme acheteur, le gouvernement n'achète pas équitable. Donc, même à ce simple niveau-là, il n'y a pas d'action.

> Au niveau du Canada, ça pourrait porter plus de fruits, mais l'initiative relève plus de TransFair. La situation est par ailleurs délicate parce qu'on craint que le gouvernement canadien ne récupère le commerce équitable et n'impose des normes qui ne collent pas à ce que tous les acteurs ont déjà mis en place.

Malgré le peu de réceptivité de la part des gouvernements, Équiterre s'active auprès de la députation québécoise. Lors du lancement du dernier livre de Laure Waridel, à la bibliothèque de l'Assemblée nationale, l'organisme a annoncé qu'il ferait une étude auprès des bureaux de comté des députés pour connaître ceux qui offrent du café équitable et ceux qui ne le font pas. Les résultats seront prochainement publiés. Il s'agit d'un geste bien timide en apparence, mais la portée potentielle de cette initiative est vaste.

Chez Équiterre, on constate en effet que tous les élus ne sont pas nécessairement réceptifs à la cause et que souvent, ils ne connaissent même pas le commerce équitable. Cette action menée dans leur bureau de comté les forcera à se familiariser avec le concept. Cette stratégie est un premier pas pour les conscientiser et augmenter leur réceptivité, dans l'éventualité d'une revendication pour reconnaître l'appellation *équitable* ou soutenir le commerce équitable. C'est en quelque sorte une stratégie étapiste.

Laure Waridel, la communicatrice

Visiblement, Laure Waridel saisit l'importance d'influencer les sphères politiques et les puissants milieux de la finance. Les médias sont des alliés, mais il faut les nourrir et leur donner des matériaux pour faire avancer la cause. Loin de condamner les milieux politiques et économiques, elle suggère plutôt aux citoyens de s'engager par l'achat d'actions et le militantisme d'actionnaire, ou par l'action politique.

Elle cherche à mobiliser l'action des citoyens pour obtenir un impact collectif. Elle est devenue une collaboratrice régulière de la première chaîne de la radio de Radio-Canada. Son discours toujours positif et vitalisant est contagieux. En l'écoutant, on a vraiment l'impression que c'est possible.

L'impact du dernier livre de Laure Waridel, *Acheter, c'est voter: le cas du café*[9], lancé en février 2005 est énorme. À ce jour, plus de 12 000 exemplaires ont été vendus. Généralement, au Québec, dans la catégorie des essais, un livre qui se vend à 3 000 exemplaires est considéré comme un succès de librairie. Le livre de Waridel en est déjà à la quatrième réédition. Jusqu'à présent, il n'existait aucun ouvrage en français expliquant le commerce équitable. Il a donc un impact important et devient instantanément une référence.

Par ailleurs, l'histoire de cet essai n'est pas banale. Il est en fait le fruit d'un premier livre, écrit suite à un voyage au Mexique effectué en 1996. Ce livre, *Une cause café*, est ensuite traduit en espagnol. Il sera la base du mémoire que Laure présente dans le cadre du programme de maîtrise à l'Université Victoria, à l'Eco-Research Chair of Environmental Law and Policy, quelques années plus tard. Ce mémoire et ses nouvelles recherches lui permettent de publier un nouveau livre en anglais, sous le titre *Coffee with Pleasure*, qui connaît un immense succès, entre autres aux États-Unis. Il s'impose vite comme une référence crédible et incontournable.

Acheter, c'est voter se présente comme une mise à jour de la version anglaise. Laure en profite pour inclure quelques parties de son tout premier livre, *Une cause café*, publié en 1997 et épuisé depuis longtemps. Elle enrichit aussi le texte des expériences qu'elle a connues en rendant de nouvelles visites à ses amis mexicains.

Ce que Laure y a ajouté? Du cœur et des émotions. Le discours est toujours basé sur les faits, mais le texte est émaillé de tranches de vie des paysans qu'elle a côtoyés à la coopérative UCIRI au Mexique. Des choses qu'on pourrait même qualifier d'intimes.

Peu de temps après le lancement du livre, la notoriété de Laure prend une nouvelle trajectoire orbitale avec un passage remarqué à l'émission de télévision *Tout le monde en parle*[10]. Par sa détermination, par son attitude positive et dynamique, et par son sourire, elle a su toucher le cœur d'un grand nombre de Québécois.

Est-ce une stratégie de communication? Oui et non, nous dit l'auteure. Certes, la communicatrice inspirée sait d'instinct que ce sont des histoires dont on se rappelle. « Les gens agissent beaucoup plus avec ce qu'ils ressentent. Ils agissent plus avec le cœur qu'avec la tête. »

Cependant, les personnes dont elle parle ne sont pas des accessoires. Ce sont véritablement ses amis et c'est justement pour eux qu'elle s'efforce de faire changer les choses. « Je ne crois pas au misérabilisme. La dignité, pour moi, c'est fondamental. Juana[11] est une vraie personne, pas un personnage. C'est central dans ma démarche », lance-t-elle à tous ceux qui pourraient croire à une manipulation du discours.

La stratégie est également reprise par Équiterre. Chaque année, l'organisme accueille au Québec un producteur ou un acteur de l'industrie du commerce équitable. On invite surtout les gens des coopératives certifiées équitables et on privilégie les travailleurs, et non pas les gestionnaires.

« On est capable de dire comment c'est au niveau de la gestion. [...] On cherche plutôt à avoir des gens qui vivent les effets positifs du commerce équitable et qui peuvent en témoigner », explique de son côté Carle Bernier-Genest, chargé de projet chez Équiterre.

La stratégie ou l'utopie de Laure Waridel

L'abolition de l'esclavage était une utopie, il a fallu que des gens posent des gestes pour que ça commence à bouger.

Que peut-on ajouter après cette leçon servie avec simplicité ? Cette idée n'est cependant pas tout à fait nouvelle… Hé oui ! Victor Hugo disait : « L'utopie d'aujourd'hui est la réalité de demain. » On se sent alors un peu mal à l'aise de lui parler de l'article paru dans *Le Devoir* [12] à l'occasion du lancement de son dernier livre. Le journaliste avait alors remis en question l'efficacité des gestes individuels et avancé que ce n'était en fait qu'un moyen de se donner bonne conscience.

« On pense poser des gestes individuels mais, au global, ce sont des gestes collectifs. Pour moi, c'est une stratégie. Notre slogan, *Un geste à la fois,* c'est vraiment ça », croit Laure Waridel.

Carle Bernier-Genest se fait, lui aussi, percutant : « Il y a une expression, *la goutte qui fait déborder le vase.* Mais pour qu'une goutte fasse déborder le vase, il faut y mettre d'autres gouttes avant. Tant et aussi longtemps que les gens n'y mettent pas chacun leur goutte, on n'arrivera jamais à faire déborder le vase. L'achat d'un sac de café ne fait pas une différence à lui seul mais, sur le long terme, ça fait la différence. »

Enfin, Laure Waridel a appris une autre leçon en préparant son certificat en communication. C'est un professeur, Jean-Pierre Desaulniers, qui la lui a soufflée à l'oreille, et elle n'est pas ressortie par l'autre : « Fais attention à ne pas être moralisatrice, remarquait-il. Tu sais, au Québec, l'Église nous disait ce qu'il fallait qu'on fasse. Les gens ne veulent pas se faire dire quoi faire. Tu peux leur donner de l'information, mais il ne faut pas que tu les culpabilises, sinon, ils n'embarqueront pas. Tu dois te fier à leur intelligence. »

Alors Laure a fait sienne cette stratégie et a su axer tout son message sur le plaisir de bien faire, plutôt que sur la culpabilité de ne pas agir.

Conclusion

Pour Laure Waridel et pour Équiterre, la consommation est un geste politique. Le slogan *Acheter, c'est voter* fait référence non seulement à la consommation responsable, mais aussi à la citoyenneté responsable. Voyons ce qu'elle dit :

Le plus important quant à moi, dans ce slogan et dans ma démarche, est de reconnaître le pouvoir politique de l'argent. Comme je le dis souvent, nous allons voter tous les trois ou quatre ans, mais nous consommons tous les jours. On s'entend souvent dire que l'argent mène le monde, alors pourquoi ne pas utiliser le nôtre pour passer à l'action?

C'est un slogan qui colle très bien à cette militante énergique, car il réunit quatre éléments fondamentaux qui résument tout à fait son action:

■ le rôle du citoyen et de l'individu peut faire la différence;

■ l'influence sur les décideurs politiques, en rapport avec la démocratie et l'exercice du vote démocratique;

■ la dénonciation de la société de consommation et de toute l'organisation de la production industrielle qui la sous-tend;

■ la portée symbolique et le pouvoir revendicateur nécessaires pour faire bouger les choses.

La prochaine fois que vous irez au café du coin pour déguster votre boisson préférée, il est à parier que vous vous souviendrez de ce slogan. Il ne laisse pas indifférent!

Notes

1. www.equiterre.qc.ca

2. Pour l'essentiel, les informations de cette section sont tirées du livre de Laure Waridel, *Acheter, c'est voter: Le cas du café*, Écosociété, 2005, 176 p. Les citations sont tirées intégralement de l'ouvrage.

3. Les informations de cette section sont tirées de deux sources principales:
   a) Laure Waridel, *Acheter, c'est voter: le cas du café*, Écosociété, 2005, 176 p.
   b) Entrevue réalisée le 30 mai 2005 avec Carle Bernier-Genest.

4. Les informations présentées dans cette section sont tirées en grande partie de deux entrevues réalisées avec M. Joseph Audi, directeur du marketing chez Van Houtte, en juillet 2005 et mai 2006.

5. Van Houtte inc., 8300, 19e Avenue, Montréal (Québec), H1Z 4J8.

6. Cette coopérative n'était pas certifiée équitable.

7. L'Agence canadienne de développement international.

8. Une vérification auprès de la direction de Van Houte nous a appris que la divulgation des noms et des coordonnées de leurs clients ne serait pas autorisée pour des raisons éthiques.

9. Laure Waridel, *Acheter c'est voter: le cas du café*, Écosociété, 2005, 176 p.

10. Diffusion SRC Télévision, le dimanche soir à 20 h.

11. Juana est l'une des amies dont Laure Waridel parle dans son livre *Acheter, c'est voter*.

12. Jean-François Nadeau, « Inoffensive Laure Waridel », *Le Devoir*, cahier Livres, samedi 19 février 2005, p. F5.

ANNEXE C5.1

Liste des organisations en relation avec Équiterre

Oxfam-Québec
www.oxfam.qc.ca

Association québécoise des organismes en coopération internationale (AQOCI)
www.aqoci.qc.ca

Centre canadien d'études et de coopération internationale (CECI)
www.ceci.ca

TransFair Canada
www.fairtrade.ca

Cuso Québec
www.cuso.org

Fondation Jules et Paul-Émile Léger
www.leger.org

MondÉquitable
dmv-mtl@qc.aira.com

Carrefour Tiers-Monde
www.carrefour-tiers-monde.org

Centre de Solidarité internationale d'Alma
centreso@digicom.qc.ca

Comité Solidarité Nord-Sud des Bois-Francs
snsbf@cdcbf.qc.ca

Oxfam Canada
www.oxfam.ca

Centre de recherche pour le développement international (CRDI)
www.idrc.ca

Source: www.equiterre.org/outils/liens.html

BIBLIOGRAPHIE

Bibliographie — Introduction

BOUDON, R. (1979). *La logique du social*, Paris, Hachette.

HEILBRONER, R.L. (1968). *The Making of Economic Society*, 2ᵉ éd., Englewood Cliffs (N.J.), Prentice-Hall.

ROCHER, G. (1969). *Introduction à la sociologie générale*, tome 1: *L'action sociale*, Montréal, Hurtubise HMH.

Bibliographie — Chapitre 1

ALBERT, M. (1991). *Capitalisme contre capitalisme*, Paris, Seuil.

AMABLE, B. (2005). *Les cinq capitalismes. Diversité des systèmes économiques et sociaux dans la mondialisation*, Paris, Seuil.

BAECHLER, J. (1971). *Les origines du capitalisme*, Paris, Gallimard.

BAUER, M. et BERTIN-MOUROT, B. (1995). «Production d'autorité légitime, typologie des dirigeants de grandes entreprises et comparaison internationale. Schéma d'analyse et premiers résultats comparatifs européens», communication présentée au colloque international «Entreprises et sociétés. Enracinement, mutations et mondialisation», Montréal, École des HEC, 23 août. (Texte disponible sur CD-ROM, p. 122.)

BEAUD, M. (1990). *Histoire du capitalisme, de 1500 à nos jours*, Paris, Seuil.

BÉLANGER, Y. et FOURNIER, P. (1987). *L'entreprise québécoise. Développement historique et dynamique contemporaine*, Montréal, Hurtubise HMH.

BERGER, P.L. (1992). *La révolution capitaliste: cinquante propositions concernant la prospérité, l'égalité et la liberté*, Paris, Nouveaux Horizons et Litec.

BERGER, S. (1996). «Le rôle des États dans la globalisation», *Sciences humaines*, Hors série nᵒ 14, p. 52-56.

BRAUDEL, F. (1979). *Civilisation matérielle, économie et capitalisme, XVᵉ–XVIIᵉ siècle*, tome 3: *Le temps du monde*, Paris, Armand Colin.

CASTORIADIS, C. (1975). *L'institution imaginaire de la société*, Paris, Seuil.

CERNY, P.G. (1996). «Finance internationale et érosion du capitalisme diversifié», dans C. Crouch et W. Streeck (sous la dir. de), *Les capitalismes en Europe*, Paris, La Découverte, p. 235-246.

CHANDLER, A.D. (1993a). *Organisation et performance des entreprises*, tome 2: *La Grande-Bretagne 1880-1948*, Paris, Éditions d'organisation.

CHANDLER, A.D. (1993b). *Organisation et performance des entreprises*, tome 3: *L'Allemagne 1880-1939*, Paris, Éditions d'organisation.

CHANDLER, A.D. (1992). *Organisation et performance des entreprises*, tome 1: *Les USA 1880-1948*, Paris, Éditions d'organisation.

CHANDLER, A.D. (1988). *La main invisible des managers: une analyse historique*, Paris, Economica.

CROUCH, C. et STREECK, W. (1996). «Les capitalismes en Europe», dans C. Crouch et W. Streeck (sous la dir. de), *Les capitalismes en Europe*, Paris, La Découverte, p. 11-25.

GIRARD, C. et PERRON, N. (1989). *Histoire du Saguenay–Lac-Saint-Jean*, Québec, Institut québécois de recherche sur la culture.

HEILBRONER, R.L. (1986). *Le capitalisme: nature et logique*, Paris, Atlas et Economica.

HOLLINGSWORTH, R. (1996). «L'imbrication du capitalisme américain dans les institutions», dans C. Crouch et W. Streeck (sous la dir. de), *Les capitalismes en Europe*, Paris, La Découverte, p. 179-199.

KENNEDY, P. (1989). *Naissance et déclin des grandes puissances*, Paris, Payot.

MANTOUX, P. (1959). *La révolution industrielle au XVIIIe siècle : essai sur les commencements de la grande industrie moderne en Angleterre*, Paris, Génin.

MULLET, M. (1987). *Popular Culture and Popular Protest in Late Medieval and Early Europe*, Londres, Croom Helm.

NOËL, A. (1995). « Québec Inc. : Veni ! Vidi ! Vici ? », dans J.-P. Dupuis (sous la dir. de), *Le modèle québécois de développement économique. Débats sur son contenu, son efficacité et ses liens avec les modes de gestion des entreprises*, Cap-Rouge et Casablanca, Presses Inter Universitaires et Éditions 2 Continents, p. 67-94.

PELLETIER, R. (2005). « La Chine aux commandes de l'économie du monde ? », *La Presse*, 7 août, p. A6.

PEYREFITTE, A. (1989). *L'Empire immobile ou le choc des cultures*, Paris, Fayard.

PICHETTE, J. (1996). « Un économiste féru d'éthique », *Le Devoir*, 18 novembre, p. B1.

RIOUX, J.-P. (1971). *La révolution industrielle. 1780-1880*, Paris, Seuil.

STRANGE, S. (1996). « L'avenir du capitalisme mondial. La diversité peut-elle persister indéfiniment ? », dans C. Crouch et W. Streeck (sous la dir. de), *Les capitalismes en Europe*, Paris, La Découverte, p. 247-260.

Bibliographie — Chapitre 2

ALBERT, M. (1991). *Capitalisme contre capitalisme*, Paris, Seuil.

BERNIER, B. (1995). *Le Japon contemporain. Une économie nationale, une économie morale*, Montréal, Presses de l'Université de Montréal.

BETTELHEIM, B. (1972). *Le cœur conscient*, Paris, Laffont.

BOLTANSKI, L. (1982). *Les cadres. La formation d'un groupe social*, Paris, Minuit.

BOURQUE, R. et LAPOINTE, P.-A. (1992). « Syndicalisme et modernisation sociale des entreprises : l'expérience de la CSN au Québec », dans T.S. Kuttner (sous la dir. de), *Le système de relations industrielles : développements et tendances*, Actes du XXIXe Congrès de l'Association canadienne des relations industrielles (ACRI-CIRA), vol. 2, n° 2, p. 571-581.

CARPENTIER-ROY, M.-C. (1991). *Corps et âme : psychopathologie du travail infirmier*, Montréal, Liber.

CROZIER, M. et FRIEDBERG, E. (1977). *L'acteur et le système*, Paris, Seuil, coll. « Points ».

CRU, D. (1987). « Les règles du métier », dans C. Dejours (sous la dir. de), *Plaisir et souffrance dans le travail. Séminaire interdisciplinaire de psychopathologie du travail*, tome 1, Paris, publié avec le concours du CNRS, p. 29-42.

DUPUIS, J.-P. (2002). « L'impact de la sous-traitance sur la culture professionnelle des mineurs », dans D. Harrisson et C. Legendre, *Santé, sécurité et transformation au travail. Réflexions et recherches sur le risque professionnel*, Montréal, PUQ, p. 205-228.

DUPUIS, J.-P. (1985). *Le ROCC de Rimouski, la recherche de nouvelles solidarités*, Québec, Institut québécois de recherche sur la culture, coll. « Documents de recherche » n° 6.

DURIVAGE, P. (1997). « Les patrons québécois grassement rémunérés », *La Presse*, 12 juillet, p. E1.

FRIEDBERG, E. (1993). *Le pouvoir et la règle. Dynamiques de l'action organisée*, Paris, Seuil.

FRIEDBERG, E. (1972). *L'analyse sociologique des organisations, nouvelle édition remise à jour*, 1988, Paris, L'Harmattan.

GAGNON, M.-J. (1994). *Le syndicalisme : état des lieux et enjeux*, Québec, Institut québécois de recherche sur la culture.

HARRISSON, D. et LAPLANTE, N. (1994). « Confiance, coopération et partenariat. Un processus de transformation dans l'entreprise québécoise », *Relations industrielles*, vol. 49, n° 4, p. 696-727.

HASSARD, J. (1990). « Pour un paradigme ethnographique du temps de travail », dans J.-F. Chanlat (sous la dir. de), *L'individu dans l'organisation*, Québec, Eska, p. 215-230.

KOURCHID, O. (1992). *L'autre modèle californien. Contribution à une sociologie comparative de la condition salariale (France–États-Unis)*, Paris, Méridiens Klincksieck.

LAPOINTE, P.-A. (1996). *Participation et partenariat à Cascades-Jonquière : impasse temporaire ou impossible projet ?*, Montréal, Hull, Rimouski, Québec, Université du Québec et Université Laval, Cahiers du CRISES n° 9604.

MONKS, R.A.G. et MINOW, N. (1995). *Corporate Governance*, Oxford, Blackwell Business.

MORRIS, B. (1997). «Is your family wrecking your career and vice versa?», *Fortune Magazine*, vol. 135, n° 5, p. 71-90.

NEKHILI, M. (1997). «La discipline par les banques», dans G. Charreaux (sous la dir. de), *Le gouvernement des entreprises. Corporate Governance. Théories et faits*, Paris, Economica, p. 331-360.

PÉPIN, N. (1996). «Post ou néo-fordisme chez Cascades Inc.: analyse des dimensions culturelle, organisationnelle et institutionnelle de l'entreprise à travers le cas de Kingsey Falls et d'East Angus», thèse de doctorat, Montréal, Université du Québec à Montréal.

RAO, P.S. et LEE-SING, C.R. (1996). *Les structures de régie, la prise de décision et le rendement des entreprises en Amérique du Nord*, Ottawa, Industrie Canada, Documents de travail n° 7, mars.

REYNAUD, J.-D. (1989). *Les règles du jeu. L'action collective et la régulation sociale*, Paris, Armand Colin.

ROUILLARD, J. (1993). «L'image du pouvoir syndical au Québec (1950-1991)», *Recherches sociographiques*, vol. 34, n° 2, p. 279-304.

ROY, D.F. (1959). «"Banana Time": Job satisfaction and informal interaction», *Human Organization*, vol. 18, p. 158-168.

Bibliographie — Chapitre 3

BERNARD, F. et HAMEL, P.J. (1982). «Vers une déprofessionnalisation de la profession comptable? La situation au Québec», *Sociologie du travail*, n° 2, p. 117-134.

BERNIER, B. (1995). *Le Japon contemporain. Une économie nationale, une économie morale*, Montréal, Presses de l'Université de Montréal.

BETTELHEIM, B. (1972). *Le cœur conscient*, Paris, Laffont.

BOLTANSKI, L. (1982). *Les cadres. La formation d'un groupe social*, Paris, Minuit.

BOURQUE, R. et LAPOINTE, P.-A. (1992). «Syndicalisme et modernisation sociale des entreprises: l'expérience de la CSN au Québec», dans T.S. Kuttner (sous la dir. de), *Le système de relations industrielles: développements et tendances*, Actes du XXIXe Congrès de l'Association canadienne des relations industrielles (ACRI-CIRA), vol. 2, n° 2, p. 571-581.

CARPENTIER-ROY, M.-C. (1991). *Corps et âme: psychopathologie du travail infirmier*, Montréal, Liber.

CHANLAT, A., BOLDUC, A. et LAROUCHE, D. (1984). *Gestion et culture d'entreprise. Le cheminement d'Hydro-Québec*, Montréal, Québec/Amérique.

CHARBONNEAU, J.-P. (1996). «Joliette respire enfin», *La Presse*, 24 février, p. A1.

CHEVALIER, D. et MOREL, A. (1985). «Identité culturelle et appartenance régionale», *Terrain*, n° 5, p. 3-5.

CHEVALIER, J. [un entretien avec] (1996-1997). «Un enjeu de pouvoir», *Sciences humaines*, Hors série 18, p. 37.

CLÉMENT, E. (1995). «Conflit à la Firestone de Joliette: Chevrette rencontrera les Japonais», *La Presse*, 10 décembre, p. A1.

COMITÉ SECTORIEL DE LA MAIN-D'OEUVRE DE L'INDUSTRIE DU CAOUTCHOUC DU QUÉBEC. (2005). «24 mai 2005: Les employés de l'usine de Bridgestone Firestone de Joliette ratifient l'entente: une nouvelle convention collective trois mois avant l'échéance de la présente entente», [en ligne], www.caoutchouc.ca/private/01.asp?DocumentID=150, page consultée le 21 juillet 2005.

CROZIER, M. et FRIEDBERG, E. (1977). *L'acteur et le système*, Paris, Seuil, coll. «Points».

CRU, D. (1987). «Les règles du métier», dans C. Dejours (sous la dir. de), *Plaisir et souffrance dans le travail. Séminaire interdisciplinaire de psychopathologie du travail*, tome 1, Paris, publié avec le concours du CNRS, p. 29-42.

DEMERS, C. (1990). *La diffusion stratégique en situation de complexité, Hydro-Québec, un cas de changement radical*, thèse de doctorat, Montréal, École des HEC.

DUPUIS, J.-P. (2002). «L'impact de la sous-traitance sur la culture professionnelle des mineurs», dans D. Harrisson et C. Legendre, *Santé, sécurité et transformation au travail. Réflexions et recherches sur le risque professionnel*, Montréal, PUQ, p. 205-228.

DUPUIS, J.-P. (1985). *Le ROCC de Rimouski, la recherche de nouvelles solidarités*, Québec, Institut québécois de recherche sur la culture, coll. «Documents de recherche» n° 6.

DURIVAGE, P. (1997). «Les patrons québécois grassement rémunérés», *La Presse*, 12 juillet, p. E1.

DUTRISAC, R. (1997). «Seul contre les banques», *Le Devoir*, 13 janvier, p. A1.

FRANCFORT, I., OSTY, F., SAINSAULIEU, R. et UHALDE, M. (1995). *Les mondes sociaux de l'entreprise*, Paris, Desclée de Brouwer.

FRIEDBERG, E. (1993). *Le pouvoir et la règle*, Paris, Seuil.

FRIEDBERG, E. (1972). *L'analyse sociologique des organisations, nouvelle édition remise à jour*, 1988, Paris, L'Harmattan.

HAFSI, T. et DEMERS, C. (1989). *Le changement radical dans les organismes complexes. Le cas d'Hydro-Québec*, Boucherville (Québec), Gaëtan Morin Éditeur.

HARRISSON, D. et LAPLANTE, N. (1994). «Confiance, coopération et partenariat. Un processus de transformation dans l'entreprise québécoise», *Relations industrielles*, vol. 49, n° 4, p. 696-727.

LAPOINTE, P.-A. (1996). *Participation et partenariat à Cascades-Jonquière: impasse temporaire ou impossible projet?*, Montréal, Hull, Rimouski, Québec, Université du Québec et Université Laval, Cahiers du CRISES n° 9604.

LAVIGUEUR, R. (1997). «Cascades, une culture en transformation», communication présentée au 65e Congrès de l'ACFAS, Trois-Rivières, 12 au 16 mai.

NASH, J. (1979). *We Eat the Mines and the Mines Eat Us. Dependency and Exploitation in Bolivian Mines*, New York, Columbia Press.

PÉPIN, N. (1996). «Post ou néo-fordisme chez Cascades Inc.: analyse des dimensions culturelle, organisationnelle et institutionnelle de l'entreprise à travers le cas de Kingsey Falls et d'East Angus», thèse de doctorat, Montréal, Université du Québec à Montréal.

PERREAULT, M. (1996). «Cinq conflits en 30 ans», *La Presse*, 10 février, p. A23.

SAINSAULIEU, R. (1988). *Sociologie de l'organisation et de l'entreprise*, Paris, Presses de la FNSP et Dalloz.

SAINSAULIEU, R. (1977). *L'identité au travail*, Paris, FNSP.

SARDAN, J.-P.O. de (1984). «Introduction», *Sociologie du Sud-Est*, n°s 41-44, p. 7-15.

SCIENCES HUMAINES (1996-1997). «Appartenances professionnelles. Une constante évolution», *Sciences humaines*, Hors série 15, p. 26-27.

TREMBLAY, M. (1994). *Le sang jaune de Bombardier. La gestion de Laurent Beaudoin*, Québec, Presses de l'Université du Québec et École des HEC.

TREMBLAY, M.-A. (1983). *L'identité québécoise en péril*, Sainte-Foy (Québec), Les Éditions Saint-Yves.

Bibliographie — Chapitre 4

ABRAHAMSON, P. (1994). «La pauvreté en Scandinavie», dans F.-X. Merrien, Paris, Éditions de l'Atelier/Ouvrières, p. 171-188.

BERGERON, G. (1990). *Petit traité de l'État*, Paris, PUF.

BERSTEIN, S. (1992). *Démocraties, régimes autoritaires et totalitarismes au XXe siècle*, Paris, Hachette.

BIRNBAUM, P. et autres. (1994). *Dictionnaire de la science politique et des institutions politiques*, Paris, Armand Colin.

BOISMENU, G. (1994). «Protection sociale et stratégie défensive au Canada et aux États-Unis», dans D. Brunelle et C. Debbock (sous la dir. de), *L'Amérique du Nord et l'Europe communautaire. Intégration économique, intégration sociale?*, Sainte-Foy, Presses de l'Université du Québec, p. 403-419.

BOYDON, R. et BOURRICAUD, F. (1982). *Dictionnaire critique de la sociologie*, Paris, PUF.

BRAUDEL, F. (1979). *Civilisation matérielle, économie et capitalisme. XVe siècle, tome I: Les structures du quotidien*, Seuil, Le Livre de poche.

BURDEAU, G. (1970). *L'État*, Paris, Seuil, coll. «Points».

DEBBASCH, C. et PONTIER, J.-M. (1995). *Introduction à la politique*, Paris, Dalloz.

DÉLOYE, Y. (1997). *Sociologie historique du politique*, Paris, La Découverte.

DELWIT, P. (2001). *Introduction à la science politique*, Bruxelles, Presses universitaires de Bruxelles.

DUHAMEL, A. et MERCIER, B. (2000). *La démocratie. Ses fondements, son histoire et ses pratiques*, Québec, Le Directeur général des élections du Québec.

DUMONT, F. (1997). *Raisons communes*, Montréal, Boréal.

ESPING-ANDERSEN, G. (1990). *Les trois mondes de l'État-providence. Essai sur le capitalisme moderne*, Paris, PUF.

FACAL, J. (2005). « Changement social et transformations d'une identité collective : le cas des Québécois de l'après-guerre à aujourd'hui », Cahier de recherche n° 05-01, HEC Montréal.

FERRERA, M. (1996). « The Southern Model of Welfare in Social Europe », *Journal of European Social Policy,* vol. 6, n° 1.

GUAY, A. et MARCEAU, N. (2005). « Le Québec n'est pas le cancre que l'on dit », dans M. Venne (sous la dir. de), *L'Annuaire du Québec 2005*, Montréal, Fides, p. 66-83.

GIDDENS, A. (2000). *Runaway World. How Globalization is Reshaping Our Lives,* Londres, Brunner-Routledge.

HASTINGS, M. (1996). *Aborder la science politique,* Paris, Seuil.

HELD, D. et autres. (1999). *Global Transformations,* Cambridge, (G.-Br.), Polity.

HERMET, G. (1996). *Le passage à la démocratie,* Paris, Presses de la Fondation nationale des sciences politiques.

HERMET, G. (1985). « L'autoritarisme », dans M. Grawitz et J. Leca (sous la dir. de), *Traité de science politique,* vol. 2, Paris, PUF.

HIRST, P. et THOMPSON, G. (1999). *Globalization in Question. The International Economy and the Possibilities of Governance,* Cambridge, (G.-Br.), Polity.

LAMONDE, Y. et TRÉPANIER, E. (1986). *L'avènement de la modernité culturelle au Québec,* Québec, Institut québécois de recherche sur la culture.

LAPIERRE, J.-W. (1985). « Du pouvoir en général au pouvoir politique », dans M. Grawitz et J. Leca (sous la dir. de), *Traité de science politique,* vol. 1, Paris, PUF, p. 372.

LÉVESQUE, B. (2003). « Un modèle québécois de deuxième génération ? », *Le Devoir,* 12 février, [en ligne], www.vigile.net/ds-economie/docs3/03-2-12-levesque-modele.html (page consultée le 21 juin 2006).

LÉVESQUE, B., BOURQUE, G.L. et VAILLANCOURT, Y. (1999). « Trois positions dans le débat sur le modèle québécois », *Nouvelles pratiques sociales,* vol. 12, n° 2.

LINTEAU, P.-A. (1981). *Maisonneuve. Comment des promoteurs fabriquent une ville,* Montréal, Boréal.

LIPSET, S.M. (1990). *Continental Divide. The Values and Institutions of the United States and Canada,* New York, Routledge.

LIZÉE, J.-F. (2003). « Un mauvais procès fait au modèle québécois. Étude des pièces à conviction », dans M. Venne (sous la dir. de), *Justice, démocratie et prospérité. L'avenir du modèle québécois,* Québec-Amérique, p. 31-47.

MERCIER, B. et DUHAMEL, A. (2000). *La démocratie. Ses fondements, son histoire et ses pratiques,* Québec, Le Directeur général des élections du Québec.

MUELLER, D. (2003). *Public Choice III,* Cambridge (G.-Br.), Cambridge University Press.

OHMAE, K. (1995). *The End of the Nation State. The Rise of Regional Economies,* Londres, Free Press.

PALIER, B. et BONOLI, G. (1995). « Entre Bismarck et Beveridge. Crises de la sécurité sociale et politique(s) », *Revue française de Science politique,* vol. 4, n° 4.

POMIAN, K. (1999). « Qu'est-ce que le totalitarisme ? », dans M. Ferro (sous la dir. de), *Nazisme et communisme,* Paris, Hachette, Pluriel-inédit, p. 160.

QUERMONNE, J.-L. (1986). *Les régimes politiques occidentaux,* Paris, Seuil.

ROSENAU, J. (1997). *Along the Domestic-Foreign Frontier. Exploring Governance in a Turbulent World,* Cambridge (G.-Br.), Cambridge University Press.

ROUILLARD, J. (1989). *Histoire du syndicalisme québécois,* Montréal, Boréal.

ROY, F. (1989). *Progrès, harmonie, liberté : le libéralisme des milieux d'affaires francophones à Montréal au tournant du siècle,* Montréal, Boréal.

STANBURY, W. (1993). *Business-Government in Canada. Influencing Public Policy,* 2e éd., Scarborough (Ontario), Nelson Canada.

TOULOUSE, J.-M. (1979). *L'entrepreneurship au Québec,* Montréal, Fides.

VERRETTE, M. (1989). *L'alphabétisation au Québec (1660-1900),* thèse de doctorat en histoire, Université Laval.

WALLOT, J.-P. (1973). *Un Québec qui bougeait : trame socio-politique du Québec au tournant du XIXe siècle,* Montréal, Boréal Express.

WARREN, J. P. (2003). *L'engagement sociologique. La tradition sociologique du Québec francophone (1886-1955)*, Montréal, Boréal.

Bibliographie — Chapitre 5

ADDA, J. (2001). *La mondialisation de l'économie*, tome 1: *Problèmes*, Paris, La Découverte, coll. «Repères», 127 p.

ASSOCIATION DES NATIONS DE L'ASIE DU SUD-EST (ANASE) (2005). Site Internet, www.aseansec.org.

BAECHLER, J. (1971). *Les origines du capitalisme*, Paris, Gallimard.

BANQUE AFRICAINE DE DÉVELOPPEMENT (BAD) (2005). Site Internet, www.afdb.org.

BANQUE MONDIALE (BM) (2003). *Global Economic Prospects*, Washington, D.C., The World Bank.

BARTHE, M.-A. (2003). *Économie de l'Union européenne*, 2e éd., Paris, Economica.

BECK, U. (2003). *Pouvoir et contre-pouvoir à l'ère de la mondialisation* (traduit de l'allemand par Aurélie Duthoo), Paris, Aubier.

BELL, D. (1976). *The Coming of the Industrial Society: A Venture of Social Forecasting*, Paris, Robert Laffont.

BERNSTEIN, S. et MILZA, P. (1987). *Histoire du vingtième siècle: de 1953 à nos jours*, tome 3: *La croissance et la crise*, Paris, Hatier.

BOILLOT, J.-J. (2002). *L'Union européenne élargie: un défi économique pour tous*, Notes et études documentaires, nos 5164-65, décembre, Paris, Jouve, coll. «La documentation française».

BRASSEUL, J. (2003). *Histoire des faits économiques et sociaux*, Paris, Armand Colin.

BRAUDEL, F. (1985). *La dynamique du capitalisme*, Paris, Arthaud.

BREITENFELLNER, A. (2004). «Le syndicalisme mondial: un partenaire potentiel», dans James D. Thwaites (sous la dir. de), *La mondialisation: Origines, développement et effets*, Québec, Presses de l'Université Laval, p. 103-136.

CHOSSUDOVSKY, M. (1998). *La mondialisation de la pauvreté: la conséquence des réformes du FMI et de la Banque mondiale*, Montréal, Édition Écosociété.

COMMERCE INTERNATIONAL CANADA (2005). Site Internet, www.itcan-cican.gc.ca.

DEBLOCK, C. et AOUL, S.K. (2001). *La dette extérieure des pays en développement: la renégociation sans fin*, Québec, Presses de l'Université du Québec.

FONDS MONÉTAIRE INTERNATIONAL (FMI) (2005). Site Internet, www.imf.org.

FONTANEL, J. (1981). *Organisations économiques internationales*, Paris, Masson.

FRANCE ATTAC (Association pour la Taxation des Transactions pour l'Aide aux Citoyens) (2005). Site Internet, www.france.attac.org.

FRANCK, R.H. (1994). *Microeconomics and Behavior*, 2e éd., New York, McGraw-Hill.

HAFSI, T. et LE LOUARN, J.-Y. (2000). «La Banque africaine de développement: espoir pour le développement africain (Cas A), Centre d'études en administration internationale (CETAI)», École des Hautes Études Commerciales (HEC Montréal), Mai.

JACOB, A. (2005). «Le travail des enfants: la grande hypocrisie», *Le Devoir*, 7 décembre, p. A7.

LARAT, F. (2004). *Histoire politique de l'intégration européenne (1945-2003)*, Notes et études documentaires, no 5173, Paris, Jouve, coll. «La documentation française».

LEE, E. (2004). «La Déclaration de Philadelphie: rétrospective et prospective», dans James D. Thwaites (sous la dir. de), *La mondialisation: Origines, développement et effets*, Québec, Presses de l'Université Laval, p. 35-56.

MINISTÈRE DES AFFAIRES ÉTRANGÈRES ET DU COMMERCE INTERNATIONAL Canada (2005). Site Internet, www.dfait-maeci.gc.ca.

MINISTÈRE DES RELATIONS INTERNATIONALES DU QUÉBEC. Site Internet, www.mri.gouv.qc.ca.

MOREAU DEFARGE, P. (2002). *La mondialisation*, Paris, Presses universitaires de France, coll. «Que sais-je?».

ORGANISATION INTERNATIONALE DU TRAVAIL (OIT) (2005). Site Internet, www.ilo.org.

ORGANISATION MONDIALE DU COMMERCE (OMC) (2005). Site Internet, www.wto.org.

ORGANISATION DES NATIONS UNIES (ONU) (2005). Site Internet, www.un.org.

PATRIMOINE CANADA (2005). Site Internet, www.pch. gc.ca.

REY, J.-J. et ROBERT, É. (1996). *Institutions économiques internationales,* 2ᵉ éd., Bruxelles, Bruylant.

STIGLITZ, J.E. (2003). *Quand le capitalisme perd la tête,* Paris, Fayard.

STIGLITZ, J.E. (2002). *La grande désillusion,* traduit de l'américain par Paul Chemla, Paris, Fayard.

TODOROV, T. (1982). *La conquête de l'Amérique : la question de l'autre,* Paris, Seuil.

UNESCO (2005). Site Internet, www.portal.unesco.org.

UNICEF (2005). Site Internet, www.unicef.org.

UNION EUROPÉENNE (2005). Site Internet, www.europa.eu.int.

ZACHARIE, A. (2002). « Aux origines de la crise argentine », Comité pour l'annulation de la dette du tiers-monde. Site Internet, www.cadtm.org.

ZIEGLER, J. (2005). « L'aide alimentaire ne peut pas être l'objet de marchandage à l'OMC », *Le Devoir,* 5 décembre, p. A7.

ZIEGLER, J. (2002). *Les nouveaux maîtres du monde et ceux qui leur résistent,* Paris, Fayard.

WIKIPÉDIA/L'ENCYCLOPÉDIE LIBRE (2005). Site Internet, www.fr.wikipedia.org.

Bibliographie — Chapitre 6

ADAMS, R.J. (1995). « From Adversarialism to Social Partnership : Lessons from the Experience of Germany, Japan, Sweden and the United States », dans R.J. Adams, G. Betcherman et B. Bilson (sous la dir. de), *Good Jobs, Bad Jobs, No Jobs : Tough Choices for Canadian Labor Law,* Toronto, C.D. Howe Institute, p. 16-69.

AMOSÉ, T. (2004). *Mythes et réalités de la syndicalisation en France, Premières informations et premières synthèses,* Ministère de l'Emploi, du Travail et de la Cohésion sociale, Direction de l'animation, de la recherche, des études et des statistiques (DARES), Paris, octobre, nᵒ 44, 2. Site Internet, www.travail.gouv.fr.

ANNER, M. (2002). « Between Economic Nationalism and Transnational Solidarity : Labor Responses to Internationalization and Industrial Restructuring in the Americas », *Annual Meeting of the American Political Science Association,* Boston, États-Unis.

APPELBAUN, H. (2002). « The Impact of New Forms of Work Organization on Workers », dans G. Murray, J. Bélanger, A. Giles et P.-A. Lapointe (sous la dir. de), *Work Employment Relations in the High Performance Workplace,* New York, Continuum, p. 120-149.

AKYEAMPONG, E.B. (2002). « Unionization and Fringe Benefits », *Perspectives on Labour and Income,* vol. 14, nᵒ 3, p. 42-46.

ARMBRUSTER, R. (1998). « Cross-Border Organizing in the Garment and Automobile Industries : The Phillips Van Heusen and Ford Cuautitlan Cases », *Journal of World-Systems Research,* vol. 4, nᵒ 1, p. 20-51.

BABSON, S. (2003). « Dual Sourcing at Ford in the United States and Mexico : Implications for Labour Relations and Union Strategies », dans W.N. Cook (sous la dir. de), *Multinational Companies and Global Human Resource Strategies,* Westport, Quorum Books, p. 197-222.

BOOTH, A. (1995). *The Economics of Trade Union,* Cambridge (G.-Br.), Cambridge University Press.

BOURQUE, R. (2005). *Les accords-cadres internationaux (ACI) et la négociation collective internationale à l'ère de la mondialisation,* Genève, Institut international d'études sociales, Programme éducation et dialogue.

BOURQUE, R. et RIOUX, C. (2001). « Restructuration industrielle et action syndicale locale : le cas de l'industrie du papier au Québec », *Relations industrielles,* vol. 56, nᵒ 2, p. 336-361.

BOURQUE, R. (1999). « Coopération patronale-syndicale et réorganisation du travail », *Relations industrielles,* vol. 54, nᵒ 1, p. 136-167.

BRUNELLE, C. (2002). « L'émergence des associations parallèles dans les rapports collectifs de travail », *Relations industrielles,* vol. 57, nᵒ 2, p. 282-308.

CAPPELLI, P. et NEMARK, D. (2001). « Do "High Performance" Work Practices Improve Establish-Level Outcomes ? », *Industrial and Labor Relations Review,* 54, p. 737-775.

CAPPELLI, P. (1999). *The New Deal at Work,* Boston : Harvard Business School Press.

CARMICHAEL, I. et QUARTER, J. (2003). « Introduction », dans I. Carmichael et J. Quarter (sous la dir. de), *Money on the Line. Workers' Capital in Canada,* Ottawa, Canadian Center for Policy Alternatives, p. 15-32.

CHAISON, G. (2001). «Union Mergers and Union Renewal: Are we Asking too Much or too Little», dans L. Turner, H.C. Katz et R.W. Hurd (sous la dir. de), *Rekindling the Movement: Labor's Quest for Relevance in the 21st Century*, Ithaca, ILR Press, p. 72-90.

CHAPMAN, P. (2004). «Le point sur la saison de votes par procuration 2004», *Nouvelles sur les pensions*, Congrès du travail du Canada, p. 8-10.

COIQUAUD, U. (2006). *Réflexions autour de l'entrepreneur dépendant non salarié, le cas des chauffeurs de taxis non propriétaires*, Montréal, Document de recherche du CRIMT.

COMPA, L. (2001). «Free Trade, Fair Trade, and the Battle for Labor Rights», dans L. Turner, H.C. Katz et R.W. Hurd (sous la dir. de), *Rekindling the Movement: Labor's Quest for Relevance in the 21st Century*, Ithaca, ILR Press, p. 314-338.

COOKE, W. (1992). «Product Quality Improvement through Employee Participation: The Effect of Unionization and Joint-Union Management Administration», *Industrial and Labor Relations Review*, vol. 43, p. 119-134.

DANIEL, C., FLAMANT, P., JEANNET, A. et TAIB, G. (2003). *L'information sur les conventions collectives en France et dans cinq pays européens*, Paris, La documentation française.

DA COSTA, I. et REHFELDT, U. (2006). *Syndicats et firmes américaines dans l'espace social européen: des comités d'entreprise européens aux comités mondiaux?*, Rapport pour le Commissariat général du Plan, Paris, Centre d'études et de l'emploi.

DEAKIN, S. et WILKINSON, F. (2005). *The Law of the Labour Market: Industrialization, Employment, and Legal Evolution*, Oxford, Oxford University Press.

DUFOUR, C. et HEGE, A. (2002). *L'Europe syndicale au quotidien*, Bruxelles, P.I.E. Peter Lang.

EHRENREICH, B. (2001). *Nickel and Dimed: On (Not) Getting By in America*, New York, Metropolitan Books.

FAIRBROTHER, P. et HAMMER, N. (2005). «Global Unions: Past Efforts and Future Prospects», *Relations industrielles*, vol. 60, n° 3, p. 405-431.

FÉDÉRATION DES TRAVAILLEURS ET TRAVAILLEUSES DU QUÉBEC (2000). *Caisses de retraite. Un levier de l'action syndicale*, Montréal, FTQ.

FREEMAN, R.B. et RODGERS, J. (1999). «What Workers Want and Why They Don't Have It», *What Workers Want?*, Ithaca, Cornell University Press.

FREEMAN, R.B. et MEEDOFF J.L. (1984). *What Do Unions Do?*, New York, Basic Books.

FROST, A.C. (2001). «Reconceptualizing Local Union Responses to Workplace Restructuring in North America», *British Journal of Industrial Relations*, vol. 39, n° 4, p. 539-564.

FROST, A.C. (2000). «Explaining Variation in Workplace Restructuring: the Role of Local Union Capabilities», *Industrial and Labor Relations Review*, vol. 53, p. 559-578.

GÉRIN-LAJOIE, J. (2004). *Les relations du travail au Québec*, Montréal, Gaëtan Morin Éditeur.

GITTLEMAN, M., HORRIGAN, M. et JOYCE, M. (1998). «Flexible Workplace Practices: Evidence from a Nationally Representative Survey», *Industrial and Labor Relations Review*, vol. 52, p. 99-115.

GOODMAN, J. (2004). «Australia and Beyond: Targeting Rio Tinto», dans R. Munck (sous la dir. de), *Labour and Globalisation: Results and Prospects*, Liverpool, Liverpool University Press, p. 105-127.

GORDON, M.E. et TURNER, L. (2000). *Transnational Cooperation among Labor Unions*, Ithaca, New York, ILR Press.

GREVEN, T. et RUSSO, J. (2003). «Transnational Corporate Campaigns': A Tool for Labour Unions in the Global Economy», *13th World Congress of the International Industrial Relations Association*, Berlin. Site Internet, www.fu-berlin.de/iira2003.

GUNDERSON, M. et HYATT, D. (2001). «Union Impact on Compensation, Productivity, and Management of the Organization», dans M. Gunderson, A. Ponack et D. G. Taras (sous la dir. de), *Union-Management Relations in Canada*, p. 385-413.

HAMMER, N. (2005). «International Framework Agreements: Global Industrial Relations Between Rights and Bargaining», *Transfer*, vol. 11, n° 4, p. 511-531.

HEROD, A. (2002). «Organizing Globally, Organizing Locally: Union Spatial Strategy in the Global Economy», dans J. Harrod et R. O'Brien (sous la dir. de), *Global Unions? Theory and Strategies of*

Organized Labour in the Global Political Economy, London, Routledge, p. 83-99.

KUMAR, P. et SCHENK C. (2005). *Paths to Union Renewal: Canadian experiences,* Peterborough, Broadview Press.

KUMAR, P., MURRAY, G. et SCHETAGNE, S. (1998). « Adapting to Change: Union Priorities in the 1990's », *Workplace Gazette,* vol. 1, n° 3, p. 84-98.

KUMAR, P. (1995). *Unions and Workplace Change in Canada,* Kingston, (Ont.), IRC Press.

KOZHAYA, N. (2005). « Les effets de la forte présence syndicale au Québec », Montréal, Institut économique de Montréal, *Les notes économiques,* septembre, p. 1-4.

LAMBERT, R. (2003). « Labour Movement in the Era of Globalization: Union Responses in the South », dans J. Harrod et R. O'Brien (sous la dir. de), *Global Unions? Theory and Strategies of Organized Labour in the Global Political Economy,* London, Routledge, p. 185-203.

LAPOINTE, P.-A., LÉVESQUE, C., MURRAY, G. et LE CAPITAINE, C. (2004). *La dynamique sociale des innovations en milieu de travail dans le secteur des industries métallurgiques du Québec,* Montréal, Études théoriques, CRISES.

LAPOINTE, P.-A. (2001). « Partenariat, avec ou sans démocratie », *Relations industrielles,* vol. 56, n° 2, p. 244-276.

LAPOINTE, P.-A., LÉVESQUE, C., MURRAY, G. et LE CAPITAINE, C. (2001). *Les innovations en milieu de travail dans le secteur des industries métallurgiques au Québec. Rapport synthèse,* Québec, Ministère du Travail.

LAPOINTE, P.-A., LÉVESQUE, C., MURRAY, G. et JACQUES, F. (2000). *Les innovations en milieu de travail dans l'industrie des équipements de transport terrestre. Rapport synthèse,* Québec, Ministère du Travail.

LEADER, S. (1986). « Grande-Bretagne », dans A. Lyon-Caen, A. Jeammaud (sous la dir. de), *Droit du travail, démocratie et crise en Europe occidentale et en Amérique,* Arles, Actes Sud, p. 75-109.

LECHER, W., PLATZER, H.W., RUB, S. et WEINER, K.P. (2001). *European Works Council: Developments, Types and Networking,* Aldershot, Hants, Ashgate.

LÉVESQUE, C. et DUFOUR-POIRIER, M. (2005). « Building North-South International Union Alliances: Evidence from Mexico », *Transfer,* n° 4, p. 532-547.

LÉVESQUE, C. et MURRAY, G. (2005). « Union Involvement and Workplace Change: A Comparative Study of Local Unions in Canada and Mexico », *British Journal of Industrial Relations,* vol. 43, n° 3, p. 489-514.

LÉVESQUE, C. et MURRAY, G. (2001). « Mondialisation, transformation du travail et renouveau syndical », dans Y. Bélanger, R. Comeau et C. Métivier (sous la dir. de), *La FTQ, ses syndicats et la société québécoise,* Montréal, Comeau et Nadeau, p. 189-202.

LÉVESQUE, C., BOUTEILLER, D. et GÉRIN-LAJOIE, J. (1997). « Réorganisation du travail et nouvelles configurations sociales: le cas de l'usine de la General Motors à Boisbriand », dans M. Grant, P.-R. Bélanger, et B. Lévesque (sous la dir. de), *Nouvelles formes d'organisation du travail: étude de cas et analyse comparative,* Montréal, Harmattan, p. 105-131.

LOCKE, R.M. et THELEN, K. (1995). « Apples and Oranges Revisited: Contextualized Comparisons and the Study of Comparative Labor Politics », *Politics & Society,* vol. 23, n° 3, p. 337-369.

MARGINSON, P., HALL, M., HOFFMANN, A. et MÜLLER, T. (2004). « The Impact of European Works Councils on Management Decision-Making in UK and US-Based Multinationals: A Case Study Comparison », *British Journal of Industrial Relations,* vol. 42, n° 2, p. 209-233.

MARGINSON, P. (1992). « European Integration and Transnational Management-Union Relations in the Enterprise », *British Journal of Industrial Relations,* décembre, p. 529-545.

MARSDEN, R. (2001). « Labour History and the Development of Modern Capitalism », *Union-Management Relations in Canada,* dans M. Guderson, A. Ponak et D.G. Taras (sous la dir. de), Toronto, Addison Wesley Longman, p. 58-78.

MARTINEZ LUCIO, M. et WESTON, S. (2004). « European Works Councils: Structures and Strategies in the New Europe », dans I. Fitzgerald et J. Stirling (sous la dir. de), *European Works Councils: Pessimism of the Intellect, Optimism of the Will?,* London, Routledge, p. 34-47.

MINNS, R. (2003). « Collateral Damage: The International Consequences of Pension Funds »,

Money on the Line. Workers' Capital in Canada, dans I. Carmichael et J. Quarter (sous la dir. de), Ottawa, Canadian Center for Policy Alternatives, p. 33-52.

MOREAU, M-A. (2002). « L'action syndicale en Europe », *Le syndicalisme salarié,* Paris, Dalloz, p. 59-75.

MUNCK, R. (2004). *Labour and Globalisation : Results and Prospects,* Liverpool, Liverpool University Press.

MUNCK, R. (2002). *Globalisation and Labour,* New York, The Zed Books.

OCDE (2004), *Perspectives de l'emploi de l'OCDE,* [en ligne], www.oecd.org/dataoecd/42/28/32496101. pdf, (page consultée le 21 juin 2006).

OSTERMAN, P., KOCHAN, T.A., LOCKE, R.M. et PIORE, M.J. (2001). *Working in America : A Blueprint for the New Labour Market,* Cambridge, M.A., MIT Press.

OSTERMAN, P. (2000). *Securing Prosperity : The American Labour Market, How It Has Changed and What to Do About It,* Princeton, Princeton University Press.

RAMSAY, H. (2000). « Know Thine Enemy : Understanding Multinational Corporations as a Requirement for Strategic International Laborism », dans M.E. Gordon et L. Turner (sous la dir. de), *Transnational Cooperation among Labor Unions,* Ithaca, New York, ILR Press, p. 26-43.

RAMSAY, H. (1997). « Solidarity at Last ? », *Economic and Industrial Democracy,* vol. 18, p. 503-537.

REHFELDT, U. (1993). « Les syndicats européens face à la transnationalisation des entreprises », *Le mouvement social,* n° 162, p. 69-93.

RUBENSTEIN, S. (2002). « Unions as Value-Adding Networks : Possibilities for the Future of U.S. Unionism », dans J. Bennett et B. Kaufman (sous la dir. de), *The Future of Private Sector Unionism in the United States,* Armonk NY, M.E. Sharpe.

SAGNES, J. (1994). « Voies européennes du syndicalisme », dans J. Sagnes (sous la dir. de), *Histoire du syndicalisme dans le monde,* Toulouse, Éditions Privat, p. 21-59.

SAUVIAT, C. (2001). « La gestion des caisses de retraite : un nouveau levier de l'action syndicale pour la FTQ », *Chroniques internationales de l'IRES,* n° 68, p. 21-29.

SERVAIS, J-M. (2000). « Labor Law and Cross-Border Cooperation among Unions », dans M.E. Gordon et L. Turner (sous la dir. de), *Transnational Cooperation among Labor Unions,* Ithaca, New York, ILR Press, p. 44-59.

SKLAIR, L. (2001). *The Transnational Capitalist Class,* Oxford, Blackwell.

STATISTIQUE CANADA (2005). « Fact Sheet on Unionization », *Perspectives on Labour and Income,* août, p. 18-42.

STATISTIQUE CANADA (2003). « Empowering Employees : A Route to Innovation », Ottawa, *The Evolving Workplace Series.*

TEYSSIER, B. (2005). « La négociation collective transnationale d'entreprise et de groupe », n° 11, novembre, *Droit social,* p. 982-990.

THELEN, K. (2003). « Varieties of Labor Politics in the Developed Democracies », dans P.A. Hall et D. Soskice (sous la dir. de), *Varieties of Capitalism : The Institutional Foundations of Comparative Advantage,* Londres, Oxford, p. 71-103.

TRUDEAU, G. (2004). « La grève au Canada et aux États-Unis : d'un passé glorieux à un avenir incertain », *Revue juridique Themis,* n° 38, p. 1-48.

TURNER, L. et HURD, R. (2001). « Building Social Movement Unionism », dans L. Turner, H.C. Katz et R.W. Hurd (sous la dir. de), *Rekindling the Movement : Labor's Quest for Relevance in the 21st century,* Ithaca, ILR Press.

VALLÉE, G. (2003). « Les codes de conduite des entreprises multinationales et l'action syndicale internationale : Réflexions sur la contribution du droit étatique », *Relations industrielles,* vol. 58, n° 3, p. 363-391.

VOOS, P.B. et MISHEL, L.R. (1992). *Unions and Economic Competitiveness,* New York, M.A. Sharpe.

WATERMAN, P. (1998). *Globalization, Social Movements and the New Internationalism,* London, Continuum International Publishing Group.

WAY, S.A. (2002). « High Performance Work Systems and Intermediate Indicators of Firm Performance within the US Small Business Sector », *Journal of Management,* vol. 28, n° 6, p. 765-785.

WELLS, D. (2001). « Labour Markets, Flexible Specialization and the New Microcorporatism : The Case of Canada's Major Appliance Industry », *Relations industrielles,* vol. 56, n° 2, p. 279-304.

WILLS, J. (2002). « Bargaining for the Space to Organize in the Global Economy : A Review of the Accor-IUF Trade Union Rights Agreement », *Review of International Political Economy,* vol. 9, n° 4, p. 675-700.

Bibliographie — Chapitre 7

ADSERA, A. (2004). « Changing Fertility Rates In Developed Countries. The Impact Of Labour Market Institutions », *Journal of Population Economics,* vol. 17, février, p. 17-43.

ANGELOFF, T. (2005). « Emplois de service », dans M. Maruani (sous la dir. de) *Femmes, genre et sociétés — L'état des savoirs,* Paris, La Découverte, p. 281-288.

ANGELOFF, T. et ARBORIO, A.-M. (2001). « Marché du travail et différences de sexe : des hommes dans des métiers de femmes », communication aux huitièmes journées de sociologie du travail, Aix, laboratoire LEST-CNSRS.

ANKER, R. (1997). « Ségrégation professionnelle hommes — femmes : les théories en présence », *Revue internationale du travail,* vol.136, n° 3.

ASSELIN, S. (2005). « Conditions de travail et rémunération », *Données sociales du Québec — édition 2005,* Gouvernement du Québec, Institut de la statistique du Québec.

BADINTER, E. (1986). *L'un est l'autre,* Paris, Odile Jacob.

BECKER, G. (1985). « Human capital and the Sex Division of Labor », *Journal of Labor Economics,* janvier, vol. 3, n° 1 p. 533-558.

BELGHITI-MHUT, S. (2004). « Les déterminants de l'avancement hiérarchique des femmes cadres », *Revue française de gestion,* vol. 30, n° 151, p. 145-160.

BELLE, F. (1991). *Être femme et cadre,* Paris, L'Harmattan.

BENDER, A.-F. (2004). « Égalité professionnelle ou gestion de la diversité ? Quels enjeux pour l'égalité des chances », *Revue française de gestion,* vol. 30, n° 151.

BOURDIEU, P. (1998). *La domination masculine,* Paris, Seuil.

BURKE, R.J. (1998). « Les femmes au conseil d'administration des sociétés canadiennes : il y a loin

de la coupe aux lèvres », *Gestion, revue internationale de gestion,* vol. 23, n° 3.

CACOUAULT, M. (2001). « La féminisation d'une profession est-elle le signe d'une baisse de prestige ? » *Travail, genre et société,* n° 5.

CATALYST (2004). *Catalyst Census of Women Board of Canada,* dans P. Théroux « Toujours peu de femmes aux postes de direction », *Les Affaires,* 30 avril, p. 22.

CATALYST (1998). *Advancing Women in Business : The Catalyst Guide,* San Francisco, (CA), Jossey-Bass.

COMMISSION DES DROITS DE LA PERSONNE ET DES DROITS DE LA JEUNESSE (CDPDJ) (2003). *Guide d'élaboration d'un PAÉ en emploi.*

COMMISSION DES DROITS DE LA PERSONNE ET DES DROITS DE LA JEUNESSE (CDPDJ) (1998). *Les programmes d'accès à l'égalité au Québec — Bilan et perspectives.*

CHEVALIER, A. et VITANEN, T.K. (2002). « The Causality Between Female Labour Force Participation and the Availability of Childcare », *Applied Economics Letters,* vol. 9, n° 14, p. 915-918.

CHEVRIER, C. et TREMBLAY, D.-G. (2003). « Portrait actuel du marché du travail au Canada et au Québec, une analyse statistique en fonction du genre », note 2003-02, Chaire de recherche du Canada sur les enjeux socio-organisationnels de l'économie du savoir, TÉLUQ.

COMITÉ AVISEUR FEMMES EN DÉVELOPPEMENT DE LA MAIN-D'ŒUVRE (2005). *Les femmes et le marché de l'emploi. La situation économomique et professionnelle des Québécoises,* Montréal.

COMITÉ AVISEUR FEMMES EN DÉVELOPPEMENT DE LA MAIN-D'ŒUVRE (2003). *J'y suis, j'y reste — De ma formation au marché du travail,* Montréal.

COMMISSION DE L'ÉQUITÉ SALARIALE DU QUÉBEC (2005). Site Internet, www.ces.gouv. qc.ca.

CONSEIL DU STATUT DE LA FEMME (2004). *Vers un nouveau contrat social pour l'égalité entre les femmes et les hommes,* Québec.

DAUNE-RICHARD, A.-M. (2003). « La qualification dans la sociologie française : en quête des femmes », dans J. LAUFER et autres (sous la dir. de), *Le travail du genre — Les sciences sociales à l'épreuve des différences de sexes,* Paris, La Découverte, p. 138-150.

DAUNE-RICHARD, A.-M. (1998). «Qualifications et représentations sociales», dans M. Maruani (sous la dir. de), *Les nouvelles frontières de l'inégalité hommes et femmes sur le marché du travail,* La Découverte, coll. «Recherches».

DAVIDSON, M.J. et BURKE, R.J. (2004). «Les femmes dans le management, une perspective mondiale», *Revue française de gestion,* vol. 30, nº 151, p. 129-143.

DEGHILAGE, A. (1997). «Cadre supérieur se conjugue aussi au féminin», *Gestion 2000,* vol.13, nº 1, p. 99-111.

DINI-RICHARD, S. (2004). «Ségrégation hommes-femmes sur le marché du travail, un choix professionnel?», *Working Papers,* nº 371, Faculté des sciences économiques et sociales, Suisse, Université de Fribourg.

DESROCHERS, L. (2000). *Travailler autrement: pour le meilleur ou pour le pire? — Les femmes et le travail atypique - Recherche,* Québec, Conseil du statut de la femme, nº 200-02-R.

DONNÉES SOCIALES DU QUÉBEC. Édition 2005, Gouvernement du Québec, Institut de la statistique du Québec.

DRHC (2002). *L'égalité entre les sexes sur le marché du travail. Étude-Bilan — Rapport final,* Développement des ressources humaines Canada, [en ligne], www11.hrdc-drhc.gc.ca/edd-pdf/spah14910_f.pdf (page consultée le 21 juin 2006).

DUGRÉ, G. (2003). *Les stratégies identitaires des femmes œuvrant dans l'industrie de la construction,* Mémoire de maîtrise, HEC Montréal.

DUXBURY, L. et HIGGINS, C. (2001). *Work-Life Balance in the New Millennium: Where Are We? Where Do We Need to Go?,* Document de travail du RCRPP, dans *Vers un meilleur équilibre entre le travail et la vie professionnelle — Que font les autres pays?* (2004), DRHC.

FERRAND, M. (2004). *Féminin Masculin,* Paris, La Découverte, coll. «Repères».

FORTINO, S. (2002). *La mixité au travail,* Paris, La Dispute.

GAGNON, Y.-C. et LÉTOURNEAU, F. (1997). «Les facteurs qui influencent l'accès des femmes aux emplois supérieurs», *Gestion, revue internationale de gestion,* vol. 22, nº 4.

GELBACH, J.B. (2002). «Public Schooling for Young Children and Maternal Labor Supply», *The American Economic Review,* vol. 92, nº 1, mars, p. 307-322.

GROUPE DE TRAVAIL SUR L'ÉQUITÉ SALARIALE (2002). *L'équité salariale: notions élémentaires,* Gouvernement du Canada.

HAREL-GIASSON, F. (1990). «Femmes gestionnaires — L'actrice et l'organisation», dans J.-F. Chanlat (sous la dir. de), *L'individu dans l'organisation — Les dimensions oubliées,* Québec, Presses de l'Université Laval et ESKA, p. 407-416.

HEATH, J. (2001). *The Efficient Society — Why Canada is as close to utopia as it gets,* Toronto, Viking/Penguine Books.

HÉRITIER, F. (1996). *Masculin — Féminin, la pensée de la différence,* Paris, Odile Jacob.

HEWLETT, S.A. (2002). «Executive Women and the Myth of Having it All», *Harvard Business Review,* vol. 18, nº 4, p. 66-73.

HIRATA, H. (1996). «Division sexuelle du travail et du temps au Japon», dans H. Hirata et D. Sénotier (édit.), *Femmes et partage du travail,* Paris, Syros.

KANTER, R.M. (1977). *Men & Women of the corporation,* New York, Basic Books.

KAUFMANN, J.-C. (1993). *La sociologie du couple,* Paris, PUF, coll. «Que sais-je?», dans M. Ferrand (2004), *Féminin Masculin,* Paris, La Découverte, coll. «Repères», p. 93.

KERGOAT, D. (2004). «Division sexuelle du travail et rapports sociaux de sexe», dans H. Hirata et autres, *Dictionnaire critique du féminisme,* 2ᵉ éd. augmentée, Paris, Presses universitaires de France, p. 35-44.

LANQUETIN, M.-T. (2005). «Discrimination», dans M. Maruani (sous la dir. de), *Femmes, genre et sociétés — l'état des savoirs,* Paris, La Découverte, p. 85-93.

LAUFER, J. (2005). «L'égalité professionnelle», dans M. Maruani (sous la dir. de), *Femmes, genre et sociétés — L'état des savoirs,* Paris, Éditions La Découverte, p. 237-246.

LAUFER, J. (2004). «Femmes et carrières: la question du plafond de verre», *Revue française de gestion,* vol. 30, nº 151, p. 117-127.

LAUFER, J. (2003). *L'accès des femmes à la sphère de direction des entreprises: la construction du plafond de verre,* Rapport de synthèse Dares, octobre.

LAUFER, J., MARRY, C. et MARUANI, M. (sous la dir. de) (2003). *Le travail du genre — Les sciences sociales du travail à l'épreuve des différences de sexe*, Paris, La Découverte / MAGE, coll. « Recherches ».

LAUFER, J. (2002). « Travail, carrières et organisations : du constat des inégalités à la production de l'égalité », dans J. Laufer, C. Marry, et M. Maruani (sous la dir. de), *Masculin — Féminin : questions pour les sciences de l'homme*, 2e éd., Paris, PUF.

LAUFER, J. et FOUQUET, A. (2001). « À l'épreuve de la féminisation », dans P. Bouffartigue (sous la dir. de), *Cadres : la grande rupture*, Paris, La Découverte.

LAUFER, J. et FOUQUET, A. (1997). *Effet de plafonnement de carrière des femmes cadres et accès des femmes à la décision dans la sphère économique*, Groupe HEC, Centre d'études de l'emploi, service des droits des femmes, dans J. Laufer (2003), *L'accès des femmes à la sphère de direction des entreprises : la construction du plafond de verre*, Rapport de synthèse Dares, octobre.

LAUFER, J. (1996). « L'accès des femmes à la décision dans la sphère économique », dans F. Gaspard (sous la dir. de), *Les femmes dans la prise de décision*, l'Harmattan. Cité dans J. Laufer (2003) *L'accès des femmes à la sphère de direction des entreprises : la construction du plafond de verre*, Rapport de synthèse Dares, octobre.

LÉVY, B. (2002). « La mondialisation et l'économie du savoir : défis et occasions pour les femmes gestionnaires », *Gestion, revue internationale de gestion*, vol. 27 no 2.

MARUANI, M. (sous la dir. de) (2005). *Femmes, genre et sociétés — L'état des savoirs*, Paris, La Découverte.

MARUANI, M. (2003). *Travail et emploi des femmes*, Paris, La Découverte, coll. « Repères ».

MARUANI, M. (2002). « L'emploi féminin dans la sociologie du travail : une longue marche à petits pas », dans J. LAUFER et autres (sous la dir. de), *Masculin — Féminin : questions pour les sciences de l'homme*, Paris, PUF, p. 43-56.

MARUANI, M. et NICOLE, C. (1989). *Au labeur des dames — Métiers masculins, emplois féminins*, Paris, Syros / Alternatives.

MEURS, D. et PONTHIEUX, S. (2005). « Écarts de salaire », dans M. Maruani (sous la dir. de), *Femmes, genre et sociétés — L'état des savoirs*, Paris, La Découverte, p. 256-264.

MOLINIER, P. et WELZER-LANG, D. (2004). « Féminité, masculinité, virilité », dans H. Hirata et autres, *Dictionnaire critique du féminisme*, 2e éd. augmentée, Paris, PUF, p. 77-82.

MOLINIER, P. (1999). « Faire l'homme dans un travail de femme : souffrance et défense des infirmiers psychiatriques », dans M. Ferrand et C. Marry (sous la dir. de), *Du côté des hommes*, Document de travail, no 1, CNRS-MAGE, cité par S. Fortino (2002), dans *La mixité au travail*, Paris, La Dispute, p.155.

NANTEUIL-MIRIBEL, M. de. (2003). *L'Europe à l'heure de la flexibilité — Bilan et perspectives*, rapport 81, Bruxelles, Institut syndical européen.

OCDE — ORGANISATION DE COOPÉRATION ET DE DÉVELOPPEMENT ÉCONOMIQUE (2003a). « Les femmes sur le marché du travail : évidence empirique sur le rôle des politiques économiques et autres déterminants dans les pays de l'OCDE », *Revue économique de l'OCDE*, no 37, no 2.

OCDE — ORGANISATION DE COOPÉRATION ET DE DÉVELOPPEMENT ÉCONOMIQUE (2003b). *Bébés et employeurs — Comment réconcilier travail et vie de famille*, vol. 2, Autriche, Irlande et Japon, OCDE.

OCDE — ORGANISATION DE COOPÉRATION ET DE DÉVELOPPEMENT ÉCONOMIQUE (2000). *Regards sur l'Éducation*, dans *Portrait social du Québec : Données et analyses*, édition 2001, p. 210.

OTT, M.E. (1989). « Effects of the male-female ratio at work : Policewomen and male nurses », *Psychology of Women Quarterly*, no 13, p. 41-57.

SECRÉTARIAT À LA CONDITION FÉMININE (2004). *L'avenir des Québécoises — La suite des consultations de mars 2003*, Québec.

SHERIDON, A. et MILGATE, G. (2003). « She says, he says : women's and men's views of the composition of boards », *Women in Management Review*, vol. 18, no 3, p. 147-154.

SOFER, C. (2005). « La croissance de l'activité féminine », dans M. Maruani (sous la dir. de), *Femmes, genre et sociétés — L'état des savoirs*, Paris, La Découverte, p. 218-226.

SYMONS, G. (1990). « Les femmes cadres dans l'univers bureaucratique — Une perspective critique », dans J.-F. Chanlat (sous la dir. de), *L'individu dans l'organisation — Les dimensions oubliées*, Québec, Presses de l'Université Laval et ESKA, p. 417-429.

VAN PARIJS, P. (1991). *Qu'est-ce qu'une société juste — Introduction à la pratique de la philosophie politique*, Paris, Éditions du Seuil.

VILLENEUVE, D. et TREMBLAY, D.G. (1999). *Famille et travail, deux mondes à concilier*, Québec, Conseil de la famille et de l'enfance.

WAJCMAN, J. (2003). « Le genre du travail », dans J. Laufer et autres, *Le travail du genre — Les sciences sociales du travail à l'épreuve des différences de sexe*, Paris, La Découverte, p. 151-162.

WAJCMAN, J. (1998). *Managing like a man — women and men in corporate management*, Pennsylvania State University Press.

WIRTH, L. (2001). « Breaking Through the Glass Ceiling — Women in management », Genève, International Labour Office.

Bibliographie — Chapitre 8

ALBA, R. et NEE, V. (2003). *Remaking the American Mainstream: Assimilation and Contemporary Immigration*, Cambridge, M.A., Harvard University Press.

ADLER, N.J. (1994). *Comportement organisationnel. Une approche multiculturelle*, Repentigny (Québec), Les Éditions Reynald Goulet.

BARRETTE, C., GAUDET, E. et LEMAY, D. (1993). *Guide de la communication interculturelle*, Saint-Laurent (Québec), Éditions du Renouveau Pédagogique.

BARTH, F. (1969). *Ethnic Groups and Boundaries: The Social Organization of Cultural Difference*, Boston, Little Brown and Company.

BISSOONDATH, N. (1995). *Le marché aux illusions: la méprise du multiculturalisme*, Montréal, Boréal.

BOLLINGER, D. et HOFSTEDE, G. (1987). *Les différences culturelles dans le management*, Paris, Éditions d'organisation.

BONACICH, E. (1972). « A Theory of Ethnic Antagonism: The Split Labor Market », *American Sociological Review*, n° 37, octobre, p. 547-559.

BOURNE, R. (1977). *The Radical Will: Selected Writings, 1911-1918*, New York, Urizen Books.

BRETON, R. et autres (1980). *Cultural Boundaries and the cohesion of Canada*, Montréal, Institut de recherche sur les politiques publiques.

CARROLL, R. (1987). *Évidences invisibles. Américains et Français au quotidien*, Paris, Seuil.

CHEVRIER, S. (1995). *Les équipes interculturelles de travail*, thèse de doctorat, Montréal, Université du Québec à Montréal.

CITOYENNETÉ ET IMMIGRATION CANADA (2005). Site Internet, www.cic.gouv.ca.

DUPUIS, J.-P. et DUGRÉ, G. (2005). *Le rôle du facteur culturel dans l'internationalisation des PME québécoises: le cas de l'industrie du logiciel*, Montréal, HEC Montréal, Chaire de développement et de relève de la PME, Cahier de recherche n° 05-01, novembre.

FORTIER, M., FOURNIER, S., RICARD, P. et ROY, A. (1995). *Profil socio-économique des communautés culturelles. Secteur Sud-Région Saint-Laurent*, Hydro-Québec, Services à la clientèle et Bureau d'études sociographiques inc.

GAGNÉ, M. et CHAMBERLAND, C. (1999). « L'évolution des politiques d'intégration et d'immigration au Québec », dans M. McAndrew et autres (sous la dir. de), *Les politiques d'immigration et d'intégration au Canada et en France: analyses comparées et perspectives de recherche* (actes du séminaire tenu à Montréal du 20 au 22 mai 1998, Paris/Montréal), Ministère de l'Emploi et de la Solidarité de la France et Conseil de recherches en sciences humaines du Canada, p. 71-90.

GERMAIN, A. (1997). « Montréal: An Experiment in Cosmopolitanism within a Dual Society », *A discussion paper prepared for the Second International Metropolis Conference*.

GOUVERNEMENT DU QUÉBEC, MINISTÈRE DE L'IMMIGRATION ET DES COMMUNAUTÉS CULTURELLES (2005). Site Internet, www.micc.gouv.qc.ca.

GUILLAUMIN, C. (1981). « Femmes et théories de la société: Remarques sur les effets théoriques de la colère des opprimés », *Sociologie et sociétés*, vol. XIII, n° 2, p. 219-239.

JUTEAU, D. (1999). *L'ethnicité et ses frontières*, Montréal, Presses de l'Université de Montréal.

KASPI, A. (1986). *Les Américains. I. Naissance et essor des États-Unis, 1607-1945,* Paris, Éditions du Seuil, « coll. Points ».

KIVOSTO, P. et NG, W. (2005). *Americans Al: Race and Ethnic Relations in Historical, Structural and Comparative Perspectives,* 2e éd., Los Angeles, Roxbury Publishing Company.

LABELLE, M. et LÉVY, J.J. (1995). *Ethnicité et enjeux sociaux. Le Québec vu par les leaders des groupes ethnoculturels,* Saint-Laurent (Québec), Liber.

LEDUC, L. (1997). « Les banques flairent le filon asiatique », *Le Devoir,* 7 avril, p. B1.

LI, P.S. (1998). *The Chinese in Canada,* 2e éd., Toronto, Oxford University Press.

McANDREW, M. (2000). « Pluralisme et société : autres discours, une revue critique des approches et des concepts », conférence donnée dans le cadre du séminaire pluridisciplinaire en relations ethniques, Centre d'études ethniques des universités montréalaises, document non publié.

MARGER, M.N. (1985). *Race & Ethnic Relations : American and Global Perspective,* Californie, Wadsworth Publishing Company.

MOHAND, K. (1991). *L'intégration des Maghrébins en France,* Paris, Presses universitaires de France.

PENDAKUR, R. et PENDAKUR, K. (1998). « The Color of Money : Earning Differentials Among Ethnic Groups in Canada », *Canadian Journal of Economics,* vol. 31, mars, p. 518-548.

PERSONS, S. (1987). *Ethnic Studies at Chicago,* Chicago, University of Illinois Press.

PORTER, J. (1965). *The Vertical Mosaic,* Toronto, University of Toronto Press.

SCHNAPPER, D. (1994). *La communauté des citoyens. Sur l'idée moderne de nation,* Paris, Gallimard, NRF Essais.

STATISTIQUE CANADA (2005). Site Internet, www.statcan.ca.

TEAL, G. (1986). « Organisation du travail et dimensions sexuelle et ethnique dans une usine de vêtements (Montréal) », *Anthropologie et sociétés,* vol. 10, no 1, p. 33-57.

US CENSUS BUREAU (2005). Site Internet, www.census.gouv.

VENNE, M. (1997). « Si j'étais immigrant... » *Le Devoir,* 18 avril, p. A1.

VILLE DE MONTRÉAL (2001). Annuaire statistique des arrondissements de la nouvelle ville de Montréal. Site Internet, www.ville.montreal.qc.ca.

WEBER, M. ([1922]1995). *Économie et société/2. L'organisation et les puissances de la société dans leur rapport avec l'économie,* Paris, Éditions Plon, « coll. Pocket ».

ZOLBERG, A. et BRENDA, P. (2001). *Global Migrants, Global Refugees,* Washington, Berghahn.

Bibliographie — Chapitre 9

BAJOIT, G. (2003). *Le changement social. Approche sociologique des sociétés occidentales contemporaines,* Paris, Armand Colin.

BERNIER, J., VALLÉE, G. et JOBIN, C. (2003). *Les besoins de protection sociale des personnes en situation de travail non traditionnelle — Synthèse du rapport final,* Québec, Ministère du travail.

BOURDON, S. (1996). « Formes institutionnelles de fermeture d'espaces professionnels et insertion en emploi des diplômés », *Cahiers de la recherche en éducation,* vol. 3, no 1, p. 35-52.

CALDWELL, G. (1990). « Autorité », dans S. Langlois et autres, *La société québécoise en tendances, 1960-1990,* Québec, Institut québécois de recherche sur la culture, p. 281-283.

CASTRA, D. (1995). « Mécanismes implicites de prises de décision dans la situation de recrutement », *L'orientation scolaire et professionnelle,* vol. 2, p. 115-133.

CAVALLI, A. et GALLAND, O. (sous la dir. de) (1993). *L'allongement de la jeunesse,* Paris, Actes Sud.

CENTRE D'ÉTUDE SUR L'EMPLOI ET LA TECHNOLOGIE (CETECH) (2004). *Les travailleurs hautement qualifiés au Québec. Portrait dynamique du marché du travail,* Québec, Gouvernement du Québec.

CONSEIL PERMANENT DE LA JEUNESSE (2001). *Emploi atypique et précarité chez les jeunes — Une main-d'œuvre à bas prix, compétente et jetable !,* Québec.

DORAY, P., BÉLANGER, P. et MASSON, L. (2005). « Entre hier et demain : carrières et persévérance scolaires des adultes dans l'enseignement technique », *Lien social et Politiques - RIAC,* vol. 54, p. 75-89.

DUBERNET, A.C. (1996). « La sélection des qualités dans l'embauche. Une mise en scène de la valeur sociale », *Formation Emploi*, vol. 54, p. 3-14.

DUCHESNE, L. (2001). *La situation démographique au Québec. Bilan 2001*, Québec, Institut de la statistique.

GALLAND, O. (2005). « La jeunesse n'est plus ce qu'elle était… », dans O. Galland et B. Roudet (sous la dir. de), *Les jeunes Européens et leurs valeurs. Europe occidentale, Europe centrale et orientale*, Paris, Éditions La Découverte et INJEP, p. 305-311.

GALLAND, O. et ROUDET, B. (sous la dir. de) (2005). *Les jeunes Européens et leurs valeurs. Europe occidentale, Europe centrale et orientale*, Paris, Éditions La Découverte et INJEP.

GALLAND, O. et ROUDET, B. (sous la dir. de) (2001). *Les valeurs des jeunes. Tendances en France depuis 20 ans*, Paris, L'Harmattan.

GAUTHIER, H., JEAN, S., LANGIS, G., NOBERT, Y. et ROCHON, M. (2005). *Vie des générations et personnes âgées: aujourd'hui et demain*, vol. 1, Québec, Institut de la statistique du Québec.

GAUTHIER, M., LEBLANC, P., CÔTÉ, S., DESCHE-NAUX, F., LAFLAMME, C., MAGNAN, M.-O. et MOLGAT, M. (2006). *La migration des jeunes au Québec. Résultats d'un sondage 2004-2005 auprès des 20-34 ans du Québec*, Montréal, INRS Urba-nisation, Culture et Société, 167 p., [en ligne], www.obsjeunes.qc.ca/pdf/RapportNational.pdf (page consultée le 21 juin 2006).

GAUTHIER, M., HAMEL, J., MOLGAT, M., TROT-TIER, C. et VULTUR, M. (2004). *L'insertion pro-fessionnelle et le rapport au travail des jeunes qui ont interrompu leurs études secondaires ou collé-giales en 1996-1997*, Montréal, INRS Urbanisa-tion, Culture et Société, [en ligne], www.inrs-ucs. uquebec.ca/pdf/rap2004_07.pdf (page consultée le 21 juin 2006).

GAUTHIER, M. (sous la dir. de) (2003). *Regard sur… La jeunesse au Québec*, Sainte-Foy, PUL-IQRC, coll. « Regard sur… La jeunesse dans le monde ».

GAUTHIER, M. et CHARBONNEAU, J. (2002). *Jeunes et fécondité: les facteurs en cause. Revue de littérature et synthèse critique*, Sainte-Foy, INRS UCS, [en ligne], www.obsjeunes.qc.ca/pdf/ Jeune%20et%20fecondite.pdf (page consultée le 21 juin 2006).

GAUTHIER, M., MOLGAT, M. et CÔTÉ, S. (2001) *La migration des jeunes au Québec: résultats d'un sondage auprès des 20-34 ans du Québec*, Montréal, INRS Urbanisation, Culture et Société, [en ligne], www.obsjeunes.qc.ca/f/projets/espace/ realisations/sondage-20-34.pdf (page consultée le 21 juin 2006).

GAUTHIER, M. (1994). *Une société sans les jeunes?*, Québec, Institut québécois de recherche sur la culture.

GAUTHIER, M. (1990). *L'insertion de la jeunesse qué-bécoise en emploi*, Québec, Institut québécois de recherche sur la culture (rapport de recherche).

GAVIRIA, S. (2005). *Quitter ses parents. Une com-paraison franco-espagnole*, Rennes, Presses univer-sitaires de Rennes.

GENDRON, B. et HAMEL, J. (2004). « Travail, valeurs et être jeune. Quel rapport? », dans G. Pronovost, et C. Royer (sous la dir. de), *Les valeurs des jeunes*, Sainte-Foy, Presses de l'Uni-versité du Québec, p. 129-148.

INSTITUT DE LA STATISTIQUE DU QUÉBEC (2003). Tableaux statistiques sur la Société: Édu-cation, Québec. Site Internet, www.stat.gouv.qc.ca.

LAZUECH, G. (2000). « Recruter, être recrutable. L'insertion professionnelle des jeunes diplômés d'écoles d'ingénieurs et de commerce », *Formation Emploi*, vol. 69, p. 5-19.

MARQUARDT, R. (1998). « Qualité d'emploi pour les jeunes », dans Développement des ressources humaines Canada (sous la dir. de), *Le secondaire, est-ce suffisant? Une analyse des résultats de l'En-quête de suivi des sortants, 1995*, Ottawa, p. 49-56.

MERCURE, D. (2001). « Nouvelles dynamiques d'en-treprise et transformation des formes d'emploi. Du fordisme à l'impartition flexible », dans J. Bernier et autres (sous la dir. de), *L'incessante évolution des formes d'emploi et la stagnation des lois du travail*, Québec, Les Presses de l'Université Laval.

MINISTÈRE DE L'ÉDUCATION DU QUÉBEC (2003). *Indicateurs de l'Éducation*, Québec.

MOLGAT, M. (2002). « Leaving home in Quebec: Theoretical and social implications of (im)mobi-lity among youth », *Journal of Youth Studies*, vol. 5, nº 2, p. 135-152.

PAILLÉ, P. (1994). « L'intégration des jeunes tra-vailleurs dans des usines du secteur manufactu-rier », *Recherches sociographiques*, nº 2, p. 217-236.

PAPINOT, C. (2005). « Quelles frontières de la subordination salariale ? Logiques de débordement et tentatives d'endiguement du temps du travail chez les jeunes intérimaires en France », *Lien social et Politiques – RIAC*, vol. 54, p. 163-172.

PARAZELLI, M. (2004). « De la logique de prise en charge à une dialectique de la prise en compte », communication au colloque *Qu'attend-on des jeunes aujourd'hui ? Les jeunes et leurs valeurs*, Trois-Rivières, novembre.

PRONOVOST, G. et ROYER, C. (sous la dir. de) (2004). *Les valeurs des jeunes*, Sainte-Foy, Presses de l'Université du Québec.

ROBERGE, A. (1997). « Le travail salarié pendant les études », dans M. Gauthier et L. Bernier (sous la dir. de), *Les 15-19 ans. Quel présent ? Vers quel avenir ?*, Québec, Presses de l'Université Laval et Institut québécois de recherche sur la culture, p. 89-113.

ROY, J. (2006). *Les logiques sociales et la réussite scolaire des cégépiens*, Québec, PUL-IQRC, coll. « Regard sur… Série Analyses et Essais ».

ROY, J. (2004). « Valeurs des collégiens et réussite scolaire. Convergences et divergences, dans G. Pronovost et C. Royer (sous la dir. de), *Les valeurs des jeunes*, Sainte-Foy, Presses de l'Université du Québec, p. 93-109.

ROY, J. (2003). *Des logiques sociales qui conditionnent la réussite*, Sainte-Foy, Cégep de Sainte-Foy (rapport de recherche).

TAILLON, G. (2001). *Les défis majeurs des entreprises*, Conseil du Patronat, présentation au colloque annuel de la SQPTO, 16 novembre 2001.

TROTTIER, C. et TURCOTTE, C. (2004). « La scolarisation des jeunes Québécois », dans M. Gauthier (sous la dir. de), *Regard sur… La jeunesse au Québec*, Sainte-Foy, PUL-IQRC, coll. « Regard sur… La jeunesse dans le monde », p. 39-56.

TROTTIER, C. (2000). « Planifier ou explorer ? Les projets de formation et les stratégies d'insertion professionnelle des diplômés universitaires québécois », dans D.-G. Tremblay et P. Doray (sous la dir. de), *Vers de nouveaux modes de formation professionnelle ?*, Québec, PUQ, p. 259-270.

VULTUR, M. (2006). « Diplôme et marché du travail. La dynamique de l'éducation et le déclassement au Québec », *Recherches sociographiques*, vol. XLVII, n° 1, p. 41-68.

VULTUR, M., GAUTHIER, M. et TROTTIER, C. (2004). « L'emploi des jeunes sans diplôme », dans Michel Venne (sous la dir. de), *L'annuaire du Québec*, Montréal, Éditions Fides, p. 335-342.

VULTUR, M., TROTTIER, C. et GAUTHIER, M. (2002). « Les jeunes Québécois sans diplôme. Perspectives comparées sur l'insertion professionnelle et le rapport au travail », dans D.-G. Tremblay et L.F. Dagenais (sous la dir. de), *Ruptures, segmentations et mutations du marché du travail*, Québec, Presses de l'Université du Québec, p. 71-94.

ZOLL, R. (1992). *Nouvel individualisme et solidarité quotidienne. Essai sur les mutations socioculturelles*, Paris, Éditions Kimé.

OUVRAGES SCIENTIFIQUES SUR LES JEUNES, Site Internet, www.obsjeunes.qc.ca.

Bibliographie — Chapitre 10

AKTOUF, O. (2002). *La stratégie de l'autruche*, Montréal, Écosociété.

AKTOUF, O. (1989). *Le management entre tradition et renouvellement*, 3ᵉ éd., Boucherville, Gaëtan Morin Éditeur.

ALBERT, M. (1991). *Capitalisme contre capitalisme*, Paris, Seuil.

ALTER, N. (2002). *L'innovation ordinaire*, Paris, PUF.

ALTER, N. (1996). *Sociologie de l'entreprise et de l'innovation*, Paris, PUF.

ALTERNATIVES SOCIALES (1994). *Souffrances et précarités au travail. Paroles de médecins du travail*, Paris, Syros.

ANDREFF, W. (2003). *Les multinationales globales*, Paris, La Découverte.

ANDREFF, W. (1996). *Les multinationales globales*, Paris, La Découverte.

ARON, R. (1962). *Dix-huit leçons sur la société industrielle*, Paris, Gallimard.

ASKENAZY, P. (2004). *Les désordres du travail, Enquête sur le nouveau productivisme*, Paris, Seuil.

ATKINSON, T., GLAUDE, M., OLIER, L. et PIKKETTY, T. (2001). *Inégalités économiques*, Paris, La documentation française.

AUBERT, N. (2003). *Le culte de l'urgence. La société malade du temps*, Paris, Flammarion.

AUBERT, N. et GAULEJAC, V. de (1991). *Le coût de l'excellence*, Paris, Seuil.

BAECHLER, J. (1995). *Le capitalisme*, Paris, Gallimard.

BAKAN, J. (2204). *The Corporation: the Pathological Pursuit of Profit and Power*, New York, The Free Press.

BAUDELOT, C., GOLLAC, M. et autres. (2003). *Travailler pour être heureux? Le bonheur et le travail en France*, Paris, Fayard.

BÉLANGER, P. et LÉVESQUE, B. (1996). *La modernisation sociale des entreprises*, Montréal, Presses de l'Université de Montréal.

BERNOUX, P. (1995). *Sociologie de l'entreprise*, Paris, Seuil.

BOLLINGER, D. et HOFSTEDE, G. (1987). *Les différences culturelles dans le management: comment chaque pays gère-t-il ses hommes?*, Paris, Éditions d'organisation.

BOYER, R. et DURAND, J.-P. (1993). *L'après-fordisme*, Paris, Syros.

BRAUDEL, F. (1985). *La dynamique du capitalisme*, Paris, Arthaud.

BRUNSTEIN, I. (sous la dir. de) (1999). *L'homme à l'échine pliée. Réflexions sur le stress professionnel*, Paris, Desclée de Brouwer.

BUREAU INTERNATIONAL DU TRAVAIL (BIT) (2000). *Le stress dans l'industrie*, Genève, Bureau international du travail.

BURGENMEIER, B. (1994). *La socio-économie*, Paris, Economica.

CAPRON, M. et QUAIREL-LANOIZELÉE, F. (2004). *Mythes et réalités de l'entreprise responsable*, Paris, La Découverte.

CARPENTIER-ROY, M.-C. et VÉZINA, M. (sous la dir. de) (2003). *Le travail et ses malentendus*, Ste-Foy, Les Presses de l'Université Laval.

CARPENTIER-ROY, M.-C. et VÉZINA, M. (sous la dir. de) (2001). *Le travail et ses malentendus*, Toulouse, Octarès Éditions.

CARPENTIER-ROY, M.-C., CHANLAT, J.-F., LANOIE, P. et PATRY, L. (1997). *Ergonomie participative, mode de gestion et performance et prévention des accidents du travail: le cas de la Société des alcools du Québec*, rapport de recherche, Montréal, IRSST.

CARPENTIER-ROY, M.-C. (1995). *Corps et âme, essai de psychopathologie du travail infirmier*, Montréal, Liber.

CASTEL, R. (2002). *L'insécurité sociale*, Paris, Seuil.

CASTEL, R. (1995). *Les métamorphoses de la question sociale*, Paris, Fayard.

CENTRE DES JEUNES DIRIGEANTS (CJD) (1996). *L'entreprise au XXIᵉ siècle. Lettre ouverte aux dirigeants pour réconcilier l'entreprise et la société*, Paris, Flammarion.

CHANLAT, J.-F. et C. BARMEYER (sous la dir. de) (2004). *Numéro spécial: Cultures, nations et gestion, Management international*, mai.

CHANLAT, J.-F. (2002). «Le manager à l'écoute des sciences sociales», dans M. Kalika, *Les défis du management*, Paris, Liaisons sociales.

CHANLAT, J.-F. (1999). «Modes de gestion et stress professionnel», dans I. Brunstein, *L'homme à l'échine pliée*, Paris, Desclée de Brouwer.

CHANLAT, J.-F. (1998). *Sciences sociales et management*, Sainte-Foy, Les Presses de l'Université Laval, Paris, Éditions Eska.

CHANLAT, J.-F. (1992a). «Peut-on encore faire carrière?», *Gestion*, vol. 17, nº 3, p. 100-111.

CHANLAT, J.-F. (1992b). «Votre mode de gestion est-il malade?», *Prévention*, vol. 5, nº 4, p. 22-23.

COHEN, E. (1996). *La tentation hexagonale*, Paris, Fayard.

COMMUNAUTÉ ÉCONOMIQUE EUROPÉENNE (CEE) (1994). *European Conference on Stress at Work: A Call for Action: Proceedings*, Dublin, European Foundation for The Improvement of Living and Working Conditions.

COMTE-SPONVILLE, A. (2004). *Le capitalisme est-il moral?*, Paris, Albin Michel.

CRUVER, B. (2003). *Enron Anatomy of Greed*, Londres, Arrow Books.

DANIELLOU, F. (sous la dir. de) (1996). *L'ergonomie en quête de ses principes*, Toulouse, Octarès Éditions.

DE BANDT, J., DEJOURS, C. et DUBAR, C. (1995). *La France malade du travail*, Paris, Bayard Éditions.

DEJOURS, C. (2004). *L'évaluation du travail à l'épreuve du réel*, Paris, Éditions INRA.

DEJOURS, C. (1998). *Souffrance en France*, Paris, Seuil.

DEJOURS, C. (1993; 2000). *Travail et usure mentale*, Paris, Bayard.

DUBAR, C. (2000). *La crise des identités*, Paris, PUF.

DUBAR, C. (1991). *La socialisation. Construction des identités sociales et professionnelles,* Paris, Armand Colin.

DUFOUR, M. et CHANLAT, A. (1985). *La rupture entre l'entreprise et les hommes,* Montréal, Québec/ Amérique, Paris, Éditions d'organisation.

DUPUIS, J.-P. (sous la dir. de) (1995). *Le modèle québécois de développement économique. Débats sur son contenu, son efficacité et ses liens avec les modes de gestion des entreprises,* Cap-Rouge, Presses Inter Universitaires.

DUPUY, F. (2005). *La fatigue des élites, Le capitalisme et ses cadres,* Paris, Seuil.

DUPUY, F. (2004). *Sociologie du changement,* Paris, Dunod.

EHRENREICH, B. (2001). *Nickel and Dimed,* New York, Metropolitan Books.

ENRIQUEZ, E. (1997). *Les jeux du désir et du pouvoir dans l'entreprise,* Paris, Desclée de Brouwer.

ENRIQUEZ, E. (1992). *L'organisation en analyse,* Paris, PUF.

FISCHER, G.-N. (1992). *Psychologie des espaces de travail,* Paris, Armand Colin.

FOURASTIÉ, J. (1958). *Le grand espoir du XXᵉ siècle,* Paris, PUF.

FRANCFORT, I., OSTY, F., SAINSAULIEU, R. et UHALDE, M. (1995). *Les mondes sociaux de l'entreprise,* Paris, Desclée de Brouwer.

FREEMAN, R.B. (1996). « Toward an apartheid economy », *Harvard Business Review,* sept.-oct., p. 114-126.

FRIEDMAN, M. (1970). « The social responsibility of business is to increase its profits », *New York Times Magazine,* 13 septembre.

FRIEDMANN, G. et NAVILLE, P. (1962). *Traité de sociologie du travail,* Paris, Armand Colin.

FUCINI, J. et FUCINI, J. (1990). *Working for the Japanese,* New York, The Free Press.

GALBRAITH, J.K. (1996). *The Good Society,* New York, Houghton Mifflin.

GALBRAITH, J.K. (1967). *Le nouvel état industriel,* Paris, Gallimard.

GAULEJAC, V. de (2005). *La société malade de la gestion,* Paris, Seuil.

HIRSCHMAN, A.O. (1984). *Les passions et les intérêts,* Paris, PUF.

HOFSTEDE, G. (2002). *Culture's Consequences: Comparing Values, Behaviors, Institutions and Organizations Across Nations,* Londres, Sage.

HOPE, T. et HOPE, J. (1996). *Transforming the Bottom Line,* Londres, Nicholas Brealey.

HUTTON, W. (2002). *The World We're In,* Londres, Little Brown.

IRIBARNE, P. d' (2003). *Le tiers-monde qui réussit,* Paris, Odile Jacob.

IRIBARNE, P. d' (1998). *Cultures et mondialisation,* Paris, Seuil.

IRIBARNE, P. d' (1989). *La logique de l'honneur,* Paris, Seuil.

JOLLY, A. *Fiefs et entreprises en Amérique latine,* Ste-Foy, Les Presses de l'Université Laval, 2004.

JONES, E.L. (1981). *The European Miracle: Environments, Economics and Geopolitics in the History of Europe and Asia,* Cambridge (G.-Br.), Cambridge University Press.

KALIKA, M. (sous la dir. de) (2005). *Management européen et mondialisation,* Paris, Dunod.

KALIKA, M. (sous la dir. de) (2002). *Les défis du management,* Paris, Édition Liaisons sociales.

KAMDEM, E. (2002). *Management et interculturalité en Afrique, Expérience camerounaise,* Ste-Foy, Les Presses de l'Université Laval, Paris, L'Harmattan.

KARASEK, R. et THEORELL, R. (1990). *Healthy Work, Stress, Productivity and the Reconstruction of Working Life,* New York, The Free Press.

KENNEDY, P. (1989). *Naissance et déclin des grandes puissances,* Paris, Payot.

KLEIN, N. (2001). *No Logo,* Montréal, Leméac, Paris, Actes Sud.

LEMAÎTRE, F. (2005). « La mondialisation du patriotisme économique », *Le Monde,* 13 août.

MARMOT, M. et WILKINSON, R.G. (édit.) (2000). *Social Determimants of Health,* Oxford, Oxford University Press.

MARTIN, D., METZGER, J.-L. et PIERRE, P. (2003). *Les métamorphoses du monde. Sociologie de la mondialisation,* Paris, Seuil.

MARX, K. (1967). *Le capital,* Paris, Éditions sociales. Ouvrage publié pour la première fois en 1867.

MINTZBERG, H. (2004). *Managers Not MBAs,* New York, Prentice-Hall.

OSTY, F. (2003). *Le désir de métier, Engagement, identité et reconnaissance au travail,* Rennes, Presses universitaires de Rennes.

OUIMET, G. (1997). «Régime minceur organisationnel: lorsque les lipides sont les employés», *Info ressources humaines,* vol. 19, n° 5, avril-mai-juin, p. 10-13.

PALMADE, J. (sous la dir. de) (2003). *L'incertitude comme norme,* Paris, PUF.

PASSET, R. (2000). *L'illusion néo-libérale,* Paris, Fayard.

PASSET, R. (1996). *L'économique et le vivant,* Paris, Economica.

PASQUERO, J. (1995). *Éthique et entreprises: le point de vue américain,* Actes du colloque «Entreprises et société», Association internationale des sociologues de langue française (AISLF), Montréal, 21-23 août.

PERRET, B. et ROUSTANG, G. (1993). *L'économie contre la société,* Paris, Seuil.

PESQUEUX, Y, et BIEFNOT, Y. (2002). *L'éthique des affaires,* Paris, Éditions d'organisation.

PESQUEUX, Y. (2000). *Le gouvernement de l'entreprise comme idéologie,* Paris, Ellipses.

POLANYI, K. (1974). *La grande transformation,* Paris, Gallimard.

RIFKIN, J. (2004). *The European Dream: How Europe's Vision of the Future Is Quietly Eclipsing the American Dream,* New York, Jeremy P. Tarcher/Penguin.

RIFKIN, J. (1995). *The End of Work,* New York, The Free Press.

RITZER, G. (édit.) (2002). *McDonaldization, The Reader,* Thousand Oaks (Calif.), Pine Forge Press.

RITZER, G. (1993). *The McDonaldization of Society,* Thousand Oaks (Calif.), Pine Forge Press.

SAINSAULIEU, R. (2001). *Des sociétés en mouvement,* Paris, Desclée de Brouwer.

SAINSAULIEU, R. (1997). *Sociologie de l'entreprise: organisation, culture et développement,* Paris, Presses de la Fondation des sciences politiques.

SAINSAULIEU, R. (sous la dir. de) (1990). *L'entreprise, une affaire de société,* Paris, Presses de la Fondation des sciences politiques.

SCHLOSSER, E. (2001). *Fast Food Nation,* Boston, Houghton Mifflin.

SCHUMPETER, J. (1951). *Capitalisme, socialisme et démocratie,* Paris, Payot.

SEGRESTIN, D. (1992). *Sociologie de l'entreprise,* Paris, Armand Colin.

SEN, A. (1999). *L'économie est une science morale,* Paris, La Découverte.

SENNETT, D. (1998). *Un travail sans qualité,* Paris, Fayard.

SINCLAIR, U. (1981). *The Jungle,* New York, Bantam Books. Ouvrage publié pour la première fois en 1906.

SMITH, A. (1976). *Recherches sur la nature et les causes de la richesse des nations,* Paris, Gallimard. Ouvrage publié pour la première fois en 1776.

SOARES, A. (2002). «Dossier: Les émotions au travail», *Travailler,* n° 9.

SOROS, G. (1997). «The capitalist threat», *The Atlantic Monthly,* février, p. 45-58.

STIGLITZ, R. (2003). *Quand le capitalisme perd la tête,* Paris, Fayard.

TERSSAC, G. de et TREMBLAY, D. (2000). *Où va le temps de travail?,* Toulouse, Octarès Éditions.

THUDEROZ, C. (1997). *Sociologie des entreprises,* Paris, La Découverte.

THUROW, L. (1996). *The Future of Capitalism,* New York, William Morrow and Company, Inc.

TIME (1997). «Big Tobacco Takes a Hit», 30 juin, p. 19-25.

TODD, E. (1998). *La diversité humaine,* Paris, Seuil.

TODD, E. (1984). *L'enfance du monde, structures familiales et développement,* Paris, Seuil.

TURNER, B. (édit.) (1990). *Organizational Symbolism,* Berlin, de Gruyter.

VÉZINA, M., COUSINEAU, M., MERGLER, D. et VINET, A. (1992). *Pour donner un sens au travail. Bilan et orientations en santé mentale au Québec,* Boucherville, Gaëtan Morin Éditeur.

VILLETTE, M. et VUILLERMOT, C. (2005). *Portrait de l'homme d'affaires en prédateur,* Paris, La Découverte.

VILLETTE, M. (1996). *Le manager jetable,* Paris, La Découverte.

WAGNER, P. (1995). *Liberté et discipline,* Paris, Minuit.

WEBER, M. (1991). *Histoire économique,* Paris, Gallimard.

WEBER, H. (2005). *Du ketchup dans les veines. Pourquoi les employés adhèrent-ils à l'organisation chez McDonald's?*, Paris, Érès.

WHITLEY, R. (1992a). *Business Systems in East Asia: Firms, Markets and Societies*, Londres, Sage.

WHITLEY, R. (sous la dir. de) (1992b). *European Business Systems: Firms, Markets and Their National Contexts*, Londres, Sage.

WOLMAN, E. et COLAMOSCA, A. (1997). *The Judas Economy. The Triumph of Capital and the Betrayal of Work*, New York, Addison-Wesley Publishing Company Inc.

Bibliographie — Chapitre 11

BAECHLER, J. (1971). *Les origines du capitalisme*, Paris, Gallimard NRF.

BAUDRILLARD, J. (1970). *La société de consommation*, Paris, Gallimard, coll. «Idées».

BOURDIEU, P. (1979). *La distinction. Critique sociale du jugement*, Paris, Éditions de Minuit, coll. «Le sens commun».

CLASTRES, P. (1974). *La société contre l'État*, Paris, Éditions de Minuit, coll. «Critique».

CHAUVEL, L. (2001). «Le retour des classes sociales?», *Revue de l'OFCE*, octobre, p. 315-359.

DÉRY, R. (1997). «Homo-administrativus et son double: du bricolage à l'indiscipline», *Gestion, revue internationale de gestion*, vol. 22, n° 2, p. 27-33.

DÉRY, R. (1995). «L'impossible quête d'une science de la gestion», *Gestion, revue internationale de gestion*, septembre, vol 20, n° 3, p. 35-46.

DOUGLAS, M. (1999). *Comment pensent les institutions*, Paris, La Découverte/MAUSS.

DUMONT, L. (1985). *Homo aequalis I. Genèse et épanouissement de l'idéologie économique*, Paris, Gallimard, «Bibliothèque des sciences humaines».

DUMONT, L. (1983). *Essais sur l'individualisme. Une perspective anthropologique sur l'idéologie moderne*, Paris, Seuil, coll. «Esprit».

DURKHEIM, E. (1986). *De la division du travail social*, Paris, PUF, coll. «Quadrige».

DURKHEIM, E. (1985). *Le suicide. Étude de sociologie*, Paris, PUF, coll. «Quadrige».

DURKHEIM, E. (1983). *Les règles de la méthode sociologique*, Paris, PUF, coll. «Quadrige».

EHRENREICH, B. (2004). *L'Amérique pauvre. Comment ne pas survivre en travaillant*, Paris, Grasset.

FAUCONNET, P. et MAUSS, M. (1901). «Sociologie», *La Grande Encyclopédie*, vol. 30, Société anonyme de la Grande Encyclopédie, Paris.

FUKUYAMA, F. (1993). *La fin de l'histoire et le dernier homme*, Paris, Flammarion, coll. «Champs».

FAYOL, H. (1999). *Administration industrielle et générale*, Paris, Dunod, coll. «Stratégies et management».

GALBRAITH, J. K. (1961). *L'ère de l'opulence*, Paris, Calmann-Lévy, coll. «Liberté de l'esprit».

GRANOVETTER, M. (2000). *Le marché autrement. Les réseaux dans l'économie*, Paris, Desclée de Brouwer, coll. «Sociologie économique».

HAYEK, F.A. (1993). *La présomption fatale. Les erreurs du socialisme*, Paris, PUF, coll. «Libre échange».

HIRSCHMAN, A.O. (1980). *Les passions et les intérêts. Justifications politiques du capitalisme avant son apogée*, Paris, PUF, coll. «Quadrige».

LE GOFF, J. (1986). *La bourse et la vie. Économie et religion au Moyen Âge*, Paris, Hachette, coll. «Pluriel».

LE GOFF, J. (1981). *La naissance du purgatoire*, Paris, Gallimard, coll. «Folio Histoire».

LOCKE, J. (2002). *Traité du gouvernement civil*, Chicoutimi, Université du Québec à Chicoutimi, Les classiques des sciences sociales (édition électronique).

MARX, K. et ENGELS, F. (1976). *Manifeste du parti communiste*, Paris, Éditions sociales, coll. «Classiques du marxisme».

MARX, K. (1963 a). «Le Capital. Livre premier», dans *Œuvres. Économie I*, Paris, Gallimard, coll. «Bibliothèque de la Pléiade», p. 537-1408.

MARX, K. (1963 b). «Misère de la philosophie», dans *Œuvres. Économie I*, Paris, Gallimard, coll. «Bibliothèque de la Pléiade», p. 1-138.

MAUSS, M. (1967). *Manuel d'ethnographie*, Paris, Payot, coll. «Petite bibliothèque Payot».

MAUSS, M. (1966). «Essai sur le don», dans *Sociologie et Anthropologie*, Paris, PUF, coll. «Quadrige».

MUSIL, R. (1956). *L'homme sans qualités,* Paris, Seuil, coll. «Points Roman», 2 volumes.

POLANYI, K. (1983). *La Grande Transformation. Aux origines politiques et économiques de notre temps,* Paris, Gallimard, «Bibliothèque des sciences humaines».

POLANYI, K. et ARENSBERG, C. (1975). *Les systèmes économiques dans l'histoire et dans la théorie,* Paris, Librairie Larousse, «Sciences Humaines et Sociales».

PROUDHON, P.-J. (2002). *Qu'est-ce que la propriété? Ou recherches sur le principe du droit et du gouvernement. Premier mémoire,* Chicoutimi, Université du Québec à Chicoutimi, Les classiques des sciences sociales (édition électronique).

RIFKIN, J. (1996). *La fin du travail,* Paris, La Découverte.

SAHLINS, M. (1976). *Âge de pierre, âge d'abondance. L'économie des sociétés primitives,* Paris, Gallimard, «Bibliothèque des sciences humaines».

SAMUELSON, P.A. et NORDHAUS, W.D. (1998). *Micro-économie,* Paris, Les Éditions d'Organisation, 14ᵉ éd.

SIMIAND, F. (1932). *Le salaire, l'évolution sociale et la monnaie: essai de théorie expérimentale du salaire,* Paris, Alcan, 3 volumes.

SMITH, A. (1991). *Recherches sur la nature et les causes de la richesse des nations,* Paris, Flammarion, coll. «GF», 2 volumes.

SOLÉ, A. (2006). «Une volonté de bonheur totalitaire», communication au 3ᵉ Congrès «Philosophie et management», IAE de Lille, 24 mai.

SOLÉ, A. (2003). «L'entreprise: une invention latine?», communication au *II Coloquio Internacional «Analise de Organizaçoes: Perspectivas Latinas»,* Salavador de Bahia, Brésil, 16-18 juin.

SOLÉ, A. (2000). *Créateurs de mondes. Nos possibles, nos impossibles,* Paris, Éditions du Rocher, coll. «Transdisciplinarité».

STIGLITZ, J. E. et WALSH, C. E. (2004). *Principes d'économie moderne,* Paris, De Boeck, coll. «Ouvertures économiques», 2ᵉ éd.

TAYLOR, F. W. (1911). *Principes d'organisation scientifique des usines,* Paris, Dunod.

WEBER, M. (1991). *Histoire économique. Esquisse d'une histoire universelle de l'économie et de la société,* Paris, Gallimard, «Bibliothèque des sciences humaines».

WEBER, M. (1971). *Économie et société. Tome premier,* Paris, Plon, «Recherches en sciences humaines».

WEBER, M. (1964). *L'éthique protestante et l'esprit du capitalisme,* Paris, Plon, «Recherches en sciences humaines».

WEBER, M. (1959). *Le savant et le politique,* Paris, Plon, coll. «10/18».